TEOLOGIA SISTEMATICA
III

VERDAD E IMAGEN
75

PAUL TILLICH

TEOLOGIA SISTEMATICA

III
LA VIDA Y EL ESPIRITU
LA HISTORIA
Y EL REINO DE DIOS

EDICIONES SIGUEME
SALAMANCA
1984

A Hannah
La compañera de mi vida

Título original: *Systematic theology III*
Tradujo: *Damián Sánchez-Bustamante Páez*
© The University of Chicago Press, Chicago 1963
© Ediciones Sígueme, S.A., 1984
    Apartado 332-Salamanca (España)
ISBN: 84-301-0862 (obra completa)
ISBN: 84-301-0940-4 (tomo III)
Depósito legal: S. 474-1982
Printed in Spain
Imprime: Gráficas Ortega, S.A.
Polígono El Montalvo-Salamanca, 1984

CONTENIDO

Prefacio 9

Introducción 11

Cuarta parte: LA VIDA Y EL ESPIRITU 19

  I. La vida, sus ambigüedades, y la búsqueda de una vida
     sin ambigüedades 21
  II. La presencia espiritual 141
  III. El Espíritu divino y las ambigüedades de la vida 203
  IV. Los símbolos trinitarios 343

Quinta parte: LA HISTORIA Y EL REINO DE DIOS 357

  I. La historia y la búsqueda del reino de Dios 363
  II. El reino de Dios en el interior de la historia 435
  III. El reino de Dios como el final de la historia 473

Indice de autores y materias 507

Indice general 515

PREFACIO

Con este tercer volumen, que aparece seis años más tarde que el segundo volumen que, a su vez, quedó distanciado del primero por un mismo espacio de tiempo, doy por terminada mi obra de Teología sistemática. *La prolongada diferencia de años que se ha interpuesto entre la publicación de los distintos volúmenes se debe no sólo a la inmensidad —cualitativa y cuantitativa— de los temas tratados, sino también a aquellas otras limitaciones que han sido impuestas a mi tiempo, del que no puedo disponer muchas veces en aras de mi trabajo como teólogo sistemático: tales han sido entre otras, verme prácticamente obligado a la publicación de otros libros no tan extensos y menos especializados, en los que he ampliado problemas concretos, así como también la presentación de mis puntos de vista en conferencias y charlas en muchos lugares de este país y del extranjero. He procurado atender favorablemente todas las peticiones que se me dirigían porque las consideraba justificadas, si bien era consciente de que en ello iba implicado un retraso de lo que consideraba como mi tarea principal.*

Pero llegó un momento en que, teniendo en cuenta mi edad, creí que ya no podía permitirme nuevos aplazamientos, aun a pesar de que se tiene siempre la impresión de que no se ha trabajado suficientemente un libro en el que se debaten tantas y tan problemáticas materias. Por todo ello llega un momento en que el autor debe aceptar su finitud y con ella las imperfecciones de lo que se pretende perfecto. Una motivación poderosa me la proporcionaban los estudiantes que preparaban su doctorado y que año tras año me venían pidiendo que los fragmentos manuscritos de mi tercer volúmen fueran ya recopilados pues su intención era preparar una tesis sobre mi teología. Se tenía que poner fin a esta situación y finalmente se tenía que dar satisfacción a tantas y tantas peticiones que insistían en la publicación del tercer volumen. Mis amigos y yo también temimos algunas veces que el sistema quedara reducido a un simple fragmento, pero no ha sido así, aun cuando este sistema, en el mejor de los casos, siempre resultará fragmentario y con frecuencia será inadecuado y discutible.

Muestra hasta dónde ha llegado mi pensamiento teológico; ahora bien, un sistema debe ser no sólo un punto de partida. Debe ser como una parada en la que la verdad preliminar cristaliza en la incesante búsqueda de la verdad.

Quiero dar las gracias a Elizabeth Boone quien ha corregido mi redacción —con sus inevitables germanismos—, a William Crout, que leyó las galeradas de prueba, y a Elizabeth Stoner y María Pelikan que colaboraron en la preparación del índice. Quiero dar también las gracias a mi ayudante, Clark Williamson, que ha sido el responsable principal de la edición de este tercer volumen, por el gran interés que ha manifestado en llevar a cabo tan ardua tarea así como por las provechosas conversaciones que mantuvimos acerca de algunos problemas especiales. Quedo también muy agradecido a los editores que aguardaron amable y pacientemente la lenta evolución de los tres volúmenes.

INTRODUCCION

La pregunta «¿Por qué una teología sistemática?» se ha venido repitiendo desde la aparición del primero de mis volúmenes dedicados a la misma. En uno de los libros en que se hace un estudio crítico de mi teología, *The system and the gospel (El sistema y el evangelio)*, de Kenneth Hamilton, se aduce como el error más característico y decisivo de mi teología, el hecho mismo del sistema. Un tal argumento se podría aducir, por supuesto, contra todos los sistemas teológicos que se han ido elaborando a lo largo de la historia del pensamiento cristiano, desde Orígenes, Gregorio y Juan Damasceno hasta Buenaventura, Tomás y Ockham y, finalmente, Calvino, Johann Gerhard y Schleiermacher, por no citar una lista interminable de nombres. Son muchas las razones que fomentan una especie de aversión hacia toda teología desarrollada a modo de sistema: una es la de confundir un sistema deductivo, cuasi-matemático, como fue el de Lulio en la edad media y el de Spinoza en los tiempos modernos, con el mismo procedimiento sistemático. Son muy pocos los ejemplos de sistemas deductivos que se pueden aducir, si bien en todos ellos la forma deductiva llega como algo extrínseco a la materia que está en cuestión. La influencia de Spinoza es profética y mística al mismo tiempo que metafísica. Existen, sin embargo, otras motivaciones que rechazan cualquier sistema. En teología se considera que con frecuencia la forma sistemática es un intento de racionalización del hecho revelado. Pero este motivo no distingue entre la necesidad justificada de ser coherente en las propias afirmaciones y el intento injustificado de deducir afirmaciones teológicas de fuentes ajenas al hecho revelado.

El significado que para mí ha tenido la elaboración de mi teología de una manera sistemática es el siguiente: ante todo me ha obligado a ser coherente. La coherencia genuina es una de las más arduas tareas en teología (como lo es probablemente en toda aproximación cognoscitiva a la realidad) y nadie logra salirse airoso del todo. Ahora bien, cuando se hace una nueva afirmación, la necesidad de revisar las anteriores para constatar si son o no compatibles, viene a ser una manera drástica de reducir las incoherencias. Luego, y esto no deja de ser una gran sorpresa, la forma sistemática viene a ser el instrumento mediante el cual se ponen al descubierto unas relaciones entre símbolos y conceptos que, de otra manera, no habrían salido a la luz. Y por último, la elaboración sistemática me ha llevado a concebir, como un todo, el objeto de la teología, como una *Gestalt* en la que se articulan muchas partes y elementos mediante unos principios determinantes y unas interrelaciones dinámicas.

Subrayar la importancia del método sistemático no debilita la afirmación de que todo sistema es transitorio ni la de que el sistema definitivo todavía está por encontrar. Aparecen nuevos principios de integración, elementos que han sido dejados de lado cobran un significado medular, se puede llegar a nuevas matizaciones en el método y más perfectas e incluso a un cambio total, y de esta manera se puede alcanzar una nueva concepción de la estructura global. Esta es la suerte que corren todos los sistemas y este es también el ritmo que ha seguido la historia del pensamiento cristiano a través de los siglos: en los sistemas cristalizaba la discusión de problemas particulares y de los mismos arrancaban nuevas discusiones y los últimos problemas. Mi esperanza no es otra que el presente sistema pueda desempeñar, con sus inevitables limitaciones, una idéntica función.

Una característica especial —que ha sido anotada y criticada— de estos tres volúmenes, es la del lenguaje empleado y la manera de emplearlo. Se aparta de la manera ordinaria de emplear el lenguaje bíblico en la teología sistemática, que consiste en apoyar afirmaciones particulares con citas bíblicas apropiadas. Ni se sigue el método más convincente de elaborar un sistema teológico sobre las bases de una «teología bíblica» histórico-crítica, si bien se puede reconocer su influencia en todas y cada una de las distintas partes del sistema. En su lugar, las preferencias se decantan por los conceptos filosóficos y teológicos y se hacen referencias constantemente a las teorías sociológicas y científicas. Este procedimiento parece el más apropiado para una teología sistemática que intenta hablar un lenguaje que sea inteligible a un amplio grupo de gente formada, entre los que se incluye a los estudiantes de teología de mentalidad abierta, para quienes el lenguaje tradicional ya no tiene garra. Soy consciente, claro está, del peligro de que, de esta manera, se pierda la substancia del mensaje cristiano, pero a pesar de todo es un peligro que se ha de afrontar, para proseguir luego en esa misma dirección emprendida, ya que los peligros no son motivo suficiente para no dar una respuesta a lo que es una petición seria. En nuestros días se puede constatar fácilmente el hecho de que la iglesia romano-católica está mucho más abierta a las exigencias de la reforma que las mismas iglesias de la reforma. Si no fuera por la convicción de que el acontecimiento en el que nació el cristianismo tiene un significado central para toda la humanidad, la anterior y la posterior al acontecimiento, es más que seguro que no se habrían escrito estos tres volúmenes. Pero la manera como se puede entender y acoger este acontecimiento sigue las cambiantes condiciones de todos los períodos de la historia. Y, por otro lado, si no hubiera intentado, a lo largo de la mayor parte de mi vida, penetrar en el significado de los símbolos cristianos, que se han ido haciendo cada vez más problemáticos en el contexto cultural de nuestro tiempo, tampoco habría visto la luz del sol esta obra. Al no serme posible admitir que la fe sea inaceptable para la cultura y la cultura para la fe, la única alternativa posible era intentar la interpretación de los símbolos de la fe a través de las expresiones de nuestra propia cultura. El resultado de este intento son los tres volúmenes de la *Teología sistemática*.

Antes de que yo diera por acabado el presente y último volumen han ido apareciendo varios libros y muchos artículos criticando mi teología. No he creído oportuno intentar dar una respuesta directa a todos ellos, ya que sobrecargaría de material polémico el presente volumen y, por otro lado, creo que este mismo volumen, y de manera especial la sección doctrinal sobre el Espíritu, viene a ser una respuesta implícita a muchas de tales críticas. Otras sólo pueden contestarse mediante la repetición de los argumentos de los anteriores volúmenes. Y en algunos casos, como a propósito de las críticas provenientes del supranaturalismo tradicional o del cristocentrismo exclusivo, mi única posible respuesta sería un «no» rotundo.

Cuando ya había transcurrido un buen tiempo de tener escritas las secciones acerca de la vida y sus ambigüedades, leí casualmente el libro de Pierre Teilhard de Chardin, *El fenómeno humano*, y fue para mí un gran estímulo comprobar que un científico de talla había desarrollado unas ideas acerca de las dimensiones y procesos de la vida tan similares a las mías. Si bien no comparto su visión más bien optimista del futuro, sí me convence su descripción de los procesos evolutivos en la naturaleza. Ya sabemos que la teología no puede apoyarse en una teoría científica, pero también es verdad que ha de relacionar su comprensión del hombre con la comprensión de la naturaleza universal, ya que el hombre es una parte de la naturaleza y bajo cualquier afirmación acerca del hombre subyacen afirmaciones acerca de la naturaleza. Las secciones que en este libro tratan de las dimensiones y ambigüedades de la vida son un intento de explicitar lo que va implícito en todas las teologías, incluidas las más antifilosóficas. Aunque el teólogo pudiera esquivar el estudio de la relación del hombre con la naturaleza y el universo, los hombres de todo tiempo y lugar continuarían haciéndose esas preguntas y, muchas veces, con urgencia existencial y a partir de su honradez cognoscitiva. Y la falta de respuesta se puede convertir en piedra de escándalo en el conjunto de la vida religiosa del hombre. He ahí mis motivos al aventurarme, desde un punto de vista teológico, por los caminos de una filosofía de la vida, con plena conciencia de los riesgos cognoscitivos que van implicados.

Un sistema no es una *summa*, y el presente sistema ni siquiera está completo: unos temas no están desarrollados tan extensamente como otros, por ejemplo, el de la expiación, el de la trinidad y algunos de los sacramentos, pero confío que no serán demasiados los temas y problemas que queden marginados por completo. Mi elección dependía en gran manera de la urgencia de la situación problemática real, tal como se reflejaba sobre todo en las discusiones públicas. Este factor es el responsable también de la presentación de algunas preguntas y respuestas en términos más bien tradicionales, mientras en otras ocasiones se intentaba abrir nuevos caminos de pensamiento y de lenguaje. Esto último se ensayó en algunos de los capítulos escatológicos que concluyen este volumen y que hacen que todo el sistema vuelva a su principio en el sentido de Rom 11, 36: «Porque *de* él, y *por* él, y *para* él son todas las cosas». En estos capítulos se ha intentado no solucionar el problema del «para él» sino interpretarlo de tal manera que proporcione una alternativa sensata a las primitivas y con frecuencia supersticiosas imaginaciones acerca del *eschaton,* tanto si se concibe el *eschaton* individual o universalmente.

El presente sistema se ha escrito en una situación histórica de iglesia caracterizada por unos hechos que sobrepasan en significado religioso todo lo que sea estrictamente teológico. Más significativo es el encuentro de las religiones históricas con el secularismo y con las «cuasi-religiones» nacidas del mismo (acerca de este tema puede consultarse mi reciente obra, *Christianity and the encounter of the world religions (El cristianismo y el encuentro con las religiones del mundo)*. Una teología que no se tome en serio la crítica que hace de la religión el pensamiento secular y algunas formas particulares de fe secular, tales como el humanismo, el nacionalismo y el socialismo liberales, sería «a-*kairós*» —carecería de la exigencia del momento histórico. Otra característica importante de la actual situación es el intercambio, cada vez menos dramático por un lado y más significativo por el otro, entre las religiones de un frente común contra las fuerzas seculares invasoras y, en parte, de la conquista de las distancias espaciales existentes entre los distintos centros religiosos. Debo repetir que una teología cristiana que no sea capaz de establecer un diálogo constructivo con el pensamiento teológico de otras religiones perdería una ocasión histórica de alcance mundial y quedaría relegada al puro provincianismo. Finalmente, la teología sistemática protestante debe tomarse en serio la actual relación, más constructiva, entre catolicismo y protestantismo. La teología contemporánea debe prestar atención al hecho de que la Reforma fue, desde el punto de vista religioso, no sólo una ganancia, sino también una pérdida. Si bien mi sistema subraya con toda claridad el «principio protestante», no ha dejado de lado la petición de que la «substancia católica» vaya unida al mismo, tal como queda demostrado en la sección acerca de la iglesia, una de las más extensas de todo el sistema. Existe un *kairós,* un momento lleno de potencialidades, en las relaciones entre protestantes y católicos; y la teología protestante debe ser plenamente consciente de ello y mantenerse en esta línea.

A partir de los años veinte del presente siglo han sido elaborados varios sistemas de teología protestante, algunos de ellos por un período superior a las tres décadas (Creo que mis lecciones acerca de la «Teología sistemática» en Marburg, Alemania, en 1924, son ya el inicio de mi trabajo del presente sistema). Aquel ensayo fue muy distinto al del período inmediatamente precedente, especialmente para el protestantismo americano, en el que la crítica filosófica por un lado, el tradicionalismo de las diversas denominaciones, por otro, impidieron la aparición de una teología sistemática constructiva. La situación ha cambiado drásticamente. El impacto de los acontecimientos en la historia de nuestro mundo, así como la amenaza procedente del método histórico-crítico en la investigación de la Biblia, han sometido a la teología protestante a la necesidad de una revisión positiva de toda su tradición. Y esto sólo puede hacerse a través de una construcción sistemática.

Cuarta parte

LA VIDA Y EL ESPIRITU

I

LA VIDA, SUS AMBIGÜEDADES, Y LA BÚSQUEDA DE UNA VIDA SIN AMBIGÜEDADES

A. LA UNIDAD MULTIDIMENSIONAL DE LA VIDA

1. LA VIDA: ESENCIA Y EXISTENCIA

El simple hecho de que cualquier diccionario asigne una decena de significados a la palabra «vida» explica el por qué muchos filósofos evitan por lo general emplear este vocablo o bien restringen su uso al campo de los seres vivientes para de esta manera contrastarlo con la palabra muerte. Por otra parte, en la Europa continental, hacia finales de siglo, cierta escuela filosófica —que incluía a Nietzsche, Dilthey, Bergson, Simmel y Scheler y cuya influencia llegó a muchos otros, sobre todo a los existencialistas— estaba interesada por todo lo concerniente a la «filosofía de la vida». Por aquellas mismas fechas se desarrollaba en América la «filosofía del devenir» que se insinuaba ya en el pragmatismo de James y Dewey y que perfeccionó luego Whitehead y su escuela. Si bien el vocablo «devenir» se presta menos a equívocos que el de «vida», también es verdad que tiene menos expresividad. Tanto el cuerpo viviente como el inerte están sujetos a un «devenir», pero en el caso de la muerte, la «vida» incluye su propia negación. El empleo enfático del vocablo «vida» sirve para indicar la reconquista de esta negación, como en el caso de «renacido a la vida» o «la vida eterna». Tal vez no sea una exageración decir que los primeros vocablos empleados para designar la vida surgieron por primera vez a través de la experiencia de la muerte. Sea como fuere, la polaridad de la vida y de la muerte ha dado siempre colorido al vocablo «vida». Este concepto polar de vida presupone el empleo del vocablo para designar un grupo especial de cosas existentes, a saber, «los seres vivientes». Los «seres vivientes» son también «seres fallecientes» y ofrecen características especiales bajo el predominio de la dimensión orgánica. Este concepto *genérico* de vida es el molde en el que se ha elaborado el concepto ontológico de vida. La observación de una especial potencialidad de seres, ya sea la de una especie o la de sus individuos que se actualizan a sí mismos en el tiempo y el espacio, es lo que nos ha llevado hasta el concepto *ontológico* de vida: la vida como la «realidad del ser». Este concepto de vida une las dos principales cualificaciones del ser que subyacen en todo nuestro sistema y que son la esencia y la existencia. La potencialidad es esa categoría de ser que tiene el poder, el dinamismo de convertirse en realidad (por ejemplo, la potencia de cada árbol es la arboreidad). Se dan otras esencias que no tienen este poder, como son las formas geométricas (el triángulo, por ejemplo). Aquellas, sin embargo, que pasan a ser realidad, quedan sometidas a las condiciones de la existencia tales como la finitud, la enajenación, el conflicto, etcétera. Con ello no pierden su carácter esencial (los árboles continúan siendo árboles), tan sólo pasan a depender de las estructuras de la existencia y quedan abiertas al crecimiento, a la distorsión y a la muerte. Empleamos el vocablo «vida» en el sentido de «mixtura» de elementos esenciales y existenciales. Con términos tomados de la historia de la filosofía podríamos decir que nos situamos ante la distinción aristotélica de *dynamis* y *energeia,* de potencia y acto, desde un punto de vista existencial que, ciertamente, no queda muy lejos del enfoque aristotélico que pone de relieve la constante tensión ontológica entre materia y forma en toda existencia.

El concepto ontológico de vida subyace en el concepto *universal* empleado por los «filósofos de la vida». Si la actualización de lo potencial es una condición estructural de todos los seres, y si a esta actualización se le llama «vida», entonces el concepto universal de vida es inevitable. Por consiguiente, a la génesis de las estrellas y de las rocas, a sus períodos ascendentes y descendentes, se les puede llamar un proceso de vida. El concepto ontológico de vida libera al vocablo «vida» de su dependencia del dominio de lo orgánico y lo eleva al nivel de un término básico que puede emplearse en un sistema teológico solamente en el caso de que se interprete en términos existenciales. El término «proceso» no se presta a una tal interpretación, si bien en muchas ocasiones es aceptable hablar de los procesos de la vida.

El concepto ontológico de vida, y su aplicación universal exigen dos tipos de consideraciones a las que podemos dar el nombre de «esencialista» y «existencialista» respectivamente. La primera trata de la unidad y de la diversidad de vida en su naturaleza esencial y describe lo que me atrevería a llamar *«la unidad multidimensional de la vida»*. Tan solo en el caso de que se entienda esta unidad y la relación de las dimensiones y dominios de la vida podremos pasar al análisis correcto de las ambigüedades existenciales de todos los procesos vitales y a la expresión adecuada de la búsqueda de una vida sin ambigüedades o eterna.

2. LA INADECUACIÓN DE LA METÁFORA DE LOS «NIVELES»

La diversidad de los seres ha llevado a la mente humana a buscar la unidad en la diversidad, ya que el hombre puede percibir la real multiplicidad de las cosas sólo mediante principios unificadores y uno de los principios más universales empleados con este fin es el de un orden jerárquico en el que todos los géneros y especies de las cosas y, por su medio, todas las cosas individuales, ocupan su propio lugar. Esta manera de descubrir el orden en medio del caos aparente de la realidad distingue entre grados y niveles de ser. Cualidades ontológicas tales como un más alto grado de universalidad o un más rico desplegamiento de potencialidad, determinan el lugar adscrito a un nivel del ser. El antiguo término «jerarquía» («sagrado orden de gobernantes, distribuidos en un orden de poder sacramental») es el que tiene mayor expresividad en estos casos. Se puede aplicar tanto a los gobernantes terrestres como a los géneros y especies de los seres en la naturaleza como, por ejemplo, a lo inorgánico, a lo orgánico, a lo psicológico. Desde este enfoque la realidad viene a ser como una pirámide de diversos niveles que ascienden verticalmente de acuerdo con su poder de ser y su grado de valor. Esta comparación de gobernantes *(archoi)* propia del término «jerarquía» presta a los niveles más altos una cualidad mayor pero una menor cantidad de ejemplares. El vértice es monárquico, ya sea el monarca un sacerdote, un emperador, un dios o el Dios del monoteísmo.

El término «nivel» es una metáfora que destaca la igualdad de todos los objetos pertenecientes a un determinado nivel. Todos ellos están «nivelados», es decir, situados y mantenidos en un mismo plano común, sin que se dé ningún movimiento orgánico del uno al otro, sin que el superior vaya implícito en el inferior ni viceversa. La relación de niveles es la de interferencia, por control o por rebeldía. Ciertamente, en la historia del pensamiento (y de las estructuras sociales), ha sido modificada la independencia intrínseca de cada nivel con respecto a los otros, tal es por ejemplo el caso de la definición que da Tomás de Aquino de la relación entre naturaleza y gracia («la gracia perfecciona la naturaleza, no la destruye»). Pero la manera como describe la gracia que perfecciona la naturaleza pone de manifiesto el dominio constante del sistema jerárquico. El principio jerárquico no perdió su fuerza y tuvo que ser reemplazado hasta que Nicolás de Cusa formuló el principio de la «coincidencia de los contrarios» (por ejemplo, de lo infinito y lo finito) y Lutero a su vez el de la «justificación del pecador» (llamando al santo pecador y al pecador santo si era aceptado por Dios). Su lugar lo pasó a ocupar en el campo de lo religioso, la doctrina del sacerdocio de todos los creyentes, y en el campo socio-político, el principio democrático de la igualdad de la naturaleza humana en todos los hombres. Tanto los principios protestantes como los democráticos niegan que los niveles del poder de ser estén en una mutua independencia y bajo una organización jerarquizada.

La metáfora «nivel» muestra su inadecuación cuando se examina la relación de los diferentes niveles. La elección de la metáfora tuvo consecuencias de largo alcance para toda la situación cultural, si bien, por otro lado, venía a ser expresión de una situación cultural. La cuestión de la relación del «nivel» de la naturaleza orgánica con la inorgánica desemboca en el problema actual de si los procesos biológicos pueden ser plenamente interpretados a través de la aplicación de los métodos usados en las matemáticas físicas o bien se debe emplear un principio teológico para expresar la rectitud interna del crecimiento orgánico. Bajo la influencia de la metáfora «nivel», lo inorgánico o bien asume lo orgánico (control), o bien los procesos inorgánicos quedan interferidos por una extraña fuerza «vitalista» (rebeldía), una idea que naturalmente produce reacciones apasionadas y justificadas de físicos y biólogos.

Otra consecuencia del empleo de la metáfora «nivel» se presenta cuando se presta atención a la relación de lo orgánico con lo espiritual, que se estudia normalmente bajo la denominación de la relación entre cuerpo y mente. Si el cuerpo y la mente son unos niveles, el problema de la relación que se da entre ellos sólo puede encontrar solución reduciendo lo mental a lo orgánico (biología y psicología) o afirmando la interferencia de las actividades mentales en los procesos biológicos y psicológicos; esta última afirmación produce la apasionada y justificada reacción de los biólogos y psicólogos en contra de la colocación de un «alma» como substancia separada que ejerce una causalidad particular.

La tercera consecuencia del empleo de la metáfora «nivel» se pone de manifiesto en la interpretación de la relación entre religión y cultura. Por ejemplo, si uno dice que la cultura es el nivel a partir del cual un hombre es el creador de sí mismo, o bien que es la religión en donde uno recibe la automanifestación divina, por lo que la religión tendría una autoridad última por encima de la cultura, entonces aparecen inevitablemente los conflictos destructores entre religión y cultura, como atestiguan las páginas de la historia. La religión en cuanto nivel superior intenta el control de la cultura o algunas de las funciones culturales tales como la ciencia, las artes, la moral o la política. Esta eliminación de las funciones autónomas culturales ha desembocado en las reacciones revolucionarias según las cuales la cultura ha intentado absorber a la religión para someterla a las normas de la razón autónoma; y de nuevo aparece aquí con claridad que el empleo de la metáfora «nivel» es asunto no sólo de inadecuación sino más bien de una toma de postura ante los problemas de la existencia humana.

El ejemplo precedente nos puede llevar a preguntarnos si la relación de Dios con el hombre (y su mundo inclusive) puede describirse, tal como se viene haciendo en el dualismo religioso y en el supranaturalismo teológico, en términos de dos niveles: el divino y el humano. Se ha podido dar una respuesta decisiva y simplificada a esta respuesta mediante el intento de desmitificación del lenguaje religioso, que no se dirige contra el uso de las genuinas imágenes míticas en cuanto tales sino contra el método supranaturalista que interpreta las imágenes de manera literal. La monstruosidad de las consecuencias supersticiosas que se derivan de esta clase de supranaturalismo muestra claramente el peligro que para el pensamiento teológico supone la metáfora del «nivel».

3. DIMENSIONES, REINOS, GRADOS

El resultado de estas consideraciones es que deben ser eliminadas de cualquier descripción de los procesos de la vida la metáfora del «nivel» (y otras metáforas parecidas tales como las de «estrato» o «capa»). Sugeriría reemplazarlas por la metáfora «dimensión», acompañada de sus conceptos correlativos tales como «reino» y «grado». Pero, con todo, lo más significativo no es la sustitución de una metáfora por otra, sino el cambio de visión de la realidad que va expresado en un tal cambio.

La metáfora «dimensión» está tomada también de la esfera espacial, pero describe la diferencia de los reinos del ser de tal manera que no puede haber una mutua interferencia; la profundidad no se interfiere con la anchura, puesto que todas las dimensiones se encuentran en el mismo punto. Se cruzan sin estorbarse entre sí; no hay conflicto entre dimensiones. Por tanto, la sustitución de la metáfora «nivel» por la de «dimensión», representa un encuentro con la realidad en la que se ve por encima de los conflictos la unidad de vida. No es que se nieguen los conflictos, sino que no se derivan de la jerarquía de niveles; son consecuencias de la ambigüedad de todos los procesos de la vida y por tanto se pueden vencer sin la destrucción de un nivel por otro. No rechazan la doctrina de la unidad multidimensional de la vida.

Una razón en favor del empleo de la metáfora «nivel» es el hecho de que existen amplias zonas de la realidad en las que algunas características de la vida no se ponen en absoluto de manifiesto, por ejemplo, la gran cantidad de materiales inorgánicos en los que no pueden hallarse el menor vestigio de dimensión orgánica y las muchas formas de vida orgánica en las que no son visibles las dimensiones psicológicas ni espirituales. La metáfora «dimensión» ¿puede cubrir estas condiciones? Creo que es posible. Puede señalar el hecho de que incluso aunque ciertas dimensiones de la vida no aparezcan, no por ello dejan de ser reales en potencia. La distinción entre lo potencial y lo actual implica el que todas las dimensiones sean siempre reales, si no actualmente, por lo menos en potencia. La actualización de una dimensión depende de condicionamientos que no siempre están presentes.

La primera condición para la actualización de algunas dimensiones de la vida es que las otras deban haber sido ya actualizadas. No es posible ninguna actualización de la dimensión orgánica sin la actualización de lo inorgánico y la dimensión del espíritu permanecería potencial sin la actualización de lo orgánico. Pero ésta es solamente una condición. La otra es que en el reino caracterizado por la dimensión ya actualizada se presentan constelaciones particulares que hacen posible la actualización de una nueva dimensión. Tal vez hayan sido billones de años los transcurridos antes de que el campo de lo inorgánico permitiera la aparición de objetos en la dimensión orgánica, y millones de años los transcurridos antes de que el reino orgánico permitiera la aparición de un ser capacitado para hablar. Nuevamente fue necesario que transcurrieran decenas de miles de años para que el ser dotado de lenguaje se convirtiera en el hombre histórico del que formamos parte nosotros mismos. En todos estos casos, las dimensiones potenciales del ser se convirtieron en realidad cuando se dieron todas aquellas condiciones necesarias para la actualización de lo que siempre había sido real en potencia.

El término «reino» se puede emplear para designar una sección de la vida en la que predomina una dimensión particular. «Reino» es una metáfora al igual que «nivel» y «dimensión», pero básicamente no es espacial (aunque lo es también); básicamente es social. Se habla del que rige un reino y precisamente esta connotación hace que la metáfora resulte adecuada, porque en sentido metafórico, un reino es una sección de la realidad en el que una dimensión especial determina el carácter de todos los individuos pertenecientes al mismo, ya se trate de un átomo o de un hombre. En este sentido se habla del reino vegetal, o del reino animal, o de un reino histórico. En todos ellos, están presentes todas las dimensiones en potencia y algunas de ellas están actualizadas. Todas ellas son actuales en el hombre tal como le conocemos, pero el carácter especial de este reino está determinado por las dimensiones de lo espiritual e histórico. En el átomo solamente está actualizada la dimensión inorgánica, pero todas las demás dimensiones están potencialmente presentes. Hablando simbólicamente se podría decir que cuando Dios creó la potencialidad del átomo dentro de él mismo creó la potencialidad del hombre, y cuando creó la potencialidad del hombre creó la del átomo, y todas las demás dimensiones entre ellas. Todas ellas están presentes en todos los reinos, en parte potencialmente, en parte (o del todo) actualmente. Solamente una de las dimensiones que son actuales caracteriza el reino, porque las otras que están también prsentes en él se encuentran allí solamente como condiciones para la actualización de la dimensión determinante (que a su vez, no es una condición para las otras). Lo inorgánico puede ser actual sin actualidad de lo orgánico pero no al revés.

Llega el momento de preguntarnos si se da una graduación de valor entre las diferentes dimensiones. La respuesta es afirmativa: aquello que presupone algo más y le añade algo tiene, por ello, una mayor riqueza. El hombre histórico añade la dimensión histórica a todas las demás dimensiones que están presupuestas y contenidas en su ser, y en la categoría de valores ocupa el primer lugar y presupone que el criterio de tal juicio de valor es el poder de un ser para incluir el mayor número de potencialidades en una actualidad viviente. Este es un criterio ontológico, según aquello de que los juicios de valor deben estar enraizados en las cualidades de los objetos valorados, y es un criterio que no debe confundirse con el de la perfección. El hombre es el ser supremo en el interior del reino de nuestra experiencia, pero de ninguna manera es el más perfecto. Estas últimas consideraciones muestran que el hecho de rechazar la metáfora del «nivel» no lleva implicada la negación de los juicios de valor basados en grados de poder del ser.

4. LAS DIMENSIONES DE LA VIDA Y SUS RELACIONES

a) *Las dimensiones en los reinos inorgánico y orgánico.* Hemos mencionado distintos reinos de la realidad dada en cuanto están determinados por dimensiones especiales, por ejemplo, el reino de lo inorgánico, el de lo orgánico, el histórico. Debemos preguntarnos ahora cuál es el principio que determina a una dimensión de la vida en cuanto tal y lo primero que se ha de responder es que no existe un número determinado de ellas ya que las dimensiones de la vida están determinadas por unos criterios flexibles. Uno queda justificado al hablar de una dimensión particular cuando la descripción fenomenológica de una sección de la realidad dada muestra estructuras únicas categóricas y otras. Una descripción «fenomenológica» es aquella que apunta a una realidad tal como se da, antes de que se llegue a una explicación o derivación teórica. En muchos casos ese encuentro de mente y realidad que produce palabras ha preparado el camino a una observación fenomenológica precisa. En otros casos, una tal observación lleva al descubrimiento de una nueva dimensión de la vida o, por el contrario, a la reducción de dos o más supuestas dimensiones a una. Con estos criterios en la mente, y sin ninguna pretensión de finalidad, se pueden distinguir varias dimensiones obvias de la vida. El propósito de discutirlas en el contexto de un sistema teológico es para mostrar la unidad multidimensional de la vida y para determinar concretamente el origen y las consecuencias de las ambigüedades de todos los procesos de la vida.

El carácter particular de una dimensión que justifica ser considerada como tal se puede apreciar de la mejor manera en la modificación de tiempo, espacio, causalidad y substancia originada por ella. Estas categorías tienen una validez universal para todo lo que existe, lo cual no significa que se dé tan solo *un* tiempo, *un* espacio y así sucesivamente, ya que las categorías cambian su carácter bajo el predominio de cada dimensión. Las cosas no están *en* el tiempo y el espacio; más bien *tienen* un tiempo y un espacio definidos. El espacio inorgánico y el orgánico son espacios diferentes; el tiempo psicológico y el histórico son tiempos distintos; y la causalidad inorgánica y la espiritual son diferentes causalidades. Sin embargo, esto no significa que las categorías, por ejemplo, en su carácter inorgánico desaparezcan en el reino orgánico o que el tiempo del reloj quede eliminado por el tiempo histórico. La forma categórica que pertenece a un reino condicionante, como por ejemplo el inorgánico con respecto al orgánico, entra en la nueva forma categórica como un elemento interno. En el tiempo o causalidad históricos, todas las formas precedentes de tiempo o causalidad, están presentes, pero no son las mismas de antes. Este tipo de consideraciones proporciona una sólida base para rechazar toda clase de ontología reduccionista, tanto naturalista como idealista.

Si, de acuerdo con la tradición, empezamos llamando a lo inorgánico la primera dimensión, el mismo empleo del término negativo «inorgánico» indica lo indefinido que resulta el campo que cubre este término. Se puede distinguir, y ello sería lo más adecuado, más de una dimensión en él, tal como anteriormente se distinguían los reinos físico y químico y aún se viene haciendo así para determinados propósitos a pesar de su unidad que va en aumento. Hay indicios de que se podría hablar de dimensiones especiales tanto en el reino macrocósmico como en el microcósmico. Sea lo que fuere, todo este campo que puede constituir o no *un* reino, es fenomenológicamente diferente de los reinos que están determinados por las otras dimensiones.

El significado religioso de lo inorgánico es inmenso, pero la teología apenas si le presta atención. En la mayoría de tratados teológicos el término genérico «naturaleza» cubre todas las dimensiones particulares de lo «natural». Esta es una de las razones por las que el cuantitativamente abrumador reino de lo inorgánico ha tenido un tan fuerte impacto antirreligioso sobre mucha gente, tanto en el mundo antiguo como en el moderno. Hace falta una «teología de lo inorgánico». De acuerdo con el principio de la unidad multidimensional de la vida tenemos que incluir aquí nuestra temática de los procesos de la vida y sus ambigüedades. Tradicionalmente, se ha tratado el problema de lo inorgánico como el problema de la materia. Este vocablo «materia» tiene un significado ontológico y científico. En segundo lugar, se le identifica con aquello que subyace en los procesos inorgánicos. Si toda la realidad queda reducida a los procesos inorgánicos, el resultado es la teoría ontológica no-científica llamada materialismo o naturalismo reduccionista. Lo que distingue esta teoría de manera peculiar no es la afirmación de que en todo lo que existe está la materia —cualquier ontología tiene que afirmar esto, incluyendo a todas las formas de positivismo— sino la de que la materia que encontramos bajo la dimensión de lo inorgánico es la única materia.

En la dimensión inorgánica, lo potencial se convierte en actual en aquellas cosas en el tiempo y en el espacio que están sometidas a análisis físicos o que pueden ser medidas en las relaciones de espacio-tiempo-y-causalidad. Sin embargo, como se indicó antes, tales mediciones tienen sus límites en los reinos de lo muy grande y de lo muy pequeño, en las extensiones macrocósmicas y microcósmicas. Aquí, el tiempo, el espacio, la causalidad en el sentido ordinario, y la lógica basada en ellos no son suficientes para describir los fenómenos. En el caso de que se siguiera el principio de que, bajo ciertas condiciones, la cantidad se convierte en cualidad (Hegel), quedarían justificadas las distinciones de las dimensiones de lo subatómico, de lo astronómico y de lo que hay entre ellos y que aparece en el encuentro humano ordinario con la realidad. Si, por el contrario, se niega el tránsito de la cantidad a la cualidad, se podría hablar de *una* dimensión en el reino inorgánico y considerar al encuentro ordinario como un caso particular de estructuras micro o macrocósmicas.

Las características especiales de la dimensión de lo inorgánico aparecerán al compararlas con las características de las otras dimensiones y, sobre todo, por su relación con las categorías, y a través de un examen de los procesos de la vida en todas las dimensiones. Puesto que lo inorgánico ocupa un lugar preferentemente entre las dimensiones en cuanto es la primera condición para la actualización de cualquier dimensión, por esa misma razón todos los reinos del ser quedarían disueltos en el caso de que la constelación de las estructuras inorgánicas prestaran las condiciones básicas para su desaparición. En lenguaje bíblico: «Hasta que vuelvas a la tierra, pues de ella has sido tomado» (Génesis 3, 19). Esta es también la razón en favor del ya mencionado «naturalismo reduccionista», o materialismo, que identifica la materia con la materia inorgánica. El *materialismo*, según esta definición, *es una ontología de la muerte*.

La dimensión de lo orgánico es tan central para toda filosofía de la vida que desde el punto de vista del lenguaje el significado básico de «vida» es el de vida orgánica. Pero desde un punto de vista aún más obvio que en el reino inorgánico, la expresión «vida orgánica» abarca en la actualidad varias dimensiones. La diferencia estructural entre un representante típico del reino vegetal y otro del animal recomienda el establecimiento de las dos dimensiones, a pesar de que la transición del uno al otro permanece indefinida y poco clara. Esta decisión la viene a corroborar el hecho de que en el reino animal, determinado por esta dimensión, hace su aparición una nueva dimensión: la autoconciencia de la vida, la psíquica (dado que se pueda liberar el anterior vocablo de todas sus connotaciones ocultas). La dimensión orgánica viene caracterizada por *Gestalten* («totalidades vivientes») autorrelacionadas, de auto-preservación, de autoalimentación y autoconstantes.

El problema teológico que se suscita a partir de las diferencias existentes entre las dimensiones orgánicas e inorgánicas está en conexión con la teoría de la evolución así como con las desenfocadas críticas que la religión tradicional le dedica. El conflicto se suscitó no sólo a propósito del significado de la evolución en cuanto guarda referencia con la doctrina del hombre sino también con respecto a la transición de lo inorgánico a lo orgánico. Hubo teólogos que argumentaron en favor de la existencia de Dios a partir de nuestra ignorancia acerca del origen de lo orgánico a partir de lo inorgánico, para venir a afirmar que la «primera célula» sólo podía tener una explicación en una especial intervención divina. Como es obvio, la biología tuvo que rechazar una tal causalidad supranatural e intentó reducir el círculo de nuestra ignorancia en lo referente a las condiciones necesarias para la aparición de los organismos y, por cierto, los resultados obtenidos han sido muy satisfactorios. El problema del origen de las especies de la vida orgánica es más serio. Aquí entran en conflicto dos puntos de vista: el aristotélico y el evolucionista; el primero pone el acento sobre la eternidad de las especies en lo que respecta a su *dynamis*, su potencialidad, y el segundo sobre las condiciones de su aparición como *energeia*, actualidad. La diferencia, formulada como va a continuación, no crearía inevitablemente el conflicto: la dimensión de lo orgánico está esencialmente presente en lo inorgánico; su aparición actual depende de unas condiciones cuya descripción corresponde a la biología y a la bioquímica.

Una solución análoga debe darse al problema de la transición de la dimensión vegetativa a la animal, especialmente al fenómeno de la «conciencia interior» que un individuo tiene de sí mismo. También aquí la solución está en la distinción entre potencial y actual: potencialmente, la autoconciencia está presente en toda dimensión; actualmente, sólo puede aparecer en la dimensión del ser animal. El intento de lograr una regresión de la autoconciencia hasta la dimensión vegetativa ni se puede rechazar ni tampoco aceptar, dado que no es posible su verificación de ninguna manera, o bien mediante una participación intuitiva, o bien mediante una analogía reflexiva hasta alcanzar unas expresiones similares a aquellas que el hombre encuentra en sí mismo. En estas circunstancias parece que lo más sensato es aplicar el postulado de la conciencia interior a aquellos reinos en los que se puede contar con la mayor probabilidad, por lo menos analógicamente, y en los que se da una certeza emocional en términos de participación; en los animales superiores con toda probabilidad.

Bajo determinadas condiciones especiales la dimensión de la conciencia interior, o reino psicológico, actualiza en su seno otra dimensión, la de lo comunitario-personal, o «espíritu». Por lo que puede atestiguar la actual experiencia humana, esto sólo ha ocurrido en el hombre. A la pregunta de si se ha dado en algún otro lugar en el universo todavía no se puede dar una respuesta, ni afirmativa ni negativa (En cuanto al significado teológico de este problema puede consultarse el volumen II de la *Teología sistemática*).

b) El significado del espíritu como una dimensión de la vida. La palabra «espíritu» empleada en este contexto suscita un importante problema de terminología. El vocablo estoico para designar al espíritu es *pneuma*, y el latino, *spiritus*, con sus derivados en las lenguas modernas: en alemán *Geist*, en hebreo *ru'ach*. No hay ningún problema de tipo semántico en todas esas lenguas, pero sí lo hay en inglés, debido al mal empleo de la palabra «spirit» (espíritu) con una «s» minúscula. Las palabras «Spirit» (Espíritu) y «Spiritual» (Espiritual) sólo se emplean para designar al Espíritu divino y sus efectos en el hombre, y se escriben con una «S» mayúscula. Así que la pregunta es la siguiente: ¿Se debe y se puede usar la palabra «spirit» (espíritu) para designar la dimensión concretamente humana de la vida? Existen serios motivos para obrar así y eso es precisamente lo que voy a intentar a lo largo de los temas tratados en esta parte de la *Teología sistemática*.

En las lenguas semitas así como en las indo-germánicas, la raíz de las palabras empleadas para designar al espíritu viene a significar «aliento». Era precisamente en la experiencia del aliento y sobre todo en su ausencia de un cadáver en la que se centraba la atención del hombre al hacerse esta pregunta: ¿qué es lo que mantiene viva la vida? Y su respuesta era: el aliento. Allí donde hay aliento hay vida y allí donde desaparece el aliento cesa la vida. Como *fuerza* de vida, el espíritu no se identifica con el substrato inorgánico animado por él; más bien, el espíritu es la fuerza de la animación misma y no una parte añadida al sistema orgánico. Con todo, algunas teorías filosóficas, aliadas con tendencias místicas y ascéticas en las postrimerías del mundo antiguo, separaban espíritu y cuerpo. En los tiempos modernos este matiz llegó a su plenitud con Descartes y el empirismo inglés. La palabra adquirió la connotación de «mente», y «mente» a su vez, la de «entendimiento». De esta manera desapareció el elemento de fuerza que era el propio de la palabra original para designar el espíritu, hasta que finalmente fue desechada la misma palabra. En el inglés contemporáneo se la sustituye con mucha frecuencia por la palabra «mente», y la pregunta es si la palabra «mente» puede ser desintelectualizada hasta reemplazar perfectamente la palabra «espíritu».

Para algunos esto es posible, pero son mayoría quienes opinan que no y creen necesario reservar el vocablo «espíritu» para designar la unidad de la fuerza-de-la-vida y la vida o dicho con menos palabras, la «unidad de la fuerza y del sentido». El hecho de que el empleo de la palabra «espíritu» haya quedado reducido a la esfera de lo religioso se debe, en parte, a la fuerza de la tradición en el terreno religioso y, en parte, a que se hace imposible privar al Espíritu divino del elemento de poder (sirva como ejemplo el himno *Veni, Creator Spiritus*). «Dios es Espíritu» no puede traducirse jamás «Dios es Mente» o «Dios es Intelecto». E incluso la *Phaenomenologie des Geistes* de Hegel jamás debería haberse traducido como Fenomenología de la mente, ya que el concepto hegeliano de espíritu implica en su significado el de poder.

Así se convierte en necesidad teológica una nueva comprensión de la palabra «espíritu» como una dimensión de la vida, ya que cualquier vocablo religioso es un símbolo que utiliza material tomado de la experiencia ordinaria, y el mismo símbolo no se puede entender sin una comprensión del material simbólico (Que Dios es «Padre» es algo que no tiene sentido para quien ignora lo que significa «padre»). Es más que probable que la progresiva desaparición del símbolo «Espíritu santo» de la viva conciencia del cristianismo se deba, por lo menos en parte, a la desaparición de la palabra «espíritu» de la doctrina del hombre. Si no se tiene una idea de lo que es el espíritu se hace imposible saber el significado de Espíritu. He ahí la explicación de las connotaciones fantasmales de las palabras «Espíritu divino» así como de la desaparición de estas palabras del lenguaje ordinario, incluso en el interior de la iglesia. Si bien la palabra «espíritu» aún se puede considerar recuperable, podemos dar ya por perdido para siempre el adjetivo «espiritual». Por lo menos en este libro no se hará el menor intento por restituirle su significado original.

Existen además otras fuentes semánticas de confusión que vienen a oscurecer el significado de la palabra «espíritu». Por ejemplo, cuando se habla del espíritu de una nación, de una ley, o de un estilo artístico, se intenta destacar su característica esencial tal como queda expresada en sus manifestaciones. La relación que tiene un tal empleo de la palabra «espíritu» con su significado original proviene del hecho de que las autoexpresiones de los grupos humanos dependen de la dimensión del espíritu y de sus diferentes funciones. Otra fuente semántica de confusión radica en la manera de hablar de un «mundo espiritual» para indicar el reino de las esencias o de las ideas, en sentido platónico. Ahora bien, la vida «en» las ideas a la que se adecua la palabra «espíritu», es distinta de las mismas ideas, que son potencialidades de vida pero no la vida misma. El espíritu es una dimensión de la vida, pero no es el «universo de potencialidades», que no es vida él mismo. Empleando un lenguaje mítico podríamos decir que en el «paraíso de la inocencia soñada» habita un espíritu potencial pero no actual. «Adán antes de la caída» es anterior también al estado del espíritu actualizado (y a la historia).

Señalamos una tercera fuente de confusionismo semántico: el concepto de «espíritu». Si el espíritu es una dimensión de la vida ciertamente se puede hablar de seres vivientes en los que esta dimensión está actualizada y se les puede por ello designar como seres que tienen espíritu. En cambio, resulta extremadamente erróneo darles el nombre de «espíritus» porque ello implica la existencia de un reino del «espíritu» separado de la vida. El espíritu se convierte en algo parecido a la materia inorgánica y pierde su carácter en cuanto dimensión de vida que está presente potencial o actualmente en toda vida. Cobra un carácter «fantasmal». Todo esto viene confirmado por los movimientos llamados espiritualistas (en las lenguas europeas, espiritistas) que intentan establecer contacto con los «espíritus» o «fantasmas» de los muertos para provocar de este modo ciertos fenómenos físicos (ruidos, palabras, movimientos físicos, apariciones visibles). Quienes afirman una tal experiencia se ven así forzados a la necesidad de atribuir una causalidad física a estos «espíritus», y la manera cómo describen sus manifestaciones indican una existencia psico-física, transmutada de alguna manera, de los seres humanos con posterioridad a su muerte. Ahora bien, una tal existencia ni es espiritual (causada por el Espíritu) ni se identifica con lo que el mensaje cristiano llama «vida eterna». Al igual que el problema de la percepción extrasensorial esto es asunto de investigaciones empíricas cuyos resultados, positivos o negativos, no tienen una incidencia directa en el problema del espíritu del hombre o en el de Dios como Espíritu.

Afortunadamente la palabra inglesa *spirited* (bravo, animoso) aún conserva el elemento original de poder en el significado de espíritu, si bien su empleo está limitado a una área muy reducida. La palabra se emplea en la traducción de las *thymoeides* de Platón para describir la función del alma que está entre la racionalidad y la sensualidad y corresponde a la virtud del coraje y al grupo social de la aristocracia de la espada. Este concepto —omitido frecuentemente al describir la filosofía de Platón— es el que más se aproxima al genuino concepto de espíritu.

Dado que para nosotros la dimensión del espíritu aparece solamente en el hombre, es conveniente relacionar el vocablo «espíritu» con algunos otros vocablos usados en la doctrina del hombre, a saber, «alma» *(psyche)*, «mente» *(nous)*, «razón» *(logos)*. La palabra «alma» también ha corrido una suerte similar a la de «espíritu». Ha quedado perdida en aquel cometido humano que se llama a sí mismo la «doctrina del alma», o sea, la psicología. La psicología moderna es una psicología sin *psyche*. Y ello se debe a que desde Hume y Kant, la moderna epistemología no acepta al alma como «substancia» inmortal. La palabra «alma» se ha conservado principalmente en la poesía para designar la sede de las pasiones y emociones. En la ciencia contemporánea del hombre, la psicología de la personalidad trata de los fenómenos atribuidos al alma humana. Si se define al espíritu como unidad de poder y significado, puede convertirse en un substitutivo parcial del desaparecido concepto de alma, si bien lo transciende en alcance, en estructura, y especialmente, en dinamismo. En cualquier caso, si bien la palabra «alma» se mantiene con vida en el lenguaje bíblico, litúrgico y poético, no sirve ya para una comprensión teológica estricta del hombre, de su espíritu y de su relación con el Espíritu divino.

Si bien la palabra «mente» no sirve para reemplazar la de «espíritu», tiene, sin embargo, una función básica en la doctrina de la vida. Expresa la conciencia de un ser viviente en relación con lo que lo circunda y consigo mismo. Abarca conciencia, percepción, intención. Aparece en la dimensión de animalidad al mismo tiempo que hace su aparición la autoconciencia; y en su forma rudimentaria o desarrollada, incluye inteligencia, voluntad, acción dirigida. Bajo el predominio de la dimensión del espíritu, es decir, en el hombre, se relaciona con los universales en la percepción y en la intención. Está determinada estructuralmente por la razón *(logos)*, el vocablo que pasamos a estudiar en tercer lugar.

El concepto de lo que significa y se entiende por razón ha sido tratado extensamente en la primera parte de nuestro sistema, «La razón y la revelación». Allí quedó subrayada la diferencia entre la razón técnica, o formal, y la ontológica. Aquí estudiamos ahora la relación de ambos conceptos con la dimensión del espíritu. La razón en el sentido de *logos* es el principio de forma por el que se estructura la realidad en todas sus dimensiones, así como la mente en todas sus direcciones. En el movimiento de un electrón está presente la razón como también lo está en las primeras palabras que salen de la boca de un niño, y en la estructura de cualquier expresión del espíritu. El espíritu en cuanto dimensión de la vida abarca más que la razón —incluso el *eros*, la pasión, la imaginación— pero sin la estructura-*logos*, no podría expresar nada. La razón en el sentido de la razón técnica o del razonamiento es una de las potencialidades del espíritu del hombre en la esfera cognoscitiva. Es el instrumento para el análisis científico y el control técnico de la realidad.

Si bien todas estas consideraciones semánticas no son ni con mucho exhaustivas, espero que sean suficientes como indicación del empleo de algunas palabras clave en los capítulos que vienen a continuación, y para proporcionar, ya sea en acuerdo o desacuerdo, un empleo más estricto de los términos antropológicos en los enunciados teológicos.

c) *La dimensión del espíritu en su relación con las dimensiones precedentes*. La discusión semántica del apartado anterior interrumpió nuestra gradual consideración de las dimensiones que se pueden distinguir en la vida y sus relaciones. Hemos de hacer dos preguntas: la primera se refiere a la relación del espíritu con las dimensiones psicológicas y biológicas, y la segunda guarda relación con la cuestión de la dimensión que sigue el espíritu en el orden del condicionamiento, o lo que es lo mismo, la dimensión histórica. Tras una discusión preliminar estudiaremos la segunda pregunta extensamente en la última parte del sistema: «La historia y el reino de Dios». Por el momento, nos hemos de concentrar en la primera, la relación del espíritu con la dimensión psicológica, la dimensión de la conciencia interior.

La aparición de una nueva dimensión de la vida depende de una constelación de condiciones en la dimensión condicionante y esta constelación de condiciones hace posible la aparición de lo orgánico en el reino de lo inorgánico. Las constelaciones en el reino inorgánico hacen posible que la dimensión de autoconciencia pase a ser realidad, y de la misma manera, las constelaciones bajo el predominio de la dimensión psicológica hacen posible que la dimensión del espíritu se convierta en realidad. Las frases «hacen posible» y «proporciona las condiciones» para que una dimensión se convierta en realidad cobran una importancia crucial en estos enunciados. La cuestión no consiste en cómo se dan las condiciones; esto es asunto de la interrelación de la libertad y del destino bajo la creatividad directora de Dios, es decir, bajo la providencia divina. La cuestión radica más bien en cómo la actualización de lo potencial se sigue de la constelación de condiciones.

Para poder dar una respuesta a todo esto debemos considerar ahora la dinámica de la vida o la dimensión histórica de manera anticipada. Esta dimensión última de la vida y que lo abarca todo alcanza su plena actualización sólo en el hombre, en el que como portador del espíritu están presentes las condiciones necesarias. Pero la dimensión histórica está de manifiesto —si bien bajo el predominio de otras dimensiones— en todos los reinos de la vida. Es el carácter universal del ser actual el que, en las filosofías de la vida o del devenir, ha llevado a la elevación de la categoría del llegar a ser al más alto rango ontológico. Pero no se puede negar que la pretensión de la categoría del ser a este rango queda justificada porque, mientras el llegar a ser incluye y supera al relativo non-ser, el ser mismo es la negación del absoluto non-ser; es la afirmación de que allí hay algo. Más aún, es bajo la protección de esta afirmación como el llegar a ser y el devenir son cualidades universales de la vida. Es problemático, sin embargo, el hecho de que las palabras «llegar a ser» y «devenir» sean las adecuadas para una visión de la dinámica de la vida como un todo. Les falta una connotación que caracteriza toda vida, y es la creación de lo nuevo. Esta connotación está fuertemente presente en las referencias a la dimensión histórica, que es actual —aun cuando esté sometida— en todos los reinos de la vida, ya que la historia es la dimensión bajo la cual se va creando lo nuevo.

La actualización de una dimensión es un acontecimiento histórico dentro de la historia del universo, pero es un acontecimiento que no puede ser localizado en un punto definido del tiempo y del espacio. En largos períodos de transición las dimensiones, metafóricamente hablando, luchan entre sí en el mismo reino. Esto es obvio en lo referente a la transición de lo inorgánico a lo orgánico, de lo vegetativo a lo animal, de lo biológico a lo psicológico y es verdad también de la transición de lo psicológico a la dimensión del espíritu. Si definimos al hombre como aquel organismo en el que la dimensión del espíritu es la dominante, no podemos fijar un punto definido en el que hizo su aparición sobre la tierra. Es muy probable que durante un largo período el combate de las dimensiones prosiguiera su desarrollo en los cuerpos animales que fueran anatómica y fisiológicamente similares a aquellos que hoy son los nuestros como hombre histórico, hasta que se dieron las condiciones para ese salto que trajo consigo el dominio de la dimensión del espíritu. Pero aún hemos de dar un nuevo paso hacia adelante. La misma lucha de las dimensiones que produjo finalmente la aguda división entre los seres que tienen el don de la palabra y los que no, prosigue aún su camino de avance en el interior de cada ser humano como problema permanente sobre la base del predominio del espíritu. El hombre no puede no ser hombre como el animal no puede no ser animal. Pero el hombre puede perder en parte ese acto creador en el que el dominio de lo psicológico queda superado por el dominio del espíritu. Como veremos, esta es la esencia del problema moral.

Estas consideraciones rechazan implícitamente la doctrina de que, en un momento dado del proceso evolutivo, Dios, en un acto especial, añadió un «alma inmortal» a un cuerpo humano que, por un lado, estaba ya acabado perfectamente, y, con esta alma, aportaba la vida del espíritu. Esta idea —sumada al ser basado en la metáfora del «nivel» y su correspondiente doctrina supranatural del hombre— deshace la unidad multidimensional de la vida, especialmente la unidad de lo psicológico y del espíritu, haciendo así del todo incomprensible la dinámica de la personalidad humana.

En lugar de separar el espíritu del condicionante reino psicológico, intentaremos describir la aparición de un acto del espíritu a partir de una constelación de factores psicológicos. Cualquier acto del espíritu presupone un material psicológico dado, y, al mismo tiempo, constituye un salto que sólo es posible para un yo totalmente centrado, es decir, que sea libre.

La relación del espíritu con el material psicológico puede observarse tanto en el acto cognoscitivo como en el moral. Cualquier pensamiento que tenga como objetivo el conocimiento se basa en impresiones de los sentidos y en tradiciones y experiencias científicas conscientes e inconscientes, y en autoridades conscientes e inconscientes, además de elementos volitivos y emocionales que están siempre presentes. Sin un tal material, el pensamiento no tendría contenido alguno. Pero en orden a transformar este material en conocimiento, se ha de hacer algo para lograrlo; debe ser dividido, reducido, aumentado y conectado de acuerdo con los criterios lógicos y purificado de acuerdo con los criterios metodológicos. Todo esto lo hace el centro personal que no se identifica con ninguno en particular de esos elementos. La transcendencia del centro sobre el material psicológico hace posible el acto cognoscitivo, y un tal acto es una manifestación del espíritu. Dijimos que el centro personal no se identifica con ningúno de los contenidos psicológicos, pero tampoco es otro elemento añadido a los mismos; si así fuera, sería asimismo material psicológico él mismo y no el portador del espíritu. Pero el centro personal tampoco es ajeno al material psicológico. Es *su* centro psicológico, pero transformado en la dimensión del espíritu. El centro psicológico, el sujeto de la autoconciencia, se mueve en el reino de la vida animal superior, como un todo equilibrado, dependiendo orgánica o espontáneamente (pero no mecánicamente) de la situación total. Si la dimensión del espíritu domina un proceso vital, el centro psicológico ofrece sus propios contenidos a la unidad del centro personal. Esto ocurre a través de la deliberación y de la decisión. Al obrar así actualiza sus propias potencialidades, pero al actualizarlas se trasciende a sí mismo. Este fenómeno puede experimentarse en todo acto cognoscitivo.

La misma situación se da en un acto moral. También aquí está presente una gran suma de material en el centro psicológico: tendencias, inclinaciones, deseos, matices más o menos compulsivos, experiencias morales, tradiciones y autoridades éticas, relaciones con otras personas, condiciones sociales. Pero el acto moral no es la diagonal en la que todos estos radios vectores se limitan y convergen entre sí; es el yo centrado el que se actualiza a sí mismo como un yo personal mediante la distinción, la separación, el yo centrado el que se actualiza a sí mismo como un yo personal mediante la distinción, la separación, el rechazamiento, la preferencia, la conexión, y, al hacerlo así, trasciende sus elementos. El acto, o para ser más exactos, la compleja totalidad de actos en la que esto ocurre, tiene el carácter de libertad, no una libertad en el mal sentido de falta de determinación de un acto de la voluntad, sino de libertad en el sentido de reacción total de un yo centrado que delibera y decide. Una tal libertad va unida al destino de tal manera que el material psicológico que viene a formar parte del acto moral representa el polo del destino, mientras que el yo deliberador y decisivo representa el polo de la libertad, de acuerdo con la polaridad ontológica de la libertad y del destino.

La anterior descripción de los actos del espíritu rechaza implícitamente tanto el contraste dualista del espíritu con lo psicológico como la disolución del espíritu en algo psicológico de donde emanaría. El principio de la unidad multidimensional niega tanto el dualismo como el monismo de tipo psicológico (o biológico).

Friedrich Nietzsche expresa bien las intrincaciones de la relación de la dimensión del espíritu con las dimensiones precedentes de la vida, cuando dice del espíritu que es la vida que irrumpe en la misma. A partir de su dolor incita a plenitud *(Así habló Zaratustra)*.

d) *Normas y valores en la dimensión del espíritu.* En la descripción de la relación entre el espíritu y sus presupuestos psicológicos, la palabra «libertad» fue empleada para designar la manera como el espíritu actúa sobre el material psicológico. Una tal libertad es posible tan sólo porque existen normas a las que el mismo espíritu se somete precisamente para ser libre dentro de las limitaciones de su destino biológico y psicológico. La libertad y la sujeción a unas normas válidas son una sola y la misma cosa. De ahí surge la pregunta: ¿cuál es la fuente de tales normas?

Se pueden distinguir tres respuestas principales a esta pregunta, cada una de las cuales ha sido representada tanto en el pasado como en el presente: la pragmática, la teórica-de-valor, la ontológica, que en algunos aspectos se contradicen entre sí, pero que no se excluyen mutuamente. Cada una de ellas es un elemento importante para la solución, si bien la respuesta ontológica es decisiva y va implícita en las otras dos, lo consten o no quienes ofrecen la respuesta.

Según la derivación pragmática de las normas, la vida es su propio criterio. El pragmatismo no trasciende la vida en orden a juzgarla. Los criterios del espíritu son inmanentes en la vida del espíritu. Esto concuerda con nuestra doctrina de la unidad multidimensional de la vida y nuestro rechazamiento de la metáfora del «nivel»: las normas de la vida no se originan fuera de la vida. Pero el pragmatismo no tiene manera de demostrar cómo las particulares expresiones de la vida se pueden convertir en normas de vida total. Cuando se aplica el método pragmático de manera coherente a los juicios éticos, políticos o estéticos, selecciona los criterios que a su vez deben ser juzgados por unos criterios superiores, y finalmente por los criterios más elevados, y cuando se alcanza este punto, el método pragmático es reemplazado, sin un reconocimiento explícito, por un principio ontológico que no puede probarse pragmáticamente porque es el criterio para toda prueba.

Esta situación la reconoce claramente la teoría de valor de las normas en la dimensión del espíritu. La teoría de valor tiene una gran aceptación en el pensamiento filosófico actual y ha ejercido una gran influencia en el pensamiento no filosófico e incluso en el popular. Su gran mérito ha sido establecer la validez de las normas sin refugiarse ni en la teología heterónoma ni en aquella clase de metafísica cuyo derrumbamiento ha producido la teoría de valor (en gentes como Lotze, Ritschl, los neokantianos, etc.). Todos ellos querían salvar la validez *(Geltung)* sin el relativismo pragmático o el absolutismo metafísico. En sus «jerarquías de valores» intentaron establecer normas para una sociedad sin jerarquías *sagradas*. Pero fueron incapaces, y aún lo son hoy, de dar una respuesta a la pregunta: ¿qué base tiene la exigencia de que unos tales valores controlen la vida? ¿cuál es su importancia para los procesos de la vida en la dimensión del espíritu para los que se supone que son válidos? ¿por qué debe la vida, la portadora del espíritu, preocuparse, de alguna manera, por ellos? ¿cual es la relación de obligación con el ser? Esta pregunta ha sido la causa de que algunos filósofos de valor den su apoyo al problema ontológico.

Debe reafirmarse y cualificarse la solución pragmática: es verdad que los criterios para la vida en la dimensión del espíritu están implícitos en la misma vida; de otra manera no tendrían importancia para la vida; pero la vida es ambigua porque une elementos esenciales y existenciales. En el hombre y en su mundo, lo esencial o potencial es la fuente de la que brotan las normas para la vida en la dimensión del espíritu. La naturaleza esencial del ser, la estructura de la realidad determinada por el *logos*, como la llamaría el estoicismo y el cristianismo, es el «cielo de los valores» hacia el que apunta la teoría de los valores.

Pero si se acepta esto y se reafirma así la respuesta ontológica, surge la pregunta: ¿cómo podemos nosotros alcanzar este «cielo»? ¿cómo podemos conocer algo de la estructura-*logos* del ser, de la naturaleza esencial del hombre y su mundo? Lo conocemos sólo a través de sus manifestaciones ambiguas en la mescolanza de la vida. Estas manifestaciones son ambiguas en la medida en que no sólo revelan sino también ocultan. No hay un camino recto y cierto hacia las normas de acción en la dimensión del espíritu. La esfera de lo potencial es, en parte, visible y, en parte, está oculta. Por tanto, la aplicación de una norma a una situación concreta en el reino del espíritu es una aventura y un riesgo. Se necesita coraje y la aceptación de la posibilidad de un fracaso. El carácter osado de la vida en sus funciones creadoras se manifiesta como verdadero también en la dimensión del espíritu, en la moralidad, en la cultura y en la religión.

B. LA AUTORREALIZACION DE LA VIDA Y SUS AMBIGÜEDADES

Consideración fundamental: las funciones básicas de la vida y la naturaleza de su ambigüedad

Se ha definido la vida como la actualización del ser potencial. Una tal actualización tiene lugar en todo proceso vital. Los vocablos «acto», «acción», «actual», denotan un movimiento hacia adelante intentando de una manera central, un salir de un centro de acción. Pero esta salida ocurre de una tal manera que el centro no se pierde en el movimiento de salida. La autoidentidad permanece en la autoalteridad. El otro *(alterum)* en el proceso de alteración tiene un doble movimiento, de distanciamiento del centro y de retorno al mismo. Así podemos distinguir tres elementos en el proceso de la vida: autoidentidad, autoalteración y retorno al propio yo. La potencialidad se convierte en actualidad sólo a través de estos tres elementos en el proceso que llamamos vida.

Este carácter de estructura de los procesos de la vida conduce al reconocimiento de la primera función de la vida: la autointegración. En él se establece el centro de la autoidentidad, se incita a la autoalteración y se re-establece con los contenidos de aquello en lo que se ha alterado. En toda vida hay una centralidad, como realidad y como tarea. El movimiento en el que se actualiza la centralidad se llamará la autointegración de la vida. La sílaba «auto» indica que es la vida misma la que conduce hacia una centralidad en todos los procesos de autointegración. No hay nada fuera de la vida que pueda causar su movimiento desde la centralidad a través de la alteración de regreso a la centralidad. La naturaleza de la vida misma se expresa a sí misma en la función de la autointegración en todos los procesos particulares de la vida.

Pero el proceso de actualización no implica solamente la función de la autointegración, el movimiento circular de la vida a partir de un centro y de regreso al mismo; implica también la función de producir nuevos centros, la función de autocreación. En ella el movimiento de actualización de lo potencial, el movimiento de la vida, va hacia adelante en dirección horizontal. En ella también las autoidentidad y la autoalteración son efectivas pero bajo el predominio de la autoalteración. La vida lleva hacia lo nuevo. No puede hacer esto sin centralidad, pero lo hace trascendiendo todo centro individual. Es el principio de crecimiento el que determina la función de autocreación, crecimiento dentro del movimiento circular de un ser autocentrado y crecimiento en la creación de nuevos centros más allá de este círculo.

La palabra «creación» es una de las grandes palabras-símbolos que describen la relación de Dios con el universo. El lenguaje contemporáneo ha aplicado las palabras «creativo», «creatividad», e incluso la misma palabra «creación» a los seres, acciones y productos humanos (y prehumanos). Y va bien con este estilo hablar de la función autocreadora de la vida. La vida, por supuesto, no es autocreadora en un sentido absoluto sino que presupone el fondo creador del que ella misma procede. Ahora bien, así como nosotros podemos hablar del Espíritu sólo porque nosotros tenemos el espíritu, así podemos hablar de la creación sólo porque se nos ha dado un poder creador.

La tercera dirección que atraviesa la actualización de lo potencial contrasta con lo circular y horizontal: la dirección vertical. Esta metáfora substituye la función de vida que sugerimos llamar la función autotrascendente. En sí mismo el término «autotrascendencia» podría usarse también para las otras dos funciones: la autointegración, que va de la identidad pasando por la alteración de vuelta a la identidad, es una especie de autotrascendencia intrínseca dentro de un ser centrado, y a cada proceso de crecimiento una etapa posterior trasciende la anterior en la dirección horizontal. Pero en ambos casos, la autotrascendencia permanece dentro de los límites de la vida finita. Una situación finita es trascendida por otra; pero no se ve trascendida la vida finita. Por tanto, parece apropiado reservar el término «autotrascendencia» para esa función de la vida en la que esto ocurre, en la que la vida lleva más allá de sí misma como vida finita. Es autotrascendencia porque la vida no es trascendida por algo que no es vida. La vida por su misma naturaleza como vida, está a la vez *en sí* misma y *por encima* de sí misma, y esta situación se manifiesta en la función de autotrascendencia. Debido a la manera en la que esta elevación de la vida más allá de sí misma se hace aparente, mi sugerencia es emplear la frase «conduciendo hacia lo sublime». Las palabras «sublime», «sublimación», «sublimidad», apuntan a un «ir más allá de los límites» hacia lo grande, lo solemne, lo alto.

Así, dentro del proceso de actualización de lo potencial, al que llamamos vida, distinguimos tres funciones de la vida: la autointegración bajo el principio de centralidad, la autocreación bajo el principio de crecimiento, y la autotrascendencia bajo el principio de sublimidad. La estructura básica de autoidentidad y autoalteración es efectiva en cada una y cada una depende de las polaridades básicas del ser: la autointegración de la polaridad de la individualización y de la participación, la autocreación de la polaridad de la dinámica y de la forma, la autotrascendencia de la polaridad de la libertad y del destino. Y la estructura de la autoidentidad y de la autoalteración está enraizada en la correlación básica ontológica automundana (La relación de la estructura y las funciones de la vida con las polaridades ontológicas se tratará más ampliamente en la discusión de las funciones particulares).

Las tres funciones de la vida unen elementos de autoidentidad con elementos de autoalteración. Pero esta unidad está amenazada por una alienación existencial que lleva a la vida en una u otra dirección, rompiendo así la unidad. En el grado en que esta ruptura sea real, la autointegración queda contrarrestada por la desintegración, la autocreación por la destrucción, la autotrascendencia por la profanización. Todo proceso vital tiene la ambigüedad de que los elementos positivos y negativos están mezclados de tal manera que una separación definida de lo negativo de lo positivo es imposible: la vida en todo momento es ambigua. Mi propósito es tratar las funciones particulares de la vida, no en su naturaleza esencial, separada de su distorsión existencial, sino de la manera como aparecen dentro de las ambigüedades de su actualización, ya que la vida no es ni esencial ni existencial sino ambigua.

1. LA AUTOINTEGRACIÓN DE LA VIDA Y SUS AMBIGÜEDADES

a) *Individualización y centralidad.* La primera de las polaridades en la estructura del ser es la de la individualización y participación. Se expresa en la función de la autointegración a través del principio de la centralidad. La centralidad es una cualidad de la individualización, en la medida en que la cosa indivisible es la cosa centrada. Prosiguiendo con la metáfora, el centro es un punto y un punto no se puede dividir. Un ser centrado puede originar otro ser a partir de sí mismo, o puede verse privado de algunas de las partes que pertenecen al todo; pero lo que es propiamente el centro no se puede dividir, sólo se le puede destruir. Por tanto, un ser plenamente individualizado es, al mismo tiempo, un ser plenamente centrado. Dentro de los límites de la experiencia humana sólo el hombre tiene plenamente estas cualidades; en todos los demás seres, tanto la centralidad como la individualización son limitados. Pero son cualidades de todo lo que es, ya estén limitadas o plenamente desarrolladas.

El término «centralidad» se deriva del círculo geométrico y se aplica metafóricamente a la estructura de un ser en el que un efecto ejercido sobre una parte tiene consecuencias en todas las demás, directa o indirectamente. Las palabras «conjunto» o *Gestalt* se han empleado para cosas con una tal estructura; y estos términos se han aplicado algunas veces a todas las dimensiones con la sola excepción de las inorgánicas. Alguna que otra vez han sido incluidas también las dimensiones inorgánicas. La línea de pensamiento que hemos seguido lleva a la interpretación más inclusiva. Puesto que la individualización es un polo ontológico, tiene una significación universal, al igual que ocurre con la centralidad, que es la condición de la actualización del individuo en la vida. Sin embargo, esto hace que sea preferible el término «centralidad» al de totalidad o *Gestalt*. No implica una *Gestalt* integrada o «conjunto», sino tan solo procesos que salen de y vuelven a un punto que no puede ser localizado en un lugar especial en el conjunto pero que es, sin embargo, el punto de dirección de los dos movimientos básicos de todos los procesos de la vida. En este sentido, la centralidad existe bajo el control de todas las dimensiones del ser, pero como un proceso de salida y retorno. Pues allí donde hay un centro, allí se da una periferia que incluye una cantidad de espacio o, en términos no-metafóricos, que une una pluralidad de elementos. Esto corresponde a la participación, con la que la individualización forma una polaridad. La individualización separa. El ser más individualizado es el más inalcanzable y el más solitario. Pero al mismo tiempo tiene la mayor potencialidad de participación universal. Puede tener comunión con su mundo y *eros* para con él. Este *eros* puede ser teórico y práctico. Puede participar en el universo en todas sus dimensiones y apropiarse algunos de sus elementos. Por tanto, el proceso de autointegración se mueve entre el centro y la pluralidad que es llevada hacia el centro.

Esta descripción de la integración implica la posibilidad de desintegración. La desintegración equivale a un fallo en alcanzar o preservar la autointegración. Este fallo puede darse en una o en dos direcciones. Ya sea la incapacidad en superar una centralidad limitada, estabilizada e inamovible, en cuyo caso hay un centro, pero un centro que no tiene un proceso de vida cuyo contenido ha cambiado y aumentado; así se aproxima a la muerte de la simple autoidentidad. O ya sea la incapacidad de regresar debido a la fuerza disgregadora de la pluralidad, en cuyo caso hay vida, pero dispersa y débil en centralidad, y se enfrenta al peligro de perder su centro de manera definitiva: la muerte de la simple autoalteración. La función de la autointegración mezclada ambiguamente con la desintegración opera entre dos extremos en todos los procesos de la vida.

b) *La autointegración y la desintegración en general: salud y enfermedad.* La centralidad es un fenómeno universal. Aparece tanto en la dimensión microcósmica como en la macrocósmica del reino inorgánico así como en el reino de nuestro encuentro ordinario con objetos inorgánicos. Está presente en el átomo y en la estrella, en la molécula y el cristal. Produce estructuras que inspiran el entusiasmo del artista y que confirman, empleando un lenguaje poético, el símbolo pitagórico de la armonía musical de las esferas astronómicas. De este modo, cualquier estrella, átomo y cristal adquieren una especie de individualidad. No se pueden dividir; sólo pueden ser aplastados, su centro roto y perderse las partes de su unidad integrada para dirigirse hacia nuevos centros. Todo lo que esto significa realmente se pone de manifiesto si uno se imagina un reino del ser inorgánico completamente descentrado. Se produciría aquel caos cuyo símbolo, en el mito de la creación, es el agua. La centralidad individual en las esferas micro y macrocósmicas y en todo lo que hay entre ellas es el «principio» de la creación. Pero el proceso de la autointegración está contrarrestado por las fuerzas de la desintegración: la repulsión contrarresta la atracción (compárense las fuerzas centrífuga y centrípeta); la concentración —que idealmente está en un punto— queda contrarrestada por la expansión —idealmente hasta una periferia infinita— y la fusión lo está por la división. Las ambigüedades de la autointegración y de la desintegración son efectivas en estos procesos, y son efectivas simultáneamente en el mismo proceso. Las fuerzas integradoras y desintegradoras están luchando en toda situación y toda situación es un compromiso entre estas fuerzas, lo cual proporciona un carácter dinámico al reino inorgánico que no puede describirse en términos exclusivamente cuantitativos. Se podría decir que nada hay en la naturaleza que sea simplemente una cosa, si «cosa» significa aquí aquello que ya está totalmente condicionado, un objeto sin ninguna clase de «ser en sí mismo» o centralidad. Tal vez sólo el hombre es capaz de producir «cosas» mediante la disolución de estructuras centradas y una nueva conexión de los fragmentos en objetos técnicos. Con todo, si bien los objetos técnicos no tienen centro en sí mismos, incluso ellos tienen un centro que les es impuesto por el hombre (por ejemplo, la máquina computadora). Esta visión del reino inorgánico y de sus dimensiones es un paso decisivo para superar la hendidura entre lo inorgánico y lo orgánico (y lo psicológico). Exactamente igual que cualquier otra dimensión, lo inorgánico pertenece a la vida y muestra la integración y la posible desintegración de la vida en general.

La autointegración y la desintegración donde quedan más de manifiesto es bajo la dimensión de lo orgánico. Todo ser viviente está sabiamente centrado (sea el momento que fuere del conjunto de los procesos naturales en el que se empiece a hablar de seres vivientes); reacciona como un todo. Su vida es un proceso de salida y de vuelta a sí mismo mientras viva. Asume elementos de la realidad encontrada y los asimila a su propio conjunto centrado, o los rechaza si la asimilación es imposible. Empuja hacia adelante en el espacio tan lejos como permita su estructura individual, y se retira cuando ha sobrepasado este límite o cuando otros seres vivientes individuales lo fuerzan a retirarse. Desarrolla sus partes en equilibrio bajo el centro unificador y se le fuerza de nuevo al equilibrio si una parte tiende a romper la unidad.

El proceso de autointegración es constitutivo de la vida, pero lo es así en una continua lucha con la desintegración, y las tendencias integradoras y desintegradoras están mezcladas ambiguamente en cualquier momento dado. Los elementos extraños que deben asimilarse tienen la tendencia a hacerse independientes dentro del todo centrado para romperlo. Muchas enfermedades, especialmente las infecciosas, pueden entenderse como una incapacidad del organismo para regresar a su autoidentidad. No puede expulsar los elementos extraños que no ha asimilado. Pero la enfermedad puede ser también la consecuencia de una autorrestricción del conjunto centrado, una tendencia a mantener la autoidentidad evitando los peligros de la salida a la autoalteración. La debilidad de la vida se expresa a sí misma al rechazar el movimiento, el alimento apetecible, la participación en lo circundante, etcétera. Para estar a salvo, el organismo intenta descansar en sí mismo, pero puesto que esto contradice la función vital de autointegración, desemboca en la enfermedad y la desintegración.

Esta visión de la enfermedad nos obliga a rechazar las teorías biológicas que modelan sus conceptos de vida según esos fenómenos en los que la vida se desintegra, es decir, procesos no centrados que están sujetos a métodos de análisis calculadores de la cantidad. La teoría de estímulo-respuesta tiene una importante función en la ciencia de la vida pero sería errónea elevada a una validez absoluta. Ya sea que los procesos no centrados, calculables, se produzcan por enfermedad (pues su producción es la esencia de la enfermedad) o ya sea que estén producidos artificialmente en la situación experimental, se oponen a los procesos normales de autointegración. No son modelos de vida saludable sino de vida que se desintegra.

En el reino de lo orgánico se distinguen formas de vida inferiores y superiores. Algo se ha de decir acerca de esta distinción desde un punto de vista teológico, debido al amplio uso simbólico al que todas las formas de vida orgánica, especialmente las superiores, están sujetas, y por el hecho de que al hombre —a pesar de la protesta de muchos naturalistas— se le llama frecuentemente el supremo ser viviente. Ante todo no se debe confundir «supremo» con el «más perfecto». La perfección significa la actualización de las propias potencialidades; por tanto, un ser inferior pueden ser más perfecto que uno superior si en la actualidad es lo que es en potencia, por lo menos en una gran aproximación. Y el ser más elevado —el hombre— puede hacerse menos perfecto que cualquier otro, porque no sólo puede fallar en actualizar su ser esencial sino que puede negarlo y deformarlo.

Así pues, un ser viviente superior no es en sí mismo más perfecto; más bien hay grados diferentes de inferiores y superiores. Así pues la pregunta es: ¿cuáles son los criterios de lo superior e inferior y por qué el hombre es el ser más elevado a pesar de su riesgo de la mayor imperfección? Los criterios son la precisión del centro, por un lado, y la suma de contenido que supone, por otro. Estos son los criterios para determinar un rango superior o inferior de las dimensiones de la vida. Son estos criterios los que determinan que la dimensión animal esté por encima de la vegetativa y que la dimensión de la conciencia interna supere lo biológico que, a su vez, es superado por el espíritu. Son ellos los determinantes de que el hombre sea el ser superior porque su centro está definido y la estructura de su contenido lo abarca todo. En contraste con todos los demás seres, el hombre no sólo tiene entorno; tiene al mundo, la unidad estructurada de todo posible contenido. Es esto y sus implicaciones lo que le convierten en el ser supremo.

El paso decisivo en la autointegración de la vida —con respecto tanto al carácter definido del centro como a la riqueza del contenido— es la aparición de la autoconciencia en alguna parte del reino animal. La autoconciencia significa que todos los encuentros de un ser con su entorno se experimentan como referencias al ser individual que tiene conciencia de los mismos. Una conciencia centrada implica un centro definido, y al mismo tiempo, implica un contenido que lo engloba todo más que incluso el ser preconsciente más desarrollado. Sin conciencia sólo hay presencia en el encuentro; con conciencia se abren un pasado y un futuro en términos de recuerdo y anticipación. La lejanía de lo recordado o anticipado puede ser muy ligera, pero el hecho de que aparezca de manera irrefutable en la vida animal indica el dominio de una nueva dimensión, la psicológica.

La autointegración de la vida en el reino psicológico incluye el movimiento de salida y regreso a uno mismo en una experiencia inmediata. El centro de un ser bajo la dimensión de autoconciencia puede llamarse el «yo psicológico». El «yo» en este sentido no se debe entender mal como un objeto, cuya existencia se pudiera discutir o como una parte de un ser viviente, sino más bien como el punto al que hacen referencia todos los contenidos de la conciencia, en la medida en que «yo» soy consciente de todos ellos. Los actos que salen de este centro se refieren a lo que lo circunda como receptor y reactor ante ello. Esta es una implicación de los elementos polares básicos de la individualización y de la participación en toda realidad, y es una continuación de la misma tensión polar en los reinos biológico e inorgánico. Bajo la dimensión de autoconciencia, es efectivo como perceptora de una realidad encontrada para reaccionar ante ella.

Es difícil tratar del reino psicológico y de las funciones de la vida en él por el hecho de que el hombre ordinariamente experimenta la dimensión de autoconciencia unida a la dimensión del espíritu. El yo psicológico y personal están unidos en él. Sólo en situaciones especiales tales como el sueño, intoxicación, somnolencia, etcétera, se da una separación parcial y esta separación nunca es tan completa que haga posible una aguda y distinta descripción de lo psicológico. Para salvar esta dificultad uno se aproxima al proceso de autointegración bajo la dimensión de autoconciencia por medio de la psicología animal. Los límites de esta aproximación radican en la capacidad del hombre para participar empatéticamente en el yo psicológico de incluso los animales superiores de una tal manera que, por ejemplo, puede comprender plenamente la salud y la enfermedad psicológica. Inducida artificialmente la desintegración psíquica en los animales, como, por ejemplo, una congoja exagerada o una hostilidad exagerada, sólo puede observarse indirectamente en la medida en que se expresan biológicamente. La autoconciencia está, por así decirlo, sumergida en ambas dimensiones, por un lado, la dimensión biológica, y, por el otro, la del espíritu, y solamente puede ser alcanzada a través de análisis y conclusiones, no mediante una observación directa.

Se puede decir, consciente de estas limitaciones, que la estructura de la salud y de la enfermedad, de la auto-integración feliz o desgraciada en la esfera psicológica, depende de la actuación de los mismos factores que operan en las dimensiones precedentes: las fuerzas que conducen hacia una autoidentidad y las que conducen hacia una autoalteración. El yo psicológico puede romperse por su incapacidad para asimilar (es decir, para incorporar en la unidad centrada cierto número de impresiones extensiva o intensivamente irresistibles), o por su incapacidad para resistir el impacto destructor de las impresiones que arrastran al yo en demasiadas direcciones o demasiado contradictorias, o por su incapacidad bajo tales impactos para mantener unas funciones psicológicas particulares equilibradas por otras. Así la autoalteración puede evitar o romper la autointegración. El desconcierto contrario viene causado por el miedo psicológico del yo de perderse a sí mismo, con el resultado de que se vuelva indiferente a los estímulos y acabe en un entorpecimiento que impida cualquier autoalteración y transforme la autoidentidad en una forma muerta. Las ambigüedades de la autointegración y desintegración psíquicas se dan entre estos polos.

c) *La autointegración de la vida en la dimensión del espíritu: la moralidad o la constitución del yo personal.* En el hombre se da esencialmente una completa centralidad, pero no se da actualmente hasta que el hombre la actualiza en la libertad y a través del destino. El acto en el que el hombre actualiza su centralidad esencial es el acto moral. La moralidad es la función de vida por la que el reino del espíritu viene a existir. La moralidad es la función constitutiva del espíritu. Un acto moral, por tanto, no es un acto por el que se obedece a una ley divina o humana sino un acto en el que la misma vida se integra en la dimensión del espíritu, lo que viene a ser como si la personalidad se integrara en la comunidad. La moralidad es la función de la vida por medio de la cual el yo centrado se constituye a sí mismo como persona; es la totalidad de aquellos actos por los cuales un proceso de vida personal potencialmente llega a ser una persona actual. Unos tales actos ocurren continuamente en una vida personal; la constitución de una persona como persona no llega jamás a su fin a lo largo de todo el proceso de su vida.

La moralidad presupone la centralidad total en potencia de aquel en quien la vida está actualizada bajo la dimensión del espíritu. «La centralidad total» es la situación de tener, cara a cara con el propio yo, un mundo al que uno, al mismo tiempo, pertenece como parte integrante. Esta situación libera al yo del sometimiento a lo que lo circunda y del que todos los seres dependen en las dimensiones precedentes. El hombre vive en un ambiente, pero tiene un mundo. Las teorías que intentan explicar su comportamiento únicamente por referencia a su medio ambiente reducen el hombre a la dimensión de lo orgánico psicológico y lo privan de la participación en la dimensión del espíritu, haciendo así imposible la explicación de cómo él puede tener una teoría que pretende ser verdadera, de la que la misma teoría ambiental es un ejemplo. Ahora bien, el hombre tiene un mundo, es decir, un conjunto estructurado de potencialidades y actualidades infinitas. En su encuentro con su ambiente *(este* hogar, *este* árbol, *esta* persona), experimenta ambas cosas, el medio ambiente y el mundo, o más exactamente, en su encuentro con las cosas de su medio ambiente y a través del mismo se encuentra con un mundo. Trasciende su simple cualidad ambiental. Si no fuera así, no podría está completamente centrado. En algún lugar de su ser sería una parte de su medio ambiente y esta parte no sería un elemento en su yo centrado. Pero el hombre puede oponer su yo a cualquier parte de su mundo, incluyéndose a sí mismo como una parte de su mundo.

Este es el primer postulado de moralidad y de la dimensión del espíritu en general y el segundo es una derivación del primero. Debido a que el hombre tiene un mundo al que se enfrenta como a un yo totalmente centrado, puede formular preguntas y recibir respuestas y órdenes. Esta posibilidad que caracteriza la dimensión del espíritu, es única, porque implica ambas cosas a la vez, la libertad de lo simplemente dado (el medio ambiente) y las normas que determinan el acto moral a través de la libertad. Como se indica más arriba, estas normas expresan la estructura esencial de la realidad, del yo y del mundo frente a las condiciones existenciales del simple medio ambiente. Queda claro de nuevo que la libertad es la abertura a las normas de la validez incondicional o esencial. Expresan la esencia del ser y el aspecto moral de la función de la autointegración es la totalidad de los actos en los que se presta o no se presta obediencia a las órdenes provenientes de la esencia del mundo encontrado. Se puede decir también que el hombre es capaz de responder a estas órdenes y que es esta capacidad la que lo hace responsable. Todo acto moral es un acto responsable, una respuesta a una orden válida, pero el hombre puede negarse a responder. Si se niega, cede el paso a las fuerzas de la desintegración moral; actúa contra el espíritu con el poder del espíritu, ya que jamás puede desembarazarse de sí mismo como espíritu. Se constituye a sí mismo como un yo completamente centrado, incluso en sus acciones antiesenciales, antimorales. Estas acciones expresan una centralidad moral aun cuando tienden a disolver el centro moral.

Antes de proseguir la discusión de la constitución del yo personal, puede ser útil discutir un problema semántico. La palabra «moral» y sus derivados han acumulado tantas malas connotaciones que parece imposible su empleo en un sentido positivo. La moralidad es una reminiscencia del moralismo, de la inmoralidad con sus connotaciones sexuales, de la moral convencional, etcétera. Por esta razón, se ha sugerido (especialmente en la teología europea) sustituir el vocablo «moral» por el de «ética». Pero esto no ofrece ninguna solución real porque, tras un breve período, las connotaciones negativas de «moral» recaerían sobre la nueva palabra. Es mejor reservar el vocablo «ética» y sus derivados para designar la «ciencia moral» que es el tratado teórico de la función moral del espíritu. Ciertamente, esto presupone que el término «moral» puede verse libre de las connotaciones negativas que han deformado cada vez más su significado desde el siglo XVIII. Las discusiones precedentes y las que siguen son un intento de trabajar en esta dirección.

El acto moral en el que el reino del espíritu cobra existencia presupone la libertad para recibir órdenes y obedecerlas o no. La fuente de estas órdenes son las normas morales, es decir, las estructuras esenciales de la realidad encontrada, en el hombre mismo y en su mundo. La primera pregunta que surge aquí es: ¿cómo llega el hombre a ser consciente de lo que tiene que ser en su encuentro con el ser? ¿de qué manera experimenta que las órdenes morales son órdenes de una validez incondicional? En las discusiones éticas contemporáneas se ha dado una respuesta cada vez más unánime sobre la base de las intuiciones protestantes y kantianas: en el encuentro de una persona que ya es y no es todavía una persona con otra en las mismas condiciones, ambas quedan constituidas como personas reales. La «obligatoriedad» se experimenta básicamente en la relación yo-tú. Esta situación se puede describir también de la siguiente manera: el hombre, enfrentándose a su mundo, tiene el universo entero como el contenido potencial de su yo centrado. Ciertamente, se dan unas limitaciones actuales debido a la finitud de todo ser, pero el mundo está indefinidamente abierto al hombre; todo puede llegar a ser un contenido del yo. Esa es la base estructural para la perpetuidad de la libido en el estado de alienación; es la condición del deseo del hombre de «conquistar el mundo entero».

Pero existe un límite para el intento del hombre de asimilar todo el contenido: el otro yo. Se puede someter y explotar a otro en su base orgánica, incluyendo su yo psicológico, pero no al otro yo en la dimensión del espíritu. Se puede destruir como un yo, pero no se le puede asimilar como el contenido del centro de uno mismo. El intento de los grandes dictadores por lograrlo nunca ha prosperado. Nadie puede privar a una persona de su exigencia de ser persona y de ser tratada como tal. Por tanto, el otro yo es el límite incondicional al deseo de asimilar todo el mundo de uno mismo, y la experiencia de este límite es la experiencia de lo que tiene que ser, el imperativo moral. La constitución moral del yo en la dimensión del espíritu empieza por esta experiencia. La vida personal se presenta en el encuentro de una persona con otra y no se da ninguna otra forma. Si uno se puede imaginar un ser viviente con la estructura psicosomática del hombre, completamente al margen de cualquier comunidad humana, un tal ser no podría actualizar su espíritu potencial. Sería llevado en todas direcciones, quedaría limitado sólo por su finitud, pero no experimentaría lo que tiene que ser. Por tanto, la autointegración de la persona como persona se da en una comunidad, en cuyo seno es posible y real el mutuo y constante encuentro del yo centrado con su igual.

La misma comunidad es un fenómeno de vida que tiene analogías en todos los reinos. Está implicada por la polaridad de la individualización y de la participación. Ningún polo es actual sin el otro. Tan verdadero es esto de la función de autocreación como lo es de la función de autointegración, y no hay ninguna autotrascendencia de vida excepto a través de la interdependencia polar de la individualización y participación.

Sería posible proseguir la discusión de la centralidad y de la autointegración en relación con la participación y la comunidad, pero ello anticiparía descripciones que pertenecen a la dimensión de lo histórico y una tal anticipación sería peligrosa para la comprensión de los procesos vitales. Por ejemplo, apoyaría la falsa suposición de que el principio moral se refiere a la comunidad de la misma manera que se refiere a la personalidad. Pero la estructura de la comunidad, incluyendo su estructura de centralidad, es cualitativamente diferente de la propia de la personalidad. La comunidad queda sin la completa centralidad y sin la libertad que se identifica con el ser completamente centrado. El confuso problema de la ética social está en que la comunidad se compone de individuos portadores del espíritu, mientras que la misma comunidad, por su carencia de un yo centrado, no funciona de la misma manera. Donde se reconoce esta situación, la noción de una comunidad personificada y sometida a órdenes morales, se hace imposible, como ocurre en algunas formas de pacifismo. Estas consideraciones llevan a la decisión de que las funciones de la vida con respecto a la comunidad deban discutirse en el contexto de la dimensión que lo engloba más todo y que no es otra que la histórica. Llegados a este punto, el objeto de la discusión se centra en el problema de cómo la persona llega a ser tal. El considerar la cualidad comunitaria de la persona no significa que se considere la comunidad.

d)   *Las ambigüedades de la autointegración personal: lo posible, lo real y la ambigüedad del sacrificio.* Tal como actúa cualquier otra forma de autointegración, lo personal se mueve entre los polos de la autoidentidad y de la autoalteración. La integración es el estado de equilibrio entre ellas, la desintegración, la ruptura de este equilibrio. Ambas tendencias son siempre eficaces en los actuales procesos vitales bajo las condiciones de alienación existencial. La vida personal se debate ambigüamente entre las fuerzas de la centralidad esencial y las de la ruptura existencial. No hay un momento en un proceso de vida personal en el que domine con exclusividad una u otra fuerza.

Como en los reinos orgánico y psicológico, la ambigüedad de la vida en la función de la autointegración está enraizada en la necesidad de que un ser asimile a su unidad centrada, sin que ésta sufra una ruptura por su cantidad o calidad, el contenido encontrado de la realidad. La vida personal siempre es la vida de alguien; como en todas las dimensiones, la vida es la vida de algún ser individual, de acuerdo con el principio de centralidad. Yo hablo de mi vida, de tu vida, de nuestras vidas. Todo queda incluido en mi vida que me pertenece: mi cuerpo, mi autoconciencia, mis recuerdos y previsiones, mis percepciones y pensamientos, mi voluntad y mis emociones. Todo esto pertenece a la unidad centrada que soy yo. Trato de incrementarla saliendo fuera y trato de conservarla retornando a la unidad centrada que soy yo. En este proceso encuentro innumerables posibilidades, cada una de las cuales, si se aceptan, significa una autoalteración y por consiguiente un peligro de ruptura. A causa de mi realidad presente, debo guardar muchas posibilidades fuera de mi yo centrado, o debo abandonar algo de lo que ahora soy y ello debido a cualquier posibilidad que puede ampliar y fortalecer mi yo centrado. Así mi proceso vital oscila entre lo posible y lo real y exige la rendición del uno al otro, que constituye lo que de sacrificio incluye cada vida.

Todo individuo tiene potencialidades esenciales que tiende a actualizar, de acuerdo con el movimiento general del ser de lo potencial a lo actual. Algunas de estas potencialidades no alcanzan nunca el estadio de posibilidades concretas; las condiciones históricas, sociales e individuales reducen drásticamente las posibilidades. Desde el punto de vista de las potencialidades humanas un indio del campo en la América Central puede estar en posesión de las mismas potencialidades humanas que un alumno de enseñanza superior en América del Norte, pero no tiene las mismas posibilidades de actualizarlas. Sus elecciones tienen un campo mucho más limitado si bien también él tiene que sacrificar posibilidades por realidades y viceversa.

Tenemos abundancia de ejemplos para ilustrar esta situación. Debemos sacrificar intereses posibles por aquellos que son o pueden llegar a ser reales. Hemos de abandonar una posible tarea y vocaciones posibles por aquella que ya hemos elegido. Debemos sacrificar posibles relaciones humanas por las que son reales o las que son reales por las posibles. Debemos elegir entre un reforzamiento consistente aunque autolimitado de nuestra vida y un abrirse paso entre tantos límites como se den con una pérdida de consistencia y dirección. Debemos decidir constantemente entre la abundancia y la pobreza y entre unos especiales tipos de abundancia y tipos especiales de pobreza. Hay una abundancia de vida hacia la que uno se siente llevado por la congoja de permanecer en la pobreza de alguna manera, o bajo muchos aspectos; pero esta abundancia puede superar nuestro poder de hacer justicia ante ella y ante nosotros, para acabar convirtiéndose la abundancia en una repetición vacía. Si, por tanto, la congoja contraria, la de perderse uno mismo en la vida, lleva a una resignación parcial o a una retirada completa de la abundancia, la pobreza se convierte en una autorrelación sin contenido; la unidad centrada del yo personal comprende muy distintas tendencias, cada una de las cuales tiende a dominar el centro. Ya hemos hecho mención de esto en conexión con el yo psicológico y hemos apuntado a la estructura de compulsión; la misma ambigüedad de autointegración está presente bajo la dimensión del espíritu. Se describe normalmente como la lucha de valores en un centro personal; en términos ontológicos se puede llamar el conflicto de las esencias en el seno de un yo existente. Una de las muchas normas éticas, reforzada por experiencias con el mundo encontrado, toma posesión del centro personal y sacude el equilibrio de las esencias en el interior de la unidad centrada. Esto puede desembocar en un fallo de autointegración en personalidades con una moralidad sólida pero estricta —al igual que puede llevar a conflictos de ruptura entre las normas éticas dominantes y las suprimidas. La ambigüedad de sacrificio se presenta incluso en la función moral del espíritu.

La autointegración de la vida incluye el sacrificio de lo posible por lo real, o de lo real por lo posible, como un proceso inevitable en todas las dimensiones que no sean las del espíritu y como una decisión inaplazable dentro de la dimensión del espíritu. Según el sentido común, el sacrificio es bueno de manera no ambigua. En el cristianismo, en el que el mismo Dios hace el sacrificio según el simbolismo cristiano, el acto del sacrificio parece trascender cualquier ambigüedad. Pero esto no es así, como demuestran muy bien los razonamientos teológicos y la práctica penitencial. Todos ellos saben que cualquier sacrificio es un riesgo moral y que ocultos motivos pueden incluso volver discutible un sacrificio aparentemente heroico. Esto no significa que no tenga que haber sacrificios; la vida moral los exige constantemente. Pero debe correrse el riesgo con la conciencia de que es un riesgo y no algo bueno sin ningún tipo de ambigüedad sobre lo que pueda descansar una conciencia tranquila. Uno de los riesgos es la decisión de si se ha de sacrificar lo real por lo posible o lo posible por lo real. La «consciencia acongojada» tiende a preferir lo real por lo posible, porque lo real es por lo menos familiar, cuando se ignora lo que es posible. Pero el riesgo moral al sacrificar una posibilidad importante puede ser igualmente tan grande como el riesgo al sacrificar una realidad importante. La ambigüedad de sacrificio aparece de manera visible también cuando se hace la pregunta de: ¿qué es lo que debe sacrificarse? El autosacrificio puede carecer de valor si no existe ningún yo digno de ser sacrificado. El otro, o la causa, en cuyo favor se sacrifica puede no recibir nada de él, así como tampoco el que hace el sacrificio alcanza una autointegración moral por su medio. Puede simplemente ganar el poder que da la debilidad sobre el fuerte por el que se hace el sacrificio. Si, con todo, el yo que se sacrifica es digno, surge la pregunta de si aquel en cuyo favor se sacrifica es digno de recibirlo. La causa que lo recibe puede ser mala, o la persona por la que se ofrece puede explotarlo de manera egoísta. Así la ambigüedad del sacrificio es una expresión decisiva y que penetra todo de la ambigüedad de la vida en función de la autointegración. Muestra la situación humana en una mezcla de elementos esenciales y existenciales y la imposibilidad de separarlos en buenos y malos sin ningún tipo de ambigüedades.

e) *Las ambigüedades de la ley moral: el imperativo moral, las normas morales, la motivación moral.* La discusión del conflicto de las normas y la necesidad de arriesgar el sacrificio de algunas de ellas por otras ha mostrado que las ambigüedades de la autointegración personal están enraizadas últimamente en el carácter de la ley moral. Puesto que la moralidad es la función constitutiva del espíritu, el análisis de su naturaleza y la evidencia de su ambigüedad son decisivas para la comprensión del espíritu y del predicamento del hombre. Obviamente una tal averiguación relaciona la discusión actual con los juicios teológicos bíblicos y clásicos acerca del significado de la ley en la relación de Dios con el hombre. Se tratarán, por separado, en esta sección y en las siguientes, las tres funciones del espíritu: moralidad, cultura y religión. Y ya una vez hecho esto se pasará a considerar su unidad esencial, sus conflictos actuales y su posible reunión. Esta consecuencia viene del hecho de que sólo pueden ser reunidos por lo que les transciende a cada uno de ellos, es decir, la nueva realidad o el Espíritu divino. Bajo la dimensión del espíritu tal como es actual en la vida humana, no cs posible ninguna reunión.

Tres problemas principales de la ley moral confrontan la indagación ética: el carácter incondicional del imperativo moral, las normas de la acción moral, y la motivación moral. La ambigüedad de la vida en la dimensión del espíritu se pone de manifiesto en las tres.

Como hemos visto, el imperativo moral es válido porque representa nuestro ser esencial frente a nuestro estado de alienación existencial. Por esta razón, el imperativo moral es categorial, su validez no depende de condiciones externas o internas; no admite ambigüedades. Pero esta falta de ambigüedad no se refiere a nada concreto. Sólo dice que si se da un imperativo moral es incondicional. La cuestión está pues en si se da y dónde se da un imperativo moral. Nuestra primera respuesta fue: el encuentro con otra persona implica la orden incondicional de reconocerlo como persona. La validez del imperativo moral se experimenta básicamente en tales encuentros. Pero ello no implica qué clase de encuentros proporcionan una tal experiencia, y para dar una respuesta a esto hace falta una descripción cualificadora. Existen innumerables encuentros no personales en la realidad (pasando entre la multitud, leyendo lo que dice el periódico) que son encuentros personales en potencia pero que nunca pasan a ser actuales. El paso del encuentro personal en potencia al actual es un campo de ambigüedades sin fin, muchas de las cuales nos ponen ante la alternativa de dolorosas decisiones. La pregunta de: ¿quién es mi prójimo?, con toda su problemática, continúa siendo válida a pesar de o, más exactamente, debido a la *única* respuesta que dio Jesús en el relato del buen samaritano. Esta respuesta muestra que la noción abstracta de «reconocer al otro como persona» se vuelve concreta solamente en la noción de participar en el otro (lo cual se sigue de la polaridad ontológica de la individualización y participación). Sin la participación no se sabría lo que significa el «otro yo»; no sería posible ninguna empatía a fin de discernir la diferencia entre una cosa y una persona. Ni siquiera se podría usar la palabra «tú» en la descripción del encuentro yo-tú porque implica la participación que está presente cuando uno se dirige a otro como persona. De manera que se debe preguntar ¿qué clase de participación es aquella en la que se constituye el yo moral y que tiene una validez incondicional? Ciertamente no puede ser una participación en las características particulares de otro yo con las características particulares de uno mismo. Esta sería la convergencia más o menos lograda de dos particularidades que podrían llevar a la simpatía o antipatía, a la amistad u hostilidad; esto es cuestión de suerte y no constituye un imperativo moral. El imperativo moral exige que un yo participe en el centro del otro yo, y por tanto acepte sus particularidades, aun cuando no haya ninguna convergencia entre los dos individuos como individuos. Esta aceptación del otro yo mediante la participación en su centro personal es el corazón del amor en el sentido de *ágape*, que es el término que usa el nuevo testamento. La respuesta previa formal de que el carácter incondicional del imperativo moral se experimenta en el encuentro de una persona con otra ahora ha llegado a estar incluida en la respuesta material, que es el *ágape* el que da concreción al imperativo categorial, centralidad a la persona y fundamento de la vida del espíritu.

Agape, como norma última de la ley moral, está más allá de la distinción de lo formal y material. Pero a causa del elemento material en *ágape*, esta afirmación revela la ambigüedad de la ley moral, y lo hace así precisamente con el término «ley de amor». El problema se puede formular de la siguiente manera: ¿cómo se relaciona la participación en el centro del otro yo con la participación en o el rechazamiento de sus características particulares? ¿Se apoyan o se excluyen o se limitan entre sí? Por ejemplo, ¿qué es lo esencial y cuál la relación existencial de *ágape* y libido, y qué significa la mezcla de ambas relaciones en un acto moral para la validez de *ágape* como norma última? Estas preguntas se hacen a fin de mostrar la ambigüedad de la ley moral desde el punto de vista de su validez y al mismo tiempo desembocan en la pregunta de la ambigüedad de la ley moral desde el punto de vista de su contenido: los mandamientos actuales.

Los mandamientos de la ley moral son válidos porque manifiestan la naturaleza esencial del hombre y le enfrentan con su ser esencial en su estado de alienación existencial. Esto plantea la pregunta siguiente: ¿cómo es posible la autointegración moral en el interior de la ambigua mescolanza de los elementos esenciales y existenciales que caracterizan la vida? Nuestra respuesta ha sido: ¡por el amor en el sentido de *ágape!* Pues el amor incluye el principio último, si bien formal, de justicia siendo el mismo amor el que trata de aplicarlo a la situación concreta y esto de manera flexible.

Esta solución es decisiva ante el problema del contenido de la ley moral. Pero puede ser atacada desde una doble postura. Se puede defender el puro formalismo de la ética, tal como aparece, por ejemplo, en Kant, y rechazar el *ágape* como principio último precisamente porque lleva a decisiones ambiguas a las que falta una validez incondicional. Pero, en realidad, ni el mismo Kant fue capaz de mantener el formalismo radical que intentaba, y en su elaboración del imperativo moral aparece como heredero liberal del cristianismo y del estoicismo. Parece que el formalismo ético radical resulta lógicamente imposible porque la forma siempre conserva rasgos que delatan su procedencia. Bajo estas circunstancias, es más realista dar nombre al contenido del que procede la forma que formular principios de tal manera que el radicalismo de la pura forma vaya unido al contenido concreto. Y, a pesar de las ambigüedades en su aplicación, es esto precisamente lo que hace el *ágape*.

El contenido de la ley moral está condicionado históricamente. Este hecho es la razón por la que Kant intentaba liberar la norma ética de todos los contenidos concretos, y —por contraste— es también la razón por la que la mayoría de los diversos tipos de naturalismo rechazan los principios absolutos de la acción moral. Según ellos, el contenido del imperativo moral queda determinado por necesidades biológicas o por realidades sociológicas y culturales. Esto cierra el paso a las normas éticas absolutas para admitir tan sólo un relativismo ético calculador.

La verdad del relativismo ético radica en la incapacidad de la ley moral para dar órdenes que no sean ambigüas, tanto en su forma general como en su aplicación concreta. Toda ley moral es abstracta en relación con la situación única y totalmente concreta. Esto es verdad de lo que ha sido llamado ley natural y ley revelada. Esta distinción entre ley natural y revelada no tiene mayor importancia desde el punto de vista ético, ya que, según la teología clásica protestante, los diez mandamientos, así como los mandamientos del sermón de la montaña, son reafirmaciones de la ley natural, la «ley del amor», tras períodos en los que en parte fue olvidada y en parte deformada. Su substancia es la ley natural o, en nuestra terminología, la naturaleza esencial del hombre que se le enfrenta en su alienación existencial. Si se formulara bajo la forma de mandamientos, esta ley jamás alcanzaría el aquí y ahora de una decisión particular. Con respecto a ello, el mandamiento puede ser un acierto en una situación especial, sobre todo expresado de forma negativa, pero puede ser erróneo en otra situación, debido precisamente a su forma negativa. Toda decisión moral exige una liberación parcial de la ley moral afirmada. Toda decisión moral es un riesgo porque no existen garantías de que realice la ley de amor, la exigencia incondicional proveniente del encuentro con el otro. Debe asumirse este riesgo y es entonces cuando surge la pregunta: ¿cómo es posible alcanzar una autointegración personal bajo estas condiciones? No existe respuesta a esta pregunta dentro del dominio de la vida moral del hombre y sus ambigüedades.

La ambigüedad de la ley moral con respecto al contenido ético aparece incluso en las afirmaciones abstractas de la ley moral y no sólo en su aplicación particular. Por ejemplo, la ambigüedad de los diez mandamientos está enraizada en el hecho de que, a pesar de su forma universalista, están condicionados históricamente por la cultura israelita y su desarrollo a partir de las culturas vecinas. Incluso las afirmaciones éticas del nuevo testamento, las de Jesús inclusive, reflejan los condicionamientos del imperio romano y la radical retirada del individuo de los problemas de la existencia social y política y esta situación se repitió en todos los períodos de la historia de la iglesia. Cambiaron las preguntas y las respuestas éticas, y cada respuesta o afirmación de la ley moral en cada período de la historia humana continuaron siendo ambiguas. La naturaleza esencial del hombre y la norma última de *ágape* en la que se expresa están a la vez ocultas y manifiestas en los procesos de la vida. No tenemos una aproximación sin ambigüedades a la naturaleza creada del hombre y a sus potencialidades dinámicas. Tan solo tenemos una aproximación indirecta y ambigua a través de las experiencias de revelación que subyacen en la sabiduría ética de todas las naciones sin que pierdan su ambigüedad a pesar de ser reveladoras. La recepción humana de toda revelación vuelve a la misma revelación ambigua para la acción del hombre.

Una consecuencia práctica de estas consideraciones es que la conciencia moral es ambigua en lo que nos manda hacer o dejar de hacer. A la vista de innumerables casos históricos y psicológicos, no se puede negar que haya una «conciencia equivocada». Los conflictos entre tradición y revolución, entre nomismo y libertad, entre autoridad y autonomía, hacen que sea imposible una simple seguridad a propósito de la «voz de la conciencia». Es un riesgo seguir la propia conciencia pero aún se corre un riesgo mayor al contradecirla; pero aunque exista una mayor incertidumbre se hace del todo necesario correr este riesgo mayor. Por tanto, aunque es más seguro seguir la propia conciencia, el resultado puede ser un desastre, revelador de la ambigüedad de la conciencia y conducente a la búsqueda de una certeza moral que en la vida temporal se da sólo fragmentariamente y a través de la anticipación.

El principio de *ágape* expresa la validez incondicional del imperativo moral y da la norma última de todo contenido ético. Pero desempeña aún una tercera función: es la fuente de la motivación moral. Necesariamente manda, amenaza y promete porque la plenitud de la ley es reunión con el ser esencial de uno, o la integración del yo centrado. La ley es «buena», como dice Pablo. Pero es ahí precisamente donde aparece su más profunda y peligrosa ambigüedad, la que llevó a Pablo, Agustín y Lutero a sus experiencias revolucionarias. La ley como ley expresa la alienación del hombre de sí mismo. En el estado de mera potencialidad o de inocencia creada (que no es una etapa histórica), no hay ley, porque el hombre está unido esencialmente con aquello a lo que pertenece: el fondo divino de su mundo y de sí mismo. Lo que debe ser y lo que es son idénticos en el estado de potencialidad. En la existencia, esta identidad está rota, y en todo proceso vital está mezclada la identidad y la no-identidad de lo que es y lo que debe ser. Por tanto, la obediencia y la desobediencia a la ley están mezcladas; la ley tiene el poder de motivar una plenitud parcial, pero al hacerlo lleva también a la resistencia, porque por su mismo carácter como ley, confirma nuestra separación del estado de plenitud. Produce hostilidad contra Dios, el hombre y el propio yo. Esto lleva a diferentes actitudes ante la ley. El hecho de que tenga algún poder motivador lleva a la autodecepción de que pueda reunirnos con nuestro ser esencial, es decir, a una completa autointegración de la vida en el reino del espíritu. Esta autodecepción queda claramente manifestada por quienes, de una u otra forma, reciben el nombre de justos, fariseos, puritanos, pietistas, moralistas, la gente de buena voluntad. *Son* justos, y merecen ser admirados. Bajo unas ciertas condiciones están bien-centrados, son fuertes, tienen una autoseguridad y son dominadores. Son personas que rebosan juicio, incluso cuando no lo expresan con palabras. Con todo, precisamente por su rectitud, son con frecuencia responsables de la desintegración de aquellos a quienes encuentran y que perciben su juicio.

La otra actitud ante la ley, y que es probablemente la de la mayoría, es una aceptación resignada del hecho de que su poder motivador es limitado, sin que pueda aportar una plena reunión con lo que debemos ser. No niegan la validez de la ley; no caen en un antinomismo, y así se comprometen con sus mandamientos. Esta es la actitud de quienes tratan de obedecer la ley y oscilan entre la plenitud y la no-plenitud, entre una centralidad limitada y una dispersión limitada. Son buenos en el sentido de la legalidad convencional, y su plenitud fragmentaria de la ley hace posible la vida de sociedad. Pero su bondad, como la de los justos, es ambigua —sólo que con una autodecepción y una arrogancia moral menores.

Existe una tercera actitud ante la ley, la que combina una aceptación radical de la validez de la ley con una desesperación total acerca de su poder motivador. Esta actitud es el resultado de apasionados intentos de ser «justo» y de cumplir la ley sin compromiso en su seriedad incondicional. Si a continuación de estos esfuerzos viene la experiencia del fracaso, el yo centrado se rompe en el conflicto entre la voluntad y la acción. Uno es consciente del hecho (que ha sido redescubierto y descrito metodológicamente por la psicología analítica contemporánea) de que los motivos inconscientes de las decisiones personales no están transformados por los mandamientos. El poder motivador de la ley queda desafiado por ellos, unas veces por la resistencia directa, otras por el proceso de racionalización y —en el reino social— por la producción de las ideologías. El poder obligante de la ley divina se viene a pique por lo que Pablo llama la «ley de nuestros miembros» que es contraria. Y esto no cambia por la reducción de toda la ley a la ley del *ágape,* porque si el *ágape* (para con Dios, el hombre y uno mismo) se nos impone como ley, la imposibilidad de cumplirla se convierte en algo más obvio que en el caso de cualquier ley particular. La experiencia de esta situación lleva a la búsqueda de una moralidad que realiza la ley trascendiéndola, o sea, el *ágape* que se da al hombre como reunificador e integrador de la realidad, como nuevo ser y no como ley.

2. LA AUTOCREATIVIDAD DE LA VIDA Y SUS AMBIGÜEDADES

a) *Dinámica y crecimiento.* La segunda polaridad en la estructura del ser es la de la dinámica y la de la forma. Es efectiva en la función de la vida que hemos llamado autocreatividad, y es efectiva en el principio de crecimiento. El crecimiento depende del elemento polar de la dinámica en la medida en que el crecimiento es el proceso por el que una realidad formada va más allá de sí misma a otra forma que a la vez preserva y transforma la realidad original. Este proceso es la manera como la vida se crea a sí misma. No se crea a sí misma por la creatividad divina que trasciende y subyace en todos los procesos de la vida. Pero sobre esta base, la vida se crea a sí misma a través de la dinámica de crecimiento. El fenómeno de crecimiento es fundamental bajo todas las dimensiones de la vida. Se usa frecuentemente como la norma última por los filósofos que rechazan abiertamente todas las normas últimas (por ejemplo, los pragmatistas). Se usa para los procesos bajo la dimensión del espíritu y para la obra del Espíritu divino. Es una categoría principal en el individuo así como en la vida social, y en las «filosofías del devenir» es la razón oculta para su preferencia por «alcanzar» el «ser».

Pero la dinámica se mantiene en una interdependencia polar con la forma. La autocreación de la vida es siempre una creación de forma. Nada de lo que crece carece de forma. Es la forma lo que hace que una cosa sea lo que es, y la forma convierte a una creación de la cultura del hombre en lo que es: un poema, o un edificio, o una ley, etcétera. Sin embargo, una serie continua de formas solas no es crecimiento. Otro elemento, proveniente del polo de la dinámica, hace que se sienta a sí mismo. Toda nueva forma se hace posible solamente irrumpiendo a través de los límites de una vieja forma. En otras palabras, se da un momento de «caos» entre la vieja forma y la nueva, un momento de ya-no-más-forma y todavía-no-forma. Este caos nunca es absoluto; no puede ser absoluto porque de acuerdo con la estructura de las polaridades ontológicas, el ser implica forma. Incluso un caos relativo tiene una forma relativa. Pero un caos relativo con una forma relativa es de transición y como tal es un peligro para la función autocreativa de la vida. En esta crisis, la vida puede regresar a su punto de partida y resistir a la creación, o se puede destruir a sí misma en el intento de alcanzar una nueva forma. Aquí uno puede pensar en las implicaciones destructivas de cada nacimiento, ya sea de individuos o de especies, del fenómeno psicológico de la represión y de la creación de una nueva entidad social o de un nuevo estilo artístico. El elemento caótico que aparece aquí está ya de manifiesto en los mitos de la creación, incluso en los relatos de la creación del antiguo testamento. La creación y el caos se pertenecen el uno al otro e incluso el monoteísmo exclusivo de la religión bíblica confirma esta estructura de la vida. Se puede distinguir su eco en las descripciones simbólicas de la vida divina, de su profundidad abismal, de su carácter como fuego abrasador, de su sufrimiento a propósito y en compañía de las creaturas, de su ira destructora. Pero en la vida divina, el elemento de caos no pone en peligro su plenitud eterna, ya que en la vida de la creatura, bajo las condiciones de alienación, conduce a la ambigüedad de la autocreatividad y de la destrucción. Entonces se puede describir la destrucción como el predominio de los elementos del caos frente al polo de !a forma en la dinámica de la vida.

Pero no existe una pura destrucción en cualquier proceso de la vida. Lo simplemente negativo no tiene ser. En cualquier proceso de vida se mezclan las estructuras de la creación con los poderes de la destrucción, de tal manera que no pueden separarse sin ambigüedades. Y en los procesos actuales de la vida, no se puede establecer jamás con certeza qué proceso queda dominado por una u otra de estas fuerzas.

Se puede considerar la integración como un elemento de la creación y la desintegración como una forma de destrucción. Y se podría preguntar por qué la integración y la desintegración se tienen que entender como una función especial de la vida. Sin embargo, deben distinguirse, como lo deben ser también las dos polaridades de las que dependen. La autointegración constituye al ser individual en su centralidad; la autocreación da el impulso dinámico que lleva a la vida de un estado centrado a otro bajo el principio de crecimiento. La centralidad no implica crecimiento, pero el crecimiento presupone proceder de y dirigirse a un estado de centralidad. Igualmente, la desintegración es posiblemente, pero no necesariamente, destrucción. La desintegración ocurre en el interior de una unidad centrada; la destrucción sólo se puede dar en el encuentro de una unidad centrada con otra igual. La desintegración se representa por la enfermedad, la destrucción por la muerte.

b) *Autocreatividad y destrucción al margen de la dimensión del espíritu: la vida y la muerte.*

Al igual que la centralidad, el crecimiento es una función universal de la vida. Pero mientras el concepto de centralidad está tomado de la dimensión de lo inorgánico y de su medida geométrica, el concepto de crecimiento está tomado de la dimensión orgánica y es una de sus características básicas. En ambos casos, el concepto se usa metafóricamente para indicar el principio universal bajo el que opera una de las tres funciones básicas de la vida, pero se usa también literalmente en el reino del que procede.

«Crecimiento» se usa metafóricamente con referencia a los reinos inorgánicos: el macrocósmico, el microcósmico y el de la experiencia ordinaria. El problema del crecimiento y declive en la esfera macrocósmica es tan viejo como la mitología y tan nuevo como la astronomía moderna. Por ejemplo, quedaba bosquejado en los procesos rítmicos del abrasamiento y de la renovación de un «cosmos», en las discusiones acerca de la «entropía» y la amenaza de la «muerte» del mundo por la pérdida de calor, o en las indicaciones dadas por la astronomía moderna de que vivimos en un mundo en expansión. Tales ideas muestran que la humanidad ha sido siempre consciente de la ambigüedad de la autocreatividad y de la destrucción en los procesos de la vida en general, incluyendo la dimensión inorgánica. El significado religioso de estas ideas es obvio, pero no se debe abusar nunca (como lo hace la doctrina de la entropía) a base de argumentos en favor de la existencia de un ser superior por encima de ellos.

La ambigüedad de la creación y de la destrucción es visible igualmente en la esfera microcósmica, especialmente la subatómica. La continua génesis y declive de las más pequeñas partículas de materia, la aniquilación mutua tal como se expresa en la concepción de la «contramateria», el desgaste de los materiales de radiación; en todos estos conceptos hipotéticos, se ve la vida como creándose a sí misma y siendo destruida bajo el predominio de la dimensión inorgánica. Estos desarrollos microcósmicos son el fondo previo a los ulteriores desarrollos de crecimiento y declive en el interior del reino de los materiales inorgánicos encontrados ordinariamente, incluso aquellos que actualmente y simbólicamente dan la impresión de una duración inmutable (las rocas, los metales y cosas por el estilo).

Los conceptos de autocreatividad y destrucción, de crecimiento y declive se encuentran en su propio ambiente en los reinos en los que predominan las dimensiones de lo orgánico, ya que en ellos es donde se experimenta la vida y la muerte. No hace falta confirmar el hecho como tal pero sí tiene su importancia hacer que resalte el ambiguo entretejido de la autocreación y de la destrucción en todos los reinos de lo orgánico. En todo proceso de crecimiento, las condiciones de vida son también las condiciones de muerte. La muerte está presente en todo proceso de vida desde el principio al fin, si bien la muerte real de un ser viviente no depende solamente de la ambigüedad del proceso de su propia vida individual sino también de su posición dentro de la totalidad de la vida. Pero la muerte desde el exterior podría no tener poder alguno sobre un ser si la misma muerte no estuviera ya actuando constantemente desde el interior.

Por tanto se ha de afirmar que el momento de nuestra concepción es el momento en el que empezamos no sólo a vivir sino también a morir. La misma constitución celular que da a un ser el poder de vivir le lleva hacia la extinción del mismo. Esta ambigüedad de autocreación y destrucción en todos los procesos de la vida es una experiencia fundamental de toda vida. Los seres vivientes son plenamente conscientes de ello, y la faz de todo ser viviente expresa la ambigüedad del crecimiento y del declive en su proceso vital.

La ambigüedad de la autocreación y de la destrucción no está limitada al crecimiento del ser viviente en sí mismo sino también a su crecimiento en relación con otra vida. La vida individual se mueve dentro del contexto de toda vida; a cada momento de un proceso de vida, se encuentra una vida alienada con reacciones tanto creadoras como destructoras en ambas partes. La vida crece mediante la supresión o remoción o la consunción de otra vida. La vida vive de la vida.

Esto lleva al concepto de la lucha como un síntoma de la ambigüedad de la vida en todos los reinos pero, si queremos hablar con mayor propiedad, en el reino orgánico, en su dimensión histórica (véase la quinta parte del sistema). Toda mirada a la naturaleza confirma la realidad de la lucha como un medio ambiguo de autocreación de vida, un hecho formulado de manera clásica por Heráclito cuando llamó a la «guerra» la madre de todas las cosas. Se podría escribir una «fenomenología de los encuentros» mostrando cómo el crecimiento de la vida a cada paso incluye un conflicto con otra vida. Se podría señalar la necesidad del individuo de empujar hacia adelante en la prueba, en la derrota, en el triunfo, a fin de actualizarse a sí mismo, y al choque inevitable con similares intentos y experiencias de otra vida. En la acometida y en la contrarréplica la vida efectúa un equilibrio previo en todas las dimensiones, pero no hay una certeza *a priori* acerca del resultado de estos conflictos. El equilibrio logrado en un momento queda destruido al siguiente.

Este es el caso de la relación entre los seres orgánicos, incluso los de la misma especie. Con todo, se convierte aún con mayor claridad en instrumento de crecimiento en el encuentro de las especies en las que unas se alimentan de las otras. Una lucha a vida o muerte se va desarrollando en todo lo que llamamos «naturaleza» y, a causa de la unidad multidimensional de la vida, también se va desarrollando entre los hombres, en el interior del hombre, y en la historia de la humanidad. Es una estructura universal de la vida, y no prestar atención a este hecho es la razón subyacente en el error teórico y en el fracaso práctico del pacifismo legalista, que intenta eliminar esta característica de la autocreación de toda vida, por lo menos en la humanidad histórica.

La vida vive de la vida, pero vive también a través de la vida, y es la lucha la que la defiende, fortalece y la lleva más allá de sí misma. La supervivencia de los más fuertes es el medio por el que la vida en el proceso de autocreación alcanza su equilibrio previo, un equilibrio que está constantemente amenazado por la dinámica del ser y el crecimiento de la vida. Sólo con la pérdida de innumerables semillas dotadas de fuerza generadora y de individuos concretos se mantiene el equilibrio previo en la naturaleza. Sin una tal pérdida, todo el conjunto de la vida natural quedaría destruido, como ocurre cuando hay interferencias de condiciones climáticas o actividades humanas. Lo que condiciona la muerte condiciona también la vida.

El proceso vital individual se trasciende a sí mismo en dos direcciones, por el trabajo y la propagación en la autocreación de la vida. La maldición caída sobre Adán y Eva según el relato bíblico expresa poderosamente la ambigüedad del trabajo como una forma de autocreación de vida. En inglés la palabra *labor* (trabajo) se usa tanto para los dolores de parto como para significar el esfuerzo de cultivar la tierra. Como resultado de su expulsión del paraíso se impuso al hombre y a la mujer el trabajo. Casi no existe una valoración positiva del trabajo en el antiguo testamento y aún es menor en el nuevo testamento o en la iglesia medieval (incluso en la vida monástica); ciertamente, no se da una glorificación del mismo, como ocurre en el protestantismo, en la sociedad industrial y en el socialismo. En las actitudes de estos últimos, la carga del trabajo ha sido eliminada frecuentemente, especialmente en los contextos educacionales, y algunas veces también reprimida, como en la ideología activista contemporánea y en la gente que siente un vacío en el momento en que dejan de trabajar. Estas posiciones extremas en la valoración del trabajo muestran su ambigüedad, una ambigüedad que aparece en todo proceso vital bajo la dimensión de lo orgánico.

Individualizada y separada de la realidad encontrada, la vida va más allá de sí misma para asimilar otra vida, ya sea bajo la dimensión de lo orgánico o de lo inorgánico. Pero a fin de salir, debe someterse a la entrega de una autoidentidad bien resguardada. Debe someter la felicidad de una plenitud de descanso en sí misma; debe esforzarse. Aun cuando sea llevado por la libido o *eros,* no puede evitar el trabajo de destruir un equilibrio potencial en favor de un desequilibrio creador actual. En el lenguaje concreto-simbólico del antiguo testamento, el mismo Dios ha sido sacado de su feliz equilibrio y se ha visto forzado al trabajo por causa del pecado humano. Es en este contexto donde debe rechazarse la desvaloración romántica del progreso técnico. En la medida en que libera a innumerables seres humanos de un trabajo que agota sus cuerpos e impide la actualización de las potencialidades de su espíritu, el progreso técnico es una fuerza sanante ante las heridas causadas por las implicaciones destructivas del trabajo.

Pero existe otro aspecto de la ambigüedad del trabajo. El trabajo impide la autoidentidad de un ser individual de perder su dinámica hasta quedar vacío. Esta es la razón por la que mucha gente rechaza la felicidad exenta de trabajo en el cielo, tal como la describen los símbolos mitológicos, pues la identifican con el infierno del fastidio eterno y antes que eso prefieren un infierno de dolor eterno. Esto muestra que para un ser cuya vida está condicionada por el tiempo y el espacio, el peso del trabajo es una expresión de su vida real y como tal una bendición superior a la imaginaria de la inocencia soñadora o de la mera potencialidad. El hecho de que el suspirar bajo el peso de todo trabajo vaya mezclado ambiguamente con la congoja de la pérdida del mismo es un testimonio de la ambigüedad de la autocreación de la vida.

La más clara y misteriosa ambigüedad en la función de la autocreación de la vida es la de la propagación o, concretamente, la de la diferenciación y reunión sexual. El proceso autocreador de vida bajo la dimensión de lo orgánico alcanza en ella su más alto poder y su más profunda ambigüedad. Los organismos individuales se sienten mutuamente atraídos a experimentar el éxtasis más elevado, pero en esta experiencia los individuos desaparecen como individuos separados y a veces mueren o les matan sus compañeros. La unión sexual de lo separado es la forma más conspicua de la autocreación de la vida, y aquí la vida de la especie que se hace concreta en los individuos realiza y niega a los individuos. Esto es verdad no sólo de los individuos dentro de una especie sino también de la misma especie. Al producir individuos produce también de vez en cuando a quienes representan la transición a una nueva especie, anticipando la ambigüedad de la vida en la dimensión histórica.

La discusión de la ambigüedad de la propagación, como la del trabajo, ha alcanzado el reino que representa la transición de la dimensión de lo orgánico a la del espíritu —el reino de la autoconciencia, de lo psicológico. Como ya ha quedado indicado, es difícil separarlo de entreambos ya que hace las veces de puente; con todo, se puede hacer abstracción de algunos de sus elementos para discutirlos independientemente.

La ambigüedad de la autocreación aparece en términos de autoconciencia en las ambigüedades de placer y dolor y en las ambigüedades del «instinto de vida» y del «instinto de muerte». Con respecto al primero, parece evidente que todo proceso autocreador de vida —si alcanza la conciencia— es una fuente de placer, y todo proceso destructor de vida una fuente de dolor. A partir de esta simple y aparentemente inambigua afirmación se ha deducido una ley psicológica según la cual todo proceso vital es una búsqueda de placer y una huida del dolor. La deducción es totalmente falsa. Una vida sana sigue el principio de autocreación, y en el momento de creatividad el ser viviente normal no presta atención ni al dolor ni al placer. Pueden estar presentes en el acto creador o ser una consecuencia del mismo pero en el interior del mismo acto ni se les busca ni se les huye. Por tanto es totalmente erróneo preguntar: ¿acaso el mismo acto creador proporciona un placer de orden superior, aun en el caso de que esté conectado con el dolor, y acaso esto no confirma el principio del placer? No es así, porque este principio afirma una búsqueda intencional de felicidad y no se da una tal intención en el mismo acto creador. Ciertamente realiza algo hacia lo que se dirige la vida por su dinámica interna, cuyo nombre clásico es *eros*. Esta es la razón por la que una producción feliz da alegría, pero no sería un acto creador ni un gozo de plenitud si se intentara el acto como un medio de proporcionar gozo. El *eros* creativo implica entrega al objeto del *eros* y es destruido por la reflexión sobre sus posibles consecuencias en términos de gozo o de dolor. El principio de dolor-gozo es válido sólo en una vida enferma, descentrada, y que, por tanto, no es ni libre ni creadora.

Donde queda más clara la ambigüedad del dolor y del placer es en un fenómeno, conocido frecuentemente como mórbido pero que está universalmente presente tanto en una vida enferma como sana: la experiencia del dolor en el gozo y la del gozo en el dolor. El material psicológico que substancia esta ambigüedad en la autocreación de la vida es extensivo pero no plenamente comprendido. En sí mismo no es asunto de una distorsión inambigua de la vida —como vendría a indicar el término mórbido— sino más bien un síntoma siempre presente de la ambigüedad de la vida bajo la dimensión de la autoconciencia. Aparece de una manera más llamativa en dos de las características de la autoproducción de la vida: en la lucha y en el sexo.

En la ambigüedad del dolor y del placer hay una anticipación de la ambigüedad del instinto de vida y del instinto de muerte. Estas dos últimas frases son instrumentos a tener en cuenta para captar los fenómenos que están profundamente enraizados en la función autocreadora de la vida. Es una de las contradicciones de la naturaleza que un ser viviente afirme su vida y la niegue. La autoafirmación de la vida se da normalmente como algo admitido, cosa que raramente sucede con su negación, y si se enseña esta última, como en la doctrina de Freud de *Todestrieb* (mal traducido por «instinto de muerte»), incluso los, en otros sentidos, ortodoxos alumnos se rebelan. Pero los hechos, dados en una inmediata autoconciencia, prueban la ambigüedad de la vida tal como la describe Freud (y la ve Pablo cuando habla de la tristeza de este mundo que lleva a la muerte). En todo ser consciente, la vida es consciente de su precariedad; presiente oscuramente que tiene que llegar a un fin y los síntomas de su precariedad no sólo la hacen consciente de este hecho sino que también despiertan un anhelo del mismo. No es ya un agudo estado de dolor el que produce el deso de verse libre de uno mismo a fin de verse libre del dolor (si bien esto puede ocurrir también); es la conciencia existencial de la propia finitud la que plantea la cuestión de si la continuación de la existencia finita tiene un valor comparable a lo que supone de carga. Pero mientras haya vida, esta tendencia está autocontrastada por la autoafirmación de la vida, por el deseo de conservar su identidad, aun cuando esta identidad sea la de un individuo finito, precario. De esta forma el suicidio actualiza un impulso latente en toda vida. Esta es la razón de por qué en la mayoría de la gente se representan unas fantasías suicidas, pero en cambio son raros comparativamente los suicidios reales. Ello quita ambigüedad a lo que, según la naturaleza de la vida, es válido sólo en su ambigüedad.

Todos estos factores han sido considerados sin tener en cuenta las dimensiones del espíritu y de la historia, pero son ellos los que han puesto los fundamentos para una descripción de la autocreación de la vida bajo estas dimensiones.

c) *La autocreatividad de la vida bajo la dimensión del espíritu: la cultura.*

1. Las funciones básicas de la cultura: el lenguaje y el acto técnico.

Cultura, si atendemos a su etimología, significa el acto de tomar algo bajo el propio cuidado para mantenerlo vivo y favorecer su desarrollo. En este sentido, el hombre puede cultivarlo todo, cualquier cosa que le salga al encuentro, pero al hacerlo así sufre algunos cambios el objeto cultivado; crea algo nuevo a partir de él —materialmente, como en la función técnica; receptivamente, como en las funciones de la *teoría;* o reactivamente, como en las funciones de la *praxis*. En cada uno de estos tres casos, la cultura crea algo nuevo más allá de la realidad encontrada.

En la actividad cultural del hombre lo nuevo es ante todo la doble creación del lenguaje y de la tecnología, que se entrelazan. En el primer libro de la Biblia, Dios pide al hombre que ponga nombres a los animales (lenguaje) y que cultive el jardín (tecnología). Sócrates discute el significado de las palabras mediante referencias a los problemas técnicos de los artesanos y a los de los técnicos de la milicia y de la política. En el pragmatismo se mide la validez de los conceptos por su aplicabilidad técnica. El don del habla y el del empleo de instrumentos se entrelazan en mutua interdependencia.

El lenguaje comunica y designa. Su poder comunicativo depende de medios de comunicación no-designativos tales como sonidos y gestos, pero la comunicación alcanza su plenitud sólo cuando hay designación. En el lenguaje, la comunicación se convierte en participación mutua en un universo de significados. El hombre tiene el poder de una tal comunicación porque tiene un mundo en correlación con un yo completamente desarrollado. Esto le libera de su sometimiento a la situación concreta, es decir, al particular aquí y ahora de su entorno. Experimenta el mundo en todo lo concreto, algo universal en todo lo particular. El hombre tiene un lenguaje porque tiene un mundo, y tiene un mundo porque tiene un lenguaje. Y tiene ambas cosas porque en el encuentro del yo con el yo experimenta el límite que le detiene de trasladarse de un «aquí y ahora» no estructurado al siguiente y le devuelve a sí mismo y le capacita para mirar a la realidad encontrada como a un mundo. Aquí está la raíz común de la moralidad y de la cultura. Se puede observar una confirmación de esta afirmación en las consecuencias de algunas perturbaciones mentales; cuando una persona pierde su capacidad de encontrar a otras personas como personas, pierde también la capacidad de una conversación significativa. Sale de su boca una corriente de palabras que carecen de estructura denotativa o de poder comunicativo; no tiene conciencia de la «muralla» que supone el tú oyente. En un menor grado, este es un peligro para todos. La incapacidad de escuchar es tanto una distorsión cultural como una falta moral.

No hemos situado el lenguaje en la base de nuestro análisis de la cultura a fin de presentar una filosofía del lenguaje. En vistas de la ingente tarea que en este terreno han llevado a cabo los filósofos antiguos y contemporáneos, acometer una tal empresa sería algo descabellado, y aún más, algo superfluo para nuestro propósito. Pero hemos puesto el lenguaje al principio de nuestra discusión de la autocreación de la vida bajo la dimensión del espíritu porque se trata de algo fundamental en todas las funciones culturales. Está presente en todas ellas, ya sean técnicas o políticas, cognoscitivas o estéticas, éticas o religiosas. A fin de actualizar esta omnipresencia, el lenguaje cambia incesantemente, tanto con respecto a la función cultural particular en la que aparece como con respecto al encuentro con la realidad que expresa. En ambos aspectos el lenguaje revela las características básicas de las actividades culturales del hombre y proporciona una aproximación útil a su naturaleza y diferencias. Si se toma en esta más amplia acepción la semántica podría y debería ser una puerta de entrada en la vida en la dimensión del espíritu. Podemos dar aquí algunas indicaciones acerca del significado que tiene para la teología sistemática.

El lenguaje capta la realidad encontrada con términos como «estar al alcance de la mano» —en su sentido literal de ser algo así como un objeto que se puede «manejar» o dirigir para lograr unos fines (que a su vez se pueden convertir en medios para otros fines). Esto es lo que Heidegger ha llamado *Zuhandensein* (estar a disposición) en contraposición a *Vorhandensein* (estar en la existencia); la primera forma denota una relación técnica con la realidad, la segunda cognoscitiva. Cada una tiene su lenguaje particular, que no excluye la otra sino que la rebasa. El lenguaje de «estar al alcance de la mano» es el lenguaje ordinario, con frecuencia muy primitivo y limitado, y los demás toman de él los elementos.

Pero en un sentido temporal, tal vez no sea el primer lenguaje. El lenguaje mitológico parece ser igualmente antiguo, y combina la captación técnica de los objetos con la experiencia religiosa de una cualidad de lo encontrado que tiene la más alta significación incluso para la vida diaria pero la trasciende de tal manera que pide otro lenguaje: el de los símbolos religiosos y su combinación, el mito. El lenguaje religioso es simbólico-mitológico incluso cuando interpreta hechos y acontecimientos que pertenecen al dominio del encuentro técnico ordinario con la realidad. La confusión contemporánea de estas dos clases de lenguaje es la causa de una de las más serias inhibiciones para la comprensión de la realidad, de la misma manera que en el período precientífico lo fue para la comprensión de la realidad encontrada ordinariamente, el objeto de uso técnico.

El lenguaje del mito, así como el lenguaje del encuentro técnico ordinario con la realidad, puede traducirse en otras dos clases de lenguaje, el poético y el científico. Al igual que el lenguaje religioso, el poético vive en los símbolos, si bien los símbolos poéticos expresan otra cualidad del encuentro del hombre con la realidad que la que ofrecen los símbolos religiosos. Muestran con imágenes sensoriales una dimensión del ser que no puede mostrarse de ninguna otra manera, si bien, como el lenguaje religioso, utilizan los objetos de la experiencia ordinaria y su expresión lingüística. De nuevo, la confusión de estas clases de lenguaje (el poético con el religioso y el técnico con el poético) es prohibitiva para la comprensión de las funciones del espíritu al que ambos pertenecen.

Esto es verdad especialmente de la función cognoscitiva y del lenguaje por ella creado. Ha sido confundido con todos los otros, en parte, porque está presente en ellos en una forma precientífica, en parte, porque da una respuesta directa a la pregunta que indirectamente se hace en todas las funciones de la autocreatividad cultural del hombre: la pregunta de la verdad. Pero la búsqueda metodológica de·la verdad empírica y el lenguaje artificial usado para este propósito debe distinguirse agudamente de la verdad implicada en los encuentros técnicos, mitológicos y poéticos con la realidad y sus clases naturales o simbólicas de lenguaje.

Otra característica de la cultura que es universal y está prefigurada en el lenguaje es la tríada de los elementos en la creatividad cultural: la materia sometida, la forma y la substancia. A partir de la multiformidad inagotable de los objetos encontrados, el lenguaje escoge algunos que son significativos en el universo de los fines y medios o en el universo religioso, poético y científico de la expresión. Constituyen la materia sometida en las actividades culturales, si bien de manera diferente en cada uno.

Las diferencias están causadas por la forma, que es el segundo y decisivo elemento en una creación cultural. La forma convierte a una creación cultural en lo que es: un ensayo filosófico, una pintura, una ley, una oración. En este sentido, la forma es la esencia de una creación cultural. La forma es uno de estos conceptos que no pueden ser definidos, porque cada definición la presupone. Conceptos tales como estos pueden ser explicados solamente mediante su introducción en la configuración al lado de otros conceptos del mismo carácter.

Al tercer elemento se le puede llamar la substancia de una creación cultural. Cuando se escoge la materia sometida y se busca su forma, su substancia es, por así decirlo, el suelo en el que se desarrolla. A la substancia no se la puede buscar. Está presente inconscientemente en una cultura, en un grupo, en un individuo, dando la pasión y llevando fuerza al que crea y la fuerza del significado a sus creaciones. La substancia del lenguaje le da su particularidad y su capacidad expresiva. Esta es la razón por la que la traducción de una a otra lengua es plenamente posible sólo en aquellas esferas en las que la forma predomina sobre la substancia (como ocurre con las matemáticas), y se hace difícil o imposible cuando lo que domina es la substancia. En poesía, por ejemplo, la traducción es esencialmente imposible porque la poesía es la más directa expresión de la substancia a través de un individuo. El encuentro con la realidad sobre el que se basa una lengua difiere del encuentro con la realidad en cualquier otra lengua, y este encuentro en su totalidad y en su profundidad es la substancia en la autocreación cultural de la vida.

La palabra «estilo» se usa ordinariamente en relación con las obras de arte, pero se aplica algunas veces a una cualificación particular de la forma por la substancia en todas las otras funciones de la vida cultural del hombre, de manera que se puede hablar de un estilo de pensamiento, de investigación, de moral, de leyes, de política. Y si se aplica el término de esta manera, fácilmente se puede encontrar que las analogías con respecto al estilo se pueden descubrir en todas las funciones culturales de un período particular, o de un grupo, o de una órbita cultural. Esto hace que el estilo sea una clave para la comprensión de la manera cómo un grupo particular o un determinado período encuentra la realidad, si bien es también una fuente de conflictos entre las exigencias de la creación de formas y de la expresión de la substancia.

La interpretación del lenguaje anticipa unas estructuras y tensiones de creatividad cultural que con frecuencia se darán en las próximas discusiones. La importancia fundamental del lenguaje para la autocreación de la vida bajo la dimensión del espíritu queda reflejada de esta manera. Al analizar las distintas clases de lenguaje, empezamos con el lenguaje que expresa el encuentro ordinario técnico con la realidad, pero, como se indica más arriba, la función técnica es, en sí misma, una de las funciones a través de las que la vida se crea a sí misma bajo la dimensión del espíritu. Así como el lenguaje libera del sometimiento al «aquí y ahora» a través de los universales así también el manejo técnico de la realidad encontrada libera del sometimiento a las condiciones de existencia naturalmente dadas por la producción de instrumentos. Los animales superiores emplean también las cosas que tienen a mano como instrumentos en condiciones particulares, pero no crean instrumentos en cuanto tales para un uso ilimitado. En su producción de nidos, cuevas, promontorios, y de otras cosas por el estilo, están sometidos a un plan definido, y no pueden utilizar estos instrumentos más allá de la finalidad de este plan. El hombre produce instrumentos en cuanto tales y para esto es necesaria la concepción de universales, es decir, el poder del lenguaje. El poder de los instrumentos depende del poder del lenguaje. El logos lo precede todo. Si se llama al hombre *homo faber,* se le llama ya implícitamente *anthropos logikos,* es decir, el hombre que está determinado por el logos y que es capaz de servirse de una palabra llena de significado.

El poder liberador de la producción de instrumentos consiste en la posibilidad de actualizar propósitos que no están implicados en los mismos procesos orgánicos. La preservación y el crecimiento en la dimensión orgánica quedan sobrepasados allí donde los instrumentos aparecen en cuanto tales. La diferencia decisiva está en que los fines *(tele)* interiores del proceso orgánico están determinados por el proceso, cuando los fines externos (propósitos) de la producción técnica no están determinados pero representan posibilidades infinitas. Viajar en el espacio es una finalidad técnica y en cierta manera una posibilidad técnica, pero no está determinada por las necesidades orgánicas de un ser viviente. Es algo libre, cuestión de elección. Sin embargo, esto lleva a una tensión de la que surgen muchos conflictos de nuestra cultura contemporánea: la perversión de la relación de los medios y de los fines por el carácter ilimitado de las posibilidades técnicas. Los medios se convierten en fines simplemente porque son posibles. Pero si las posibilidades se convierten en propósitos solamente porque son posibilidades, se pierde el genuino significado de propósito. Toda posibilidad puede actualizarse. No se presentará ninguna resistencia en nombre de un fin último. La producción de medios se convierte en un fin en sí mismo, como en el caso del hablador compulsivo el hablar se convierte en un fin en sí mismo. Una tal distorsión puede afectar a toda una cultura en la que la producción de medios se convierte en un fin más allá del cual no existe otro fin. Este problema, intrínseco en la cultura técnica, no niega el significado de la tecnología pero muestra su ambigüedad.

2. Las funciones de la «theoria»: los actos cognoscitivos y estéticos.

Por su dualismo, las dos funciones básicas de la cultura, la palabra y el acto técnico, apuntan a un dualismo general en la autocreación cultural de la vida. Este dualismo se basa en la polaridad ontológica de la individualización y participación y es actual en los procesos de la vida bajo todas las dimensiones. Todo ser individual tiene la cualidad de estar abierto a otros seres individuales. Los seres «se reciben unos a otros» y, al hacerlo así, se cambian unos a otros. Reciben y reaccionan. A esto se le llama en el reino orgánico, estímulo y respuesta; bajo la dimensión de la autoconciencia, se le llama percepción y reacción; bajo la dimensión del espíritu sugiero que se le dé el nombre de *theoria* y *praxis*. Las formas griegas originales de las palabras «teoría» y «práctica» se usan porque las formas modernas han perdido el significado y la fuerza de las palabras antiguas. La *theoria* es el acto de mirar al mundo encontrado en orden a introducir parte del mismo en el yo centrado como un todo significativo y estructurado. Toda imagen estética o todo concepto cognoscitivo es uno de estos todos estructurados. Idealmente la mente lleva hacia una imagen que abarca todas las imágenes y hacia un concepto que contiene todos los conceptos, pero en realidad el universo no aparece jamás en una visión directa; resplandece solamente a través de imágenes y conceptos particulares. Por tanto, toda creación particular de la *theoria* es un espejo de la realidad encontrada, un fragmento de un universo de significado. Esto está implicado en el hecho de que el lenguaje se mueve en universales. El mundo irrumpe a través del entorno en todo lo universal. El que dice, «esto es un árbol», ha captado la arboreidad en todo árbol individual y con ella un fragmento del universo de significado.

En este ejemplo se da el lenguaje como una expresión cognoscitiva de la *theoria*, pero el mismo ejemplo puede usarse también en el sentido estético del término. Si Van Gogh pinta un árbol, se convierte en una imágen de su visión dinámica del mundo. Contribuye a la creación del universo de significados al crear una imagen tanto de la arboreidad como del universo tal como se refleja en el espejo particular de un árbol.

Los términos «imágenes» y «conceptos» para las dos maneras en las que la *theoria* recibe la realidad a través de las funciones estéticas y cognoscitivas necesitan alguna justificación. Ambas palabras se emplean en un sentido muy amplio: imágenes para todas las creaciones estéticas, conceptos para todas las creaciones cognoscitivas. La mayoría estaría de acuerdo probablemente en que las artes visuales así como las literarias crean imágenes, sensuales o imaginativas, pero la aplicación del término «imagen» a la música podría ser puesta en cuestión. Una justificación para esta ampliación del sentido de «imagen» es la de que uno puede hablar de «figuras» musicales, transfiriendo así un término que es visual por definición a la esfera de los sonidos. Y el movimiento no es monoforme: se habla de colores, ornamentos, poemas, y obras en términos musicales. Por tanto, a pesar de su origen visual, empleamos el término «imagen» para el conjunto de la creatividad estética (tal como Platón empleaba el término visual *eidos,* o «idea» de manera universal).

La cuestión de si un concepto o una proposición es el instrumento más importante de conocimiento me parece algo sin sentido, porque en todo concepto definido van implícitas numerosas proposiciones y al mismo tiempo toda proposición estructurada lleva hacia nuevos conceptos que presuponen otros más antiguos.

La distinción entre lo estético y lo cognoscitivo ha sido explicada antes en conexión con la descripción de la estructura de la razón[1], pero la estructura de la razón es solamente un elemento en la dinámica de la vida y las funciones del espíritu. Es el elemento estático en la autocreación de la vida bajo la

---

1. Cf., *Teología sistemática,* Salamanca 1981, 99.

dimensión del espíritu. Cuando hablábamos acerca de los conflictos existenciales de la razón en «La razón y la revelación» [2], podríamos haber hablado mejor, de manera menos apretada, de los conflictos existenciales producidos por la aplicación ambigua de las estructuras racionales en la dinámica del espíritu, ya que la razón es la estructura tanto de la mente como del mundo, mientras que el espíritu es su actualización dinámica en la persona y en la comunidad. Estrictamente hablando, las ambigüedades no pueden darse en la razón, que es estructura, sino sólo en el espíritu, que es vida.

La mayor parte de los problemas relacionados con la función cognoscitiva de la vida del hombre han sido tratados bajo el apartado «La razón y la revelación». Basta con que apuntemos aquí la tensión básica existente en la naturaleza de los procesos cognoscitivos que conduce a sus ambigüedades. En el acto de la creatividad cognoscitiva de la vida (al igual que, de manera análoga, en todas las funciones de la autocreación de la vida bajo la dimensión del espíritu, incluyendo la moralidad y la religión), se da un conflicto fundamental entre lo que se intenta y la situación que por un lado causa la intención y por otro evita al mismo tiempo su realización. Este conflicto se basa en la alienación existente entre el sujeto y el objeto, una alienación que es al mismo tiempo, una condición para la cultura como conjunto de actos creadores, receptores o transformadores.

Por lo tanto se podría decir que el acto cognoscitivo tiene su origen en el deseo de salvar la hendidura existente entre el sujeto y el objeto. El término equívoco para designar el resultado de una tal reunión es la «verdad». Reclaman esta palabra tanto la ciencia como la religión y algunas veces las mismas artes. Si se acepta exclusivamente una de estas reclamaciones, se han de encontrar palabras nuevas que respondan a las demás exigencias, lo cual, en mi opinión, es innecesario ya que el fenómeno básico es el mismo en todos los casos: la reunión fragmentaria del sujeto conocedor con el objeto conocido en el acto del conocimiento.

La intención de encontrar la verdad es sólo un elemento en la función estética. La intención principal es expresar las cuali-

2. *Ibid.*, 99-209.

dades del ser que solamente pueden ser captadas por la creatividad artística. Al resultado de una tal creatividad se le da el nombre de hermosura y algunas veces se la combina con la verdad, otras veces con el bien, y algunas con las dos, formando así una tríada de valores máximos. Como término, «belleza» ha perdido la fuerza que tenía en la lengua griega al unir lo bello y lo bueno *(kalon k'agathon)*, y en la estética reciente ha sido rechazada de manera casi unánime debido a su conexión con la fase decadente del estilo clásico —embelleciendo el naturalismo. Tal vez se podría hablar de la fuerza expresiva o de la expresividad. Esto no excluiría al idealismo o al naturalismo estéticos pero sí apuntaría la finalidad de la función estética, es decir, la expresión. La tensión que se suscita en la función estética es la que se da entre la expresión y lo expresado. Se podría hablar de la verdad o de la no-verdad expresiva. Pero se debería hablar más bien de la autenticidad de la forma expresiva o de su falta de autenticidad. Le puede faltar autenticidad por dos razones: o bien porque reproduce lo superficial en lugar de expresar la profundidad o bien porque expresa la subjetividad del artista creador en lugar de su encuentro artístico con la realidad. Una obra de arte es auténtica si expresa el encuentro de la mente y del mundo en el que una cualidad, que de otra manera permanecería escondida de un trozo del universo (e implícitamente del mismo universo), se une a una fuerza receptora de la mente (e implícitamente de la persona como un todo) que, de otra manera, permanecería oculta.

Entre los dos elementos del encuentro estético son posibles innumerables combinaciones, que determinan los estilos artísticos así como el trabajo individual. La tensión en la función estética tiene un carácter distinto al que tiene en la función cognoscitiva. Con toda seguridad está también últimamente enraizada en la alienación existencial del yo y del mundo, la cual, en la función cognoscitiva, es la separación del sujeto y el objeto. Con todo, en el encuentro estético se logra una unión real entre el yo y el mundo. En esta unión existen diversos grados de profundidad y autenticidad, que dependen de los poderes creativos de los artistas, pero siempre se da una cierta unión. Esta es la razón por la que los filósofos, por ejemplo, en la escuela kantiana (tanto en la clásica como en la neo-kantiana) han visto en el arte la autoexpresión más elevada de la vida así como la respuesta a la problemática implicada en las limitaciones de todas las demás funciones. Y también es esta la razón por la que las culturas sofisticadas tienden a reemplazar la función religiosa por la estética. Pero este intento es infiel a la situación humana y a la naturaleza de la estética. Una obra de arte es una unión del yo y del mundo dentro de las limitaciones existentes tanto por parte del yo como por parte del mundo. La limitación por parte del mundo consiste en que si bien en la función estética como tal, se alcanza *una* cualidad del universo, que de otra manera permanecería oculta, no se alcanza la realidad última que trasciende todas las cualidades; la limitación por parte del yo consiste en que en la función estética el yo capta la realidad en imágenes y no en la totalidad de su ser. El efecto de esta doble limitación es proporcionar a la unión en la función estética un elemento de irrealidad. Es algo «aparente»; anticipa algo que todavía no existe. La ambigüedad de la función estética consiste en su oscilación entre la realidad y la irrealidad.

La función estética no queda restringuida a la creatividad artística al igual que la función cognoscitiva no queda restringida a la creatividad científica. Tenemos unas funciones del espíritu precientíficas y preartísticas. Penetran toda la vida del hombre, y sería un gran error que el término «creador» se aplicara solamente a la creatividad vocacional, científica y artística. Por ejemplo, el conocimiento y la fuerza expresiva encarnados en el mito —de los que se tiene experiencia ya en edades primitivas— ha sido para la mayoría de pueblos la puerta abierta a todos los aspectos de la cultura. Y la ordinaria observación de los hechos y de los acontecimientos así como la experiencia estética directa con la naturaleza y el hombre, son efectivas diariamente en la autocreación de la vida bajo la dimensión del espíritu.

3. Las funciones de la «praxis»: los actos personales y comunitarios.

La *praxis* es el conjunto de los actos culturales de las personalidades centradas que como miembros de grupos sociales actúan unas sobre otras y sobre sí mismas. En este sentido, la *praxis* es la autocreación de la vida en el reino de lo personal-comunitario. Por tanto, incluye los actos de las personas sobre ellas mismas y sobre las demás personas, sobre los grupos a los que pertenecen y mediante ellos sobre otros grupos e indirectamente sobre la humanidad como un todo.

En las funciones de la *praxis*, la vida se crea a sí misma de una manera particular bajo la dimensión del espíritu. Existen tensiones en todas las funciones que llevan a las ambigüedades y a la búsqueda de lo inambiguo. Es difícil encontrarles nombres tradicionales ya que se dan muchas interferencias y una común falta de diferenciación entre las mismas actividades y sus interpretaciones científicas. Se puede hablar de relaciones sociales, de la ley, de la administración, de la política y se puede hablar de relaciones personales y de desarrollo personal. Y en la medida en que existan normas directoras de los actos culturales en todos estos modos de transformación, se podría asumir todo este dominio bajo el término de «ética» y distinguir entre la ética individual y social. Pero el término «ética» designa primariamente los principios, la validez y la motivación de los actos morales tal como se describieron con anterioridad, y probablemente se adapta mejor a nuestra comprensión de las funciones del espíritu, definir la ética como la ciencia del acto moral y asumir la teoría de las funciones culturales de la *praxis* bajo el conjunto de una «teoría de la cultura». La razón decisiva para una distinción semántica de este tipo es la posición fundamental que asume el acto moral cuando se toma como autoconstitutivo del espíritu. Al mismo tiempo, esta terminología deja en claro que el contenido especial de la moralidad es una creación de la autocreatividad *cultural* de la vida.

La *praxis* es una acción que apunta hacia el crecimiento bajo la dimensión del espíritu; como tal, emplea medios para los fines y, en este sentido, es una continuación del acto técnico (como la *theoria* es la continuación de las palabras que capta la realidad encontrada). En este contexto, «continuación» quiere decir que las diferentes funciones de la *praxis* emplean instrumentos adecuados a sus propósitos y trascienden la producción de instrumentos físicos, por los que, en unión con la palabra, fue primero liberado el hombre del sometimiento a su entorno. Algunas de las más importantes actividades técnicas son la economía, la medicina, la administración y la educación. Son funciones complejas del espíritu que combinan las normas últimas, el material científico, las relaciones humanas y una amplia acumulación de experiencia técnica. Su alta valoración en el mundo occidental es debida en parte al símbolo judeo-cristiano del reino de Dios que somete la realidad encontrada a sus propósitos.

Bajo el encabezamiento de la *theoria* encontramos la verdad y la expresividad auténtica como metas de la creatividad cultural. Ahora quisiéramos descubrir los términos correspondientes bajo el encabezamiento de la *praxis*. El primero es «lo bueno», el *agathon*, el *bonum*, y lo bueno puede definirse como la naturaleza esencial de una cosa y la plenitud de las potencialidades en ella implicada. Sin embargo, esto se aplica a todo lo que es y describe la finalidad interna de la misma creación. No proporciona una respuesta especial al problema del bien hacia el que aspira la *praxis*. Para esto necesitamos otros conceptos que estén subordinados al bien pero que expresen una cualidad particular del mismo. Uno de estos conceptos es la justicia. Corresponde a la verdad en la esfera de la *theoria*. La justicia es la finalidad de todas las acciones culturales que se dirigen hacia la transformación de la sociedad. Puede aplicarse también al individuo esta misma palabra en la medida en que observa un comportamiento justo. Pero en inglés empleamos con más frecuencia la palabra *righteous* que podríamos traducir al español como honrado, en el sentido de que es honrada aquella persona que practica la justicia. Pero se ha de proseguir la búsqueda de un término que designe el bien personal de la misma manera que el término justicia sirve para designar el bien social. Es una lástima que la palabra griega *arete* (en latín *virtus*, y en inglés y español «virtud») haya perdido del todo su fuerza original para tener en nuestros días una serie de connotaciones ridículas. Resultaría ahora un anticipar de manera confusa posteriores apartados la discusión de si se han de usar aquí expresiones religiosas tales como piadoso, justificado, santo, espiritual, y otras por el estilo, porque todas ellas dependen de la respuesta cristiana a las preguntas que van implicadas en las ambigüedades de la *praxis*.

Un término como el de *arete* (virtud) apuntaba a la actualización de las potencialidades humanas esenciales. A la vista de ello, podría ser correcto hablar directamente de la plenitud de las potencialidades humanas y llamar a la finalidad interna de la *praxis*, dirigida hacia los individuos en cuanto individuos, «humanidad». Con todo también es problemático el uso de la palabra «humanidad» por los diversos significados que la misma tiene en el lenguaje ordinario y por la connotación filosófica del «humanismo» como una interpretación especial de las potencialidades del hombre. A la vista de esta connotación, la palabra humanidad, como finalidad de la *praxis* del hombre, se podría contrastar con la palabra divinidad en cuanto finalidad, en el sentido de «volverse semejante a Dios». A pesar de tales peligros sugiero usar la palabra «humanidad» en el sentido de realización del hombre, de su finalidad interior con respecto a sí mismo y a sus relaciones personales, en coordinación con la justicia como realización de la finalidad interior de los grupos sociales y de sus mutuas relaciones.

Llegados a este punto surge la pregunta de qué es lo que produce las tensiones en la naturaleza de la humanidad y de la justicia, de las que se derivan las ambigüedades de su actualización. La respuesta general es la misma que se dio en la descripción de la autocreación de la vida bajo la dimensión del espíritu: la infinita fisura entre el sujeto y el objeto bajo las condiciones de la alienación existencial. En las funciones de la *theoria* la fisura se da entre el sujeto cognoscente y el objeto cognoscible y entre el sujeto que expresa y el objeto que se ha de expresar. En las funciones de la *praxis* la fisura se da entre el sujeto humano existente y el objeto por el que se esfuerza —un estado de humanidad esencial— y la fisura entre el orden social existente y el objeto por el que lucha —un estado de justicia universal. Esta fisura práctica entre el sujeto y el objeto tiene las mismas consecuencias que la fisura teórica; el esquema de sujeto-objeto no es sólo el problema epistemológico sino también el ético.

Todo acto cultural es el acto de un yo centrado y está basado en la autointegración moral de la persona dentro de la comunidad. En la medida en que la persona es portadora de la autocreación cultural de la vida queda sometida a todas las tensiones de la cultura de las que hemos tratado y a todas las ambigüedades de la cultura que vamos a discutir en las secciones que vienen a continuación. Una persona que participa en el movimiento de una cultura, en su crecimiento y en su posible destrucción es una persona culturalmente creadora. En este sentido, toda creatura humana es culturalmente creadora por el simple hecho de hablar y de servirse de instrumentos. Esta característica universal debe distinguirse de la creatividad original, que en el sentido pleno de la palabra «original» sólo se puede aplicar a muy pocas cosas; pero a pesar de la necesidad de distinción, no debe sufrir una deformación llevándola a una división mecánica. Existen unas transiciones que pueden pasar desapercibidas.

Por tanto, todos están sometidos a las ambigüedades de la cultura, en doble sentido, en el subjetivo y en el objetivo y son inseparables del destino histórico.

d) *Las ambigüedades del acto cultural: la creación y la destrucción del significado*

1.   Las ambigüedades en la autocreación lingüística, cognoscitiva y estética de la vida.

La palabra es la portadora del significado, de ahí que el primer resultado de la autocreación de la vida bajo la dimensión del espíritu sea el lenguaje que penetra y está presente en todo acto cultural e, indirectamente, en todas las funciones del espíritu. Pero tiene una relación especial con las funciones de la *theoria* —el conocimiento y la expresión— de la misma manera que el acto técnico, si bien presente en toda función de la autocreación cultural, tiene una relación especial con las funciones de la *praxis*. Por esta razón quiero discutir y tratar las ambigüedades de la palabra juntamente con las ambigüedades de la verdad del acto técnico juntamente con las ambigüedades de la humanidad y de la justicia.

Como portadora de significado, la palabra libera del sometimiento al entorno, sometimiento al que se ve forzada la vida en todas las dimensiones previas. El significado presupone una autoconciencia de la vida que tiene una validez transpsicológica. En toda frase con sentido lo que se busca es algo que tenga una validez universal, aun en el caso de que se esté hablando de algo particular y transitorio. Las culturas se alimentan de tales significados. Los significados son tan parecidos y tan distintos como lo son las lenguas de grupos sociales particulares. El poder de la palabra que crea significado depende de las distintas maneras que tiene la mente para encontrar la realidad, tal como queda expresada en el lenguaje desde el mítico hasta el lenguaje de cada día, y entre ellos, tal como se expresa en las funciones científicas y artísticas. Todo esto es una actividad constante de la autocreación de la vida al producir un universo de significado. La lógica y la semántica estudian científicamente las estructuras y las normas a través de las cuales se crea este universo.

La ambigüedad que entra a formar parte del proceso se deriva del hecho de que la palabra, mientras por un lado crea un universo de significado, por otro también aparta el significado de la realidad a la que hace referencia. El lenguaje se basa en el hecho de que la mente capta los objetos y es esto precisamente lo que abre la fisura entre el objeto captado y el significado creado por la palabra. La ambigüedad inherente al lenguaje radica en que al transformar la realidad en significado separa entre sí mente y realidad. Podríamos aportar un sinfín de ejemplos pero se pueden distinguir las siguientes categorías de la ambigüedad de la palabra: la pobreza en medio de la riqueza que falsifica aquello que es captado mediante el abandono de otras posibilidades sin fin; la limitación impuesta a la universalidad al expresar un encuentro definido con la realidad en una estructura particular que resulta extraña a otras estructuras lingüísticas, y la falta de concreción dentro de un significado concreto que conduce a la traición de la mente por las palabras, el carácter últimamente incomunicativo de este importante instrumento de comunicación como resultado de las connotaciones, tanto si son intentadas como si no, en el yo de la persona centrada; el carácter ilimitado de la libertad de lenguaje cuando se rechazan las limitaciones impuestas por personas u objetos, la conversación vacía y la reacción contra la misma, el refugiarse en el silencio; la manipulación del lenguaje por motivos sin ninguna base en la realidad, tales como la adulación, la polémica, la embriaguez o la propaganda; y finalmente, la perversión del lenguaje hasta el extremo opuesto de la función que persigue el poder autocreador de vida valiéndose de la ocultación, de la distorsión y de la contradicción de todo aquello que tenía que presentar.

Estos son ejemplos de los procesos que se van dando en todo discurso de una manera u otra, a pesar de los constantes, y solo en parte victoriosos combates contra las ambigüedades esquivables de las que nos habla el análisis semántico. Es esto lo que hace inteligible que en el pensamiento bíblico la palabra vaya unida con el poder en el Creador, que en Cristo se convierta en una personalidad histórica y que la misma sea una automanifestación extática en el Espíritu. En estos símbolos, la palabra no sólo capta la realidad encontrada; ella es la realidad misma más allá de la hendidura existente entre sujeto y objeto.

Las ambigüedades del acto cognoscitivo de la autocreación de la vida están enraizados en la hendidura entre sujeto y objeto. Esta hendidura es la condición previa de todo conocimiento y, al mismo tiempo, la fuerza negativa en todo conocimiento. La historia de la epistemología en su conjunto es un intento cognoscitivo por salvar esta hendidura por medio de mostrar la unidad última entre el sujeto y el objeto, ya sea eliminando una de las vertientes de la hendidura por causa de la otra o ya sea estableciendo un principio de unión que comprenda las dos vertientes. Todo esto se hizo y se viene haciendo en orden a explicar la posibilidad de conocimiento. La realidad de la fisura por supuesto que no puede ser esquivada; cualquier acto de la existencia cognoscitiva viene determinada por la misma. Y la existencia cognoscitiva como un acto de la autocreación cultural es nuestro tema de investigación.

También aquí sólo se puede aducir un reducido número de ejemplos. Podemos empezar con el de la «ambigüedad de la observación», la observación que se entiende normalmente como la sólida base de todo conocimiento, si bien su solidez no elimina la ambigüedad. En la historia como en física, en la ética como en la medicina, el observador quiere contemplar el fenómeno tal como es «realmente», es decir, independientemente del observador. Sin embargo, no existe algo así como la independencia del observador. Lo observado cambia al ser observado. Esto ha sido siempre obvio en filosofía, en las humanidades y en la historia, pero actualmente ocurre lo mismo con la biología, la psicología y la física. El resultado no es lo «real» sino la realidad encontrada y, desde el punto de vista del significado de la verdad absoluta, la realidad encontrada es una realidad distorsionada.

Otro ejemplo de la ambigüedad de la autocreación de la vida en la función cognoscitiva de la cultura es la «ambigüedad de la abstracción». La cognición trata de alcanzar la esencia de un objeto o de un proceso haciendo abstracción de muchos particulares en los que está presente esta esencia. Esto es así incluso en la historia en la que conceptos que engloban muchos aspectos, como por ejemplo, el «Renacimiento» o el «Arte chino», incluyen, interpretan y ocultan un sinfín de hechos concretos. Cualquier concepto muestra esta ambigüedad de abstracción, que frecuentemente ha derivado en un empleo peyorativo de la palabra «abstracto». Pero cualquier concepto es una abstracción y, según el neurólogo Kurt Goldstein, lo que convierte al hombre en tal es precisamente el poder de abstracción.

Ha habido muchas discusiones a propósito de la «ambigüedad de la verdad como un todo». Como es obvio, toda afirmación acerca de un objeto emplea conceptos que necesitan también ellos ser definidos, y esto mismo es verdad de los conceptos empleados en estas definiciones, y así sucesivamente, *ad infinitum*. Cualquier afirmación particular es preliminar, porque un ser finito no puede abarcar el conjunto, la totalidad, y si dijera que sí, como lo han pretendido algunos metafísicos, se engaña a sí mismo. Por consiguiente, la única verdad que se da al hombre en su finitud es fragmentaria, está rota, no es exacta si se mide por la verdad incorporada en el conjunto. Pero aplicar esta medida es asimismo inexacto ya que ello excluiría al hombre de cualquier verdad, incluso de la verdad de su afirmación. La ambigüedad de la estructura conceptual profundiza en una discusión metafísica. Hoy es sobre todo un problema en la física puesto que algunos físicos interpretan las estructuras físicas determinantes, tales como el átomo, el campo de fuerza, y demás, como simples creaciones de la mente humana sin ningún *fundamentum in re* (base en la realidad), mientras que hay quienes sí les atribuyen una tal base. Este mismo problema se ha suscitado en sociología con el concepto de las clases sociales, en la psicología con el concepto de los complejos, y en la historia con los nombres de los períodos históricos. La ambigüedad consiste en el hecho de que al crear amplias estructuras conceptuales el acto cognoscitivo cambia la realidad encontrada de tal manera que se hace irreconocible.

Debemos anotar la «ambigüedad de la argumentación», mediante la cual se intenta que una serie de argumentos conceptualicen la estructura de las cosas pero en las que juegan un papel importante unas suposiciones indiscutidas y que son desconocidas al sujeto cognoscente. Esto es verdad del contexto histórico en el que se desarrolla el argumento, de la influencia desapercibida de la posición sociológica del sujeto cognoscente acerca del argumento —una influencia llamada ideología— y, finalmente, del impacto inconsciente de la situación psicológica del sujeto cognoscente, llamada racionalización. Cualquier argumento depende de estas fuerzas, aun cuando se practique una fuerte disciplina científica. El método no puede salvar la hendidura existente entre el sujeto y el objeto.

Estos ejemplos explican por qué quienes son conscientes de las ambigüedades del acto cognoscitivo intentan esquivarlas haciendo trascendente la hendidura en la dirección de una unidad mística del esquema sujeto-objeto.

Se hace otro intento para encontrar lo inambiguo mediante las imágenes creadas por las artes. En la intuición artística y en sus imágenes, se cree posible una reunión de la *theoria* y de la realidad, que de otra manera sería inalcanzable. Pero la imagen estética no es menos ambigua que el concepto cognoscitivo y la palabra que capta. En la función estética la hendidura entre la expresión y lo expresado representa la fisura entre los actos de la *theoria* y la realidad encontrada. Las ambigüedades resultantes de esta fisura se pueden ver en los conflictos de los elementos estilísticos que caracterizan cualquier obra de arte e, indirectamente, cualquier encuentro estético con la realidad. Estos elementos son el naturista, el idealista y el expresionista. Cada uno de estos términos sufre varias de las ambigüedades del lenguaje antes mencionadas pero no los podemos pasar por alto. El naturalismo en este contexto hace referencia al impulso artístico para presentar al objeto como conocido ordinariamente o afilado científicamente o exagerado drásticamente, y si se siguiera hasta el final radicalmente este impulso, la temática sobrepasa la expresión y pasa a ser una discutible imitación de la naturaleza —la «ambigüedad del naturalismo estilístico». El idealismo en este contexto significa el impulso artístico contrario, el de ir más allá de la realidad encontrada ordinariamente en dirección hacia lo que son las cosas esencialmente y hacia lo que por tanto deben ser. Se trata de la anticipación de una plenitud que no se puede hallar en un encuentro actual y que es, en lenguaje teológico, escatológica. La mayor parte de lo que nosotros llamamos arte clásico se ve muy fuertemente determinado por este impulso, si bien no de manera exclusiva, ya que no hay ningún estilo que esté completamente dominado por ninguno de los tres elementos estilísticos. Pero también aquí están de manifiesto las ambigüedades; el objeto natural, cuya expresión es la finalidad de la autocreación estética de la vida, se pierde en la idea anticipada del mismo, y ésta es la «ambigüedad del idealismo estilista». Un ideal que carezca de fundamento real se coloca contra la realidad encontrada que se embellece y corrige a fin de que se conforme al ideal de una manera que combina el sentimentalismo con la falta de sinceridad. Esto es lo que ha echado a perder el arte religioso de los últimos cien años. Un arte así expresa algo todavía, pero no la realidad encontrada, el gusto vulgar, de un período culturalmente vacío.

2.   Las ambigüedades de la transformación técnica y personal.

Todas las ambigüedades de la autocreación de la vida en las funciones de la *theoria* dependen últimamente de la escisión entre el sujeto y el objeto bajo las condiciones de la existencia: el sujeto trata de salvar la hendidura recibiendo al objeto con palabras, conceptos e imágenes, pero jamás logra esta finalidad. Se da una recepción, una captación y una expresión, pero la hendidura permanece y el sujeto permanece dentro de sí mismo. Lo contrario ocurre en la autocreación de la vida por las funciones de la *praxis,* incluyendo su elemento técnico. Ahí es el objeto el que tiene que ser transformado de acuerdo con los conceptos e imágenes y es el objeto el que causa el carácter ambiguo de la autocreación cultural.

Hemos juntado la fuerza liberadora de la palabra y la del acto técnico, como en la producción de instrumentos en cuanto tales. El lenguaje y las técnicas capacitan la mente para establecer y perseguir unos propósitos que trascienden la situación ambiental. Pero a fin de producir instrumentos, se ha de conocer y obrar de acuerdo con la estructura interna de los materiales usados y su comportamiento bajo unas condiciones previas. El instrumento que libera al hombre le somete también a las normas de su fabricación.

Esta consideración conduce a tres ambigüedades de toda producción técnica, tanto si implica un martillo que ayuda a construir una barraca como si supone un conjunto de maquinarias que sirven de ayuda para la fabricación de un satélite artificial. La primera es la «ambigüedad de la libertad y de la limitación» en la producción técnica; la segunda es la «ambigüedad de los medios y de los fines»; y la tercera es la «ambigüedad del yo y de la cosa». Desde los tiempos míticos hasta nuestros días, las ambigüedades citadas han influido ampliamente en el destino de la humanidad, pero tal vez no haya habido ninguna época con tanta conciencia de ello como la nuestra.

La ambigüedad de la libertad y la limitación en la producción técnica se expresa vigorosamente en los mitos y leyendas. Está subyacente en la historia bíblica del árbol del conocimiento del que come Adán en contra de la voluntad de los dioses y en el mito griego de Prometeo, que lleva a los hombres el fuego, en contra también de la voluntad de los dioses. Tal vez el mito más cercano a nuestra situación actual sea el de la torre de Babel, que nos habla del deseo de unidad del hombre bajo un símbolo en el que sea superada su finitud y se pueda alcanzar la esfera divina. En todos estos casos, el resultado es creativo y destructor a la vez; y éste continúa siendo el destino de la producción técnica en todos los períodos. Se abre así un camino en el que no se ven límites, si bien ello es a través de un ser limitado y finito. La conciencia de este conflicto queda claramente expresada en los mitos referidos y la proclaman también nuestros científicos de hoy día, plenamente conscientes de las posibilidades de destrucción que tienen para la humanidad entera sus creaciones de conocimiento científico así como sus instrumentos técnicos.

La segunda ambigüedad, la de los «medios y fines» hace referencia a esta ambigüedad básica de la producción técnica. Concretiza lo ilimitado de la libertad técnica al preguntar: ¿para qué? Mientras se contesta a esta pregunta mediante las necesidades básicas de la existencia física del hombre, el problema queda disimulado, pero no queda contestado, ya que no se puede dar una respuesta segura a la pregunta de qué es una necesidad básica. Pero el problema aparece con toda claridad si, tras la satisfacción de las necesidades básicas, se engendran un sinfín de nuevas necesidades a las que se da satisfacción y —en una economía dinámica— precisamente para eso se engendran, para poderles dar satisfacción. En esta situación una posibilidad técnica se convierte en una tentación social e individual. La producción de medios —de artilugios— se convierte en un fin en sí mismo, ya que no se ve ningún fin superior. Esta ambigüedad es ampliamente responsable de la vaciedad de la vida contemporánea. Pero no es posible cambiar esto diciendo simplemente: ¡No continuéis produciendo! Ello resulta tan imposible como el decir a un científico, con respecto a la ambigüedad de la libertad y de la limitación: ¡Deja de investigar! No se pueden superar las ambigüedades con la simple eliminación de un elemento que pertenece esencialmente al proceso de autocreación de la vida.

Esto es verdad también de la «ambigüedad del yo y de la cosa». Un producto técnico, en contraposición a un objeto natural, es una «cosa». En la naturaleza no existen «cosas», es decir, objetos que no sean más que objetos, que no tengan ningún elemento de subjetividad. Pero los objetos producidos por el acto técnico *son* cosas. Pertenece a la libertad del hombre en el acto técnico el que pueda transformar los objetos naturales en cosas: los árboles en madera, los caballos en caballos de vapor, los hombres en cantidades de fuerza de trabajo. Al transformar los objetos en cosas destruye sus estructuras y relaciones naturales. Pero algo ocurre también al hombre cuando hace esto al igual que a los objetos que transforma. El mismo se convierte en una cosa entre las cosas. Su propio yo se pierde a sí mismo en los objetos con los que no se puede comunicar. Su yo se convierte en una cosa por la virtud de producir y dirigir simples cosas, y cuanto más se transforma la realidad en un manojo de cosas en el acto técnico, tanto más el mismo sujeto transformador se transforma y se convierte en una parte del producto técnico y pierde su carácter como yo independiente. La liberación que las posibilidades técnicas aportan al hombre se convierte en esclavitud ante la realidad técnica. Esta es una genuina ambigüedad en la autocreación de la vida, y no puede ser superada por una vuelta romántica, es decir, pre-técnica, a lo que se le da el nombre de natural. Para el hombre, lo técnico es algo natural, y la esclavitud ante el primitivismo natural sería algo no natural. La tercera ambigüedad de la producción técnica no puede ser superada aniquilando simplemente la producción técnica. Con las otras ambigüedades ella conduce a la búsqueda de relaciones inambiguas de medios y fines, es decir, del reino de Dios.

El acto técnico invade todas las funciones de la *praxis* y contribuye en parte a sus ambigüedades. Pero tienen sus propias fuentes de creación y de destrucción, cuya discusión abarcará primero las ambigüedades personales de la *praxis* y luego las comunitarias.

En el dominio de la autocreación personal de la vida debemos distinguir entre lo personal en sí mismo y lo personal en relación, si bien en realidad son inseparables. En ambos aspectos la finalidad del acto cultural es la actualización de las potencialidades del hombre como hombre. Es «humanidad» en el sentido de esta definición. La humanidad se alcanza por la autodeterminación y hétero-determinación en mutua dependencia. El hombre lucha por alcanzar su propia humanidad y trata de ayudar a los demás que alcancen humanidad, un intento que expresa su propia humanidad. Pero ambos aspectos —determinar el propio yo mediante el propio yo y el ser determinado por los demás— manifiestan la ambigüedad general de la autocreación personal de la vida. Es la relación del que determina y del que es determinado. Semánticamente hablando, el mismo término «autodeterminación» apunta la ambigüedad de la *identidad* y de la *no-identidad*. El sujeto determinante sólo puede determinar con la fuerza de lo que es esencialmente. Pero bajo las condiciones de la alienación existencial, está separado de lo que es esencialmente. Por tanto, es imposible una autodeterminación hacia una humanidad realizada; es necesaria, con todo, porque un yo determinado completamente desde fuera dejaría de ser un yo, pasaría a ser una cosa. Esta es la «ambigüedad de la autodeterminación», la dignidad y la desesperación de cualquier personalidad responsable («responsable» en el sentido de responder a la «voz silenciosa» del propio ser esencial). Se podría hablar también de la «ambigüedad de la buena voluntad». Para poder querer lo bueno, la voluntad misma debe ser buena. La autodeterminación la debe hacer buena, lo cual es lo mismo que decir que la buena voluntad debe crear la buena voluntad, y así sucesivamente *ad infinitum* en una regresión sin fin. A la luz de estas consideraciones, términos tales como «autoeducación», «autodisciplina», «autocuración», muestran su profunda ambigüedad. Implican o bien que sus objetos ya han sido alcanzados o que deben ser rechazados todos ellos, y el absurdo concepto de autosalvación se desecha totalmente.

En contraposición a la autodeterminación se puede hablar de la «hétero-determinación», para significar la autocreación personal en cuanto ésta depende de las acciones de una persona sobre la otra. Esto ocurre inintencionadamente en todo acto de participación personal e intencionalmente siempre que opera una educación inorganizada u organizada, o un impulso director. En estas relaciones aparece una ambigüedad que puede ser formulada de la siguiente manera: trabajar para el crecimiento de una persona es al mismo tiempo trabajar para su despersonalización. El intento de mejorar un sujeto como sujeto lo convierte en objeto. Ante todo se pueden observar los problemas prácticos implicados en esta ambigüedad en la actividad educativa, ya sea inintencional o intencional. Cuando la educación comunica los contenidos culturales rara vez se alcanzan los extremos del adoctrinamiento totalitario y de la despreocupación liberal, pero sí están siempre presentes como elementos y convierten en una de las tareas más ambiguas de la cultura el intento de educar a la persona como persona. Lo mismo podemos decir del intento de educar a la persona por medio de inducirla a la vida real del grupo educativo. Aquí aparecen como elementos del proceso educativo, si bien raras veces llevados hasta sus últimas consecuencias, los extremos de la disciplina autoritaria y la condescendencia liberal, y tienden por tanto o bien a romper la persona como persona o bien a impedirle alcanzar cualquier forma definida. En este sentido, el principal problema de la educación es que cualquier método, por delicado que sea, aumenta la tendencia «objetivizante» que trata de esquivar.

Otro ejemplo de la «ambigüedad del crecimiento personal» es la actividad directora. El término «directora» se emplea aquí en el sentido de «ayuda» para el crecimiento de una persona. Esta ayuda puede consistir en psicoterapia o bien en aconsejar; puede ser la ayuda que es una parte fundamental de las relaciones de familia; puede ser aquello que está presente inintencionadamente en la amistad y en todas las actividades educacionales (en la medida en que estas últimas son una consecuencia de la actividad de ayuda). En nuestros días el ejemplo más diáfano es la práctica psicoanalítica y sus ambigüedades. Una de las grandes conquistas de la teoría psicoanalítica es su intuición de las consecuencias despersonalizadoras del fenómeno de la transferencia, no sólo en el paciente sino también en el analista, así como de los intentos de superar esta situación mediante métodos que finalmente alejen la transferencia en el proceso sanante. Sin embargo, esto sólo puede tener éxito si queda superada la ambigüedad de trabajar por el crecimiento personal. Y esto es posible solamente en el caso de que quede conquistado el esquema de sujeto-objeto ya que allí donde no ha sido deshecho el esquema sujeto-objeto se hace imposible una vida sin ambigüedades.

Si nos volvemos ahora al dominio de las relaciones humanas nos encontramos con las ambigüedades de la autocreación de la vida en la «ambigüedad de la participación personal». Esto hace referencia sobre todo a la relación de persona a persona pero abarca también la relación de persona a lo no-personal. La ambigüedad de participación está presente en innumerables formas entre los extremos de autorreclusión y de autoentrega. En cualquier acto de participación se da un elemento de retención del propio yo y un elemento de donación del propio yo. En los intentos de conocer al otro, la autorreclusión se expresa a sí misma en la proyección de las imágenes del ser del otro que disfrazan su ser real y sólo son proyecciones de aquél que se intenta conocer. La pantalla de las imágenes entre persona y persona convierte en algo profundamente ambiguo la participación cognoscitiva entre personas (tal como, por ejemplo, ha mostrado abundantemente el análisis de las imágenes que tienen los niños de sus padres). Y se da la otra posibilidad de abandonar las propias imágenes del otro y recibir las imágenes que él tiene realmente de sí o las que quiere imponer a aquellos que intentan participar cognoscitivamente en él.

La participación emocional está sujeta también a las ambigüedades de la autorreclusión y de la autoentrega. En realidad, la participación emocional en el otro es una oscilación emocional en el interior del propio yo, creada por una supuesta participación en el otro. El amor romántico es en gran parte de este tenor. Manifiesta la ambigüedad de perder a la otra persona precisamente por el intento de penetrar emocionalmente en su ser secreto. Y se da también el movimiento contrario, la autoentrega caótica que, en el acto de expulsar desvergonzadamente el propio yo, lo lleva todo al otro yo; si bien se hace imposible que aquel que lo reciba pueda servirse del mismo ya que ha perdido su secreto y unicidad. Debemos repetir que las ambigüedades profundas están presentes de manera eficaz en todos los actos de participación emocional que, juntamente con las ambigüedades cognoscitivas, son responsables de las inagotables situaciones de creación y destrucción en la relación de persona a persona.

Es inevitable que la participación activa muestre unas estructuras análogas. Las imágenes autoproducidas del otro y la autorrelación emocional bajo el ropaje de la participación aportan múltiples patentes de mutua destrucción en el encuentro de persona a persona. Si se ataca al otro es a su imagen a la que se ataca y no a su yo. Es más bien al deseo que uno mismo tiene por la autoentrega al que se da satisfacción más frecuentemente al entregarse uno al yo del otro en vez de al suyo. La participación, buscada, se convierte en autorreclusión tras la experiencia de rechazo, real o imaginada. Las mescolanzas sin fin de hostilidad y entrega son algunos de los ejemplos más conspicuos de la ambigüedad de la vida.

3.   Las ambigüedades de la transformación comunitaria.

La trama en la que se da la autocreación cultural es la vida y el crecimiento del grupo social bajo la dimensión del espíritu. La discusión de esta contextura ha sido traída hasta este punto debido a la diferencia en la estructura entre el yo personal y la comunidad.

Mientras que el yo centrado es el sujeto conocedor, deliberador, decisivo y activo en todo acto personal, un grupo social carece de un tal centro. Sólo por analogía se puede llamar a la sede de la autoridad y de la fuerza el «centro» de un grupo, ya que en muchos casos la autoridad y la fuerza están separados, si bien la cohesión del grupo persiste, estando enraizada en los procesos de la vida que pueden volver al pasado o que pueden ser determinados por fuerzas inconscientes que son más poderosas que cualquier autoridad política o social. El acto libre de una persona le hace responsable de las consecuencias del acto. Un acto del representante de la autoridad en un grupo puede ser altamente responsable, o completamente irresponsable, con todo el grupo que tiene que arrostrar las consecuencias. Pero el grupo no es una unidad personal que se hace responsable de los actos que, por ejemplo, le son impuestos en contra de la voluntad de la mayoría o a través de la superioridad preliminar de una parte en una situación en la cual la fuerza está dividida. La vida de un grupo social reside en la dimensión histórica, que une las otras dimensiones y les añade dirección hacia el futuro. Si bien nuestro propósito es tratar la dimensión histórica en la parte V del presente sistema, al llegar a este punto debemos tratar de las ambigüedades que se siguen del principio de justicia en cuanto tal, sin entrar en la discusión de la justicia en la dimensión histórica.

Bajo la dimensión del espíritu y en la función de la cultura, la vida se crea a sí misma en grupos humanos cuya naturaleza y desarrollo es la temática de la sociología y de la historiografía. Aquí nos preguntamos: ¿qué intentan ser los grupos sociales por su naturaleza esencial y qué ambigüedades aparecen en los actuales procesos de su autocreación? Al paso que en las descripciones anteriores hemos mostrado las ambigüedades del crecimiento de la persona hacia la humanidad, ahora debemos discutir las ambigüedades del crecimiento del grupo social hacia la justicia.

Podemos distinguir entre los organismos sociales y las formas organizativas que toman unas actividades humanas en orden a facilitar su crecimiento hacia la justicia. Las familias, los grupos amicales, las comunidades locales y vocacionales, los grupos tribales y nacionales, han crecido naturalmente dentro de la autocreación cultural de la vida. Pero en cuanto partes de la creatividad cultural son, al mismo tiempo, objetos de la actividad organizativa; de hecho, nunca son lo uno sin lo otro. Es esto lo que los distingue de los rebaños en la dimensión orgánico-psicológica. La justicia de un rebaño o de un bosque de árboles consiste en la fuerza natural de los más poderosos en forzar sus potencialidades a la actualización a pesar de la resistencia natural de los demás. En un grupo humano, la relación de los miembros se rige por unas normas tradicionales, determinadas de manera convencional o legal. En la estructura organizativa no se excluyen las diferencias naturales existentes en el poder del ser pero sí están ordenadas de acuerdo con los principios implicados en la idea de justicia. La interpretación de estos principios admite una variedad infinita siendo siempre la justicia el punto de identidad en todas las interpretaciones. Las relaciones entre padres e hijos, marido y mujer, familiares y extraños, miembros del mismo grupo local, ciudadanos de la misma nación, y podíamos alargar la lista, se rigen por unas normas que, consciente o inconscientemente, intentan ser expresión de alguna forma de justicia. Esto es verdad incluso en la relación del grupo conquistador con respecto al vencido dentro de un mismo contexto social. La justicia que se hace al esclavo no deja de ser justicia, por muy injusta que pueda ser la esclavitud desde un superior punto de vista. De acuerdo con la polaridad de la dinámica y de la forma, un grupo social no podría tener el ser sin la forma. Y la forma del grupo social queda determinada por la comprensión de la justicia efectiva en el grupo.

Las ambigüedades de la justicia aparecen siempre que se pide y se realiza la misma. El crecimiento de la vida en los grupos sociales está lleno de ambigüedades que —caso de no ser entendidas— conducen a una desesperante resignación de toda creencia en la posibilidad de la justicia o a una actitud de expectación utópica de una justicia completa, que más tarde se ve frustrada.

La primera ambigüedad en la realización de la justicia es la de la «inclusión y exclusión». Un grupo social es un grupo porque incluye una categoría especial de gente con exclusión de otras. La cohesión social se hace imposible sin una tal exclusión. Llegados a este punto, se han de discutir conjuntamente las ambigüedades de la autointegración y de la autocreación, antes de una introducción de la dimensión histórica de los procesos vitales. El carácter especial de los grupos sociales, tal como se describen con anterioridad, hace imposible el poderlos asumir totalmente bajo la dimensión del espíritu. Su vida no posee la centralidad moral del yo personal, y por esta razón, se separa con frecuencia lo socio-político de la autocreación cultural de la vida. Pero también esto es imposible, puesto que, por un lado, el elemento de justicia presente en todos los grupos es creado por los actos del espíritu, y por el otro lado, todos los reinos dominados por la dimensión del espíritu, en sus formas culturales, dependen en parte de las fuerzas socio-políticas. Es algo inherente a la justicia esencial de un grupo preservar su centralidad, y el grupo trata de establecer un centro en todos los actos mediante los cuales se actualiza a sí mismo. Un centro no precede al crecimiento en la vida de los grupos sociales, pero la autointegración y la autocreación son idénticas en todo momento. A este respecto es obvia la diferencia, tanto a partir de las dimensiones que preceden a las del espíritu como a partir de la dimensión del mismo espíritu. En la dimensión histórica, la autointegración y la autocreación son un solo e idéntico acto de vida. Los procesos vitales coinciden bajo la dimensión omnienglobante de lo histórico.

Una consecuencia de la convergencia de los procesos vitales bajo la dimensión histórica es la aplicación de la «ambigüedad de la cohesión social y de la exclusión social» tanto al proceso de la autointegración como al proceso de la autocreación. Un gran número de investigaciones sociológicas se ocupan de este tema, y las consecuencias prácticas de cualquier solución sugerida tienen gran importancia. La ambigüedad de la cohesión implica que todo acto que fortalece la cohesión social expulsa o rechaza a los individuos o grupos que están en la línea divisoria y, al contrario, que todo acto que retiene o acepta a tales individuos o grupos debilita la cohesión del grupo. Quedan incluidos en la línea divisoria los individuos de distintas clases sociales, los individuos que participan en grupos muy relacionados familiares o amicales, los extranjeros de nación o de raza, los grupos minoritarios, los disconformes, los recién llegados. En todos estos casos, la justicia no exige una aceptación inambigua de quienes posiblemente estorbarían o destruirían la cohesión del grupo, si bien no permite ciertamente su rechazo inambiguo.

La segunda ambigüedad de la justicia es la de la «competencia y de la igualdad». La desigualdad en el poder del ser entre individuos y grupos no es asunto de unas diferencias estáticas sino de continuas decisiones dinámicas. Esto se da en todo encuentro del ser con el ser, en cada mirada, en cada conversación, en cada petición, en cada pregunta o llamada. Se da en la vida competitiva de familia, en la escuela, en el trabajo, en los negocios, en la creación intelectual, en las relaciones sociales, y en la lucha por el poder político. En todos estos encuentros se da un empuje hacia adelante, una prueba, un arrastre hacia una existente unidad, una salida de la misma, una coalescencia, una división, una constante alteración entre la victoria y la derrota. Estas desigualdades dinámicas son una realidad bajo todas las dimensiones desde el inicio de todo proceso vital hasta su fin.

Bajo la dimensión del espíritu, son juzgadas por el principio de justicia y el elemento de igualdad en ella. La pregunta es ésta: ¿en qué sentido la justicia incluye la igualdad?

Hay *una* respuesta inambigua: toda persona es igual a otra, en la medida en que es una persona y en este sentido no existe diferencia entre una persona plenamente desarrollada y otra afectada de una enfermedad mental que tan solo es una persona en potencia. Por el principio de justicia en ellas encarnado, ambas piden ser reconocidas como personas. La igualdad es inambigua hasta este punto, y las implicaciones son también lógicamente inambiguas: la igualdad ante la ley en todos aquellos aspectos en los que la ley determina la distribución de los derechos y de los deberes, de las oportunidades y limitaciones, de las ventajas y de los inconvenientes, y a su vez, es una respuesta a la obediencia o al desafío de la ley, del mérito o demérito, de la competencia o incompetencia.

Con todo, y a pesar de que las lógicas implicaciones del principio de igualdad son inambiguas, cualquier aplicación concreta es ambigua. Este hecho queda demostrado por la historia pasada y presente de manera incontestable. En el pasado ni siquiera se había reconocido como persona humana a la que estaba afectada de enfermedad mental, e incluso en nuestros días se ponen limitaciones para este reconocimiento como persona potencial. Añádase a esto, las terroríficas reincidencias que se han dado en la destrucción demoníaca de la justicia en nuestro siglo. Sin embargo, aun cuando esta situación tenga que cambiar en el futuro, no podría cambiar las ambigüedades de la competencia, que operan constantemente en favor de la desigualdad en los encuentros de la gente en la vida diaria, en la estratificación de la sociedad, y en la autocreación política de la vida. El mismo intento de aplicar el principio de igualdad, tal como queda sin ambigüedades en el reconocimiento de la persona como persona, puede tener consecuencias destructoras para la realización de la justicia. Puede negar el derecho encarnado en un poder especial del ser para darlo a individuos o grupos cuyo poder de ser no lo garantiza. O puede mantener a los individuos o a los grupos bajo unas condiciones que hagan técnicamente imposible el desarrollo de sus potencialidades. O bien puede evitar un tipo de competencia para fomentar otro, alejando de esta forma una fuente de injusta desigualdad pero sólo para producir otra. O bien puede aplicar un poder injusto para aplastar el poder injusto. Todos estos ejemplos dejan bien en claro que un estado de justicia inambigua es una ficción de la imaginación utópica.

La tercera ambigüedad en la autorrealización de un grupo social es «la ambigüedad de jefatura». Se da en todo tipo de relaciones humanas desde las que existen entre padres e hijos hasta las que se establecen entre gobernante y gobernado. Y muestra en sus muchas formas la ambigüedad de la creatividad y de la destrucción que caracteriza todos los procesos vitales. La «jefatura» es una estructura que empieza ya temprano en el reino orgánico y que es efectiva bajo las dimensiones de la conciencia interna del espíritu y de la historia. Su interpretación sería más bien deficiente si se intentara hacer derivar la palabra de la existencia de diversos grados de fortaleza y del esfuerzo del más fuerte por esclavizar al más débil. Este es un abuso permanente del principio de jefatura pero no su esencia. La jefatura es la analogía social de la centralidad. Como hemos visto, se trata sólo de una analogía, pero que es válida ya que sin la centralidad que proporciona la jefatura no sería posible ni la autointegración ni la autocreación de un grupo. Esta función de jefatura se puede derivar del mismo hecho que podría parecer su refutación: la centralidad personal del individuo miembro del grupo. Sin un jefe o un grupo conductor, un grupo podría estar unido sólo por medio de un poder psicológico, dirigiendo a todos los individuos de manera parecida a las reacciones de choque masivo, en las que se perdería la espontaneidad y la libertad, en el movimiento de masas en las que sus partes integrantes no tendrían una decisión independiente. Los propagandistas de todas las especies intentan crear un tal comportamiento. No intentan ser los jefes sino los directores de un movimiento masivo causalmente determinado. Pero precisamente esta posibilidad de emplear el poder de jefatura para transformar la misma en una dirección de masa muestra que no es ésta la naturaleza intrínseca de la jefatura, que presupone y preserva a la persona centrada a la que dirige. La posibilidad que acabamos de mencionar muestra la ambigüedad de la jefatura. El jefe representa no solamente el poder y la justicia del grupo sino también se representa a sí mismo, su poder de ser y la justicia en ello implicada. Esto es válido no sólo para él como individuo sino también para el *stratum* social particular en el que está y al que representa le guste o no. Esta situación es la fuente permanente de ambigüedad de todo director, ya se trate de un dictador, de una aristocracia o de un parlamento. Y esto es verdad también de aquellos grupos voluntarios cuyos jefes elegidos manifiestan los mismos motivos ambiguos como lo hacen los gobernantes políticos. La ambigüedad de la racionalización o de la producción ideológica está presente en toda estructura de jefatura. Pero el intento de eliminar una tal estructura, por ejemplo, en un estado de anarquía, es autodestructivo debido a que el caos alimenta la dictadura y a que no se puede superar las ambigüedades de la vida produciendo el vacío.

A los jefes con funciones especiales se les ha llamado «autoridades», pero ésta es una aplicación desorientadora de un término que tiene un significado más fundamental que el de jefatura y, por consiguiente, unas ambigüedades más destacadas. «Autoridad» denota, ante todo, la capacidad de empezar y aumentar *(augere, auctor)* algo. En este sentido, existen autoridades en todos los reinos de la vida cultural. Son una consecuencia de la «división de la experiencia» y son necesarias debido a la escala limitada de conocimiento y capacidad de todo individuo. No hay nada ambiguo en esta situación, pero la ambigüedad de la jefatura en el sentido de autoridad empieza en el momento en el que la autoridad real, que se basa en la división de la experiencia, queda rígidamente adscrita a una autoridad supeditada a una posición social particular, por ejemplo, a los científicos en cuanto científicos, a los reyes en cuanto reyes, a los sacerdotes en cuanto sacerdotes, a los padres en cuanto padres. En estos casos, unas personas con menos conocimiento y capacidad llegan a ejercer autoridad sobre otras que tienen más, y de esta manera queda deformado el genuino significado de autoridad. Esto, sin embargo, no sólo es un hecho lamentable que podría y debería evitarse sino también una inevitable ambigüedad, debido a la inevitable transformación de la autoridad real en la autoridad establecida. Todo ello es mucho más obvio en el caso de la autoridad paterna pero sigue siendo verdad también de las relaciones fundadas en las diferencias de edad en general, de las existentes entre las profesiones con aquellos a a quienes sirven, y las de los representantes del poder con aquellos a quienes dirigen o gobiernan. La base de toda la institución jerárquica está en la transformación de la autoridad real en la establecida. Pero la autoridad se ejerce sobre personas y es algo abierto, por tanto, al posible rechazo, en nombre de la justicia. La autoridad establecida trata de evitar un tal rechazo, y aquí aparece una ambigüedad: un rechazo de la autoridad si se lleva a feliz término segaría la estructura social de la vida, mientras que una rendición a la autoridad destruiría la base de la autoridad: el yo personal y su exigencia de justicia.

La cuarta ambigüedad de la justicia es la «ambigüedad de la forma legal». Hemos tratado ya de la ambigüedad de la ley moral, su derecho e incapacidad para crear aquello que debería crear: la reunión del ser esencial del hombre con su ser existencial. Son similares las ambigüedades de la forma legal tal como se expresan en las leyes de los estados, por ejemplo, en la ley civil y criminal. Habría de servir para el establecimiento de la justicia pero en su lugar dan origen a la justicia y a la injusticia. La ambigüedad de la forma legal tiene dos causas, externa una, interna la otra. La causa externa es la relación entre la forma legal y los poderes legislativos, interpretativos y ejecutivos. De ahí que las ambigüedades de la jefatura ejerzan su influencia sobre el carácter de la forma legal. Pretende ser la forma de la justicia, pero es la expresión legal de un poder especial del ser, individual o social. Esto en sí mismo no es solamente inevitable; es también algo auténtico y verdadero para la naturaleza esencial del ser, es decir, para la unidad multidimensional de la vida.

Toda creación bajo la dimensión del espíritu une la expresión con la validez. Expresa una situación individual o social que viene indicada por un estilo determinado. El estilo legal de un grupo que establece leyes en un período especial nos habla no solamente acerca de soluciones lógicas de problemas legales sino también acerca de la naturaleza de la estratificación económica y social existente en aquel momento así como del carácter de las clases o grupos directores. Con todo, la lógica de la ley no se ve reemplazada por la voluntad de poder y la presión de las ideologías que sirven para preservar o atacar la estructura de poder existente. La forma legal no se emplea para otros propósitos simplemente; mantiene sus propias necesidades estructurales y puede servir a esos otros propósitos sólo porque mantiene su propia estructura, ya que el poder sin una forma legal válida se destruye a sí mismo.

La ambigüedad interna de la forma legal es independiente de las autoridades que dan, interpretan y ejecutan la ley. Al igual que la ley moral es también abstracta y, por consiguiente, inadecuada a cualquier situación única, ya que de acuerdo con el principio de individualización toda situación es única, si bien, en ciertos aspectos, muy semejante a las restantes. Muchos sistemas legales tienen en cuenta este hecho y a este fin dictan medidas de seguridad en contra de una igualdad abstracta de todos ante la ley, pero así sólo en parte se puede poner remedio a la injusticia basada en el carácter abstracto de la ley y la unicidad de toda situación concreta.

e) *La ambigüedad del humanismo*

La cultura, al crear un universo de significado, no crea este universo en el espacio vacío de la mera validez sino que crea significado como la actualización de lo que es potencial en el portador del espíritu, en el hombre. Ya ha sido defendida esta afirmación frente a los filósofos anti-ontológicos del valor. Ahora ha de ser tratada en una de sus consecuencias decisivas, a saber, en la respuesta que implica a la pregunta de la finalidad última de la autocreación cultural de la vida: ¿qué significa la creación de un universo de significado?

A partir de la derivación ontológica de valores, la respuesta tiene dos aspectos, uno macrocósmico y el otro microcósmico. El macrocósmico se puede expresar de la siguiente manera: el universo de significado es la plenitud de las potencialidades del universo del ser. De esta manera se actualizan en el mundo de lo humano las potencialidades no realizadas de la materia, tal como aparecen, por ejemplo, en el átomo. Sin embargo, no se actualizan en los átomos, o moléculas, o cristales, o plantas o en los mismos animales, sino sólo en la medida en que están presentes en el hombre como partes y fuerzas actualizadas bajo estas dimensiones. Esto deja el problema de la plenitud del universo como un todo abierto a la consideración de la autotrascendencia de la vida, de sus ambigüedades y del símbolo de lo inambiguo o de la vida eterna.

En la respuesta microcósmica se ve al hombre como el punto en el que se realiza el universo de significado y como el instrumento por cuyo medio se realiza. El espíritu y el hombre están ligados entre sí y solamente en el hombre alcanza el universo una plenitud anticipada y fragmentaria. Es esta la raíz de la idea humanista como la respuesta microcósmica a la pregunta de la finalidad de la cultura, y ésta es la justificación del humanismo, que no es el principio de una particular escuela filosófica, sino algo común a todas ellas. Sin embargo, debemos hacer la afirmación límite de que la idea humanista sólo se puede mantener si sus ambigüedades, junto con las ambigüedades de toda autocreación cultural, se ponen de relieve y si el humanismo se lleva hasta el punto en el que plantea la pregunta de la vida inambigua.

El humanismo es un concepto más amplio que el de humanidad. Hemos definido la humanidad como la plenitud de la vida personal en cuanto personal y lo hemos co-ordenado con la justicia y, en su visión más amplia que abarca todas las funciones del espíritu, con la verdad y la expresividad. El humanismo abraza estos principios y los relaciona con la actualización de las potencialidades culturales del hombre. La humanidad, al igual que la justicia, es un concepto, subordinado al humanismo, que designa la finalidad intrínseca de toda actividad cultural.

No se puede acusar al humanismo de racionalismo. No puede ser criticado en absoluto en la misma medida en que afirma que la finalidad de la cultura es la actualización de las potencialidades del hombre como portador del espíritu. Pero una filosofía humanista que trata de ocultar las ambigüedades en la idea del humanismo, debe ser rechazada. Las ambigüedades del humanismo se basan en el hecho de que, en cuanto humanismo, no presta atención a la función autotrascendente de la vida y absolutiza la función autocreadora. Esto no significa que el humanismo ignora la «religión». De ordinario, si bien no siempre, sitúa a la religión bajo las potencialidades humanas y la considera de acuerdo con una creación cultural. Pero al hacerlo así el humanismo niega realmente la autotrascendencia de la vida y con ello el carácter más íntimo de la religión.

Puesto que el humanismo en cuanto término y actitud está íntimamente conectado a la educación, lo que más puede clarificar será demostrar sus ambigüedades por medio de la consideración de una ambigüedad de la educación que se aplica tanto al reino personal como al comunitario. «Educar» significa sacar de alguna parte algo, por ejemplo, del estado de una cierta «rudeza» como nos sugiere la misma palabra «e-rudición». Pero ni estas palabras ni la actual práctica educativa dan respuesta a la pregunta: ¿para llevar lo que se saca hacia dónde? Un humanismo de todas las potencialidades humanas, sin embargo, puesto que la infinita distancia entre el individuo y la especie hace esto imposible, la respuesta, desde el punto de vista humanista, tendría que ser ésta: hacia la actualización de aquellas potencialidades humanas que son posibles en los términos del destino histórico de este individuo particular. En cambio, esta cualificación es algo fatal para el ideal humanista en la medida en que pretende dar una respuesta final al problema cultural educativo y general. Debido a la finitud humana, nadie puede realizar el ideal humanista, ya que las potencialidades humanas decisivas quedarán siempre por realizar. Peor todavía, la condición humana siempre excluye —y ello tanto en el sistema aristocrático como en el democrático— a la inmensa mayoría de los seres humanos de los más altos grados de la forma cultural y de la profundidad educativa. La exclusividad intrínseca del ideal humanista le impide ser la finalidad última de la cultura humana. Es la ambigüedad de la educación humanista la que aísla a los individuos y a los grupos de las masas, y cuanto más los aísla, tanto más éxito tiene. Pero al hacerlo así, hace menor su propio éxito ya que la comunidad del hombre con el hombre, como una posibilidad siempre abierta, pertenece al mismo ideal humanista. Si la educación humanista viene a ser una reducción de tal abertura, sería la misma educación la que se derrotaría a sí misma. Por tanto a la pregunta de: «¿educar hacia dónde?» se le debe dar un tipo de respuesta en la que pueda caber quienquiera que sea una persona. Pero la cultura no puede hacer eso por sí misma, precisamente por las ambigüedades del humanismo. Tan solo un humanismo autotrascendente puede dar una respuesta a la pregunta del significado de la cultura y de la finalidad de la educación.

Debemos recordar además (parte III, sec. I E, 2) el fracaso del ideal humanista para considerar la situación humana y su alienación existencial. Sin la autotrascendencia la exigencia de plenitud humanista se convierte en ley y cae bajo las ambigüedades de la ley. El mismo humanismo conduce al problema de la cultura que se trasciende a sí misma.

3. LA AUTOTRASCENDENCIA DE LA VIDA
    Y SUS AMBIGÜEDADES

a) *Libertad y finitud*

La polaridad de la libertad y del destino (y sus analogías en
los dominios del ser que preceden la dimensión del espíritu) crea
la posibilidad y la realidad de la vida que se trasciende a sí
misma. La vida, en distintos grados, es libre de sí misma, libre
de una total submisión a su propia finitud. Se esfuerza en un
sentido vertical en dirección hacia el ser último e infinito. Lo
vertical trasciende tanto la línea circular de centralidad como la
horizontal de crecimiento. Las palabras de Pablo (Romanos 8,
19-22) describen con una profunda y poética empatía la expectación de toda la creación por la liberación del «sometimiento a
la futilidad». Estas palabras son una expresión clásica de la
autotrascendencia de la vida bajo todas las dimensiones. Se
puede pensar también en la doctrina de Aristóteles acerca de
que los movimientos de todas las cosas vienen causados por su
eros hacia el «motor inmovil».

A la pregunta de cómo la autotrascendencia de la vida se
manifiesta a sí misma no se puede responder en términos
empíricos, tal como es posible en el caso de la autointegración y
de la autocreatividad. De ello sólo se puede hablar en términos
que describan la reflexión de la autotrascendencia interna de las
cosas en la conciencia del hombre. El hombre es el espejo en el
que se hace consciente la relación de todo lo finito con lo
infinito. No es posible ninguna observación empírica de esta
relación, porque todo conocimiento empírico hace referencia a
las interdependencias finitas, no a la relación de lo finito con lo
infinito.

La autotrascendencia de la vida viene impregnada por la
profanización de la vida, una tendencia que, al igual que la
autotrascendencia, no se puede describir empíricamente sino
solamente a través del espejo de la conciencia del hombre. Pero
la profanación aparece en la conciencia del hombre, al igual
que la autotrascendencia y con una tremenda eficacia en todas
las épocas de la historia del hombre. El hombre ha atestiguado
el conflicto entre la afirmación y la negación de la santidad de la
vida siempre que ha alcanzado una plena humanidad. E incluso

en ideologías tales como el comunismo, el intento encaminado hacia una total profanación de la vida ha dado como resultado la consecuencia insesperada de que a lo profano mismo se le haya tributado la gloria de la santidad. El término «profano» en su genuino significado expresa exactamente lo que llamamos una «autotrascendencia que se resiste», es decir, que se queda ante la puerta del templo, permaneciendo al margen de lo santo, si bien la misma palabra «profano» en nuestras lenguas ha recibido la connotación de algo que sirve para atacar lo santo por medio de expresiones vulgares o blasfemas y que por derivación ha venido a significar un lenguaje vulgar en general. En la terminología religiosa (pero no así en alemán ni en las lenguas latinas), la palabra «secular», derivada de *saeculum* en el sentido de «mundo». Pero esta última palabra no expresa el contraste con lo santo de una manera tan gráfica como la lograda por «profano», de ahí mi deseo de mantener esta última palabra para la importante función de expresar la resistencia frente a la autotrascendencia bajo todas las dimensiones de la vida.

Se puede hacer la afirmación general de que en todo acto de autotrascendencia de la vida está presente la profanación, o dicho con otras palabras, que la vida se trasciende a sí misma ambiguamente. Esta ambigüedad se pone de manifiesto en todas las dimensiones, si bien donde se ve con mayor claridad es en el dominio de la religión.

b) *La autotrascendencia y la profanación en general:*
   la grandeza de la vida y sus ambigüedades

La vida, que se trasciende a sí misma, aparece en el espejo de la conciencia del hombre, como en posesión de una grandeza y dignidad. La palabra grandeza se puede emplear como un término cuantitativo y en este sentido admite una medición; pero con todo, la grandeza de la vida en el sentido de autotrascendencia es cualitativa. Lo grande en un sentido cualitativo muestra un poder del ser y del significado que lo convierte en representante del ser y del significado último y le proporciona la dignidad de una tal representación El ejemplo clásico es el del héroe griego, que representa el poder y el valor más elevados dentro del grupo al que pertenece. A través de su grandeza se aproxima a la esfera divina en la que se puede contemplar la plenitud del ser y del significado por medio de símbolos divinos. Pero en caso de que traspase los límites de su finitud, la «ira de los dioses» le hace retroceder. La grandeza implica un riesgo y presupone que el que es grande está dispuesto a cargar sobre sí la tragedia. Y si los héroes perecen como consecuencia de su tragedia ello no disminuye su grandeza y dignidad. Sólo la pequeñez, el miedo de llegar más allá de la propia finitud, la prontitud por aceptar lo finito porque se da como tal, la tendencia a mantener el propio yo dentro de los límites de lo ordinario, la existencia normal y su seguridad, sólo la pequeñez entra en conflicto radical con la grandeza y la dignidad de la vida.

La literatura humana es pródiga en alabanzas a la grandeza del universo físico, pero no es la «grandeza» en este sentido la que se define normalmente. En este caso, la palabra incluye de manera obvia la vastedad cuantitativa del universo en el tiempo y en el espacio. Pero a lo que con mayor énfasis apunta es al misterio cualitativo de las estructuras de cada partícula del universo físico así como a la estructura del todo. «Misterioso» aquí significa la infinitud de preguntas con que cada respuesta enfrenta a la mente humana. La realidad, cada trocito de realidad, es algo inagotable y apunta al misterio último del mismo ser que trasciende la serie sin fin de las preguntas y respuestas científicas. La grandeza del universo radica en su poder de resistencia constante al caos que amenaza, y del que los mitos entre los que se han de incluir los de las narraciones bíblicas, manifiestan tener una aguda conciencia. Esta misma conciencia queda expresada en la ontología y en las interpretaciones cosmológicas de la historia de una manera racionalizada. Es algo que subyace en todo sentimiento por la realidad presente en todas las formas sensibles de la poesía y de las artes visuales.

Pero allí donde está lo santo está también lo profano. La vida en el reino inorgánico no solamente es grande sino que es también pequeña en su grandeza, ocultando su santidad potencial y manifestando solamente su finitud. Es lo que llamamos en el lenguaje religioso, «polvo y ceniza»; es, tal como afirma la interpretación cíclica de la historia, combustible para el abrasamiento final del cosmos; y es, tal como implica el empleo técnico del mismo, un material para el análisis y el cálculo, para la producción de instrumentos. Quedando a mucha distancia de la grandeza, lo que es realmente la vida bajo la dimensión de lo inorgánico es el material del que se forman las cosas. Y algunos filósofos ven el conjunto del universo físico como una gran cosa, una máquina cósmica creada por la divinidad (o dada desde toda la eternidad). El universo está completamente profanizado, primero en el reino inorgánico y luego por la reducción de todo lo demás a lo que viene a continuación, en su totalidad. Es algo que pertenece a la ambigüedad de la vida el que ambas cualidades, es decir, lo santo y lo profano, estén siempre presentes en sus estructuras.

Para hallar un ejemplo claro de esta ambigüedad en la esfera de lo inorgánico nos podemos fijar en las estructuras técnicas que como simples cosas están abiertas a la distorsión, a la desmembración, y a la fealdad de lo sucio y decadente. Pero las cosas técnicas pueden manifestar también una adecuación sublime a su propósito, una expresividad estética debida no a la ornamentación externa sino como algo intrínseco a su forma. De esta manera las cosas que son simples cosas pueden trascenderse a sí mismas hacia la grandeza.

La autotrascendencia en el sentido de grandeza implica la autotrascendencia en el sentido de dignidad. Podría parecer que este término pertenece exclusivamente al dominio de lo personal-comunitario porque presupone una completa centralidad y libertad. Pero un elemento de la dignidad es la inviolabilidad que es un elemento válido de toda realidad, y que da dignidad a lo inorgánico así como a lo personal. El sentido en el que la vida en el dominio personal es inviolable radica en la incondicional exigencia de una persona a ser reconocida como tal. Si bien es técnicamente posible violar a cualquiera, ello es moralmente imposible ya que sería una violación del que viola y su destrucción moral. Pero el problema consiste en saber si la dignidad en el sentido de inviolabilidad se puede ascribir a toda vida, con la inclusión del reino inorgánico. El mito y la poesía expresan una tal valoración del conjunto de la realidad encontrada, con la inclusión de lo inorgánico, especialmente de los cuatro elementos y su manifestación en la naturaleza. Se ha intentado una derivación del politeísmo a partir de la impresionante grandeza de las fuerzas naturales. Pero los dioses nunca representan la sola grandeza sino que representan también la dignidad. No sólo actúan sino que también mandan y una orden básica en todas las religiones es la de reconocer la dignidad superior del dios. Si un dios representa uno de los elementos básicos del ser, se le honra y su violación queda vengada por la ira del dios. De esta manera reconoció la humanidad la dignidad de la realidad bajo el predominio de sus elementos inorgánicos. Los elementos eran representados por los dioses, y se les podía representar así sólo porque participan en la función autotrascendente de toda vida. La autotrascendencia de la vida en todas las dimensiones hace posible el politeísmo. La hipótesis de que el hombre encontró primero la realidad como la totalidad de las cosas para elevarlas luego a la categoría divina es más absurda que las absurdidades que atribuye al hombre primitivo. En realidad lo que la humanidad encontró fue la sublimidad de la vida, su grandeza y dignidad, pero todo ello lo encontró en unidad ambigua con la profanización, la pequeñez y la desacralización. Las ambigüedades de los dioses politeístas representan las ambigüedades de la autotrascendencia de la vida. Esta es la dureza e irresistible validez del simbolismo politeísta. Expresa la autotrascendencia de la vida bajo todas las dimensiones frente al monoteísmo abstracto que a fin de tributar todo poder y honor a un dios lo transforma todo en simples objetos, privando así a la realidad de su poder y dignidad.

La discusión anterior anticipa el análisis de la religión y sus ambigüedades y queda justificada por la unidad multidimensional de la vida y la necesidad de retroceder a partir de análogos conceptos hasta aquello de lo que son analogía. Sólo de esta manera se puede decir algo acerca de términos tales como «grandeza» y «dignidad» en su aplicación al reino inorgánico. Pero resta aún una cuestión de la discusión acerca de la grandeza de la vida: la de cómo el empleo técnico de lo inorgánico (y de lo orgánico) socava su grandeza y dignidad. El problema del empleo técnico del material orgánico o inorgánico ha sido discutido por lo normal desde el punto de vista de su efecto sobre el hombre, si bien algunos filósofos románticos lo han tratado desde el punto de vista del material mismo. Es fácil no tener en cuenta a estos filósofos románticos, lo que no resulta fácil es dejar de lado el problema a la luz del símbolo de la creación. ¿Acaso es una especie de deshonor el que una sección creada de la realidad se vea llevada hasta la condición de instrumento? Tal vez la respuesta a este problema que aún está por investigar podría ser la de que el movimiento total del universo inorgánico contiene un sinfín de encuentros de partículas y masas en las que algunas de ellas han de pasar por la pérdida de su identidad. Quedan como abrasadas o congeladas o asimiladas en otra entidad. El acto técnico del hombre es una continuación de estos procesos. Pero más allá de esto, el hombre introduce otro conflicto, el existente entre la intensificación de las potencialidades (como en la luz eléctrica, en los aeroplanos, los componentes químicos) y el desequilibrio de la estructura de las partes más pequeñas o mayores del universo (como cuando se producen hecatombes terrestres o se envenena la atmósfera). Aquí la sublimación técnica de la materia incluye su profanización. Unas tales ambigüedades se esconden tras la congoja de la humanidad creadora de mitos acerca del hombre que traspasa sus límites y la congoja de los científicos recientes a propósito del mismo problema: se ha roto un tabú.

Mucho de lo que se ha dicho acerca de la grandeza y de la dignidad en el universo inorgánico es válido de manera inmediata en el reino orgánico y en sus varias dimensiones. La grandeza de un ser viviente y la sublimidad infinita de su estructura han sido expresadas por los poetas, pintores y filósofos de todos los tiempos. La inviolabilidad de los seres vivientes queda de manifiesto en la protección que se les dispensa en muchas religiones, en su importancia para la mitología politeísta, y en la real participación del hombre en la vida de las plantas y de los animales, práctica y poéticamente. Todo esto forma ya parte de la experiencia universal humana y no hace falta más explicación, pero las ambigüedades que en todo ello van implicadas piden una más plena discusión debido a su propia significación y debido también a que anticipan las ambigüedades en las dimensiones del espíritu y de la historia.

La santidad de un ser viviente, su grandeza y dignidad, van unidas de manera ambigua a su profanización, a su pequeñez y a su violabilidad. La regla general de que todos los organismos viven gracias a la asimilación de otros organismos, implica el que se conviertan en «cosas» los unos para los otros, en «cosas-alimenticias», por así decirlo, que pueden ser digeridas, absorbidas en cuanto nutritivas y eliminadas en cuanto desechos. Esto

es una radical profanización en términos de su vida independiente. Esta ley de la vida-que-vive-de-la-vida la han puesto en
práctica incluso unos hombres contra otros en la antropofagia.
Pero aquí la reacción empezó sobre la base del encuentro de
persona a persona. El hombre cesó de ser transformado en cosa-
alimenticia, si bien aún continúa siendo una «cosa-de-trabajo».
Pero en la relación del hombre con todos los otros seres vivientes
se operó un cambio sólo cuando la relación del hombre con
algunos animales (o, como ocurre en la India, con los animales
en general) se convirtió en algo análogo a la relación del
hombre con el hombre. Esto muestra con mayor claridad la
ambigüedad entre la dignidad o inviolabilidad de la vida y la
violación real de la vida por la vida. La visión bíblica de la paz
en la naturaleza prefigura una autotrascendencia inambigua en
el reino de lo orgánico que haría cambiar las condiciones
presentes de la vida orgánica (Isaías 11, 6-9).

Bajo la dimensión de la autoconciencia, la autotrascendencia tiene el carácter de intencionalidad; ser consciente del
propio yo es una manera de estar más allá del mismo. El
elemento-subjetivo en toda vida se convierte en sujeto, y el
elemento-objetivo en toda vida se convierte en objeto, algo
arrojado contra el sujeto *(ob-jectum)*. La grandeza de este acontecimiento en la historia de la naturaleza es tremenda así como
también la nueva dignidad que de él se deriva. La situación de
estar más allá del propio yo en los términos de la autoconciencia, aun de la más rudimentaria, es una señal de grandeza que
supera la que se da en todas las dimensiones precedentes. La
expresión de esta situación es la polaridad de placer y de dolor,
que recibe ahora una nueva valoración. Se puede considerar al
placer como la conciencia del propio yo en cuanto sujeto en el
sentido ya antes tratado como portador del *eros* creador. Y en
consecuencia se debe considerar al dolor como la conciencia del
propio yo convertido en objeto privado de autodeterminación;
el animal que se va convirtiendo en cosa-alimenticia sufre e
intenta soslayar esta situación. Algunos animales superiores y
todos los hombres experimentan dolor cuando ven violada su
dignidad como sujeto. Sufren con sentimientos de vergüenza
cuando se convierten en cosas a las que se mira, corporal o
psicológicamente, o cuando se les trata como objetos de juicios
valorativos, aun cuando se trata de un juicio favorable, o

cuando se les castiga como consecuencia de juicios condenatorios, resultando en este caso más dolorosa la vergüenza que en el caso del sufrimiento físico. En todos estos casos el centro sublime de la autoconciencia se ve privado de su grandeza y de su dignidad. No se hace aquí referencia a la dimensión del espíritu sino a la de la autoconciencia, la cual, sin embargo, abraza ambas dimensiones, las de lo orgánico y las del espíritu.

Esta valoración del esquema sujeto-objeto como un momento decisivo en la autotrascendencia de la vida parece estar en contradicción con la tendencia mística de identificar la autotrascendencia con la trascendencia de la fisura sujeto-objeto. Pero no se da ninguna contradicción en todo esto, ya que incluso en la más clásica forma de misticismo la autotrascendencia mística no tiene nada en común con el estado vegetativo bajo la dimensión de lo orgánico. Su propia naturaleza consiste en superar la fisura entre sujeto-objeto tras haberse desarrollado plenamente en el dominio personal, no para aniquilarlo, sino para encontrar algo por encima de la fisura en la que es vencida y preservada.

c) *Lo grande y lo trágico*

La autotrascendencia de la vida, que se revela a sí misma al hombre como la grandeza de la vida, lleva bajo las condiciones de la existencia al carácter trágico de la vida, a la ambigüedad de lo grande y de lo trágico. Sólo lo grande está capacitado para la tragedia. En Grecia los héroes, los portadores del valor y del poder en su expresión máxima, y las grandes familias son los sujetos de la tragedia tanto en los mitos como en las obras teatrales. Los pequeños, o quienes son repugnantes o malos, están por debajo del nivel en el que se inicia la tragedia. Pero hay un límite para este sentimiento aristocrático: el gobierno pedía a todos los ciudadanos atenienses que participaran en la representación de las tragedias, viniendo a decir con esto que ningún ser humano carece de una cierta grandeza, a saber, la grandeza de ser de naturaleza divina. La representación de la tragedia, con su apelación a todos los ciudadanos, es un acto de valoración democrática del hombre en cuanto hombre, como sujeto potencial de la tragedia, y por tanto, como portador de grandeza.

Nos podemos preguntar si se puede decir algo análogo de la grandeza bajo todas las dimensiones de la vida, y podemos dar una respuesta afirmativa. Todos los seres se afirman a sí mismos en su poder finito del ser; afirman su grandeza (y dignidad) sin ser conscientes de ello. Lo hacen en su relación con los demás seres y, al hacerlo así, cargan sobre sí mismos la reacción de las leyes determinadas por el logos, las cuales rechazan todo lo que traspasa los límites establecidos. Esta es la trágica explicación del sufrimiento en la naturaleza, una explicación que no es mecaniscista ni romántica sino realista en los términos del carácter espontáneo de los procesos de la vida.

Pero a pesar de estas analogías naturales con la situación humana, la conciencia de lo trágico, y por consiguiente la pura tragedia, sólo es posible bajo la dimensión del espíritu. Lo trágico, si bien se formuló por vez primera en el contexto de la religión dionisíaca, es, al igual que el logos de Apolonio, un concepto universalmente válido. Describe la universalidad de la alienación del hombre y su insoslayable carácter, que con todo es una materia de responsabilidad. Hemos empleado el término *hybris* para describir un elemento en la alienación del hombre; el otro elemento es la «concupiscencia». En la descripción de la existencia (en la parte III de la *Teología sistemática*), la *hybris* y la concupiscencia aparecen simplemente como elementos negativos. En esta parte, que trata de los procesos de la vida, aparecen en su ambigüedad: la *hybris* unida ambiguamente a la grandeza y la concupiscencia al *eros*. La *hybris* en este sentido no es orgullo —la supercompensación compulsiva de la pequeñez real— sino la autoelevación de lo grande por encima de los límites de su finitud. El resultado es tanto la destrucción de los demás como la autodestrucción.

Si la grandeza va inevitablemente unida a la tragedia, es natural que la gente trate de esquivar la tragedia esquivando la grandeza. Esto, por supuesto, es un proceso inconsciente, pero es el más amplio de todos los procesos de la vida bajo la dimensión del espíritu. En muchos aspectos es posible evitar la tragedia evitando la grandeza, si bien no últimamente, ya que todo hombre tiene la grandeza de ser parcialmente responsable de su destino. Y si esquiva el total de grandeza que le corresponde se convierte en una figura trágica. Esta congoja por evitar la tragedia le precipita en la trágica pérdida de sí mismo y de la grandeza de ser un yo.

Pertenece a la ambigüedad de la grandeza y de la tragedia el hecho de que los sujetos de la tragedia no sean conscientes de su situación. Varias de las grandes tragedias son tragedias de la revelación del predicamento humano (como en el caso de Edipo, que se ciega a sí mismo después que sus ojos le han permitido verse reflejado a sí mismo en el espejo que los mensajeros mantienen en su presencia); y han existido civilizaciones enteras, como la occidental en las postrimerías de los tiempos antiguos y en los modernos, cuya trágica *hybris* ha sido revelada por los mensajeros proféticos en el momento en que se iba aproximando la catástrofe (por ejemplo, los videntes paganos y cristianos del fin del imperio en los últimos tiempos de la antigua Roma y los profetas existencialistas de la llegada del nihilismo occidental en el siglo XIX y principios del XX). Si se pregunta en qué consiste la culpa del héroe trágico, la respuesta debe ser la de que pervierte la función de la autotrascendencia al identificarse a sí mismo con aquello hacia lo que tiende la autotrascendencia: lo grande en sí mismo. No resiste la autotrascendencia, pero sí resiste la exigencia de trascender su propia grandeza. Se siente cogido por su propio poder de representar la autotrascendencia de la vida.

Es imposible hablar con sentido de la tragedia sin entender la ambigüedad de la gandeza. Los acontecimientos tristes no son acontecimientos trágicos. Lo trágico sólo se puede entender sobre la base de la comprensión de la grandeza. Expresa la ambigüedad de la vida en la función de la autotrascendencia, incluyendo todas las dimensiones de la vida pero volviéndose sólo consciente bajo el dominio de la dimensión del espíritu.

Pero bajo la dimensión del espíritu ocurre algo más. Lo grande revela su dependencia con respecto a lo último, y con esta conciencia lo grande se convierte en santo. Lo santo está más allá de la tragedia, si bien aquellos que representan lo santo están con todos los demás seres bajo la ley de la grandeza y su consecuencia, la tragedia (compárese con la sección acerca de la trágica implicación del Cristo, volumen II).

d)   *La religión en relación con la moralidad y la cultura*

Puesto que el concepto de lo santo ha sido tratado en la segunda parte del sistema teológico, y puesto que las definiciones implícitas de la religión están presentes a lo largo de todas sus partes, llegados a este punto nos podemos limitar a una discusión de la religión en su básica relación con la moralidad y la cultura. De esta manera, aparecerán la estructura altamente dialéctica del espíritu del hombre y sus funciones. Lógicamente, este podía ser el lugar para una filosofía de la religión plenamente elaborada (incluyendo una interpretación de la historia de la religión). Pero prácticamente esto es imposible en los límites de este sistema, que no es una *summa*.

De acuerdo con su naturaleza esencial, la moralidad, la cultura y la religión están relacionadas entre sí. Constituyen la unidad del espíritu, de ahí que sus elementos se puedan distinguir pero no superar. La moralidad, o la constitución de la persona como persona en el encuentro con otras personas, está relacionada esencialmente con la cultura y la religión. La cultura proporciona los contenidos de la moralidad, los ideales concretos de la personalidad y de la comunidad y las cambiantes leyes de la sabiduría ética. La religión da a la moralidad el carácter incondicional del imperativo moral, la finalidad moral última, la reunión de lo que está separado en el *ágape*, y el poder motivante de la gracia. La cultura, o la creación de un universo de significado en la *theoria* y en la *praxis*, está esencialmente relacionada con la moralidad y la religión. La validez de la creación cultural en todas sus funciones se basa sobre el encuentro de persona-a-persona en el que se establecen los límites a la arbitrariedad. Sin la fuerza del imperativo moral, no se podría sentir ninguna exigencia proveniente de las formas lógicas, estéticas, personales y comunitarias. El elemento religioso en la cultura es la profundidad inagotable de una creación genuina. A esto se le puede llamar la substancia o el fundamento del que se alimenta y vive la cultura. Es el elemento de ultimidad del que carece la cultura en sí misma, pero hacia el que apunta. La religión o la autotrascendencia de la vida bajo la dimensión del espíritu, se relaciona esencialmente con la moralidad y la cultura. No se da ninguna autotrascendencia bajo la dimensión del espíritu sin la constitución del yo moral por el imperativo incondicional, y esta autotrascendencia no puede cobrar forma a no ser dentro del universo de significado creado en el acto cultural.

Esta descripción de la relación esencial de las tres funciones del espíritu es a la vez «recuerdo transhistórico» y «anticipación utópica». En cuanto tal, juzga sus relaciones reales bajo las condiciones de la existencia. Pero se trata de algo más que un juez externo. Está presente en la medida en que los elementos esenciales y existenciales se mezclan en la vida y dado que la unidad de las tres funciones es tan efectiva como su separación. Es esto precisamente lo que constituye la raíz de todas las ambigüedades bajo la dimensión del espíritu. Y solamente porque el elemento esencial es eficaz en la vida —si bien de manera ambigua— puede aportarse su imagen como criterio de vida.

Las tres funciones de la vida bajo la dimensión del espíritu se separan ordenadamente para hacerse reales y presentes. En su unidad esencial no se da ningún acto moral que no sea al mismo tiempo un acto de autocreación cultural y de autotrascendencia religiosa. No existe ninguna moralidad independiente en la «inocencia soñadora». Y en la unidad esencial de las tres funciones, no se da ningún acto cultural que no sea al mismo tiempo un acto de autointegración moral y de autotrascendencia religiosa. No se da una cultura independiente en la inocencia soñadora. Y en la unidad esencial de las tres funciones, no se da ningún acto religioso que no sea al mismo tiempo un acto de autointegración moral y de autocreación cultural. No existe una religión independiente en la inocencia soñadora.

Pero la vida se basa en la pérdida de la inocencia soñadora, en la autoalienación del ser esencial y la ambigua mescolanza de elementos esenciales y existenciales. En la realidad de la vida se da una moralidad separada con las ambigüedades que implica; se da una cultura separada con sus ambigüedades; y se da una religión separada con sus más profundas ambigüedades. Vamos a prestarles ahora atención a todas ellas.

Se definió a la religión como la autotrascendencia de la vida bajo la dimensión del espíritu. Esta definición hace posible la imagen de la unidad esencial de la religión con la moralidad y la cultura, así como explica también las ambigüedades de las tres funciones en su separación. La autotrascendencia de la vida es efectiva en el carácter incondicional del acto moral y en la inagotable profundidad de significado en todos los significados creados por la cultura. La vida es sublime en cualquiera de los dominios en los que predomina la dimensión del espíritu. La autointegración de la vida en el acto moral y la autocreatividad de la vida en el acto cultural son sublimes. En su seno, la vida se trasciende a sí misma en la dirección vertical, la dirección de lo último. Pero debido a la ambigüedad de la vida, son también profanas; resisten a la autotrascendencia. Y esto es inevitable por estar separadas de su unidad esencial con la religión y se actualizan de manera independiente.

La definición de la religión como autotrascendencia de la vida en la dimensión del espíritu tiene la implicación decisiva de que la religión debe considerarse ante todo como una cualidad de las otras dos funciones del espíritu y no como una función independiente. Una tal consideración es lógicamente necesaria, ya que la autotrascendencia de la vida no se puede convertir en una función de la vida al lado de otras, ya que si lo hiciera así tendría que trascenderse a sí misma, y esto de manera repetida una y otra vez interminablemente. La vida no se puede trascender a ella misma en una de sus propias funciones. Este es el argumento contra la religión como función del espíritu y no se puede negar que los teólogos que plantean este argumento tienen su fuerza. Por tanto, si se define a la religión como una función de la mente humana, tienen motivos para rechazar el concepto de religión en su conjunto en una teología que quiere tener su fundamento en la revelación.

Pero estas afirmaciones hacen incomprensible el hecho de que se da la religión en la vida bajo la dimensión del espíritu, no sólo como cualidad en la moralidad y en la cultura, sino también como una realidad independiente a su lado. Este mismo hecho de la existencia de la religión en el sentido ordinario de la palabra es una de las grandes piedras de escándalo en la vida bajo la dimensión del espíritu. De conformidad con la definición de la religión como la autotrascendencia de la vida, no debería haber ninguna religión, individual u organizada, como una función particular del espíritu. Cualquier acto de la vida debería de por sí señalar hacia un punto más allá del mismo y no hay ningún dominio de actos particulares que resulten necesarios. Ahora bien, al igual que en todos los dominios de la vida, la autotrascendencia se encuentra con la resistencia de la profanización en el dominio del espíritu. La moralidad y la cultura en una separación existencial de la religión pasan a ser lo que se conoce de ordinario con el nombre de «secular». Su grandeza queda contradicha por su profanidad. Bajo la presión de la profanización el imperativo moral se convierte en condicional, dependiente de los miedos y de las esperanzas, en un resultado de la compulsión psicológica y sociológica. Los cálculos utilitarios sustituyen la finalidad moral última, y la plenitud de la ley es asunto de intentos fútiles en la autodeterminación. Se niega la autotrascendencia del acto moral; la moralidad es una actividad entre posibilidades finitas. En el sentido de nuestra definición básica queda profanado, aun cuando, en el conflicto con el significado de la gracia, sea tan restrictivo como algunas formas de la moralidad religiosa. Es inevitable que una tal moralidad tenga que caer bajo las ambigüedades de la ley. Bajo la presión análoga de la profanización, la creación cultural de un universo de significados pierde la substancia que se recibe en la autotrascendencia, un significado último e inagotable. Este fenómeno es bien conocido y ha sido ampliamente discutido por quienes analizan nuestra actual civilización, bajo el título de secularización de la cultura. Hacen referencia frecuentemente a un fenómeno análogo en la civilización antigua y de ello han deducido una regla general acerca de la relación de la religión con la cultura a partir de estos dos ejemplos de la historia intelectual de Occidente. Con la pérdida de su substancia religiosa, la cultura se queda con una forma más vacía cada vez. No puede existir un sentido de las cosas sin el manantial inagotable de sentido hacia el que apunta la religión.

A partir de esta situación la religión se presenta como una función especial del espíritu. La autotrascendencia de la vida bajo la dimensión del espíritu no se puede convertir en algo con vida sin unas realidades finitas que son trascendidas. Así pues se da un problema dialéctico en la autotrascendencia en el sentido en que algo es trascendido y no trascendido al mismo tiempo. Debería tener una existencia concreta, de lo contrario no habría allí nada que pudiera ser trascendido; con todo, no debería «estar allí» más pero sí debería ser negada en el acto de ser trascendida. Esta es exactamente la situación de todas las religiones en la historia. La religión como autotrascendencia de la vida por una parte tiene necesidad de las religiones y al mismo tiempo de negarlas.

e) *Las ambigüedades de la religión*

1. Lo santo y lo secular (profano)

En contraste con todos los demás dominios en los que aparecen las ambigüedades de la vida, la autotrascendencia de la vida en la religión muestra una doble ambigüedad. La primera ha sido ya mencionada como la que posee una característica universal de la vida, la ambigüedad de lo grande y de lo profano. Hemos visto cómo la vida en el proceso de profanización, en todos los actos culturales de autocreatividad y en el acto moral de autointegración, pierde su grandeza y dignidad. Y hemos visto por qué, a fin de mantenerse a sí misma como autotrascendente, la vida bajo la dimensión del espíritu se expresa a sí misma en una función que viene definida por la autotrascendencia, o sea, la religión.

Pero este carácter de la religión lleva a una reduplicación de las ambigüedades. La religión, en cuanto función autotrascendente de la vida, pretende ser la respuesta a las ambigüedades de la vida en todas las demás dimensiones; trasciende sus tensiones y conflictos finitos. Pero al hacerlo así, se precipita en una serie de tensiones, conflictos y ambigüedades de mayor profundidad. La religión es la expresión más elevada de la grandeza y de la dignidad de la vida; en ella la grandeza de la vida se convierte en santidad. Pero la religión es al mismo tiempo la refutación más radical de la grandeza y de la dignidad de la vida; en ella lo grande viene a resultar la máxima profanización, y lo santo alcanza su mayor grado de desacralización. Estas ambigüedades constituyen el tema central de cualquier comprensión honesta de la religión, y forman el acervo sobre el que deben operar la iglesia y la teología. Constituyen el motivo decisivo en la expectación de una realidad que trasciende la función religiosa.

La primera ambigüedad de la religión es la de la autotrascendencia y la profanización en la misma función religiosa. La segunda ambigüedad de la religión es la elevación demoníaca de algo condicional a una validez incondicional. Se puede decir que la religión se mueve siempre entre los puntos de peligro de la profanización y la demonización, y se puede decir también que en todo acto genuino de vida religiosa ambas están presentes, de manera abierta o solapada.

La profanización de la religión tiene el carácter de transformarla en un objeto finito entre otros objetos finitos. En la religión en cuanto función particular del espíritu, hacemos referencia al proceso de profanización de lo santo. Si en religión a lo grande se le llama santo, ello indica que la religión se basa en la manifestación de lo santo en sí mismo, el fondo divino del ser. Cualquier religión es una respuesta receptiva de unas experiencias de revelación. En ello radica su grandeza y su dignidad y es lo que convierte a la religión y a sus expresiones en algo santo en la *theoria* y en la *praxis*. En este sentido podemos hablar de escrituras santas, comunidades santas, actos santos, oficios santos, personas santas. Estos predicados significan que todas estas realidades son más de lo que aparentan en su aparición finita inmediata. Son autotrascendentes, o, vistos desde el lado de aquello que transcienden —lo santo— tienen a este respecto el carácter de translúcidos. Esta santidad no es su cualidad moral o cognoscitiva o incluso religiosa sino su poder de apuntar más allá de ellos mismos. Si el predicado «santidad» hace referencia a las personas, la real participación de la persona en el mismo se hace posible en diversos grados, desde el ínfimo al más elevado. No es la cualidad personal la que decide el grado de participación sino el poder de autotrascendencia. La gran intuición de Agustín en la controversia donatista fue la de que no es la cualidad del sacerdote la que hace efizaz el sacramento sino la transparencia de su oficio y las funciones que realiza. De lo contrario sería imposible la función religiosa, y no se podría aplicar en absoluto el predicado de santo.

De todo ello se sigue que la ambigüedad de la religión no es idéntica a la «paradoja de la santidad» a la que hemos hecho ya referencia y sobre la que volveremos con mayor amplitud en conexión con la imagen del cristiano y de la iglesia. La primera ambigüedad de la religión es la presencia de elementos profanizados en todos los actos religiosos. Ello es verdad de dos maneras diferentes, una institucional, reductiva la otra. La institucional no queda restringida a la religión llamada institucionalizada, ya que, como ha demostrado la psicología, existen también instituciones en la vida interior del individuo, a las que Freud dio el nombre de «actividades rituales», las cuales producen y mantienen unos métodos de acción y reacción. Los implacables ataques a la «religión organizada» se basan principalmente en una confusión que ha echado profundas raíces, puesto que la vida está organizada en todas sus autorrealizaciones; sin forma no podría tener ni siquiera una dinámica, y ello es verdad tanto de la vida personal como de la comunitaria. Pero el motivo real de los ataques sinceros a la religión organizada es la ambigüedad de la religión en el contexto de su forma institucional. La religión institucionalizada, en lugar de trascender lo finito en la dirección de lo infinito, lo que hace es convertirse prácticamente en una realidad finita ella misma; una serie de actos prescritos que se han de realizar, una serie de doctrinas determinadas que se han de aceptar, un grupo de presión social al lado de otros, un poder político con todas las implicaciones propias de la política de poder. Los críticos no pueden ver el carácter auto-trascendente, grande y santo de la religión en esta estructura, que está sometida a las mismas leyes sociológicas que rigen a todos los demás grupos seculares. Ahora bien, aun cuando todo esto sea interiorizado y realizado por los individuos en su vida religiosa personal, no por eso queda eliminado el carácter institucional. El contenido de la vida religiosa personal siempre está tomado de la vida religiosa de un grupo social. Incluso el mismo lenguaje silencioso de la plegaria es la tradición la que lo forma. Los críticos de una tal religión profanizada quedan justificados en sus críticas y prestan con frecuencia un mejor servicio a la religión que aquellos mismos a quienes atacan. Con todo sería una falacia utópica el intento de utilizar estas críticas para eliminar las tendencias profanizadoras en la vida religiosa y mantener la pura autotrascendencia de la santidad. La intuición de la insoslayable ambigüedad de la vida impide una tal falacia. En todas las formas de religión personal y comunitaria, los elementos profanizadores son eficientes; y, por el contrario, las formas más profanizadas de la religión derivan su fuerza continuadora de los elementos de grandeza y santidad existentes en su seno. La insignificancia de la vida religiosa normal de cada día no sirve como argumento contra su grandeza, y la manera como se la rebaja al nivel de una mecanización indigna tampoco es ningún tipo de argumento contra su dignidad. La vida, trascendiéndose a sí misma, permanece al mismo tiempo en sí, y de ahí precisamente, de una tal tensión se deriva la primera y principal ambigüedad de la religión.

La precedente descripción hace referencia tan solo a una de las maneras en las que la religión muestra su ambigüedad, a saber, la «institucional». Existe también una manera «reductiva», basada en que la cultura es un hecho que viene a ser la forma de la religión y en que la moralidad viene a ser la expresión de su seriedad. De hecho esto nos puede llevar a la reducción de la religión a la cultura y a la moralidad, por lo que sus símbolos se interpretan como resultados tan sólo de una creatividad cultural, ya sea como conceptos velados o como imágenes. Si se retira el velo de la autotrascendencia, aparece la intuición cognoscitiva y la expresión estética. Desde este punto de vista, los mitos son una combinación de ciencia y de poesía primitivas; son creaciones de la *theoria* y en cuanto tales tienen una significación duradera, pero debe descartarse su pretensión de expresar la trascendencia. La manifestación de la religión en la *praxis* se interpreta de igual manera: la personalidad santa y la santa comunidad son desarrollos de la personalidad y de la comunidad a las que deben juzgar los principios de humanidad y de justicia, pero debe rechazarse su pretensión de trascender estos principios.

Como se desprende de tales ideas, la reducción de la religión no es radical. La religión ocupa un lugar en el conjunto de la creatividad cultural del hombre y no se niega su importancia en la actualización moral de uno mismo. Ahora bien, se trata de un estado previo en el proceso de una profanización reduccionista de la religión. Pronto resulta evidente que o bien se acepta la exigencia de la religión o bien carece de toda exigencia para ocupar un lugar entre las funciones de la creatividad cultural, y la moralidad no necesita en absoluto de ella. La religión que por principio cuenta con un cobijo en todas las funciones del espíritu, se queda sin cobijo en todas ellas. El trato benévolo que ha recibido de quienes rechazan su exigencia de autotrascendencia no representa ninguna ayuda, y con frecuencia son mucho más radicales sus benévolos críticos. En el campo del conocimiento se explica la religión como derivada de fuentes psicológicas o sociológicas y se la considera como una ilusión o ideología, mientras que en el campo de la estética, los símbolos religiosos son reemplazados por objetos finitos en diferentes estilos naturalistas, de manera especial en el naturalismo y en algunos tipos de arte no-objetivo. La educación no es una iniciación en el misterio del ser hacia el que apunta la religión, sino que viene a ser una introducción de las personas en las necesidades de una sociedad suyos fines y propósitos permanecen finitos a pesar de su perpetuidad. Todas las comunidades se convierten en agentes de la realización de una tal sociedad, rechazan toda clase de símbolos autotrascendentes y tratan de reducir las iglesias a organizaciones de la vida secular. En amplios sectores de la humanidad de nuestros días, esta manera reductiva de profanizar la religión, la reducción por la aniquilación, tiene un éxito impresionante, no sólo en el Este comunista sino también en el democrático Occidente. Desde el punto de vista de la historia del mundo, se debe decir que en nuestro período esta manera resulta mucho más eficaz que la manera institucional de profanar la religión.

Con todo, también aquí la ambigüedad de la vida se resiste a una solución sin ambigüedades. Debemos acordarnos, ante todo, del hecho de que las fuerzas profanadoras no son simplemente una negación de la religión como función del espíritu sino algo inherente a su misma naturaleza: la religión está presente en su realidad en las formas cognoscitivas, desde el lenguaje a la ontología, que son el resultado de la creatividad cultural. Al emplear el lenguaje, la investigación histórica, las descripciones picológicas de la naturaleza humana, los análisis existencialistas del predicamento del hombre, los conceptos prefilosóficos y filosóficos, emplea un material secular que se vuelve independiente en los procesos de la profanización reductiva. La religión se puede secularizar para llegar finalmente a diluirse en formas seculares solamente porque tiene la ambigüedad de la autotrascendencia.

Pero cuando se intenta esto, la ambigüedad de la religión muestra su efecto sobre estos procesos de profanización reductiva, al igual que lo hace sobre el centro de la autotrascendencia religiosa. La manera cómo esto ocurre sugiere el concepto más amplio de religión como experiencia de lo incondicional, tanto en el imperativo moral como en la profundidad de la cultura. La ambigüedad del secularismo radical consiste en que no puede evitar el elemento de autotrascendencia que se hace presente en estas dos experiencias. Con frecuencia, estas experiencias quedan más bien ocultas y se evita cuidadosamente cualquier expresión de las mismas; pero si un poder tiránico dictatorial o conformista— pide a un filósofo radicalmente secular que abandone su secularidad, presentará una resistencia a una tal exigencia, experimentando un incondicional imperativo de sinceridad hasta la autoinmolación total. De la misma manera, si un escritor radicalmente secular que ha escrito su novela con todo su ser ve que se utiliza su obra como simple pasatiempo, experimenta en su interior la sensación de que eso es un abuso y una profanización. Una profanización reductiva puede llegar a alcanzar la abolición de la religión como una función especial, pero será incapaz de eliminar la religión como una cualidad que está presente en todas las funciones del espíritu: la cualidad de la preocupación última.

2. Lo divino y lo demoníaco

En la religión la ambigüedad de la autotrascendencia se presenta como la ambigüedad de lo divino y lo demoníaco. El símbolo de lo demoníaco no necesita una justificación que sí fue necesaria hace treinta años, cuando fue reintroducido en el lenguaje teológico. Ha llegado a ser un término del que se ha usado y abusado para designar las fuerzas antidivinas en la vida individual y social. De esta manera ha perdido con frecuencia el carácter ambiguo que va implicado en la misma palabra. Desde un enfoque mitológico los demonios son seres divinos-antidivinos. No son simples negaciones de lo divino sino que participan de manera deformada en el poder y en la santidad de lo divino. La comprensión de este término debe hacerse teniendo en cuenta este trasfondo mitológico. Lo demoníaco no presenta resistencia a la autotrascendencia como la presenta lo profano, sino que deforma la autotrascendencia al identificar a un portador particular de la santidad con lo santo en sí mismo. En este sentido, todos los dioses politeístas son demoníacos debido a que la base del ser y del significado sobre la que se sustentan es finita, por muy sublime, grande y dignificada que pueda resultar. Y la exigencia de algo finito por lo infinito o por la grandeza divina es la característica de lo demoníaco. La demonización de lo santo se da, día tras día, en todas las religiones, incluso en la religión basada en la autonegación de lo finito en la cruz de Cristo. La búsqueda de una vida sin ambigüedades se dirige, por tanto, de la manera más radical contra la ambigüedad de lo santo y de lo demoníaco en el dominio de lo religioso.

Lo trágico es la ambigüedad interior de la grandeza humana. Pero el sujeto de la tragedia no *aspira* a la grandeza divina. No intenta «ser como Dios». Toca, por así decirlo, la esfera divina y se ve rechazado por ella hacia la autodestrucción, pero sin pretender para sí la divinidad. Dondequiera que se hace *esto*, aparece lo demoníaco. Una característica destacada de lo trágico es la de estar ciego; una característica destacada de lo demoníaco es la de estar dividido.

Esto es fácilmente comprensible sobre la base de la exigencia de lo demoníaco para con la divinidad sobre una base finita: la elevación de un elemento de finitud a un poder y significado infinitos produce necesariamente la reacción de los otros elementos de finitud, que niegan una tal exigencia o la enfocan hacia ellos mismos. La autoelevación demoníaca de una nación por encima de todas las demás en nombre de su Dios o de su sistema de valores desencadena la reacción del resto de las naciones en nombre de *su* propio yo. La autoelevación demoníaca de las fuerzas particulares en la personalidad centrada y la exigencia de su superioridad absoluta desemboca en la reacción de las otras fuerzas y en una conciencia dividida. La exigencia de *un* valor, representado por *un* Dios, como criterio de todos los demás desemboca en las divisiones de la religión politeísta.

Una consecuencia de estas divisiones, en conexión con la naturaleza de lo demoníaco, es el estado de saberse «poseído» por el poder que produce la división. Los demoníacos son los poseídos. La libertad de la centralidad queda alejada por la división demoníaca. Los actos de libertad y buena voluntad no pueden romper las estructuras demoníacas en la vida personal y comunitaria. Quedan fortalecidos por tales actos, excepto cuando el poder cambiante es una estructura divina, es decir, una estructura de gracia.

Allí donde se presenta lo demoníaco, muestra sus rasgos religiosos, aun cuando se presente bajo un aspecto moral o cultural. Ello es consecuencia lógica de la mutua inmanencia de las tres funciones de la vida en la dimensión del espíritu y del concepto dual de religión como preocupación incondicional y como dominio de los símbolos concretos que expresan preocupaciones concretas. También aquí los ejemplos son abundantes: las exigencias incondicionales de entrega a cargo de unos estados que se revisten a sí mismos de dignidad religiosa, a cargo de funciones culturales que controlan todas las demás (como en el absolutismo científico), a cargo de individuos que van tras su propia idolatría, a cargo de esfuerzos particulares en la persona que toma sobre sí el centro personal; en todos estos casos, ocupa su propio lugar una autotrascendencia distorsionada.

Un ejemplo revelador de la ambigüedad de lo demoníaco en el dominio cultural es el imperio romano que alcanzó un reconocimiento universal de su grandeza, dignidad y de su carácter sublime, pero que cayó bajo la posesión demoníaca cuando se revistió a sí mismo de la santidad divina y causó aquella hendidura que desembocó en la lucha antidemoníaca del cristianismo y en la persecución demoníaca de los cristianos.

Esta rememoración histórica nos facilita la transición a la discusión de la religión en el sentido más estricto de la palabra así como de su demonización. La ambigüedad básica de la religión tiene una raíz más profunda que el resto de las ambigüedades de la vida, puesto que la religión es el punto en el que se recibe la respuesta a la búsqueda de lo inambiguo. La religión en este sentido (es decir, en el sentido de la posibilidad del hombre de recibir esta respuesta) no admite ambigüedades; con todo, la recepción actual es profundamente ambigua, ya que se da en las formas mudables de la existencia moral y cultural del hombre. Estas formas participan de lo santo hacia lo cual tienden, pero no son lo santo en sí mismo. La pretensión de ser lo santo en sí mismo es precisamente lo que les convierte en demoníaco.

En ninguna teología se puede soslayar el concepto de religión, si bien la crítica de la religión es un elemento en la historia de todas las religiones. El impacto revelador que se da tras las religiones hace que, en todas partes donde se da, el pueblo despierte a la conciencia del contraste entre la vida sin ambigüedades hacia la que se encamina la autotrascendencia de la vida y las ambigüedades con frecuencia aterradoras de las religiones actuales. La historia de la religión, en especial la de las grandes religiones, se pueden leer como una constante lucha religiosa interna contra la religión que se debe precisamente a lo santo en sí mismo. El cristianismo proclama que en la cruz de Cristo se ha alcanzado la victoria final de esta lucha, pero incluso al proclamar esta victoria, la misma forma en que se lleva a cabo tiene rasgos demoníacos; lo que se aplica correctamente a la cruz de Cristo se transforma en error al quererlo aplicar a la vida de la iglesia, cuyas ambigüedades se quieren negar, a pesar de que en el transcurso de la historia han ido aumentando incesantemente su poder.

Pero lo que queremos hacer, una vez llegados a este punto, es dar algunos ejemplos de la demonización de la religión en general. La religión como realidad cultural emplea y se sirve de creaciones culturales tanto en la *theoria* como en la *praxis*. Se sirve de unas y desestima otras y, al obrar así, establece un dominio de cultura religiosa que se alinea junto a otras creaciones culturales. Ahora bien, la religión en cuanto autotrascendencia de la vida en todos los campos se atribuye una superioridad sobre todas las demás que queda justificada en la medida en que la religión apunta hacia aquello que trasciende a todas ellas, pero esta atribución de superioridad pasa a ser algo demoníaco cuando la religión en cuanto realidad social y personal se apropia para sí misma y para sus propias formas finitas mediante las que apunta hacia lo infinito, la mencionada atribución de superioridad.

Podemos mostrar esto en las cuatro funciones de la creatividad cultural del hombre tratadas anteriormente (si bien siguiendo un orden inverso): lo comunitario, lo personal, lo estético, lo cognoscitivo. La religión está presente en los grupos sociales tanto si están unidos como si están separados de los grupos políticos. En ambos casos constituyen una realidad social, legal y política que viene consagrada por lo santo que queda incorporado a todos ellos. Con la fuerza de esta consagración consagran las otras estructuras comunitarias y de esta forma tratan de controlarlas. En el caso de que opongan resistencia, tratan de destruirlas. El poder de los portadores de lo santo es el carácter incondicional de lo santo, en cuyo nombre rompen la resistencia de todos aquellos que no aceptan los símbolos de la autotrascendencia de los que se alimenta la comunidad religiosa. Es esta la fuente de poder de quienes representan a una comunidad religiosa, así como es también la fuente de la solidez de las instituciones santas, de las costumbres sagradas, de los sistemas de ley ordenados divinamente, de las órdenes jerárquicas, de los mitos y símbolos, y así sucesivamente. Pero es esta misma solidez la que traiciona su ambigüedad divino-demoníaca; es capaz de rechazar todas las críticas surgidas en nombre de la justicia. Es la que predomina sobre todas ellas en el nombre de lo santo, que tiene en su seno el principio de justicia, deshaciendo las mentes y los cuerpos de quienes tratan de ofrecer resistencia. Ni hacen falta ejemplos de esta ambigüedad de la religión ya que las páginas de la historia del mundo están repletas de ellos. Bastará con mostrar el porqué la búsqueda de una vida sin ambigüedades debe trascender la religión, aun cuando la respuesta llegue hasta nosotros en la religión.

En el dominio de la vida personal, la ambigüedad divino-demoníaca de la religión aparece en la idea de lo santo. Se refleja aquí el conflicto entre humanidad y santidad y el apoyo divino y la supresión demoníaca del desarrollo personal hacia la humanidad. Estos conflictos con sus consecuencias integradoras, desintegradoras, creadoras y destructoras se van dando ante todo en el interior de la persona individual. Una de las maneras empleadas por la religión para suprimir la idea de humanidad en el interior del individuo, de conformidad con la propia idea que tiene del individuo la religión es la de engendrar una conciencia incómoda en aquel que no acepta la exigencia absoluta de la religión. Los psicólogos saben muy bien la devastación que este conflicto causa en el desarrollo personal. Con mucha frecuencia en la historia de la religión es el principio negativo, ascético, el que recibe la consagración religiosa y el que aparece como juez que condena las implicaciones positivas de la idea de humanidad. Pero el poder contenido en la imagen religiosa de la santidad personal no existiría si no se diera la otra cara o aspecto: el impacto que sobre el desarrollo de la persona ejerce el carácter divino, antidemoníaco (y antiprofano) de lo santo hacia lo cual apunta la religión. Pero se ha de decir otra vez que la respuesta a una vida sin ambigüedades no está en la idea de lo santo, si bien la respuesta sólo se puede recibir en la profundidad de la personalidad autotrascendente; empleando una terminología religiosa, en el acto de fe.

La discusión acerca de la ambigüedad divino-demoníaca en la relación de la religión con la *theoria* se concentra naturalmente en el problema de la doctrina religiosa, de manera particular cuando se presenta en la forma de un dogma ya establecido. El conflicto que entonces se origina se produce entre la verdad consagrada del dogma y la verdad que sirve de lazo de unión entre el cambio dinámico y la forma creadora. Pero no es en el conflicto teórico en cuanto tal en el que se presenta la ambigüedad divino-demoníaca sino en su significación para la comunidad santa y la santa personalidad. Lo que está aquí en discusión es la supresión demoníaca de la obediencia sincera a las estructuras de la verdad. Lo que ocurre en este sentido con la función cognoscitiva ocurre igualmente con la función estética; la supresión de la auténtica expresividad en el arte y en la literatura equivale a la supresión del conocimiento sincero. Se lleva a cabo en nombre de una verdad religiosamente consagrada y de un estilo religiosamente consagrado. Sin ninguna duda, la autotrascendencia abre los ojos a la verdad cognoscitiva y a la autenticidad estética. Tras las doctrinas religiosas y el arte religioso subyace un poder divino. Pero la distorsión demoníaca se inicia cuando una nueva intuición presiona hacia la superficie y se aplasta en nombre del dogma, de la verdad consagrada, o bien cuando unos estilos nuevos buscan dar expresión a los anhelos de una época pero se les impide hacerlo en nombre de unas formas de expresión religiosamente aprobadas. En todos estos casos, la comunidad que se resiste y las personalidades que ofrecen resistencia son víctimas de la destrucción demoníaca de la verdad y de la expresividad en nombre de lo santo. Así como directamente en relación con la justicia y con la humanidad, también indirectamente en relación con la verdad y la expresividad; la religión *no* es la respuesta a la búsqueda de una vida sin ambigüedades, si bien la respuesta sólo puede recibirse a través de la religión.

C. LA BÚSQUEDA DE UNA VIDA
SIN AMBIGÜEDADES
Y LOS SÍMBOLOS DE SU ANTICIPACIÓN

En todos los procesos de la vida están presentes un elemento esencial y otro existencial, una bondad y una alienación creadas, y ello se da de una manera tal que ni el uno ni el otro pueden tener una eficiencia en exclusiva. La vida incluye siempre elementos esenciales y existenciales; ahí está la raíz de su ambigüedad.

Las ambigüedades de la vida se manifiestan en todas las dimensiones, en todos los procesos y en todos los dominios de la vida. El problema de una vida sin ambigüedades está latente por doquier. Todas las creaturas supiran por una realización plena y sin ambigüedades de sus posibilidades esenciales; pero tan sólo en el hombre en cuanto portador del espíritu se hacen conscientes las ambigüedades de la vida y la búsqueda de una vida carente de ambigüedad. Es el hombre quien experimenta la ambigüedad de la vida bajo todas las dimensiones puesto que participa en todas ellas, y las experimenta de manera inmediata en su interior como ambigüedad de las funciones del espíritu: de la moralidad, de la cultura y de la religión. La búsqueda de una vida sin ambigüedades surge a partir de estas experiencias; esta búsqueda es la de una vida que ha alcanzado aquello en cuya dirección se trasciende a sí misma.

Puesto que la religión es la autotrascendencia de la vida en el dominio del espíritu, es precisamente en la religión donde el hombre inicia la búsqueda de una vida sin ambigüedades y es en la religión donde recibe la respuesta. Pero la respuesta no se identifica con la religión, ya que la misma religión es ambigua. La plenitud de la búsqueda de una vida sin ambigüedades trasciende cualquier forma o símbolo religioso en el que se pueda expresar. La autotrascendencia de la vida jamás alcanza de manera inambigua aquello que ella misma trasciende, aunque la vida pueda recibir su automanifestación en la forma ambigua de la religión.

El simbolismo religioso ha producido tres símbolos principales de una vida sin ambigüedades: el Espíritu de Dios, el Reino de Dios y la Vida Eterna. Cada uno de ellos así como sus mutuas relaciones requieren una breve consideración previa. El Espíritu de Dios es la presencia de la vida divina en el interior de la vida de la creatura. El Espíritu divino es «Dios presente». El Espíritu de Dios no es un ser separado. Se puede hablar, por tanto, de «Presencia Espiritual» a fin de poder dar su pleno significado al símbolo.

La palabra «presencia» tiene una connotación arcaica, que indica el lugar en el que está un soberano o un grupo de altos dignatarios. Al escribirla con letras mayúsculas queremos indicar que así expresamos la presencia divina en la vida de la creatura. La «presencia espiritual», es, por tanto, el primer símbolo que expresa una vida sin ambigüedades. Está en correlación directa con las ambigüedades de la vida bajo la dimensión del espíritu puesto que, debido a la unidad multidimensional de la vida, guarda una relación indirecta con todos los dominios de la vida. En esta expresión destacamos con letra mayúscula tanto «Presencia» como «Espiritual», y usamos aquí por primera vez en la *Teología sistemática* la palabra «Espiritual». *No* ha sido empleada como adjetivo derivado de espíritu con minúscula, que designa una dimensión de la vida. Este símbolo es el que guiará nuestro estudio en la cuarta parte del sistema.

El segundo símbolo de una vida sin ambigüedades es el de «Reino de Dios». Su material simbólico está tomado de la dimensión histórica de la vida y de la dinámica de la autotrascendencia histórica. El reino de Dios es la respuesta a las ambigüedades de la existencia histórica del hombre, si bien, debido a la unidad multidimensional de la vida, el símbolo incluye la respuesta a la ambigüedad bajo la dimensión histórica en todos los dominios de la vida. La dimensión de la historia queda realizada, por una parte, en los acontecimientos históricos que se derivan del pasado y determinan el presente y, por otra, en la tensión histórica que se experimenta en el presente, pero se precipita de manera irreversible hacia el futuro. Por tanto, el símbolo del reino de Dios abarca ambas cosas, la lucha por una vida sin ambigüedad, y la plenitud última hacia la que se encamina la historia.

Esto nos lleva al tercer símbolo: una vida sin ambigüedades es la Vida Eterna. Aquí se toma el material simbólico de la finitud temporal y espacial de toda vida. Una vida sin ambigüedades supera la servidumbre a los límites categóricos de la existencia. No significa una continuación interminable de la existencia categórica sino la conquista de sus ambigüedades. Este símbolo, junto con el del reino de Dios, serán las nociones más importantes de la quinta parte del sistema teológico: «La historia y el reino de Dios».

La relación de los tres símbolos, «presencia espiritual», «reino de Dios», y la «vida eterna» se puede describir como sigue: los tres son expresiones simbólicas de la respuestas que da la revelación a la búsqueda de una vida sin ambigüedades. Una vida sin ambigüedades como una vida bajo la presencia espiritual, o como la vida en el reino de Dios, o como la vida eterna. Pero tal como se dijo antes, los tres símbolos emplean distinto material simbólico y al hacerlo así expresan unas direcciones distintas de significado dentro de la misma idea de una vida sin ambigüedades. El símbolo «presencia espiritual» se sirve de la dimensión del espíritu, cuyo portador es el hombre, pero a fin de poder estar presente en el espíritu humano, el Espíritu divino debe estar presente en todas las dimensiones que son reales en el hombre, o lo que es lo mismo, en el universo.

El símbolo reino de Dios es un símbolo social tomado de la dimensión histórica en la medida en que se realiza en la vida histórica del hombre. Ahora bien, la dimensión histórica está presente en toda vida. Por tanto, el símbolo «reino de Dios» abarca el destino de la vida del universo, al igual que ocurre con el símbolo de la «presencia espiritual». Pero la cualidad de la historia de avanzar de manera irreversible hacia una meta introduce otro elemento en su significado simbólico, y es el de la expectación «escatológica», la expectación de la plenitud hacia la que se esfuerza por llegar la autotrascendencia y hacia la que se dirige la historia. Al igual que la presencia espiritual, el reino de Dios está operando y forcejeando en la historia; ahora bien, en cuanto plenitud eterna de vida, el reino de Dios está por encima de la historia.

El material simbólico del tercer símbolo de la vida sin ambigüedades, la vida eterna, está tomado de la estructura categórica de la finitud. La vida sin ambigüedades es la vida eterna. Al igual que la presencia espiritual y el reino de Dios, también la vida eterna es un símbolo universal, que hace referencia a todas las dimensiones de la vida e incluye los otros dos símbolos. La presencia espiritual crea la vida eterna en quienes son asidos por ella. Y el reino de Dios es la plenitud de la vida temporal en la vida eterna.

Los tres símbolos de la vida sin ambigüedades se incluyen mútuamente entre sí, si bien debido al distinto material simbólico que emplean es preferible aplicarlos en diferentes direcciones de significado: la presencia espiritual para la conquista de las ambigüedades de la vida bajo la dimensión del espíritu, el reino de Dios para la conquista de las ambigüedades de la vida bajo la dimensión de la historia, y la vida eterna para la conquista de las ambigüedades de la vida más allá de la historia. Con todo, en los tres encontramos una inmanencia mutua del resto. Allí donde hay una presencia espiritual allí se da el reino de Dios y la vida eterna, y allí donde está el reino de Dios allí se da la vida eterna y la presencia espiritual, y allí donde está la vida eterna allí se da la presencia espiritual y el reino de Dios. Es distinto el énfasis, pero la substancia es la misma: una vida sin ambigüedades.

La búsqueda de una tal vida sin ambigüedades es posible porque la vida tiene el carácter de la autotrascendencia. Bajo todas las dimensiones la vida se mueve más allá de sí misma en dirección vertical. Pero bajo ninguna dimensión llega a alcanzar aquello hacia lo que se mueve, lo incondicional. No lo alcanza pero la búsqueda prosigue. Bajo la dimensión del espíritu se trata de la búsqueda de una moralidad sin ambigüedades y de una cultura sin ambigüedades reunida con una religión sin ambigüedades. La respuesta a esta búsqueda es la experiencia de la revelación y de la salvación; ellas constituyen a la religión por encima de la religión, aunque se convierten en religión cuando son recibidas. Empleando el simbolismo religioso son la obra de la presencia espiritual o del reino de Dios o de la vida eterna. Esta búsqueda es eficaz en todas las religiones y la respuesta recibida subyace en todas las religiones, dándoles su grandeza y dignidad. Ahora bien, tanto la búsqueda como la respuesta pasan a ser materia ambigua si se expresan con los términos de una religión concreta. Es una experiencia muy vieja en todas las religiones que la búsqueda de algo que las trascienda recibe una respuesta en las experiencias conmocionantes y transformadoras de la revelación y de la salvación; pero también lo es el que bajo las condiciones de la existencia aun aquello que es lo absolutamente grande —la automanifestación divina— pasa a ser no sólo algo grande sino también pequeño, no sólo algo divino sino también demoníaco.

II
LA PRESENCIA ESPIRITUAL

A. LA MANIFESTACIÓN
DE LA PRESENCIA ESPIRITUAL
EN EL ESPÍRITU DEL HOMBRE

1. EL CARÁCTER DE LA MANIFESTACIÓN DEL ESPÍRITU
DIVINO EN EL ESPÍRITU DEL HOMBRE

a) *El espíritu humano y el Espíritu divino en principio*

Nos hemos atrevido a emplear la palabra prohibida «espíritu» (con minúscula) por dos motivos: el primero, a fin de dar un nombre adecuado a aquella función de la vida que caracteriza al hombre en cuanto hombre y que se actualiza en la moralidad, la cultura y la religión; el segundo, a fin de proporcionar el material simbólico que se emplea en los símbolos «Espíritu divino» o «presencia espiritual». La dimensión de espíritu proporciona este material. Como hemos visto, el espíritu como dimensión de vida une el poder del ser con el significado del ser. Se puede definir al espíritu como la realización del poder y del significado en la unidad. Dentro de los límites de nuestra experiencia esto ocurre sólo en el hombre, en el hombre como un todo y en todas las dimensiones de la vida que están presentes en él. El hombre, al experimentarse a sí mismo como hombre, tiene conciencia de estar determinado en su naturaleza por el espíritu como una dimensión de su vida. Esta experiencia inmediata hace posible hablar simbólicamente de Dios como Espíritu y del Espíritu divino. Estos términos, al igual que el resto de afirmaciones acerca de Dios, son símbolos. En ellos se apropia y se trasciende el material empírico. Sin esta experiencia del espíritu como unidad de poder y significado en sí mismo, el hombre no habría sido capaz de expresar la experiencia reveladora de «Dios presente» en el término «Espíritu» o «presencia espiritual». Ello muestra una vez más que ninguna doctrina del Espíritu divino es posible sin una comprensión del espíritu como una dimensión de la vida.

A la pregunta de cuál es la relación existente entre el Espíritu y el espíritu se contesta normalmente con la afirmación metafórica de que el Espíritu divino habita y actúa en el espíritu humano. En este contexto, la palabra «en» implica todos los problemas de la relación de lo divino con lo humano, de lo incondicional con lo condicionado y la del fondo creador con la existencia de la creatura. Si el Espíritu divino irrumpe en el espíritu humano, ello no significa que se queda allí, sino más bien que conduce al espíritu humano fuera de sí mismo. El «en» del Espíritu divino es un «fuera» para el espíritu humano. El espíritu, una dimensión de la vida finita, es conducido a una autotrascendencia venturosa; es asido por algo último e incondicional. Es todavía el espíritu humano; continúa siendo lo que es pero, al mismo tiempo, sale fuera de sí mismo bajo el impacto del Espíritu divino. El término clásico para designar ese estado de ser asido por la presencia espiritual es el de «éxtasis». Describe con exactitud la situación humana bajo la presencia espiritual.

Ya describimos la naturaleza de la experiencia reveladora, su carácter extático, y su relación con el aspecto cognoscitivo del espíritu humano, en la sección acerca de «La razón y la revelación» (en la primera parte del sistema). En aquella sección dimos también una descripción similar de la naturaleza de la experiencia salvadora, que es un elemento en la experiencia reveladora precisamente como esta última es a su vez un elemento en la experiencia salvadora. La presencia espiritual crea un éxtasis en ambas que conduce al espíritu del hombre más allá de sí mismo sin destrozar su estructura esencial, es decir, su estructura racional. El éxtasis no destruye la centralidad del yo integrado. Si así lo hiciera entonces la posesión demoníaca reemplazaría la presencia creadora del Espíritu.

Aunque el carácter extático de la experiencia de la presencia espiritual no destruye la estructura racional del espíritu humano sí hace algo que el espíritu humano no podría hacer por sí mismo. Cuando se apodera del hombre, crea una vida sin ambigüedades. El hombre en su autotrascendencia puede llegar a alcanzarla, pero el hombre no la puede asir, a menos que sea asido él primeramente por ella. El hombre permanece en sí mismo. Por la misma naturaleza de su autotrascendencia, el hombre se ve obligado a preguntarse por la vida sin ambigüedades, pero la respuesta le debe llegar a través del poder creador de la presencia espiritual. La «teología natural» describe la autotrascendencia del hombre y todo lo que va implicado en la conciencia que tiene de su ambigüedad. Pero la «teología natural» deja sin contestar la pregunta.

Esto ilustra la verdad de que el espíritu humano es incapaz de obligar al Espíritu divino a que entre en el espíritu humano. El intento de hacerlo así pertenece directamente a las ambigüedades de la religión e indirectamente a las ambigüedades de la cultura y de la moralidad. Si la devoción religiosa, la obediencia moral o la honestidad científica pudiera obligar al Espíritu divino a «descender» hasta nosotros, el Espíritu así «descendido» sería el espíritu humano bajo un disfraz religioso. Sería, y con frecuencia así es, simplemente el espíritu del hombre que asciende, la forma natural de la autotrascendencia del hombre. Lo finito no puede obligar a lo infinito; el hombre no puede forzar a Dios. El espíritu humano como una dimensión de la vida es ambiguo, y toda vida lo es, mientras que el Espíritu divino crea una vida sin ambigüedades.

Esto nos lleva al problema de cómo la tesis de la unidad multidimensional de la vida está relacionada con la presencia espiritual. La unidad multidimensional de la vida ha servido para impedir las doctrinas dualistas y supranaturalistas del hombre en sí mismo y en su relación con Dios. Ahora es inevitable que la pregunta se plantee acerca de si el contraste entre el espíritu humano y el Espíritu divino reintroduce un elemento dualista-supranatural. La respuesta básica a esta pregunta es que la relación de lo finito con lo que es infinito —y que por ende está por encima de toda comparación con lo finito— es inconmensurable y no se puede expresar adecuadamente con la misma metáfora que expresa la relación entre dominios finitos. Por otro lado, no hay ninguna manera de expresar cualquier relación con el fondo divino del ser que no sea la de emplear un material finito y el lenguaje de los símbolos. Esta dificultad no puede ser resuelta del todo, ya que refleja la misma situación humana. Pero es posible en lenguaje teológico el indicar una conciencia de la situación humana que incluya las inevitables limitaciones en todos los intentos de expresar la relación con lo último. Una manera de hacerlo con la cualificación radical que va implicada al hablar de la «dimensión de la profundidad» o de la «dimensión de lo último» o de «lo eterno» (como he hecho yo mismo en varias ocasiones). Es obvio que la metáfora «dimensión» tal como se emplea en estas frases significa algo distinto a lo que significa en la serie de las dimensiones de la vida que hemos descrito. No es una dimensión en esta serie, que depende para su realización de la anterior, sino que es el fondo del ser de todas ellas y la finalidad en cuya dirección todas ellas son autotrascendentes. Por tanto, si se emplea el término «dimensión» en combinaciones tales como «dimensión de la profundidad» (que se ha hecho muy popular), viene a significar la dimensión en la que se enraízan, se niegan y afirman todas las dimensiones. Sin embargo, esto transforma la metáfora en un símbolo, y lo dudoso es que sea recomendable este doble empleo de la misma palabra.

Otra manera de salir al encuentro de la dificultad de expresar la relación del espíritu humano con el Espíritu divino es sustituyendo la metáfora «dimensión» por la afirmación de que, puesto que lo finito es potencial o esencialmente un elemento en la vida divina, cualquier cosa finita queda cualificada por esta relación esencial. Y puesto que la situación existencial en la que lo finito es real implica ambas cosas: la separación de la esencial unidad de lo finito con lo infinito así como la resistencia a la citada unidad, lo finito ya no queda por más tiempo cualificado realmente por su unidad esencial con lo infinito. Sólo en la autotrascendencia de la vida se logra que quede preservada la «memoria» de la unidad esencial con lo infinito. El elemento dualista implicado en una tal terminología es, por así decirlo, preliminar y transitorio; sirve simplemente para distinguir lo actual de lo potencial y lo existencial de lo esencial. Así pues ni se trata de un dualismo de niveles ni supranaturalista.

Se ha hecho la pregunta de si la substitución de la metáfora «dimensión» por la metáfora «nivel» no contradecirá el método de correlación de las preguntas existenciales con las respuestas teológicas. Y precisamente sería esto lo que ocurriría si el

Espíritu divino viniera a representar una nueva dimensión dentro de la serie de las dimensiones de la vida. Pero no es eso lo que se busca y la consideración precedente más bien cierra el paso a esta interpretación. Al igual que las categorías y las polaridades, también la «dimensión» se emplea simbólicamente cuando se aplica a Dios. Por tanto, en la frase «la dimensión de lo último» ésta se emplea simbólicamente, mientras que cuando hace referencia a las diferentes dimensiones de la vida se emplea metafóricamente. La situación existencial del hombre requiere el método de correlación y prohíbe el dualismo de niveles. En la relación esencial del espíritu humano con el Espíritu divino, no se da ningún tipo de correlación sino más bien una mutua inmanencia.

b) *Estructura y éxtasis*

La presencia espiritual no destruye la estructura del yo centrado portador de la dimensión del espíritu. El éxtasis no niega la estructura. He aquí una de las consecuencias de la doctrina del «dualismo transitorio» que acabamos de estudiar en las líneas precedentes. Un dualismo de niveles conduce lógicamente a la destrucción de lo finito, por ejemplo, del espíritu humano a causa del Espíritu divino. Pero si empleamos un lenguaje religioso, Dios no tiene necesidad de destruir su mundo creado, que en su naturaleza esencial es bueno, a fin de poderse manifestar a sí mismo en él. Ya discutimos esto en conexión con el significado de «milagro». Rechazamos los milagros en el sentido supranaturalista de la palabra así como rechazamos también el milagro del éxtasis producido por la presencia espiritual cuando se entiende a ésta como una invitación a la destrucción de la estructura del espíritu en el hombre (*Teología sistemática* I).

Sin embargo, si intentáramos una «fenomenología» de la presencia espiritual, encontraríamos una amplia serie de reportajes y descripciones indicadoras de que el éxtasis como obra del Espíritu rompe la estructura creada. Las manifestaciones de la presencia espiritual ya desde los tiempos primitivos, así como en la literatura bíblica, tienen un carácter milagroso. El Espíritu produce unos efectos corporales: la transferencia de una persona de un lugar a otro, cambios en el interior del cuerpo, como por ejemplo la generación de una nueva vida, la penetración de cuerpos rígidos, y cosas por el estilo. El Espíritu produce también unos efectos psicológicos de un carácter extraordinario que dotan al entendimiento o a la voluntad de poderes que sobrepasan la capacidad natural de la persona, como son, por ejemplo, el conocimiento de lenguas extrañas, el penetrar los más íntimos pensamientos de otra persona, y poseer unos poderes de curación incluso a distancia. Por muy discutible que pueda resultar su comprobación histórica todos estos datos apuntan dos importantes cualidades de la presencia espiritual: su carácter universal y extraordinario. El impacto universal de la presencia espiritual en todos los dominios de la vida se expresa en estas relaciones de milagros en todas las dimensiones; empleando un lenguaje supranaturalista apuntan a la verdad de la unidad de vida. La presencia espiritual da respuesta a las preguntas que van implicadas en las ambigüedades de todas las dimensiones de la vida: son superadas la separación espacial y temporal y los desórdenes corporales y psicológicos así como las limitaciones del mismo tipo. De todo esto se hablará más detalladamente y con términos «desmitologizados» más adelante.

Ambos términos «inspiración» e «infusión» expresan la manera cómo el espíritu del hombre recibe el impacto de la presencia espiritual. Ambos términos son metáforas espaciales e implican respectivamente «respiración» y «derramamiento» en el espíritu humano. Al tratar de la revelación ya rechazamos enérgicamente la distorsión que se da cuando la experiencia de la inspiración se convierte en simple lección informativa acerca de Dios y de las cosas divinas. La presencia espiritual no es la de un maestro sino la de un poder portador de significado que se apodera del espíritu humano en una experiencia extática. Tras la experiencia, el maestro puede analizar y formular el elemento de significado en el éxtasis de inspiración (tal como hace el teólogo sistemático), pero cuando se inicia el análisis del maestro, ha pasado ya la experiencia de la inspiración.

El otro término que describe el impacto de la presencia espiritual con una metáfora espacial es el de «infusión». Este concepto es central en la primitiva iglesia y se conservó en la iglesia católica con posterioridad para designar la relación del Espíritu divino con el espíritu humano. Términos como *infusio fidei* o *infusio amoris* hacen derivar la fe y el amor de la *infusio*

Spiritus sancti («la infusión del Espíritu santo»). El protestantismo se mostró reacio y aún conserva esta actitud ante un tal empleo de esta terminología debido a las perversiones mágico-materialistas de las que fue objeto en la iglesia católica de tiempos posteriores. El Espíritu se convirtió en una substancia cuya realidad podía no percibir necesariamente la autoconciencia centrada de la persona. Vino a ser una especie de «materia» que transmitían los sacerdotes al administrar los sacramentos, siempre que no opusiera resistencia el sujeto recipiente. Esta comprensión a-personalista de la presencia espiritual acabó siendo una objetivación de la vida religiosa que alcanzó su punto culminante en todo el asunto de la venta de las indulgencias. Para el pensamiento protestante, el Espíritu es siempre personal. La fe y el amor son impactos de la presencia espiritual sobre el yo centrado, y el vehículo de este impacto es la «palabra», incluso en la administración de los sacramentos. He ahí el porqué del protestantismo en su repugnancia a emplear el término «infusión» para designar el impacto de la presencia espiritual.

Ahora bien, esta repugnancia no queda del todo justificada y el protestantismo no tiene una postura absolutamente coherente en todo esto. En la lectura y en la interpretación de la narración de pentecostés así como de otras narraciones por el estilo en el nuevo testamento, de manera especial en el libro de los Hechos y en pasajes de las cartas (las de Pablo en particular), el protestante emplea también la metáfora del «derramamiento» del Espíritu santo. Y al hacerlo así actúa correctamente, ya que aun cuando prefiramos «inspiración», no rehuimos una metáfora substancial, pues «aliento» es también una substancia que entra en quien recibe el Espíritu. Pero existe otra razón en favor del empleo del término «infusión» así como el de «inspiración» y no es otra que la del reciente descubrimiento de la psicología contemporánea del significado del inconsciente y de la consiguiente re-valorización de los símbolos y de los sacramentos que se ha producido en contraste con el tradicional énfasis protestante en la palabra doctrinal y moral como el medio del Espíritu.

Ahora bien, si se describe la recepción extática de la presencia espiritual como «inspiración» o «infusión» o como ambas cosas a la vez, debemos observar la regla básica de que la recepción de la presencia espiritual sólo se puede describir de tal manera que el éxtasis no rompa la estructura. Es clásica la doctrina de Pablo acerca del Espíritu en la que expresa la unidad entre éxtasis y estructura. Pablo es primariamente el teólogo del Espíritu. Su cristología y escatología dependen de este punto central de su pensamiento. Su doctrina de la justificación a través de la fe por la gracia es algo que sirve de apoyo y defensa de su principal afirmación de que con la aparición del Cristo ha hecho acto de presencia un nuevo estado de cosas, creado por el Espíritu. Pablo subraya con fuerza el elemento extático en la experiencia de la presencia espiritual y al hacerlo así es coherente con todas las narraciones del nuevo testamento en las que se describe de esta manera. Estas experiencias, que él reconoce en otros, las reclama también para sí mismo. Sabe que toda oración que alcanza su objetivo, es decir, que logra la reunión con Dios, tiene un carácter extático. Una tal oración no es posible al espíritu humano, ya que el hombre no sabe cómo rezar; pero sí es posible que el Espíritu divino ore a través del hombre, aun cuando el hombre no diga una sola palabra («gemidos inenarrables» Pablo). La fórmula —estar en Cristo— que Pablo emplea con frecuencia, no sugiere una empatía psicológica con Jesucristo; más bien implica una participación extática en el Cristo que «es el Espíritu», y así se vive en la esfera de este poder espiritual.

Al mismo tiempo, Pablo se opone a toda tendencia que permitiera al éxtasis romper la estructura. Todo esto nos viene reflejado de manera clásica en la primera carta a los corintios en la que Pablo habla de los dones del Espíritu y rechaza el hablar extático de lenguas si produce el caos y la ruptura de la comunidad, y el énfasis acerca de las experiencias extáticas personales si son causa de *hybris,* así como de los demás carismas (dones del Espíritu) si no quedan cometidos al *ágape.* Y pasa luego a tratar de la mayor creación de la presencia espiritual, del *ágape* propiamente tal. En el himno al *ágape* de la primera carta a los corintios, capítulo 13, van del todo unidas la estructura del imperativo moral y el éxtasis de la presencia espiritual. Igualmente, los tres primeros capítulos de la misma carta señalan la manera de unir la estructura del conocimiento con el éxtasis de la presencia espiritual. La relación con el fondo divino del ser a través del Espíritu divino no es agnóstica (como no es amoral); incluye más bien el conocimiento de la «profundidad» de lo divino. Sin embargo, tal como muestra Pablo en estos capítulos, este conocimiento no es fruto de *theoria*, la función receptora del espíritu humano, sino que tiene un carácter extático, tal como indica el lenguaje que emplea Pablo en estos capítulos al igual que en el capítulo del *ágape*. Con lenguaje extático Pablo apunta al *ágape* y a la *gnosis*, formas de moralidad y de conocimiento en las que se unen el éxtasis y la estructura.

La iglesia tuvo y continúa teniendo problema para actualizar las palabras de Pablo, debido a movimientos extáticos determinados. La iglesia debe evitar la confusión de éxtasis con caos, y debe luchar por la estructura. Por otro lado, debe evitar la profanización institucional del Espíritu que tuvo lugar en la primitiva iglesia católica como consecuencia de su sustitución del *charisma* por el cargo. Por encima de todo, debe evitar la profanización secular del protestantismo contemporáneo que se da cuando se sustituye al éxtasis por la estructura doctrinal o moral. El criterio paulino de la unidad de estructura y éxtasis se opone a ambos tipos de profanización. El uso de este criterio es un deber siempre presente así como un riesgo también siempre presente para las iglesias. Es un deber, porque una iglesia que vive según sus formas institucionales y no tiene en cuenta el aspecto extático de la presencia espiritual abre la puerta a las formas caóticas o disgregadoras del éxtasis e incluso se hace responsable del fomento de reacciones secularizadas contra la presencia espiritual. Por otro lado, una iglesia que se tome en serio los movimientos extáticos corre el riesgo de confundir el impacto de la presencia espiritual con una sobreexcitación determinada psicológicamente.

Se puede reducir este peligro mediante una investigación de la relación del éxtasis con las distintas dimensiones de la vida. El éxtasis creado por el Espíritu divino se da bajo la dimensión del espíritu, tal como se trató en el capítulo precedente a propósito de las relaciones del espíritu humano con el Espíritu divino. Sin embargo, y debido a la unidad multidimensional de la vida, todas las dimensiones, tal como son efectivas en el hombre, participan del éxtasis creado por el Espíritu. Esto hace referencia directamente a la percepción de autoconciencia e indirectamente a las dimensiones orgánicas e inorgánicas. El intentar derivar la religión, especialmente en su aspecto extático, de la dinámica psicológica, es una profanización reduccionista de la autotrascendencia. Esto tiene lugar predominantemente con respecto a aquellos aspectos que son valorados de manera negativa y se les considera susceptibles de eliminación por medio de la psicoterapia. Los movimientos religiosos de carácter emocional en nuestra sociedad, al igual que en las sociedades que nos han precedido, dan mucha importancia a tales intentos reduccionistas, y el autoritarismo eclesiástico siempre está dispuesto a colaborar con estos ataques desde el lado contrario. Los movimientos del Espíritu saben que es difícil defenderse a sí mismo de una tal alianza entre los críticos eclesiásticos y psicológicos. Toda esta parte del presente sistema es una defensa de las manifestaciones extáticas de la presencia espiritual contra sus críticos eclesiásticos; en esta defensa, el arma más poderosa es el nuevo testamento. Con todo, puede hacerse uso legítimo de esta arma sólo si el otro socio de la alianza —los críticos psicológicos— se ve también rechazado o por lo menos se le sitúa en su propia perspectiva.

La doctrina de la unidad multidimensional de la vida proporciona la base para esta defensa. En el contexto de esta doctrina se da por supuesto la base psicológica (y biológica) de todo éxtasis. Pero precisamente porque la dimensión del espíritu está potencialmente presente en la dimensión de la autoconciencia, la dinámica del yo psicológico puede ser la portadora de significado en el yo personal. Esto ocurre siempre que se soluciona un problema matemático, se escribe un poema o se toma una decisión legal. Esto se repite en toda toma de postura profética, en toda contemplación mística y en toda oración realizadora: la dimensión del espíritu se actualiza a sí mismo dentro de la dinámica de la autoconciencia y bajo sus condiciones biológicas.

En los últimos ejemplos, hemos apuntado a las experiencias del éxtasis creado por el Espíritu. Con todo, llegados a este punto debemos considerar un fenómeno especial. El éxtasis, en su trascendencia de la estructura sujeto-objeto, es la gran fuerza liberadora bajo la dimensión de la autoconciencia. Pero esta fuerza liberadora crea la posibilidad de confundir aquello que está «por debajo» de la estructura mental sujeto-objeto con lo que está «por encima». Tanto si cobra como si no la forma biológica o emocional, la embriaguez no alcanza la realidad de la autoconciencia. Siempre queda por debajo de la estructura de objetivación. La embriaguez es un intento de escapar de la dimensión del espíritu con su fardo de centralidad personal, de responsabilidad y de racionalidad cultural. Si bien, en última instancia, no podrá apuntarse la victoria por la simple razón de que el hombre lleva consigo la dimensión del espíritu, sí que permite descargarse por un tiempo del fardo de la existencia personal y comunitaria. A largo plazo, sin embargo, es destructiva y lo que logra precisamente es aumentar aquellas mismas tensiones de las que intenta liberarse. Su característica más destacada es la de que carece tanto de productividad espiritual como de creatividad espiritual. Se reintegra a una subjetividad vacía que lleva a la extinción de estos contenidos provenientes del mundo objetivo. Produce un vacío en el yo.

El éxtasis, de manera similar al entusiasmo productivo de la dinámica cultural, en la *theoria* como en la *praxis*, tiene en sí mismo la múltiple riqueza del mundo objetivo, trascendido por la infinitud interior de la presencia espiritual. Quien pronuncia la palabra divina tiene conciencia, al igual que la del más agudo analizador de la sociedad, de la situación social de su tiempo, pero la contempla en éxtasis, bajo el impacto de la presencia espiritual a la luz de la eternidad. Un tal contemplativo tiene conciencia de la estructura ontológica del universo, pero contemplada en éxtasis bajo el impacto de la presencia espiritual a la luz del fondo y de la finalidad de todo ser. Quien reza con fervor tiene conciencia de su propia situación y la de su «vecino» pero la contempla bajo la influencia de la presencia espiritual y a la luz de la dirección divina de los procesos vitales. En estas experiencias, nada del mundo objetivo queda disuelto en una simple subjetividad. Más bien se mantiene todo e incluso experimenta un incremento. Pero no se mantiene bajo la dimensión de la autoconciencia y en el esquema sujeto-objeto. Se ha producido una unión de sujeto-objeto en la que se supera la existencia independiente de cada persona; se crea una nueva unidad. El mejor ejemplo y el más universal de una experiencia de éxtasis lo podemos encontrar en la oración. Toda oración seria y que logre su objetivo —en la que no se habla a Dios como a un socio familiar, tal como hacen muchos al rezar— es un hablar a Dios, lo cual significa que Dios se convierte en objeto para aquel que reza. Ahora bien, jamás se puede convertir a

Dios en un objeto a menos que sea a la vez un sujeto. Sólo podemos rezar al Dios que se reza a sí mismo a través nuestro. La oración es una posibilidad sólo en la medida en que se supere la estructura sujeto-objeto; es, por tanto, una posibilidad de éxtasis. De todo ello podemos deducir la grandeza de la oración por una parte y por otra el peligro de su continua profanización. El término «extático», cuyo empleo lleva consigo de ordinario muchas connotaciones negativas, tal vez sea recuperable en un sentido positivo si se le entiende como el carácter esencial de la oración.

El criterio que se debe emplear para decidir si un estado extraordinario de la mente es de éxtasis, creado por la presencia espiritual, o bien una embriaguez subjetiva es la manifestación de la creatividad en el primer caso y su carencia en el segundo. Utilizar este criterio tiene sus riesgos, pero se trata del único criterio válido que puede emplear la iglesia para «juzgar al Espíritu».

c)   *Los medios de la presencia espiritual*

1.   Los encuentros sacramentales y los sacramentos

Según la tradición teológica la presencia espiritual se hace efectiva por medio de la palabra y de los sacramentos. Sobre ellos está fundada la iglesia. Nuestra doble tarea es interpretar esta tradición en los términos de nuestra comprensión de la relación del Espíritu con el espíritu y la de ampliar el problema de los medios del Espíritu divino de manera que incluya todos aquellos acontecimientos personales e históricos en los que es efectiva la presencia espiritual. La dualidad de la palabra y sacramento no tendría la significación que tiene si no representara el fenómeno primordial de que la realidad viene comunicada ya sea por la presencia silenciosa del objeto en cuanto objeto, ya sea por la autoexpresión vocal de un sujeto con otro sujeto. En ambos casos, los seres pueden recibir la comunicación bajo las dimensiones de la autoconciencia y del espíritu. Una realidad encontrada se puede imprimir sobre un sujeto a través de medios indirectos de dar signos de sí mismo como subjetividad centrada. Esto ocurre por medio de sonidos que se convierten en palabras bajo la dimensión del espíritu. Debido a la consecuencia de las dimensiones, el signo objetivo precede al subjetivo, lo cual significa en este contexto, que el sacramento es «más antiguo» que la palabra.

Los términos «palabra» y «sacramento» designan los dos modos de comunicación en relación con la presencia espiritual. Las palabras que comunican la presencia espiritual se convierten en la palabra (con mayúscula) o, en términos tradicionales, en la palabra de Dios. Los objetos que son vehículos del Espíritu divino pasan a ser materiales y elementos sacramentales en un acto sacramental.

Tal como queda indicado el sacramento es anterior a la palabra, si bien la palabra va implícita en el absolutamente silencioso material sacramental. Esto es así porque la experiencia de la realidad sacramental pertenece a la dimensión del espíritu y concretamente a su función religiosa. Por tanto, no puede darse sin la palabra, aun cuando se quede sin voz. El término «sacramental», en este sentido más amplio, ha de ser liberado de sus connotaciones más restringidas. Las iglesias cristianas, en sus controversias acerca del significado y número de los sacramentos en concreto, no han tenido en cuenta el hecho de que el concepto «sacramental» abarca más de los siete, cinco o dos sacramentos que puedan ser aceptados como tales por una iglesia determinada. El sentido más amplio del término denota todo aquello en lo que ha sido expresada la presencia espiritual; en un sentido más restringido denota unos objetos y actos particulares en los que una comunidad espiritual experimenta la presencia espiritual; y en su sentido de máxima restricción se refiere simplemente a algunos «grandes» sacramentos en cuya administración se realiza a sí misma la comunidad espiritual. Si no se tiene en cuenta el significado de «sacramental» en su sentido más amplio, las actividades sacramentales en su sentido más estricto *(sacramentalia)* pierden su significado religioso —como sucedió en la Reforma— y los grandes sacramentos pierden su significado, como ocurrió en algunas de las denominaciones protestantes. Este desarrollo está enraizado en una doctrina del hombre que tiene tendencias dualistas, y sólo pueden ser superadas por una comprensión de la unidad multidimensional del hombre. Si se concibe la naturaleza del hombre simplemente en términos de una autoconciencia consciente, de entendimiento y voluntad, entonces sólo las palabras, las palabras doctrinales y morales pueden transmitir la presencia espiritual. No se puede aceptar ningún tipo de objetos o actos como transmisores del Espíritu, nada sensual que afecte lo inconsciente. Los sacramentos, si se conservan, se convierten en elementos en desuso de un pasado. Pero no es sólo el énfasis sobre el aspecto consciente del yo psicológico el responsable de la desaparición del pensamiento sacramental; sino que lo es también, incluso en el cristianismo, la distorsión mágica de la experiencia sacramental. La Reforma fue un ataque concentrado al sacramentalismo católico romano. El argumento fue que la doctrina del «*opus operatum*» en la iglesia romana deformaba los sacramentos en actos no-personales de técnica mágica. Si el sacramento produce su efecto en virtud de su simple realización, el acto centrado de fe no es esencial a su fuerza salvadora (Sólo una resistencia consciente al significado del sacramento sería lo que aniquilaría su efecto). De acuerdo con el juicio de la Reforma, ello llevaría hasta corromper a la religión en magia a fin de alcanzar una gracia objetiva de una fuerza divina. Tiene, por tanto, importancia trazar una línea fronteriza entre el impacto de un sacramento sobre la parte consciente a través del yo inconsciente y las técnicas mágicas que influyen sobre el inconsciente sin el consentimiento de la voluntad. La diferencia está en que en el primer caso el yo centrado participa conscientemente en la experiencia del acto sacramental, mientras que en el segundo caso, el inconsciente queda influenciado directamente sin participación del yo centrado. Si bien la magia como método técnico ha sido reemplazada desde finales del Renacimiento por las ciencias técnicas, aún continúa siendo una realidad el elemento mágico en la relación entre seres humanos, aunque se le pueda dar una interpretación científica. Es un elemento en la mayoría de encuentros humanos, entre los que se incluyen unos encuentros de los del tipo de los oyentes de un sermón o de un discurso político con la persona que les habla, de quien recibe un consejo con aquella persona que se lo da, del espectador con el actor, del amigo con el amigo, del enamorado con la persona amada. Como elemento de un conjunto más amplio que va determinado por el yo centrado, expresa la unidad multidimensional de la vida. Pero si se ejercita como un acto particular, intencional —que roza el centro personal— se trata de una distorsión demoníaca. Y cualquier sacramento corre el peligro de convertirse en demoníaco.

El temor a una tal demonización ha inducido al protestantismo reformado y a muchos de los así llamados grupos sectarios, en contraste con el luteranismo, a reducir la mediación sacramental del Espíritu de manera drástica o incluso total. El resultado es o bien una intelectualización y moralización de la presencia espiritual o bien, como sucede entre los cuáqueros, una interiorización mística. A la luz del redescubrimiento en el siglo XX del inconsciente, es ahora posible para la teología cristiana la revalorización positiva de la mediación sacramental del Espíritu. Se podría incluso decir que una presencia espiritual aprehendida solamente a través de la conciencia es intelectual pero no verdaderamente espiritual. Ello significa que la presencia espiritual no se puede recibir sin un elemento sacramental, por muy oculto que esté. Empleando terminología religiosa se podría decir que Dios se apodera del ser humano desde todos los ángulos y valiéndose de toda clase de medios. La fórmula «el principio protestante y la substancia católica» se refiere en definitiva al sacramento como medio de la presencia espiritual. El concepto de la unidad multidimensional de la vida facilita esta fórmula. El catolicismo ha procurado siempre incluir todas las dimensiones de la vida en su sistema de vida y de pensamiento; pero de esta manera ha sacrificado la unidad, es decir, la dependencia de la vida en todas las dimensiones, la religiosa incluida, al juicio divino. El material sacramental no es un signo que apunte hacia algo extraño a sí mismo. O expresado con términos de la teoría del simbolismo, el material sacramental no es un signo, es más bien un símbolo, y en cuanto símbolos los materiales sacramentales están intrínsecamente relacionados con lo que expresan; tienen unas cualidades inherentes (agua, fuego, óleo, pan, vino) que los hacen irreemplazables y adecuados para su función simbólica. El Espíritu «usa» los poderes del ser en la naturaleza a fin de «entrar» en el espíritu del hombre. Digamos de nuevo que no es la cualidad de los materiales como tales lo que les convierte en medios de la presencia espiritual sino más bien en la medida en que son llevados hacia el interior de la unión sacramental. Con esta consideración se excluye tanto la doctrina católica de la transubstanciación que transforma un símbolo en una cosa que se puede manipular, como la doctrina de la reforma acerca del carácter de signo del símbolo sacramental. Un símbolo sacramental no es ni una cosa ni un signo. Participa del poder de lo que simboliza, y por ende puede ser un medio del Espíritu.

Los sacramentos concretos se fueron gestando durante largos períodos en el tiempo. No hay ninguna parte de la realidad encontrada que pueda ser excluida de antemano de la posibilidad de que pueda llegar a ser material sacramental; cualquier cosa puede resultar adecuada para este fin en ciertas constelaciones. Es frecuente que una tradición mágica llegue a transformarse en religiosa (el «alimento» sacramental), y algunas veces un momento histórico se conmemora hasta transformarse en una leyenda sagrada (la última cena). Ordinariamente, el simbolismo sacramental está conectado con los grandes momentos de la vida de una persona, el nacimiento, la madurez, el matrimonio y la muerte inminente, o con unos acontecimientos religiosos especiales, como el de ingresar en un grupo religioso y la asignación en su seno de unas tareas especiales. El simbolismo sacramental va asociado sobre todo a las actividades rituales del mismo grupo. Los acontecimientos son con frecuencia idénticos en uno y otro caso.

A la vista de esta situación se debe preguntar si la comunidad espiritual está ligada a unos medios concretos de la presencia espiritual. En la respuesta han de ir unidos el elemento afirmativo y el negativo: en la medida en que la comunidad espiritual hace presente el nuevo ser en Jesús como Cristo no se puede dar en ella ningún acto sacramental que no quede sujeto al criterio de esa realidad en la que se fundamenta la comunidad, lo cual excluye todos los actos sacramentales demonizados, como son, por ejemplo, los sacrificios cruentos. Aún se debe añadir una segunda limitación. Los actos sacramentales por los que se comunica el Espíritu del nuevo ser en Cristo deben hacer referencia a los símbolos históricos y doctrinales en los que van expresados las experiencias reveladoras que conducen a la revelación central, por ejemplo, la crucifixión de Cristo o la vida eterna. Pero dentro de estos límites la comunidad espiritual tiene libertad para apropiarse todos los símbolos adecuados y que poseen una fuerza simbólica. La controversia acerca del número de los sacramentos sólo queda justificada si es la forma como·se tratan los problemas teológicos genuinos, como por ejemplo, los problemas espirituales del matrimonio y del divorcio o del sacerdocio y del laicado. De otra manera, la reducción protestante del número de sacramentos a siete o dos no se puede justificar teológicamente, ni se podrá sostener el argumento bíblico de que es Jesús quien los ha instituido. Cristo no ha venido a darnos nuevas leyes rituales. La ley llega a su término con él. La selección definitiva de los grandes sacramentos de entre un mayor número de posibilidades sacramentales depende de la tradición, de la valoración de su importancia y de la crítica de los abusos. Sin embargo, la pregunta decisiva es la de si están en posesión de su poder de mediadores de la presencia espiritual y la de si pueden proseguir manteniendo una tal posibilidad. Por ejemplo, si una parte importante de los miembros más serios de la comunidad espiritual ya no se sienten asidos por ciertos actos sacramentales, por muy antiguos que puedan ser y por muy solemne que sea su administración, uno se debe preguntar si un sacramento ha perdido su fuerza sacramental.

2. Palabra y sacramento

En nuestro análisis del carácter sacramental de los objetos o actos nos hemos encontrado con que aunque se den en silencio no existen sin palabras ya que el lenguaje es la expresión fundamental del espíritu del hombre. Por tanto, la palabra es el otro medio del Espíritu y el más importante en última instancia. Si las palabras humanas pasan a ser vehículos de la presencia espiritual se les llama la «palabra de Dios». Ya nos ocupamos de esta expresión y de sus muchos significados en la primera parte del sistema. Aquí, y en conexión con la doctrina del Espíritu se deben repetir los siguientes puntos: primero, se debe destacar que la «palabra de Dios» es una expresión que califica las palabras humanas como medios de la presencia espiritual. Dios no necesita de una lengua particular, y los documentos especiales escritos en hebreo, en arameo, en griego o en cualquier otra lengua, no son, en cuanto tales, palabras de Dios. Se pueden convertir en palabra de Dios si se hacen mediadores del Espíritu y tienen el poder de asir del espíritu humano. Esto tiene una aplicación positiva y negativa tanto con respecto a la literatura bíblica como a cualquier otro tipo de literatura. La Biblia no contiene palabras de Dios (o como dijo Calvino, «oráculos» divinos), pero sí puede convertirse de manera única, como ha sido en realidad, en «palabra de Dios». Su unicidad radica en el hecho de que es el documento de la revelación central, con respecto tanto a su aspecto dador como al receptor. Todos los días, por su impacto en la gente de dentro y de fuera de la iglesia, la Biblia demuestra ser el medio más importante del Espíritu en la tradición occidental. Ahora bien, no se trata del único medio, ni todo lo que en ella hay es siempre un tal medio. En muchas de sus partes es siempre un medio potencial pero que sólo pasa a ser un medio actual en el grado en que se apodera del espíritu de los hombres. Ninguna palabra es palabra de Dios a menos que sea la palabra de Dios para alguien; ni lo es, en nuestra terminología actual, a menos que sea un medio por el que el Espíritu entra en el espíritu de alguien.

Esto amplía hasta lo infinito el número de palabras que pueden convertirse en palabra de Dios. Incluye todos los documentos religiosos y culturales, o lo que es lo mismo, la literatura humana en su conjunto —no sólo la que es sublime, grande y digna, sino también la que reviste cualidades menores y profanas— con tal que haga mella en la mente humana de tal manera que cree una preocupación última. Incluso la palabra que se pronuncia en una conversación normal se puede convertir en un medio del Espíritu —al igual que un objeto ordinario puede cobrar cualidades sacramentales— en una configuración especial de circunstancias físicas y psicológicas.

Sin embargo, una vez más, debemos establecer un criterio que nos sirva para discernir lo que es una falsa elevación de las palabras humanas a la dignidad de palabra de Dios, y ese criterio no es otro que las mismas palabras bíblicas que vienen a ser la última piedra de toque de todo lo que puede o no puede llegar a convertirse en palabra de Dios para alguien. Nada es palabra de Dios si contradice la fe y el amor que son obra del Espíritu y que constituyen al nuevo ser tal como se manifiesta en Jesús como Cristo.

3.   El problema de la «palabra interior»

La discusión anterior ha tratado de la acción de la presencia espiritual en los medios que, por muy interno que pueda ser su impacto en el espíritu humano, tiene también un aspecto externo objetivo: objetos, actos, sonidos, letras. La pregunta que ahora se plantea es la de si unos tales medios son necesarios o no lo son en absoluto, o bien si no es posible que se dé una acción interna del Espíritu sin vehículos externos. Esta cuestión ha sido suscitada con gran fuerza por los movimientos espirituales en todos los períodos del cristianismo y de manera muy especial en la época de la Reforma. La liberación de la conciencia cristiana de la autoridad que llevaron a cabo los reformadores produjo también el deseo de sentirse libre de nuevas autoridades, la de la Biblia, por ejemplo, y la de las formulaciones de los credos que llevaban a término los intérpretes teólogos. Se trataba de un ataque, en nombre del Espíritu, tanto al papa de Roma como a cualquier otro nuevo papa —la Biblia y sus doctos guardianes. Puesto que el Espíritu significa «Dios presente», ninguna forma humana de vida y de pensamiento puede desconectarse del Espíritu. Dios no queda supeditado a ninguna de sus manifestaciones. La presencia espiritual irrumpe a través de la palabra dada y de los sacramentos aceptados. La conclusión que deduce el movimiento espiritual es que el Espíritu no tiene necesidad de tales mediaciones. Habita en la profundidad de la persona y cuando habla lo hace por medio de la «palabra interior». Quien le presta oído recibe nuevas y personales revelaciones, con independencia de las tradiciones de revelación de las iglesias. La verdad de estas ideas, cuando se miran a la luz de la doctrina del Espíritu, tal como la hemos desarrollado, radica en su énfasis acerca de la libertad del Espíritu de todas las formas ambiguas que se dan en la religión. Llegados a este punto debo confesar que el presente sistema está influenciado de manera esencial aunque indirecta, por los movimientos del Espíritu, tanto a través de su impacto en la cultura occidental en general (incluyendo a teólogos tales como Schleiermacher) como a través de su crítica de las formas establecidas de la vida y del pensamiento religiosos. Pero algunas de las observaciones críticas son correctas precisamente por esta influencia.

Ante todo se ha de decir que la expresión «la palabra interior» no es afortunada. Cuando los teólogos franciscanos del siglo XIII insistían en el carácter divino de los principios de la verdad en la mente humana, o cuando los místicos alemanes del siglo XIV insistían en la presencia del Logos en el alma, venían a ser la expresión de los motivos de los movimientos espirituales del pasado y del futuro. Sin embargo, a pesar de ello, no desconectaron la acción del Espíritu en el individuo de la tradición de revelación. Con todo, la expresión «palabra interior» puede tener la connotación de esta «desconexión» de la acción del Espíritu de la tradición de revelación y ello nos lleva a preguntarnos si la «palabra» no es por su misma definición un medio de comunicación entre dos seres con una autoconciencia centrada. En el caso de que no existan dos centros ¿qué significa la «palabra interior»? ¿Acaso implica que Dios o el Logos o el Espíritu es ese otro yo? Ciertamente, esto se puede decir simbólicamente, como cuando los profetas se atribuyen el haber oído la «voz de Yahvé» en una experiencia extática al igual que son muchas las personas en todos los tiempos que se atribuyen experiencias de este mismo tipo. Incluso la «voz de la conciencia» (que es inarticulada) se interpreta como la voz del Espíritu divino dirigiéndose al espíritu humano. Sin embargo, si la «palabra interior» tiene este significado, ya no es completamente interior, porque lo que ha ocurrido en ese otro yo finito, que es una condición necesaria de todo lenguaje humano, queda reemplazado por el «yo» divino. Sin embargo, incluso en lenguaje simbólico, esta es una manera discutible de hablar. Ciertamente, si atribuimos a Dios la omnisciencia, el amor, la ira y la misericordia, estamos hablando con signos, aplicando a Dios un material tomado de un yo central tal como nosotros lo experimentamos. Pero el «yo» es un concepto estructural y no un material simbólico adecuado. Cuando el nuevo testamento dice que Dios es Espíritu o cuando Pablo habla del testimonio del Espíritu divino a nuestro espíritu, la estructura del yo que necesitamos para el simbolismo religioso está implícita. Pero es desorientadora si se explicita (Ninguno de los polos de la polaridad básica del yo y del mundo pueden aplicarse simbólicamente a Dios). Si Dios nos habla, no es esa la «palabra interior»; es más bien la presencia espiritual que toma posesión de nosotros desde «fuera». Pero este «fuera» está por encima de lo que está fuera o dentro y los trasciende. Si Dios no estuviera también en el hombre de manera que el hombre pudiera preguntar por Dios, la palabra de Dios al hombre no podría ser percibida por éste. Las categorías de «interior» y «exterior» pierden su significado en las relaciones entre Dios y el hombre.

Debemos contestar negativamente la siguiente pregunta: ¿Habla Dios al hombre sin servirse de medio alguno? El medio de la palabra está siempre presente, porque la vida del hombre bajo la dimensión del espíritu viene determinada por la palabra, tanto si ésta es articulada como si no. La mente pensante piensa mediante palabras. Habla en el silencio pero no se habla a sí misma a fin de comunicarse algo a sí misma. El hombre se acuerda de lo que se le ha dicho desde el inicio de su vida y lo organiza en un conjunto lleno de sentido. Por tanto, los discursos y los escritos de todos los profetas y místicos y de todos aquellos que se atribuyen una inspiración divina descansan sobre el lenguaje de la tradición de donde proceden si bien implican al mismo tiempo una dirección hacia la ultimidad. Cuando Dios habló a los profetas no les dio nuevas palabras o nuevos hechos, sino que puso ante ellos, a la luz de su significado último, aquellos hechos que ya les eran conocidos y les instruyó para que hablaran a partir de esta situación en el lenguaje que ya conocían. Cuando los entusiastas de la época de la Reforma expresaban la «palabra interior» que habían recibido en su propia lengua, se trataba de la palabra de la Biblia, de la tradición, y de los reformadores, pero iluminadas por su propia experiencia de la presencia espiritual. Bajo esta luz ganaban en sus intuiciones a propósito de la situación social de las clases inferiores en la sociedad en que les había tocado vivir y en posteriores intuiciones en la libertad del Espíritu para operar en la vida personal frente a la heteromanía eclesiástica y biblista, al igual que ya había operado en los mismos reformadores. El carácter profético de la intuición señalada en primer lugar prefiguraba muchos de los movimientos sociales cristianos de los últimos siglos hasta el evangelio social y hasta los movimientos sociales religiosos de nuestro tiempo. Las otras intuiciones fueron el origen de tendencias místicas, como por ejemplo las de los cuáqueros, y de las filosofías de la religión en las que la «experiencia» religiosa es el principio decisivo.

Este análisis muestra que el concepto de la «palabra interior» es desorientador. La palabra interior es el reenfoque, para su perfecta adecuación contemporánea, de las palabras de las tradiciones y de las experiencias anteriores. Este reenfoque se da bajo el impacto de la presencia espiritual sin que quede excluido el medio de la palabra.

Ahora bien, la oposición de los reformadores a los movimientos espirituales de su tiempo tenía aún otro motivo. Los reformadores (de acuerdo con toda la tradición de la iglesia) temían que se pudiera perder (en nombre de la inmediatez del Espíritu) el criterio último de todas las experiencias reveladoras —el nuevo ser en Jesús como Cristo. Por tanto, ligaban el Espíritu a la palabra, al mensaje bíblico de Cristo. Ciertamente que esto desde el punto de vista de la teología es correcto, ya que la teología se basa en la revelación en Jesu-Cristo como la revelación central. Pero se convertía en algo defectuoso desde el momento en que se identificaba la revelación en Cristo con una doctrina forense de la justificación «por» la fe, en la que el impacto de la presencia espiritual quedaba reemplazado por un reconocimiento intelectual de la doctrina del perdón por la gracia sola. No era ésta, ciertamente, la intención, pero era el efecto del principio de la «sola palabra». La función del Espíritu se describió ambiguamente como testimonio del Espíritu ante la verdad del mensaje bíblico o ante la verdad de las palabras bíblicas. La antigua comprensión de la doctrina se adecua a su significado genuino, ya que la presencia espiritual eleva al espíritu humano a la unión trascendente de una vida inambigua y da la certeza inmediata de la reunión con Dios. La posterior comprensión de la doctrina reduce la acción del Espíritu al solo hecho de establecer una convicción de la verdad literal de las palabras bíblicas, una función que contradice la naturaleza del Espíritu y se suma por tanto a una entrega a la autoridad en busca de la seguridad. Esto no tiene en cuenta la continuidad de la presencia espiritual y su impacto en la personalidad y en la comunidad que supera las ambigüedades de la vida. De nuevo aquí los movimientos espirituales apuntaban hacia una característica bíblica que estaba ya presente en el primer Lutero y que se había perdido en la victoria del mismo sobre el Espíritu en el desarrollo ortodoxo de la Reforma. En los forcejeos consiguientes, los movimientos espirituales perdieron algo que justificaba la resistencia de la ortodoxia. Se concentraban en los movimientos interiores de sus almas bajo el impacto del Espíritu en lugar de mirar fuera de sí mismos, a la manera de Lutero, en la aceptación divina a pesar de no ser aceptables en realidad. Interpretaban mal la palabra que se les había dicho como simples palabras piadosas que se decían a sí mismos. Pero esta consideración trasciende el problema de los medios de la presencia espiritual.

2. El contenido de la manifestación del espíritu divino en el espíritu humano: fe y amor

a) *La unión trascendente y la participación en la misma*

Todas las ambigüedades de la vida están enraizadas en la separación y en la intercomunicación de los elementos esenciales y existenciales del ser. Por tanto, la creación de una vida sin ambigüedades trae consigo la reunión de estos elementos en los procesos de la vida en los que el ser actual es la expresión verdadera del ser potencial, una expresión, sin embargo, que no es inmediata, como en la «inocencia soñadora», sino que se realiza sólo tras la alienación, la contestación y la decisión. En la reunión, del ser esencial y existencial, la vida ambigua queda elevada por encima de sí misma a una trascendencia que no podría alcanzar por un solo poder. Esta unión contesta a la pregunta implicada en los procesos de la vida y en la función del espíritu. Es la respuesta directa al proceso de la autotrascendencia —que continúa siendo una pregunta en sí misma.

La «unión trascendente» contesta a la pregunta general implicada en todas las ambigüedades de la vida. Aparece dentro del espíritu humano como el movimiento extático que desde un punto de vista se llama «fe», y desde otro, «amor». Estos dos estados manifiestan la unión trascendente creada por la presencia espiritual en el espíritu humano. La unión trascendente es una cualidad de la vida sin ambigüedades, una cualidad con la que nos volveremos a encontrar al tratar del reino de Dios y de la vida eterna.

Podemos distinguir los dos puntos de vista que determinan las dos expresiones así: la fe es el estado de ser *asido* por la unidad trascendente de la vida sin ambigüedades —incorpora al amor como el estado de ser *introducido* en la unidad trascendente. A partir de este análisis es obvio que la fe lógicamente precede al amor, si bien en la realidad no se pueden dar por separado. La fe sin amor es una continuación de la alienación y un acto ambiguo de autotrascendencia religiosa. El amor sin la fe es una reunión ambigua de lo separado sin el criterio y el poder de la unión trascendente. Ninguno de los dos es una creación de la presencia espiritual sino que ambos son el resultado de distorsiones religiosas de una creación espiritual original.

Estas afirmaciones presuponen una plena discusión de fe y amor a fin de que puedan resultar comprensibles. Una tal discusión podría llenar un volumen entero (Yo mismo he tratado de la fe y el amor en dos pequeños volúmenes por separado) [1].

Sin embargo, no es nuestro propósito ahora entrar en esta discusión sino más bien el de determinar el lugar que ocupan estos dos conceptos dentro del sistema teológico y mostrar así su relación con otros conceptos teológicos y simbólicos religiosos. Su posición central en la vida cristiana y en el pensamiento teológico ha sido reconocida definitivamente a partir del nuevo testamento, pero, como es evidente por el estado en que se encuentra la discusión en nuestros días, no siempre han sido interpretados de manera uniforme o adecuada.

b)   *La manifestación de la presencia espiritual como fe*

Pocas palabras habrá en el lenguaje religioso que necesiten una purificación tan grande desde el punto de vista semántico como la palabra «fe». Se la confunde constantemente con la creencia en algo de lo que no se tiene evidencia o en algo que es intrínsecamente increíble, o en cosas absurdas o insensatas. Es en extremo difícil alejar estas connotaciones deformantes del genuino sentido de la fe. Una de las razones es que las iglesias cristianas han predicado frecuentemente el mensaje del nuevo ser en Cristo como «absurdidad» que se debe aceptar por la autoridad bíblica o eclesiástica tanto si son comprensibles como si no las afirmaciones del mensaje. Otra razón es la prontitud de muchos críticos de la religión por concentrar sus fuerzas sobre una imagen así deformada de la fe que se convierte en objeto fácilmente impugnable.

Se debe definir la fe tanto material como formalmente. La definición formal es válida para todo tipo de fe en todas las religiones y culturas. La fe, definida formal o genéricamente, es el estado de ser asido por aquello hacia lo que aspira la autotrascendencia, lo último en el ser y en el significado. Brevemente formulado, se puede decir que la fe es el estado de sentirse asido

---

1.   Fe: *Dynamics of faith*, New York 1957; amor: *Love, power, and justice*, New York 1954.

de una preocupación última. La expresión de «preocupación última» establece la unión entre un significado subjetivo y objetivo: uno se preocupa por algo que él considera digno de preocupación. En este sentido formal de la fe como preocupación última, todo ser humano tiene fe. Nadie se puede escapar de la relación esencial del espíritu condicional para con algo incondicional en cuya dirección lo autotrascendente va unido a toda la vida. Por muy de poca estima que pueda resultar el contenido concreto de la preocupación última, nadie puede sofocar una tal preocupación de manera absoluta. Este concepto formal de la fe es básico y universal. Es una refutación de la idea de que el mundo es el campo de batalla entre la fe y la no-fe (si se nos permite acuñar esta palabra para soslayar el empleo de la plabra «descreencia» que se presta a la confusión). La no-fe, en el sentido de algo antitético a la fe, no se da, pero a través de toda la historia y, sobre todo, en la historia de la religión, sí se han dado unos tipos de fe que han carecido de contenido digno de tenerse en cuenta. A algo previo, finito y condicional lo revisten con la dignidad de lo último, de lo infinito, de lo incondicional. El constante conflicto a lo largo de toda la historia se debate entre una fe dirigida a la realidad última y una fe dirigida a unas realidades previas que se arrogan ultimidad.

Esto nos lleva al concepto material de fe tal como quedó formulado. Fe es el estado de ser asido por la presencia espiritual y estar abierto a la unidad trascendente de una vida sin ambigüedades. En relación con la afirmación cristológica, se podría decir que la fe es el estado de ser asido por el nuevo ser manifestado en Jesús el Cristo. En esta definición de la fe, el concepto formal y universal de fe se ha convertido en material y particular; se hace cristiano. Sin embargo, el cristianismo pretende que esta particular definición de fe expresa la plenitud hacia la cual se dirigen todas las formas de fe. La fe como el estado de mantenerse abierto por la presencia espiritual a la unidad trascendente de una vida sin ambigüedades es una descripción universalmente válida, a pesar de su fondo particular cristiano.

Con todo, una tal descripción guarda poco parecido con las definiciones tradicionales en las que el entendimiento, la voluntad o el sentimiento se identifican con el acto de fe. A pesar de la crudeza psicológica de estas distinciones, se mantuvieron como decisivas tanto en las concepciones científicas de la fe como en las populares. Se hace, por tanto, necesario puntualizar más acerca de la relación de la fe con las funciones mentales.

La fe, como la invasión de la presencia espiritual en los conflictos y en las ambigüedades de la vida del hombre bajo la dimensión del espíritu, no es un acto de afirmación cognoscitiva dentro de la estructura sujeto-objeto de la realidad. Por tanto, no está sujeta a la verificación por medio de experimentos o de una experiencia dirigida. La fe tampoco es la aceptación de las afirmaciones factuales o de las valoraciones tomadas con autoridad, aun en el caso de que la autoridad sea divina, pues entonces se suscita la cuestión siguiente: ¿en qué autoridad me baso para dar el nombre de divina a una autoridad? Una afirmación como ésta: «es verdad que existe un ser llamado Dios», no es una afirmación de fe sino una proposición cognoscitiva que carece de suficiente evidencia. La afirmación y la negación de tales afirmaciones son igualmente absurdas. Este juicio se refiere a todos los intentos que darían autoridad divina a las afirmaciones de hecho en la historia, en la mente, y en la naturaleza. Ninguna de tales afirmaciones tiene el carácter de la fe ni se pueden hacer en nombre de la fe. No hay nada más indignante que hacer a la fe responsable de una evidencia que no posee.

Una toma de conciencia de esta situación ha llevado al establecimiento de una más íntima relación entre fe y decisión moral. Se hace un esfuerzo por superar las deficiencias de la comprensión cognoscitiva-intelectual de la fe por medio de una comprensión moral-voluntarista. En un tal intento, la «fe» se define como el resultado de una «voluntad de creer» o como fruto de un acto de obediencia. Pero uno puede preguntar: ¿la voluntad de creer qué? o ¿la obediencia a qué? Si se toman en serio estas preguntas, se re-establece la interpretación cognoscitiva de la fe. A la fe no se la puede definir como «una voluntad de creer ampliamente», ni tampoco como «una amplia obediencia al orden». Pero en el momento en que se buscan los contenidos de la voluntad de creer o de la obediencia al orden, reaparecen las deficiencias de la interpretación cognoscitiva de la fe. Por ejemplo, si a uno se le pide que acepte la palabra de Dios en la obediencia —y si se llama a esta aceptación «obediencia de la fe»— lo que se le pide es que haga algo que sólo puede ser hecho por alguien que está ya en estado de fe y reconoce que la palabra oída es la palabra de Dios. La «obediencia de la fe» presupone la fe pero no la crea.

La identificación más popular es la de la fe con sentimiento. Más aún, no sólo es popular sino que la aceptan también los científicos y filósofos que rechazan la pretensión religiosa de verdad pero que no pueden negar su tremendo poder psicológico y sociológico. Y esto lo atribuyen al indefinido pero indiscutible dominio de lo «oceánico» u otro sentimiento y se le opone sólo cuando trata de sobrepasar sus límites y pasa por encima de la tierra firme del conocimiento y de la acción. Ciertamente, la fe como expresión de toda la persona incluye elementos emocionales, pero no consiste sólo en ellos. Atrae hacia sí y hacia su abertura extática ante la presencia espiritual todos los elementos de la *theoria* y de la *praxis;* más allá de estos elementos, incluye también elementos de los procesos vitales bajo todas las dimensiones. Como ha enseñado correctamente la teología clásica, existe un «asentimiento» a la fe —existe una aceptación cognoscitiva de la verdad, no de las afirmaciones verdaderas acerca de los objetos en el tiempo y en el espacio sino de la verdad acerca de nuestra relación con aquello que nos preocupa últimamente y aquellos símbolos que son su expresión (El desarrollo total de esta afirmación ha sido ya elaborado en la primera parte del sistema, «La razón y la revelación»).

Existe también la obediencia en la fe, y en este punto están de acuerdo Pablo y Agustín, Tomás y Calvino. Pero, «la obediencia de la fe» no es la sujeción heterónoma a una autoridad divino-humana. Es el acto de mantenernos abiertos a la presencia espiritual que ha asido de nosotros y nos mantiene abiertos. Es la obediencia por participación y no por sumisión (como en las relaciones de amor).

Finalmente, existe un elemento emocional en el estado de ser asidos por la presencia espiritual. Este no es el sentimiento de un carácter completamente indefinido del que hablamos más arriba. Es la oscilación entre la congoja de la propia finitud y la alienación y el coraje extático que supera la congoja apropiándosela con la fuerza de la unidad trascendente de una vida sin ambigüedades.

La discusión precedente de la fe y de la función mental nos ha mostrado dos cosas: la primera, que la fe ni puede identificarse con ninguna de las funciones mentales ni derivarse de las mismas. La fe ni puede crearse por los procedimientos del entendimiento, ni por los esfuerzos de la voluntad, ni por movimientos emotivos. Pero, y ésta es la segunda cosa, la fe comprende en sí misma todo ello, uniéndolo y sometiéndolo al poder transformante de la presencia espiritual. Esto implica y confirma la verdad básica teológica de que en relación con Dios todo existe por él. El espíritu del hombre no puede alcanzar lo último, aquello en cuya dirección se trasciende a sí mismo, a través de cualquiera de sus funciones y elevarlas más allá de sí mismas por la creación de la fe.

Aunque creada por la presencia espiritual, la fe se da dentro de la estructura, de las funciones y de la dinámica del espíritu del hombre. Ciertamente, no es *desde* el hombre, sino *en* el hombre. Por lo tanto, en bien de una trascendencia radical de la actividad divina, es erróneo negar que el hombre tenga conciencia de que su ser es asido por el Espíritu divino, o que como se ha dicho, «sólo creo que creo». El hombre es consciente de que la presencia espiritual actúa en él. Pero esa frase sí nos sirve para prevenirnos ante una especie de autoconfianza acerca de poseer el estado de fe.

Si la consideramos en su concepto material, la fe tiene tres elementos: el primer elemento es el de estar absolutamente abiertos a la presencia espiritual; el segundo elemento, es el de aceptarla, a pesar del abismo infinito que media entre el Espíritu divino y el espíritu humano; y el tercer elemento es el de esperar una participación final en la unidad trascendente de una vida sin ambigüedades. Estos elementos se contienen el uno al otro, no van a continuación el uno del otro, pero están presentes allí donde se da la fe. El primer elemento es la fe en su carácter receptivo, su mera pasividad en relación con el Espíritu divino. El segundo elemento, es la fe en su carácter paradójico, en su privilegiada situación ante la presencia espiritual. El tercer elemento caracteriza la fe como anticipación, en su cualidad de esperanza de la creatividad realizadora del Espíritu divino. Estos tres elementos expresan la situación humana y la situación de la vida en general en relación con lo último en el ser y en el significado. Reflejan la caracterización del nuevo ser (tal como se explica en la sección cristológica de la parte III) como «regeneración», «justificación», y «santificación». Estos tres elementos reaparecerán en las descripciones siguientes acerca de la conquista de la presencia espiritual de las ambigüedades de la vida.

La fe es algo real en todos los procesos vitales —en la religión, en las otras funciones del espíritu y en los dominios precedentes de la vida— en la medida en que condicionan la realización del espíritu. En este momento, sin embargo, lo que importa es elaborar solamente la naturaleza esencial y la estructura básica de la fe. La función real de la fe de conquistar las ambigüedades de la vida con el poder de su origen espiritual es objeto de la última sección de esta parte del sistema (parte cuarta). Debe destacarse que este tratar la fe como una especie de realidad independiente se apoya en la Biblia, al igual que la visión del pecado como una especie de poder mitológico que rige el mundo, está también en la línea del pensamiento bíblico, preferentemente del paulino. La realización subjetiva del pecado y de la fe y de los problemas que de ahí se suscitan son secundarios con respecto a la objetividad de los dos poderes si bien no pueden separarse, en la realidad, los aspectos objetivos y subjetivos.

c) *La presencia espiritual manifestada como amor*

Mientras que la fe es el estado de ser asido por la presencia espiritual, el amor es el estado de ser introducido por la presencia espiritual en la unidad trascendente de una vida sin ambigüedades. Una tal definición exige una explicación tanto desde el punto de vista semántico como ontológico. Desde su aspecto semántico, el amor, como la fe, debe ser purificado de muchas connotaciones deformantes. La primera es la descripción del amor como emoción. Más adelante hablaremos del elemento emotivo genuino en el amor. Aquí sólo debemos afirmar que el amor es algo real en todas las funciones de la mente y que tiene echadas sus raíces en las entretelas de la vida misma. El amor es el impulso hacia la reunión de lo separado; esto es ontológica, y por tanto universalmente, verdadero. Es eficaz en los tres procesos vitales; une en un centro, crea lo nuevo, y encauza más allá de todo lo dado, hacia su mismo fondo y meta. Es la «sangre» de la vida y por tanto tiene muchas formas en las que están reunidos los elementos dispersos de la vida. Hemos apuntado las ambigüedades en algunas de estas formas así como las fuerzas desintegradoras en los procesos de integración. Pero al tratar el encuentro de persona-a-persona y el imperativo moral que le es intrínseco, hicimos también la pregunta acerca de una reunión sin ambigüedades, la pregunta del amor como participación en el otro a través de la participación en la unidad trascendente de una vida sin ambigüedades. La respuesta a esta pregunta se nos da en la creación de la presencia espiritual del *ágape. Agape* es el amor sin ambigüedades que es, por tanto, imposible al espíritu humano por sí mismo. Al igual que la fe, es una participación extática del espíritu finito en la unidad trascendente de una vida sin ambigüedades. Quien está en estado de *ágape* es arrastrado hacia esta unidad.

Esta descripción hace posible hallar una salida a la controversia entre católicos y protestantes acerca de la relación existente entre la fe y el amor. Ya hemos indicado que la fe lógicamente precede al amor, porque la fe es, por así decirlo, la reacción humana ante la presencia extática de que el Espíritu divino desbarate la tendencia de la mente finita a reposar sobre su propia autosuficiencia. Esta visión confirma la afirmación de Lutero de que la fe es recibir y nada más que recibir. Al mismo tiempo, la afirmación con igual energía acerca del amor, a cargo del pensamiento católico-agustiniano, en virtud de la intuición de la inseparabilidad esencial del amor y de la fe en la participación de la unidad trascendente de la vida sin ambigüedades. En esta visión, el amor es más que una consecuencia de la fe, por más que necesaria; es un aspecto de la situación extática del ser del que la fe es el otro aspecto. Una deformación de esta relación sólo se da si se entienden los actos de amor como condicionamientos del acto por el que la presencia espiritual toma posesión del hombre. El principio protestante —de que en la relación con Dios todo lo hace Dios— continúa siendo el arma contra una tal deformación.

Llegados a este punto podemos responder a otra pregunta: ¿por qué esta presentación de la creación fundamental del Espíritu divino no añade esperanza a la fe y al amor en lugar de considerarla como el tercer elemento de la fe, es decir, como dirección anticipada de la fe? La respuesta es que si la esperanza fuera considerada sistemáticamente (y no sólo homiléticamente, como en la fórmula de Pablo) como una tercera creación del Espíritu, su situación en el hombre estaría equiparada a la fe. Sería un acto independiente de la expectación anticipada cuya relación con la fe sería ambigua. Caería bajo la actitud de «creer aquello», una actitud que está en agudo contraste con el significado de la «fe». La esperanza es o bien un elemento de la fe o una «tarea» pre-Espiritual de la mente humana. Por supuesto, esta discusión refuerza la intuición de la unidad esencial de la fe y el amor. También el amor se convierte en una «tarea» pre-espiritual del espíritu humano si negamos la inseparabilidad esencial de la fe y el amor.

El amor no es una emoción pero sí que van implicados en él fuertes elementos emocionales, al igual que ocurre con otras funciones de la mente humana. Por esta razón, está justificado que demos inicio a la discusión acerca del amor y de las funciones mentales con la pregunta de qué relación es la que se da entre el amor y la emoción (al igual que iniciamos nuestra discusión acerca de la fe y de las funciones mentales con la pregunta de la relación existente entre la fe y el entendimiento). El elemento emocional en el amor es, como lo es siempre la emoción, la participación del centro total del ser en el proceso de reunión, ya sea en su momento de anticipación o en el de su plenitud. Sería incorrecto decir que la plenitud anticipada es la fuerza que dirige el amor. La fuerza que dirige hacia la reunión existe también en dimensiones en las que falta la toma de conciencia, y por tanto la anticipación. E incluso donde se da una plena conciencia, el impulso hacia la reunión no está causado por la anticipación de un esperado placer (como ocurriría sobre la base del principio —ya rechazado— de dolor-placer), sino que el impulso hacia la reunión pertenece a la estructura esencial de la vida y, por consiguiente, se experimenta como placer, gozo o bendición, de acuerdo con las diferentes dimensiones de la vida. Al igual que la participación extática en la unidad trascendente de una vida sin ambigüedades, el *ágape* se experimenta como bendición *(makaria* o *beatitudo* en el sentido de las bienaventuranzas). Por tanto, podemos aplicar la palabra *ágape* a la vida divina y a su movimiento trinitario simbólicamente, y así se concretiza el símbolo de la bendición divina. El elemento emocional no se puede separar del amor; el amor

sin su cualidad emotiva es una «buena voluntad» para con
alguien o algo, pero no es el amor. Esto es verdad también con
respecto al amor del hombre a Dios, que no puede equipararse
con la obediencia, como enseñan algunos teólogos antimísticos.

Pero el amor no sólo está relacionado con la emoción; es el
movimiento de todo el ser hacia otro ser para superar la
separación existencial. Como tal, incluye un elemento volitivo
bajo la dimensión de la autoconciencia, es decir, la voluntad de
unión. Una tal voluntad es esencial en toda relación de amor ya
que sin la misma no se podría traspasar el muro de la separación. El elemento emotivo solo no es lo suficientemente fuerte si
no coinciden el deseo y la plenitud. Como este es siempre el caso
bajo las condiciones de existencia, se da una resistencia en
ambos aspectos de una relación de amor. Es a este elemento
volitivo en el amor al que hace referencia en primer lugar el
gran mandamiento. El amor sin voluntad de amar, apoyado
tan solo en la fuerza de la emoción, jamás puede penetrar en
otra persona.

La relación entre el amor y la función intelectual de la
mente está más ampliamente desarrollada en el pensamiento
griego y cristiano-helenista por contraposición a unos antecedentes místicos. La doctrina del *eros* de Platón apunta a la
función del amor al crear la toma de conciencia del conocedor
de su propia vaciedad frente a la abundancia de lo conocido. En
Aristóteles, el *eros* de todas las cosas mueve el universo hacia la
forma pura. En el lenguaje cristiano-helenista, la palabra *gnosis*
significa conocimiento, relación sexual y unión mística. Y la
palabra alemana *erkennen*, que significa conocer, se usa también
para la unión sexual. El amor incluye el conocimiento de la
persona amada, pero no se trata del conocimiento del análisis y
de la manipulación calculadora; es más bien el conocimiento
participante el que cambia tanto a la persona que conoce como
a la persona conocida en el mismo acto del conocimiento
amoroso. El amor, como la fe, es un estado de toda la persona;
todas las funciones de la mente humana tienen vida en todo acto
de amor.

Mientras la palabra «fe» tiene un significado predominantemente religioso, la palabra «amor» es tan equívoca que en
muchos casos es necesario reemplazarla por la palabra del
nuevo testamento *ágape* para significar el amor como creación

:e la presencia espiritual. Esto, con todo, no siempre es posible,
:specialmente en los contextos homiléticos y litúrgicos, y más
:llá de esta limitación, se da un problema sistemático en el uso
:quívoco de la palabra «amor» en inglés y en otras lenguas
:nodernas. A pesar de las muchas clases de amor, que en griego
:se designan como *philia* (amistad), *eros* (aspiración hacia lo que
:vale), y *epithymia* (deseo), además de *ágape*, que es la creación del
Espíritu, existe un punto de identidad en todas estas cualidades
:del amor que justifica la traducción de todos estos términos por
la palabra «amor»; y esa identidad consiste en la «urgencia
hacia la reunión de lo separado», que es la dinámica interna de
la vida. El amor en este sentido, es único e indivisible. Se ha
intentado establecer un contraste absoluto entre *ágape* y *eros*
(abarcando las otras tres clases de amor); pero el resultado fue
reducir *ágape* a un concepto moral, no sólo en relación con Dios,
sino también en relación con el hombre, y *eros* (que incluye, en
esta terminología, *philia* y *epithymia* o *libido*) quedó profanado en
una dirección simplemente sexual y privado de la posible participación en una vida sin ambigüedades. Sin embargo, una
verdad importante destaca en el contraste de *ágape* con las otras
clases de amor: *ágape* es una manifestación extática de la presencia espiritual. Sólo es posible en unión con la fe y es el estado de
ser arrastrado hacia la unidad trascendente de una vida sin
ambigüedades. Por esta razón, es independiente de las otras
cualidades del amor y es capaz de unirse a ellas, de juzgarlas y
transformarlas. El amor como *ágape* es una creación de la
presencia espiritual que supera y pasa por encima de las ambigüedades inherentes a todas las demás clases de amor.

El *ágape* tiene este poder porque al igual que la fe posee la
estructura básica del nuevo ser: el carácter receptivo, paradójico y de anticipación. En el caso de *ágape*, la primera cualidad es
evidente en su aceptación del objeto de amor sin restricciones; la
segunda cualidad se desglosa en la afirmación del *ágape* de esta
aceptación a pesar del estado alienado, profanizado y demonizado de sus objetos, y la tercera cualidad se ve en la expectación
del *ágape* del restablecimiento de la santidad, de la grandeza y
de la dignidad del objeto de amor cuando es aceptado. El *ágape*
introduce su objeto en la unidad trascendente de una vida sin
ambigüedades.

Todo esto se aplica al *ágape* como poder espiritual, co[n] anterioridad a cualquier actualización personal o social. En est[e] se equiparan el pecado y la fe como fuerzas que controlan l[a] vida. Pero existe una diferencia entre *ágape* y los otros dos (qu[e] hace que *ágape* sea, según las palabras de Pablo, más importan- tes que la fe). El *ágape* caracteriza la misma vida divina, simbólica y esencialmente. La fe caracteriza al nuevo ser en e[l] tiempo y el espacio pero no caracteriza la vida divina, y e[l] pecado sólo caracteriza al ser alienado. *Agape* es ante todo el amor que Dios tiene hacia la creatura y por la creatura hacia sí mismo. Las tres características de *ágape* deben atribuirse en primer lugar al *ágape* de Dios para con sus creaturas y luego al *ágape* de la creatura para con la creatura.

Sin embargo, esto hace que quede todavía por entender una relación, y ella no es otra que el amor de la creatura a Dios. El nuevo testamento usa la palabra *ágape* también para esta rela- ción, sin tener en cuenta los tres elementos que se dan en el *ágape* de Dios para con las creaturas y en el de las creaturas entre sí. Ninguno de estos elementos está presente en el amor del hombre por Dios. Sin embargo, el amor como tendencia hacia la reu- nión de lo separado puede aplicarse de manera más enfática al amor del hombre por Dios. Da unidad en sí mismo a todas las clases de amor y con todo es algo más que va más allá de todas ellas. Su mejor caracterización estriba en decir que en la rela- ción con Dios la distinción entre fe y amor desaparece. Ser asido por Dios en la fe y adherírsele en el amor no son dos estados en la vida de la creatura sino un solo e idéntico estado. Viene a se[r] la participación en la unidad trascendente de una vida sin ambigüedades.

B. LA MANIFESTACIÓN
DE LA PRESENCIA ESPIRITUAL
EN LA HUMANIDAD HISTÓRICA

1. EL ESPÍRITU Y EL NUEVO SER: AMBIGÜEDAD
Y FRAGMENTACIÓN

La presencia espiritual que eleva al hombre por la fe y el amor a la unidad trascendente de una vida sin ambigüedades, erige al nuevo ser por encima de la división entre esencia y existencia y consecuentemente por encima de las ambigüedades de la vida. En el capítulo precedente hemos descrito la manifestación del Espíritu divino en el espíritu humano. Ahora debemos determinar el lugar en el que se manifiesta en la humanidad histórica el nuevo ser en cuanto es la creación de la presencia espiritual. Por supuesto, esto no se puede hacer sin referencia a la dimensión histórica de la vida que ha sido reservada como la materia de la última parte de nuestro sistema: «La historia y el reino de Dios». Si bien las referencias históricas son frecuentes en todas las partes del sistema teológico, conceptos tales como revelación, providencia y el nuevo ser en Jesús como Cristo, sólo son posibles en un contexto histórico. Ahora bien, una cosa es ver los problemas teológicos en sus implicaciones históricas y otra hacer un problema teológico de la historia en cuanto historia. Mientras esto último queda reservado para su tratamiento hacia el final de nuestro sistema, la primera parte debe ya tratarse aquí tal como ya se ha venido haciendo en muchos puntos previos de la discusión.

La invasión del Espíritu divino en el espíritu humano no se da en individuos aislados sino en grupos sociales, puesto que todas las funciones del espíritu humano —la autointegración moral, la autocreación cultural y la autotrascendencia religiosa— están condicionadas por el contexto social del encuentro del yo en el tú. Se hace necesario, por tanto, mostrar la acción del Espíritu divino en esos puntos de la historia que son decisivos para su automanifestación en el interior de la humanidad.

La presencia espiritual se manifiesta en toda la historia; pero la historia en cuanto tal no es la manifestación de la presencia espiritual. Como en el espíritu del individuo, existen unas señales particulares que indican la presencia espiritual en un grupo histórico. Se da, en primer lugar, una presencia eficaz de los símbolos en la *theoria* y en la *praxis* a través de los cuales un grupo social expresa su abertura al impacto del Espíritu, y en segundo lugar, una aparición de personalidades y movimientos que luchan contra la trágicamente inevitable profanización y demonización de estos símbolos. Estas dos señales en los grupos religiosos como en los cuasi-religiosos, y en cierto sentido constituyen un solo fenómeno. Esto es así debido a que se da un forcejeo provechoso para la purificación de los símbolos que los transforma y viene a crear un nuevo grupo social.

El ejemplo más familiar de este dinamismo está en la lucha de los profetas de Israel y Judá contra la profanización y demonización de la religión de Yahvé en el desierto y la radical transformación del grupo social bajo el impacto de la presencia espiritual comunicada por los profetas. Unas evoluciones similares, especialmente movimientos radicales de purificación con su impacto sobre el grupo social, se encuentran por doquier en la humanidad histórica. La señal de la presencia espiritual no falta en ningún tiempo ni lugar. El Espíritu divino o Dios, presente en el espíritu del hombre, irrumpe en toda la historia en las experiencias reveladoras que tienen a la vez un carácter salvador y transformante. Ya hemos apuntado esto en la discusión de la revelación universal y la idea de lo santo. Ahora lo relacionamos con la doctrina del Espíritu divino y sus manifestaciones y podemos afirmar: jamás la humanidad queda abandonada a sí misma. La presencia espiritual actúa sobre ella en todo momento e irrumpe en ella en algunos momentos importantes, a los que llamamos *kairoi* históricos.

Puesto que Dios nunca abandona a su suerte a la humanidad, puesto que está siempre bajo el impacto de la presencia espiritual, existe siempre un nuevo ser en la historia. Se da siempre una participación en la unión trascendente de una vida sin ambigüedades. Pero esta participación es fragmentaria. Debemos prestar un poco de atención a este concepto; es algo absolutamente distinto a la ambigüedad. Cuando decimos «presencia espiritual» o «nuevo ser» o *ágape*, estamos apuntando a algo sin ambigüedades. Puede ser arrastrado a las realizaciones ambiguas de la vida, especialmente de la vida bajo la dimensión del espíritu. Pero en sí mismo, carece de ambigüedad. Sin embargo, es fragmentario en su manifestación en el tiempo y el espacio. La unión trascendente realizada es un concepto escatológico. El fragmento es una anticipación (como habla Pablo de la posesión fragmentaria y anticipada del Espíritu divino, de la verdad, de la visión de Dios, etc). El nuevo ser está presente fragmentaria y anticipadamente, pero en la medida en que está presente lo está sin ningún género de ambigüedad. El fragmento de una estatua rota de un dios apunta de manera inambigua al poder divino que representa. El fragmento de una plegaria que ha sido atendida eleva a la unión trascendente de una vida sin ambigüedades. El carácter fragmentario de la aceptación de un grupo del Espíritu constituye al mismo grupo, en el momento de la aceptación, en una comunidad santa. La experiencia fragmentaria de la fe y la realización fragmentaria del amor originan la participación del individuo en la unión trascendente de una vida sin ambigüedades. Esta distinción entre lo ambiguo y lo fragmentario nos hace posible prestar pleno asentimiento y una total entrega a las manifestaciones de la presencia espiritual al tiempo que permanecemos conscientes del hecho de que en los mismos actos de afirmación y entrega reaparezca la ambigüedad de la vida. La conciencia de esta situación es el criterio decisivo de una madurez religiosa. Pertenece a la cualidad del nuevo ser el que sitúe su propia actualización en el tiempo y el espacio bajo los criterios por los que juzga las ambigüedades de la vida en general. Con todo, al hacerlo así, el nuevo ser conquista (si bien fragmentariamente) las ambigüedades de la vida en el tiempo y en el espacio.

2.   LA PRESENCIA ESPIRITUAL Y LA ANTICIPACIÓN
     DEL NUEVO SER EN LAS RELIGIONES

Se podría dar, bajo este encabezamiento, toda la historia de la religión, ya que proporciona la clave con la que es posible encontrar sentido a la vida religiosa de la humanidad, cuya primera impresión es caótica. Y también se podrían encontrar muchos fenómenos cuasi-religiosos en los que es posible ver manifestaciones de la presencia espiritual. Ahora bien un tal programa sobrepasa los límites de un sistema teológico. Tan solo podemos tratar de unas cuantas manifestaciones típicas del Espíritu, e incluso éstas están sujetas a la seria limitación de que el conocimiento existencial presupone una participación. Se pueden aprender muchas cosas acerca de religiones y culturas extrañas por medio de una observación imparcial y aún más por medio de una comprensión en la misma onda de sintonía. Pero ninguno de estos senderos desemboca en la experiencia central de una religión asiática en el caso de quien haya crecido en el seno de una civilización humanista-cristiana como la occidental. Lo cual queda de manifiesto en los encuentros formales habidos entre representantes de estos dos mundos. A la vista de una aceptación popular superficial de actitudes budistas, por ejemplo, se debe prestar oído a la indicación de un gran intérprete de las ideas chinas quien tras treinta años de compartir la vida de los chinos tan solo acaba de empezar a comprender algo de su vida espiritual. La única manera auténtica de llegar a ella es mediante una participación real. Unas consideraciones tipológicas como las que siguen sólo quedan justificadas por la identidad de la dimensión del espíritu en todo ser articulado con el que es posible, por tanto, la comunicación y ante el cual se exige un encuentro interpersonal. Desde esta fuente común surgen algunas similaridades bajo la dimensión del espíritu, que hacen posible una cierta medida de participación existencial. Todas las grandes religiones tienen elementos en el conjunto de su estructura que son secundarios en unas y en cambio son los que dominan en otras. El teólogo cristiano puede comprender el misticismo oriental sólo en la medida en que haya experimentado él mismo el elemento místico del cristianismo. Pero dado que el predominio o la subordinación de uno de los elementos cambia toda la estructura, incluso esta manera limitada de comprensión por participación puede resultar engañosa. Las afirmaciones que vienen a continuación se han de saber leer teniendo en cuenta todo lo que llevamos dicho hasta aquí.

Parece como si la religión original *mana* concediera una gran importancia a la presencia espiritual en la «profundidad» de todo lo que existe. Este poder divino en todo lo que existe es invisible, misterioso y sólo se puede acceder al mismo por medio de unos ritos determinados en los que sólo están iniciados una casta particular de hombres, los sacerdotes. Esta temprana visión substancial de la presencia espiritual tiene una supervivencia, con muchas variantes, en casi todas así llamadas grandes religiones, incluso en algunas formas de los sacramentos cristianos, así como queda secularizada en la filosofía romántica de la naturaleza (en la que el éxtasis se convierte en entusiasmo estético).

Otro ejemplo es la religión de las grandes mitologías, como las que se dan en la India y en Grecia. Los poderes divinos están separados del mundo de la existencia si bien lo gobiernan, ya sea en parte, ya como un todo. Sus manifestaciones tienen un carácter extraordinario, tanto físico como psicológico. La naturaleza y la mente pasan a ser extáticos cuando la presencia espiritual se manifiesta a sí misma. La influencia de esta etapa mitológica de la experiencia espiritual sobre todas las etapas posteriores, incluyendo al cristianismo, es obvia y esta justificada por el hecho de que la experiencia de la presencia espiritual es extática. Por esta razón, todos los intentos radicales por desmitificar la religión resultan vanos. Lo que se tiene y se debe hacer es «desposeerlos de su carácter literal» para quienes puedan y sean capaces de aplicar criterios racionales al significado de los símbolos religiosos.

En la etapa mitológica de la religión (que en sí misma es el resultado de un impulso purificador que se origina en la etapa premitológica, como ya se estudió anteriormente), las fuerzas que combaten sus formas profanizadas y demonizadas aparecen y transforman la recepción de la presencia espiritual en varias direcciones. Los cultos mistéricos griegos y helenistas proporcionan un ejemplo. Lo divino les está incorporado bajo la figura concreta de un dios mistérico. Se realza más el elemento mistérico que en el politeísmo ordinario, que está mucho más abierto a la profanización extática en el destino del dios proporciona un modelo que es utilizado por el cristianismo monoteísta para expresar su experiencia de la presencia espiritual en Cristo.

La lucha contra la demonización del Espíritu aparece con toda claridad en las purificaciones dualistas de la etapa mitológica. El gran intento del dualismo religioso que se hizo primero en Persia, y luego en el maniqueísmo (culto mitridático, los cátaros y grupos similares), concentrando la potencialidad demoníaca en una figura creían liberar de esta menera a la figura divina contraria de toda contaminación demoníaca. Si bien en este sentido, no obtuvo éxito en última instancia (porque aceptaba una división en el fondo creador del ser), su influencia sobre religiones monoteístas tales como el judaísmo posterior y el cristianismo fue y todavía es muy grande. La congoja por la demonización de la presencia espiritual queda expresada en el miedo de Satanás «y de todas sus obras» (el voto del bautismo y de la confirmación) y en el hecho de que el lenguaje cristiano clásico tiene abundancia de símbolos dualistas aún hoy.

Los dos ejemplos más importantes de la experiencia de la presencia espiritual son el misticismo, lo mismo el asiático que el europeo, y el monoteísmo exclusivista del judaísmo y de las religiones que tienen en él su fundamento.

El misticismo experimenta la presencia espiritual como por encima de sus vehículos concretos, que caracterizan la etapa mitológica, y sus varias transformaciones. Tanto las figuras divinas como las realidades concretas —personales, comunitarias y apersonales— con las que las figuras divinas entran en la realidad temporal y espacial pierden su significación última, a pesar del hecho de que conservan con frecuencia una importancia primaria como gradaciones en un ascenso espiritual hacia lo último. Pero la presencia espiritual sólo se experimenta con plenitud cuando quedan atrás esas gradaciones y el éxtasis se apodera de la mente. En este sentido radical, el misticismo trasciende toda incorporación concreta de lo divino al trascender el esquema sujeto-objeto de la estructura finita del hombre, pero por esta misma razón, está en peligro de aniquilar el yo centrado, el sujeto de la experiencia extática del Espíritu. Es aquí donde se hace más difícil la comunicación entre Oriente y Occidente, al afirmar el Oriente un «yo sin formas» como meta de toda vida religiosa, y al intentar el Occidente (incluso en el misticismo cristiano) preservar en la experiencia extática los sujetos de la fe y el amor: la personalidad y la comunidad.

Esta actitud está enraizada en la manera como los profetas luchan contra la profanización y demonización de la presencia espiritual en la religión sacerdotal de su tiempo. En la religión del antiguo testamento el Espíritu divino no elimina los yo centrados y sus encuentros, pero sí los sublima en estados de mente que trascienden sus posibilidades ordinarias y que no son producidos por su esfuerzo o buena voluntad. El Espíritu los toma y los conduce a las alturas del poder profético.

Esta actitud para con la personalidad y la comunidad (y por consiguiente, en contraste con las religiones místicas, para con el pecado y el perdón) está enraizada en el hecho de que para la religión profética la presencia espiritual es la presencia del Dios de la humanidad y de la justicia. El relato del conflicto entre el profeta Elías y los sacerdotes de Baal cobra un gran significado al respecto, ya que muestra distintas clases de éxtasis. El éxtasis producido por la presencia del espíritu de Baal en las mentes y en los cuerpos de sus sacerdotes está conectado con la autointoxicación y la automutilación, mientras que el éxtasis de Elías es el de un encuentro de persona a persona en la plegaria que trasciende ciertamente las experiencias ordinarias en intensidad y en eficacia pero que ni extingue ni desintegra el centro personal del profeta y no produce intoxicación física. En todas sus partes el antiguo testamento sigue esta línea. No se da una presencia espiritual pura allí donde no se da la justicia y la humanidad. Sin ellas —y este es el juicio que hacen los profetas contra su propia religión— lo que se da es una presencia espiritual demonizada o profanizada. Este juicio se recoge en el nuevo testamento y reaparece en la historia de la iglesia en todos los movimientos de purificación, entre los que se ha de contar la Reforma protestante.

3. LA PRESENCIA ESPIRITUAL EN JESÚS COMO CRISTO: CRISTOLOGÍA DEL ESPÍRITU

El Espíritu divino estaba presente en Jesús como Cristo sin distorsión. En él el nuevo ser apareció como el criterio de todas las experiencias espirituales del pasado y del futuro. Aunque sometido a las condiciones individuales y sociales su espíritu humano estaba asido enteramente por la presencia espiritual; su espíritu estaba «poseído» por el Espíritu divino, o empleando otra metáfora, «Dios estaba en él». Y esto es lo que hace que sea el Cristo, la incorporación decisiva del nuevo ser para la humanidad histórica. Si bien el problema cristológico fue el tema central de la tercera parte de este sistema teológico, el mismo problema se presenta en todas partes y, en conexión con la doctrina del Espíritu divino, hemos de añadir necesariamente algunas aclaraciones más a las primeras afirmaciones cristológicas.

Los relatos sinópticos muestran que la más primitiva tradición cristiana estaba determinada por una cristología del Espíritu. Según esta tradición, Jesús fue asido por el Espíritu en el momento de su bautismo. Este acontecimiento le confirmó como el elegido «Hijo de Dios». Las experiencias extáticas aparecen repetidamente en los relatos evangélicos. Nos muestran que es la presencia espiritual la que conduce a Jesús al desierto, llevándole a través de las experiencias visionarias de las tentaciones, dándole el poder de adivinación con respecto a las personas y a los acontecimientos, y haciéndole el conquistador de los poderes demoníacos y el que transmite la salud de la mente y del cuerpo. El Espíritu es la fuerza que está tras la experiencia extática del monte de la transfiguración. Y es el Espíritu el que le da la certeza acerca del momento oportuno, el *kairós*, para actuar y sufrir. Como consecuencia de esta manera de entender las cosas, se suscitó la cuestión de cómo el Espíritu divino pudo encontrar un recipiente en el que poderse derramar tan plenamente, y la respuesta llegó bajo la forma del relato del nacimiento de Jesús por obra del Espíritu divino. Este relato quedaba justificado por la intuición del nivel psico-somático en el que actúa la presencia espiritual y la legítima conclusión de que debía haber habido una predisposición teleológica en Jesús para llegar a ser el portador del Espíritu sin ningún género de limitaciones. Sin embargo, esta conclusión, no requiere necesariamente una aceptación de esta leyenda semi-doceta, que priva a Jesús de su plena humanidad al excluir de su concepción a un padre humano. La doctrina de la unidad multidimensional de la vida da una respuesta al problema de la base psico-somática del portador del Espíritu sin una tal ambigüedad.

Pasemos ahora a considerar la fe y el amor —las dos manifestaciones de la presencia espiritual— y su unidad en la unión trascendente de una vida sin ambigüedades en relación con la aparición de Jesús como Cristo. El amor autosacrificial de Cristo es el centro de los evangelios así como de sus interpretaciones apostólicas. Este centro es el principio del *ágape* incorporado a su ser y que a partir del mismo se irradia a un mundo en el que el *ágape* era y es conocido solamente en expresiones ambiguas. El testimonio del nuevo testamento y la afirmación de los grandes teólogos en la historia de la iglesia coinciden a este respecto, a pesar de muchas veriedades en su interpretación.

Tanto en la literatura bíblica como en la teología posterior son raras las referencias a la fe de Jesús, si bien no están ausentes del todo. La razón tal vez la podemos encontrar en que el término «fe» incluye un elemento de «a pesar de» que no se podía aplicar a quien como Hijo está en comunicación constante con el Padre. Por supuesto, este matiz quedaba reforzado por el Logos de la cristología y sus presupuestos en la cristología de Pablo. Expresiones como las de «yo creo, ayuda mi incredulidad» no se podrían poner en boca del Logos-encarnado. Ni tampoco se le podían aplicar descripciones más recientes de la fe

—tales como un salto, un acto de valentía, un riesgo, como algo que abarca al mismo tiempo su contenido y la duda acerca del mismo— ya que el mismo nos dice que el Padre y él son uno. Pero debemos preguntar si esto no implica una tendencia en la historia de la iglesia a la que podríamos llamar «cripto-monofisita» y que corre el riesgo de privar a Jesús de su verdadera humanidad. Este problema existe incluso en el protestantismo, en donde el peligro monofisita queda sustancialmente disminuido por el énfasis de los reformadores acerca del «Cristo humilde» y la imagen del «siervo de dolores». Pero el significado de la fe en el protestantismo viene determinado por la doctrina de la «justificación por medio de la fe por la gracia», e incluye la paradoja de la aceptación como justo de quien es injusto —el perdón de los pecados. En este sentido, ciertamente que no se puede aplicar la fe a Cristo. No se puede atribuir a Cristo la paradoja de la fe, porque el mismo Cristo es la paradoja.

El problema se puede resolver con los términos de la definición básica de la fe como el estado de ser asido por la presencia espiritual y por medio de ella por la unión trascendente de una vida sin ambigüedades. Hemos visto también que la fe en este sentido es una realidad espiritual por encima de su realización en quienes la tienen. La fe de Cristo es el estado de ser asido sin ambigüedades por la presencia espiritual.

Llegados a este punto resulta obvia la más importante implicación de nuestra distinción entre lo ambiguo y lo fragmentario. Hace que resulte comprensible la fe de Cristo. La descripción dinámica de esta fe que recibimos en los relatos evangélicos expresa el carácter fragmentario de su fe, mientras que los elementos de lucha, de agotamiento —incluso el desespero— aparecen frecuentemente. Con todo, esto jamás conduce a la profanización o demonización de su fe. El Espíritu jamás le abandona; el poder de la unión trascendente de la vida sin ambigüedades siempre le hace recuperarse. Si llamamos a esto «la fe de Cristo», puede usarse la palabra «fe», si bien queda cualificada esencialmente por su carácter inambiguo. La palabra «fe» no se puede aplicar a Cristo, a menos que se tome en su significado bíblico de una realidad espiritual en sí misma. Solamente en el caso de que se preserve este significado podemos hablar con propiedad de «la fe de Cristo», al igual que se habla del «amor de Cristo», —calificando así tanto la fe como el amor con las palabras «de Cristo».

La cristología del Espíritu de los evangelios sinópticos tiene otras dos implicaciones teológicas. Una es la afirmación de que no es el espíritu del hombre Jesús de Nazaret el que le hace Cristo, sino que es la presencia espiritual, Dios en él, la que posee y dirige su espíritu individual. Esta intuición nos guarda de una teología de Jesús que convierte al hombre Jesús en objeto de la fe cristiana. Esto se puede hacer en unos términos aparentemente ortodoxos, como en el pietismo, o con términos humanos, como en el liberalismo teológico. Uno y otro deforman o no tienen en cuenta el mensaje cristiano de que es Jesús *como* Cristo en quien ha aparecido el nuevo ser. Y contradice la cristología del Espíritu de Pablo que subraya que «el Señor es el Espíritu» y que nosotros no le «conocemos» de acuerdo con su existencia histórica (carne) sino tan sólo como el Espíritu que está vivo y presente. Esto salva al cristianismo del peligro de una sujeción heterónoma a un individuo en cuanto individuo. Cristo es Espíritu y no ley.

La otra inplicación de la cristología del Espíritu es que Jesús, el Cristo, es la piedra angular en el arco de las manifestaciones espirituales en la historia. El no es un acontecimiento aislado —algo, por así decirlo, caído del cielo. También aquí es el pensamiento pietista y el liberal el que niega una relación orgánica entre la aparición de Jesús y el pasado y el futuro. La cristología del Espíritu reconoce que el Espíritu divino que hizo de Jesús el Cristo está presente creativamente en toda la historia de la revelación y de la salvación, antes y después de su aparición. El acontecimiento de «Jesús como Cristo» es único pero no aislado; depende del pasado y del futuro, al igual que estos dependen de él. Es el centro cualitativo en un proceso que procede de un pasado indefinido hacia un futuro indefinido al que nosotros llamamos simbólicamente el principio y el fin de la historia.

La presencia espiritual en Cristo como centro de la historia hace posible una más plena comprensión de la manifestación del Espíritu en la historia. Los autores del nuevo testamento y la iglesia fueron conscientes de este problema y le dieron respuestas llenas de sentido. La afirmación general fue que la presencia espiritual en la historia es esencialmente la misma a la presencia espiritual en Jesús como Cristo. Dios en su automanifestación, donde quiera se dé, es el mismo Dios que se manifiesta en Cristo de manera decisiva y última. Por tanto, sus manifestaciones en cualquier momento, con anterioridad o posterioridad a Cristo, deben estar en consonancia con el encuentro con el centro de la historia. En este contexto, «anterior» no significa antes del año treinta de nuestra era, sino antes de un encuentro existencial con Jesús como Cristo —que probablemente no ocurrirá jamás de manera universal en cualquier momento de la historia. Pues aun en el caso de que todos los paganos y judíos aceptaran a Jesús como la respuesta a su pregunta última, surgirían movimientos separatistas en el seno del cristianismo, tal como siempre ha ocurrido. «Anterior» a Cristo significa «anterior a un encuentro existencial con el nuevo ser en él». La afirmación de que Jesús es el Cristo implica que el Espíritu que le hizo ser el Cristo y que se convirtió en su Espíritu (con una «E» mayúscula), estaba y está actuando en todos aquellos que han sido asidos por la presencia espiritual antes de que pudiera ser encontrado como un acontecimiento histórico. Esto ha sido expresado en la Biblia y las iglesias por el esquema de «profecía y realización». La deformación con frecuencia absurda de esta idea en el literalismo primitivo y teológico no debe privarnos de percibir su verdad, que es la afirmación de que el Espíritu que creó a Cristo dentro de Jesús es el mismo Espíritu que preparó y continúa preparando a la humanidad para el encuentro con el nuevo ser en él. En el capítulo precedente ya se ha descrito de manera positiva y crítica cómo ocurre. Aquella descripción es válida también para quienes directa o indirectamente están bajo la influencia de un encuentro existencial con el nuevo ser en Jesús como Cristo. Se da siempre una situación de ser asido por la presencia espiritual, a la que sigue la profanización y demonización en el proceso de recepción y actualización y la protesta y renovación proféticas.

Sin embargo, desde los tiempos bíblicos, se han suscitado serias discusiones teológicas con respecto a la relación exacta del Espíritu de Jesús como Cristo y el Espíritu que actúa en quienes son asidos por la presencia espiritual una vez que ésta les ha sido manifestada. Esta cuestión se discute en el cuarto evangelio en la forma del anuncio de Jesús con respecto a la venida del Espíritu santo como «consolador». La cuestión estaba ligada a ser suscitada después de que la cristología del Espíritu hubiera

sido sustituida por la cristología del Logos en el cuarto evangelio. La respuesta tiene dos aspectos y desde entonces ha determinado la actitud de la iglesia: tras el retorno del Logos-encarnado al Padre, el Espíritu ocupará su lugar y revelará la implicación de su aparición. En la economía divina, el Espíritu sigue al
Hijo, pero en esencia, el Hijo *es* el Espíritu. El Espíritu no
origina él mismo lo que revela. Toda nueva manifestación de la
presencia espiritual queda bajo el criterio de su manifestación
en Jesús como Cristo. Esto es una crítica de la pretensión de las
viejas y nuevas teologías del Espíritu que enseñan que la obra
reveladora del Espíritu trasciende cualitativamente la de Cristo. Los montanistas, los franciscanos radicales y los anabaptistas
son ejemplos de esta actitud. Las «teologías de la experiencia»
en nuestro tiempo pertenecen a la misma línea de pensamiento.
Para ellas una experiencia religiosa progresiva, tal vez con los
términos de una amalgama de las religiones del mundo, irá
cualitativamente más allá de Jesús como Cristo —y no sólo
cuantitativamente, como reconoce el cuarto evangelio. Obviamente, la realización de una tal expectación destruiría el carácter de Cristo que tiene Jesús. Más de una manifestación de la
presencia espiritual pretendiendo ultimidad negaría el concepto
mismo de ultimidad; perpetuarían en su lugar la división
demoníaca de la conciencia.

Otra faceta del mismo problema aparece en la discusión
entre las iglesias de Oriente acerca de la así llamada *processio* del
Espíritu de Dios Padre y de Dios Hijo. La iglesia oriental afirmó
que el Espíritu procede del Padre solo, mientras que la iglesia
occidental insistía en la procesión del Espíritu del Padre *y* del
Hijo *(filioque)*. En su forma escolástica esta discusión nos parece
completamente vacía y absurda y se nos hace difícil comprender
cómo pudo ser tomada tan en serio hasta el punto de que
contribuyera al cisma final entre Roma y las iglesias orientales.
Pero si la despojamos de su forma escolástica, la discusión tiene
un profundo significado. Cuando la iglesia oriental afirmaba
que el Espíritu procede del Padre solo, dejaba abierta la posibilidad de un misticismo teocéntrico directo (por supuesto, un
«misticismo bautizado»). Por el contrario, cuando la iglesia de
Occidente insistía en aplicar el criterio cristocéntrico a toda la
piedad cristiana; y puesto que la aplicación de este criterio es la
prerrogativa del papa como «vicario de Cristo», la iglesia

romana se volvió menos flexible y más legalista que las iglesias orientales. En Roma la libertad del Espíritu queda limitada por el derecho canónico. La presencia espiritual queda circunscrita legalmente. Ciertamente, no era esa la intención del autor del cuarto evangelio cuando nos transmitió el anuncio de Jesús acerca de la venida del Espíritu que nos llevará hasta la verdad total.

4. LA PRESENCIA ESPIRITUAL Y EL NUEVO SER EN LA COMUNIDAD ESPIRITUAL

a) *El nuevo ser en Jesús como Cristo y en la comunidad espiritual*

Tal como ya subrayamos en la parte cristológica del sistema, Cristo no sería el Cristo sin aquellos que le aceptan como tal. No habría podido aportar la nueva realidad sin aquellos que han aceptado la nueva realidad en él y a partir de él. Por tanto, la creatividad de la presencia espiritual en la humanidad se debe ver bajo un triple aspecto: en la humanidad en su conjunto como preparación para la manifestación central del Espíritu divino, en la misma manifestación central del Espíritu divino, y en la manifestación de la comunidad espiritual bajo el impacto creativo del acontecimiento central. No empleamos la palabra «iglesia» para designar la comunidad espiritual, ya que se ha empleado esta misma palabra, por necesidad, en el entretejido de las ambigüedades de la religión. En este momento, más bien hablamos de aquello que es capaz de conquistar las ambigüedades de la religión —el nuevo ser— en su anticipación, en su aparición central y en su recepción. Palabras tales como «cuerpo de Cristo», «asamblea *(ecclesia)* de Dios» o «de Cristo», expresan la vida sin ambigüedades creada por la presencia divina, en un sentido similar al que tiene el término «comunidad espiritual». Su relación con lo que llamamos «Iglesia» o «iglesia» en una terminología más bien equívoca será objeto de una posterior discusión.

La comunidad espiritual no ofrece ambigüedades; consiste en el nuevo ser, creado por la presencia espiritual. Con todo, a pesar de ser la manifestación de una vida sin ambigüedades, no deja de ser fragmentaria, como fue la manifestación de una vida sin ambigüedades en Cristo y en quienes aguardaban su llegada. La comunidad espiritual es una creación del Espíritu divino que aun siendo fragmentaria no ofrece ambigüedad. En este contexto, «fragmentario» es lo mismo que decir que aparece bajo las condiciones de finitud pero superando la alienación y la ambigüedad.

La comunidad espiritual también es espiritual en el sentido en el que Lutero emplea frecuentemente la palabra, o sea, «invisible», «oculta», «abierta a la fe sola», pero con todo real, inasequiblemente real. Esto guarda analogía con la presencia oculta del nuevo ser en Jesús y en quienes le sirvieron como instrumentos. A partir de la ocultación de la comunidad espiritual, se sigue su relación «dialéctica» (tanto de identidad como de no identidad) con las iglesias, así como la relación dialéctica de Jesús y el Cristo y partiendo de un caso similar, de la historia de la religión y la revelación se deriva también de la misma ocultación. En los tres casos sólo los «ojos de la fe» ven lo oculto o espiritual, y los «ojos de la fe» son una creación del Espíritu: sólo el Espíritu puede discernir al Espíritu.

La relación del nuevo ser en Cristo con el nuevo ser en la comunidad espiritual queda simbolizada en varios de los relatos centrales del nuevo testamento. El primero y el más significativo por lo que respecta al significado de «Cristo», es también el más significativo con respecto a la relación de Cristo con la comunidad espiritual. Se trata del relato de la confesión de Pedro en Cesarea de Filipos de que Jesús es el Cristo así como la respuesta de Jesús de que su reconocimiento como Cristo es obra de Dios; no se puede admitir que este reconocimiento sea el resultado de una experiencia ordinaria sino del impacto de la presencia espiritual. Es el Espíritu quien toma posesión de Pedro y le capacita para que su espíritu reconozca al Espíritu en Jesús, ese mismo Espíritu que le hace ser el Cristo. Este reconocimiento es la base de la comunidad espiritual contra la que no tienen ningún poder las fuerzas demoníacas y que están representadas por Pedro y los otros discípulos. Podemos decir por tanto: así como Cristo no es el Cristo sin aquellos que le aceptan como tal, de la misma manera la comunidad espiritual no es tal a menos que esté fundamentada en el nuevo ser tal como ha aparecido en Cristo.

El relato de pentecostés pone el acento con fuerza en el carácter de la comunidad espiritual. El relato mezcla, por supuesto, elementos históricos, legendarios y mitológicos, cuya distinción y probabilidad corresponde a la investigación histórica. Ahora bien, el significado simbólico del relato en todos sus elementos cobra una importancia de primer orden para nuestros propósitos. Podemos distinguir cinco elementos de este tipo. El primero de ellos es el carácter extático de la creación de la comunidad espiritual, y esto viene a ser una confirmación de lo que ya se ha dicho acerca del carácter de la presencia espiritual, es decir, de la unidad del éxtasis y de la estructura. El relato de pentecostés es un ejemplo de esta unidad. Se trata del éxtasis con todas sus características, un éxtasis unido a la fe, al amor, a la unidad y a la universalidad, tal como indican los otros elementos del relato. A la luz del elemento extático en el relato de pentecostés debemos decir que no se puede dar una comunidad espiritual sin éxtasis.

El segundo elemento en el relato de pentecostés es la creación de una fe puesta a prueba y en peligro de destrucción por la crucifixión de aquel al que se creía el portador del nuevo ser. Si comparamos el relato de pentecostés con la narración paulina de las apariciones de Cristo resucitado, nos encontramos con que en ambos casos se trata de una experiencia extática que reafirmó a los discípulos y los liberó de un estado de incertidumbre total. Los fugitivos que se habían dispersado por Galilea no eran una manifestación de la comunidad espiritual. Sólo fueron su manifestación tras ser asidos por la presencia espiritual y reinstalados en su fe. A la luz de esta certeza que supera la duda en el relato de pentecostés, debemos decir que no se puede dar una comunidad espiritual sin la certeza de la fe.

El tercer elemento en el relato de pentecostés es la creación de un amor que se expresa a sí mismo de manera inmediata en el servicio mutuo, con preferencia de quienes están en alguna necesidad, con la inclusión de los extraños que se han incorporado al grupo de origen. A la luz de este servicio creado por el amor en el relato de pentecostés, debemos decir que sin un amor de entrega del propio yo no se puede dar una comunidad espiritual.

El cuarto elemento en el relato de pentecostés es la creación de unidad. La presencia espiritual causó la unión entre individuos, nacionalidades y tradiciones distintas y los reunió a todos en una misma comida sacramental.

El hecho de que los discípulos hablaran en su éxtasis diversas lenguas fue interpretado como la superación de la ruptura de la humanidad tal como había quedado simbolizada en el relato de la torre de Babel. A la luz de la unidad que aparece en el relato de pentecostés, debemos decir que sin la reunión última de todos los miembros extraños de la humanidad no se puede dar una comunidad espiritual.

El quinto elemento en el relato de pentecostés es la creación de universalidad, expresada en la tendencia misionera de quienes fueron asidos por la presencia espiritual. Era imposible que no comunicaran a todos el mensaje de lo que les había ocurrido, ya que el nuevo ser no sería tal si en él no quedaran incluidas la humanidad como un todo y aun el mismo universo. A la luz del elemento de universalidad en el relato de pentecostés debemos decir que no se da una comunidad espiritual sin abertura a todos los individuos, grupos y cosas con tendencia a que todos ellos sean asumidos.

Todos estos elementos que volverán a reaparecer en nuestro estudio como las señales de la comunidad espiritual son una derivación de la imagen de Jesús como Cristo y del nuevo ser que se manifiesta en él. Todo ello queda expresado simbólicamente con la imagen de la comunidad espiritual como su cuerpo y él como su cabeza. Con otro tipo de simbolismo más psicológico, se expresa en la imagen de él como esposo y de la comunidad espiritual como esposa. Si se emplea un simbolismo ético se le presenta con la imagen de Señor de la comunidad espiritual. Todas estas imágenes indican, tal como ya hemos advertido, que el Espíritu divino es el Espíritu de Jesús como Cristo y que el Cristo es el criterio al que se debe someter toda pretensión espiritual.

b)   *La comunidad espiritual en sus etapas latentes y manifiestas*

La comunidad espiritual viene determinada por la aparición de Jesús como Cristo, si bien no se identifica con las iglesias cristianas. Y aquí surge la pregunta: ¿cuál es la relación de la comunidad espiritual con las múltiples comunidades religiosas de la historia de la religión? Esta pregunta reformula nuestra discusión acerca del problema de la revelación universal y final y la de la presencia espiritual en el período que precede a la manifestación central del nuevo ser. Sin embargo, en nuestro contexto, tratamos de dar con la aparición de la comunidad espiritual en el período preparatorio e implicamos, por tanto, que allí donde se da el impacto de la presencia espiritual y por consiguiente la revelación (y la salvación) allí se debe dar también la comunidad espiritual. Si, por otro lado, la aparición de Cristo es la manifestación central del Espíritu divino, la aparición de la comunidad espiritual en el período preparatorio debe ser distinta a la del período de aceptación. Sugiero describir esta diferencia como la que se da entre la ocultación y manifestación de la comunidad espiritual.

He empleado durante muchos años esta expresión de iglesia «latente» y «manifiesta» y tan pronto ha sido aceptada como rechazada. Se la confundía algunas veces con la distinción clásica entre iglesia visible e invisible. Pero ambas distinciones fallan. Esta calificación de visible e invisible se debe aplicar a la iglesia tanto en su ocultación como en su manifestación. La distinción que aquí sugiero entre la comunidad espiritual y las iglesias puede resultar una ayuda para evitar las posibles confusiones entre ocultación e invisibilidad. Es la comunidad espiritual la que está latente con anterioridad a un encuentro con la revelación central y la que se manifiesta tras un encuentro de este tipo. Este «antes» y «después» tiene un doble significado. Indica el acontecimiento histórico mundial, el «*kairós* básico» que ha establecido el centro de la historia de una vez para siempre, y guarda referencia con todos los *kairoi* que se dan constantemente y que derivan unos de otros y en los que un grupo religioso cultural tiene un encuentro existencial con el acontecimiento central. «Antes» y «después» en conexión con la ocultación y manifestación de la comunidad espiritual guarda relación directa con el segundo sentido de las palabras y sólo guarda una relación indirecta con el primero.

La ocasión concreta para la distinción entre la iglesia latente y manifiesta se presenta cuando se encuentran grupos al margen de las iglesias organizadas y que muestran así de manera impresionante la fuerza del nuevo ser. Se dan casos como el de asociaciones de jóvenes, grupos de amistad, movimientos educativos, artísticos y políticos e incluso, más frecuentemente, de individuos aislados sin relación entre sí, pero en quienes se nota el impacto que la presencia espiritual causa en ellos, a pesar de ser todos ellos indiferentes u hostiles a todas las expresiones explícitas de religión. No pertenecen a una iglesia pero no por eso quedan excluidos de la comunidad espiritual. No se puede negar esto si se presta atención a las muchas maneras de profanización y demonización de la presencia espiritual en esos grupos —las iglesias— que pretenden ser la comunidad espiritual. Es cierto que las iglesias no quedan exluidas de la comunidad espiritual ni son tampoco sus enemigos seculares. Las iglesias representan a la comunidad espiritual en su autoexpresión religiosa manifiesta, al paso que los demás representan a la comunidad espiritual en su ocultación secular. El término «latente» abarca un elemento negativo y otro positivo. Un estado latente es un estado que en parte es acto y en parte potencia; no se puede llamar estado latente al que existe sólo en potencia, como por ejemplo, la aceptación de Jesús como Cristo por parte de aquellos que aún no le han encontrado. En el estado latente se dan unos elementos que son actuales y otros que no lo son. Y eso es precisamente lo que caracteriza a la comunidad espiritual en estado latente. Se da el impacto de la presencia espiritual en la fe y el amor; pero hace falta el criterio último de la fe y del amor, la unión trascendente de una vida sin ambigüedades tal como se manifiesta en la fe y en el amor de Cristo. Por tanto, la comunidad espiritual en su estado latente queda abierta a la profanización y demonización sin un último principio de resistencia, mientras que la comunidad espiritual organizada como iglesia posee en sí misma el principio de resistencia y es capaz de aplicarlo de manera autocrítica, tal como se da en los movimientos proféticos y en la Reforma.

Precisamente fue el estado latente de la comunidad espiritual bajo el velo del humanismo cristiano el que llevó a este concepto del estado latente si bien este mismo concepto mostró gozar de una mayor amplitud. Se podría aplicar a toda la historia de la religión (que en la mayoría de casos se identifica con la historia de la cultura).

Se da una comunidad espiritual latente en la asamblea del pueblo de Israel, en las escuelas proféticas, en la comunidad del templo, en las sinagogas de Palestina y de la diáspora así como en las sinagogas del medioevo y en las modernas. Se da una comunidad espiritual en las devotas comunidades islámicas, en las mezquitas y en las escuelas teológicas y en los movimientos místicos del Islam. Se da una comunidad espiritual en las comunidades adoradoras de los grandes dioses mitológicos, en los grupos sacerdotales esotéricos, en los cultos mistéricos del mundo antiguo posterior y en las comunidades semicientíficas y semirituales de las escuelas griegas filosóficas. Se da una comunidad espiritual latente en el misticismo clásico de Asia y Europa y en los grupos monásticos y semi-monásticos a los que dieron origen las religiones místicas. El impacto de la presencia espiritual y por ende de la comunidad espiritual está presente en todos ellos y en otros muchos más. Se dan unos elementos de fe en el sentido de ser asidos por una preocupación última, y se dan elementos de amor en el sentido de una reunión trascendente de lo separado. Con todo, aún está latente en todos ellos la comunidad espiritual. El criterio último, la fe y el amor de Cristo, no se ha presentado a tales grupos —tanto si existieron antes como después de los años comprendidos entre el uno y el treinta. Y como consecuencia de su carencia de este criterio, tales grupos son incapaces de actualizar una autonegación y una autotransformación radical tal como se hace presente como realidad y símbolo en la cruz de Cristo. Ello quiere decir que teológicamente guardan relación con la comunidad espiritual en su manifestación; se ven dirigidos inconscientemente hacia Cristo, aun en el caso de que lo rechacen cuando les es transmitido a través de la predicación y de los actos de las iglesias cristianas. En esta su oposición a este tipo de aparición pueden ser mejores representantes, por lo menos en algunos aspectos, de la comunidad espiritual. Se pueden convertir en crítica viva de las iglesias en nombre de la comunidad espiritual, y esto es verdad incluso de movimientos tan antirreligiosos y anticristianos como el comunismo mundial. Ni siquiera el comunismo podría vivir si estuviera desprovisto de todos los elementos de la comunidad espiritual. Aun el comunismo mundial guarda una relación teológica con la comunidad espiritual.

Es de la máxima importancia para la práctica del ministerio cristiano, de manera especial en sus actividades misioneras tanto si se desarrollan en un ambiente de cultura cristiana como no cristiana, el considerar a los paganos, a los humanistas y a los judíos como miembros de la comunidad espiritual latente y no como si fueran extraños por completo a la comunidad espiritual a la que se les invita a entrar desde fuera. Esta manera de ver es como un arma poderosa dirigida contra la arrogancia eclesiástica y jerárquica.

c) *Las señales de la comunidad espiritual*

La comunidad espiritual, ya sea latente o manifiesta, es la comunidad del nuevo ser y su creador es el Espíritu divino tal como se manifiesta en el nuevo ser en Jesús como Cristo y es este su origen el que determina su carácter: la comunidad de la fe y del amor. Las diversas cualidades inherentes a su carácter reclaman una atención especial por sí mismas y también porque proporcionan los criterios para describir y juzgar a las iglesias, ya que las iglesias son al mismo tiempo la realización y la deformación de la comunidad espiritual.

En cuanto comunidad del nuevo ser la comunidad espiritual es una comunidad de fe. El término «comunidad de fe» indica la tensión que se da entre la fe de un solo miembro y la fe de toda la comunidad. Es propio de la naturaleza de la comunidad espiritual que esta tensión no desemboque en una ruptura (tal como ocurre en las iglesias). La presencia espiritual que se apodera del individuo en el acto de fe trasciende las condiciones, creencias y expresiones de fe individuales. Así se une con Dios que puede asir de los hombres a través de todas estas condiciones pero sin quedar condicionado a ninguna de ellas. La comunidad espiritual abarca una variedad indefinida de expresiones de fe sin excluir a ninguna. Está abierta a todas las direcciones porque se basa en la manifestación central de la presencia espiritual. Se trata, pues, de la fe que salva el abismo infinito entre lo infinito y lo finito; en todo momento, es fragmentaria, una anticipación parcial de la unión trascendente de la vida sin ambigüedades. Lo inambiguo en sí mismo, es el criterio para la fe de las iglesias, que supera sus ambigüedades. La comunidad espiritual es santa, y participa por la fe en la santidad de la vida divina; y transmite santidad a las comunidades religiosas, es decir, a las iglesias, de las que constituye su esencia espiritual.

En cuanto comunidad del nuevo ser, la comunidad espiritual es una comunidad de amor. Dado que la comunidad espiritual comprende la tensión entre la fe de los individuos miembros, con su indefinida variedad de experiencias, y la fe de la comunidad, así también comprende la tensión entre la variedad indefinida de las relaciones de amor y el *ágape* que une al ser con el ser en la unión trascendente de una vida sin ambigüedades. Y dado que la variedad de condiciones de la fe no desemboca en ruptura con la fe de la comunidad, así también la variedad de las relaciones de amor no impide que el *ágape* pueda unir los centros separados en la unión trascendente de una vida sin ambigüedades. Con todo, se trata de un amor multidimensional, fragmentario si se tiene en cuenta la separación existente entre todas las cosas en el tiempo y el espacio, pero al mismo tiempo es una anticipación de la unión perfecta en la vida eterna. En cuanto tal es el criterio del amor en el seno de las iglesias, y que en su esencia carece de toda ambigüedad, que supera toda clase de ambigüedades. La comunidad espiritual es santa, y participa por el amor de la santidad de la vida divina, y transmite santidad a las comunidades religiosas —las iglesias— de las que se constituye en la invisible esencia espiritual.

La unidad y universalidad de la comunidad espiritual se deriva de su carácter de comunidad de fe y amor. Su unidad pone de manifiesto el hecho de que la tensión existente entre la idefinida variedad de las condiciones de fe desemboca en una ruptura con la fe de la comunidad. La comunidad espiritual puede superar las diversidades de las estructuras psicológicas y sociológicas, de los progresos históricos y de las preferencias por los símbolos y las formas devocionales y doctrinales. Esta unidad se produce en medio de tensiones que no llevan a la ruptura. Es fragmentaria y anticipada debido a limitaciones de tiempo y espacio, todo menos ambigua, y por tanto, el criterio para la unidad de los grupos religiosos, las iglesias, de las que la comunidad espiritual se constituye en su invisible esencia espiritual. Esta unidad es otra expresión de la santidad de la comunidad espiritual, que participa de la santidad de la vida divina.

La universalidad de la comunidad espiritual pone de manifiesto el hecho de que la tensión existente entre la variedad indefinida de las relaciones de amor y el *ágape* que une al ser con el ser en la unión trascendente de una vida sin ambigüedades no desemboca en una ruptura entre sí. La comunidad espiritual puede superar la diversidad de las cualidades de amor. No se crea un conflicto en ella entre *ágape* y *eros*, entre *ágape* y *philia*, entre *ágape* y *libido*. Se producen tensiones, tal como ocurre implícitamente en todo proceso dinámico. La dinámica propia de toda vida, incluida la vida sin ambigüedades de la unión transcendente, implica tensiones, que pasan a ser conflictivas tan sólo en la alienación de la vida ambigua. No sólo el mismo *ágape* va unido, en la comunidad espiritual, a las otras cualidades del amor, sino que al mismo tiempo es factor de unidad entre ellas. En consecuencia, la inmensa diversidad de seres con respecto al sexo, edad, raza, nación, tradición y carácter —tanto tipológica como individual— no es un impedimento para su participación en la comunidad espiritual. La afirmación figurativa de que todos los hombres son hijos del mismo padre no es incorrecta, pero puede resonar como hueca pues sugiere simple potencialidad. La verdadera cuestión es la de si, a pesar de la alienación existencial de los hijos de Dios del mismo Dios y de los demás, aún sigue siendo posible la participación en una unión trascendente. A esta cuestión se le da respuesta en la comunidad espiritual y mediante la acción del *ágape* como manifestación del Espíritu en la misma comunidad.

Tal como sucede con la fe, el amor y la unidad en la comunidad espiritual, también su cualidad de universalidad carece de ambigüedad, si bien es fragmentaria y anticipadora. Los límites de finitud restringen la universalidad real en cualquier momento de tiempo y en cualquier punto del espacio. La comunidad espiritual no es el reino de Dios en su plenitud última. Está presente en las comunidades religiosas como su esencia espiritual invisible y como criterio de su vida ambigua. Sin embargo la comunidad espiritual es santa, porque participa a través de su universalidad en la santidad de la vida divina.

d) *La comunidad espiritual y la unidad de religión, cultura y moralidad*

La unión trascendente de una vida sin ambigüedades, en la que participa la comunidad espiritual, incluye la unidad de las tres funciones de la vida bajo la dimensión del espíritu —la religión, la cultura, y la moralidad. Esta unidad está preformada en la naturaleza esencial del hombre, rota bajo las condiciones de existencia y recreada por la presencia espiritual en la comunidad espiritual en cuanto pugna con las ambigüedades de la vida en los grupos religiosos y seculares.

En la comunidad espiritual no se da ningún tipo de religión como función especial. De los dos conceptos de religión, estricto y amplio, el primero no se aplica a la comunidad espiritual, ya que todos los actos de la vida espiritual del hombre están asidos por la presencia espiritual. Empleando terminología bíblica: no hay templo en la plenitud del reino de Dios, pues «¡ahora ya definitivamente Dios tiene su morada entre los hombres! El habitará en medio de ellos, ellos serán su pueblo, y el mismo Dios estará con ellos». La presencia espiritual, creadora de la comunidad espiritual no crea una entidad separada en términos de que se haya de recibir y manifestar, sino que más bien penetra toda la realidad, todo tipo de funciones y situaciones. Es la «profundidad» de todas las creaciones culturales y las coloca en una relación vertical con su fondo y finalidad últimas. En la comunidad espiritual no existen símbolos religiosos puesto que toda la realidad dada es en su totalidad un símbolo de la presencia espiritual, ni se dan actos religiosos debido a que todo acto es un acto de autotrascendencia. Así pues, la relación esencial entre religión y cultura —pues «la cultura es la forma de la religión y ésta la substancia de la cultura»— se realiza en la comunidad espiritual. Si bien carece de ambigüedad, posee sin embargo su propio dinamismo y sus propias tensiones; de esta manera, al igual que el resto de características de la comunidad espiritual, es fragmentaria y anticipadora. La visión bíblica de una ciudad santa sin templo es la visión de una plenitud última; pero en cuanto tal es también una descripción de la comunidad santa en su anticipación y en su realización fragmentaria. El proceso temporal y el campo limitado de la conciencia impiden la inherencia mutua universal de la creación cultural y de la autotrascendencia. No se puede esquivar la prevalencia alternativa de la una o de la otra, pero esta disparidad espacial y temporal no hace necesaria una exclusión mutua de carácter cualitativo. Una tal exclusión se da en la separación de la religión de la cultura y en las consecuentes ambigüedades de la vida religiosa y cultural. La unión, sin ambigüedades, aunque fragmentaria, de la religión y la cultura en la comunidad espiritual es el criterio de las comunidades religiosas y culturales y del poder escondido en ellas que pugna contra la separación y la ambigüedad.

Si bien la religión en su sentido más restringido está ausente de la comunidad espiritual, en su sentido más amplio va unida a la moralidad sin ambigüedad de ningún tipo. Hemos definido la moral como la que constituye a la persona como persona en su encuentro con otra persona. Si bien la religión en su sentido más estricto está separada de la moral, ambas se ven obligadas a defender su mutua independencia: la moral debe defender su carácter autónomo contra los mandamientos religiosos que le vienen impuestos desde fuera, tal como, por ejemplo, hizo Kant en su obra monumental, y la religión se debe defender a sí misma contra los intentos de explicarla como un apoyo iluso de la moral autónoma o como una destructiva interferencia en la misma, tal como lo hizo Schleiermacher de modo impresionante. No se da este conflicto en la comunidad espiritual. La religión en el sentido de saberse asido por la presencia espiritual presupone el propio establecerse de una persona en el acto moral —la condición de todo lo espiritual y Espiritual en el hombre. El mismo término «comunidad espiritual» apunta al carácter personal-comunitario en el que aparece el nuevo ser. No podría aparecer bajo cualquier otro carácter y se destruiría a sí mismo si impusiera unos mandamientos religiosos que resultaran extrínsecos al acto de autoconstitución moral. Esta posibilidad queda excluida de la comunidad espiritual debido a que de ella se excluye la religión en su sentido más restringuido. Por otro lado, la unidad de la religión y de la moral se expresa a sí misma en el carácter que tiene la moral en la comunidad espiritual. La moral en la comunidad espiritual es «teónoma» en un doble sentido. Si nos preguntamos por la fuente del carácter incondicional del imperativo moral, debemos dar la siguiente respuesta: el imperativo moral es incondicional porque expresa el ser esencial del hombre. Afirmar lo que somos esencialmente y obedecer al imperativo moral son un solo e idéntico acto. Pero se podría preguntar: ¿por qué se debe afirmar el propio ser esencial en lugar de destruirlo? La respuesta es que la persona toma conciencia de su valor infinito, o expresado ontológicamente, de su pertenencia a la unión trascendente de una vida sin ambigüedades, la vida divina; esta toma de conciencia se produce bajo el impacto de la presencia espiritual. El acto de fe y el acto de aceptar el caracter incondicional del imperativo moral constituyen un solo idéntico acto.

Si preguntamos cuál es la fuerza que motiva el imperativo moral la respuesta, a la luz de la comunidad espiritual, no está en la ley sino en la presencia espiritual, que, en su relación con el imperativo moral, es gracia. El acto moral, el acto de autoconstitución personal en el encuentro con otras personas, está basado en la participación en la unión trascendente, y es esta participación la que lo hace posible. Mediante su impacto espiritual, la precedente unión trascendental crea la unión real de la persona centrada consigo misma, el mundo encontrado, y el fondo del yo y del mundo. Es la cualidad de «precedente» la que caracteriza el impacto espiritual como gracia: y no hay nada que constituya la personalidad y comunidad moral excepto la unión trascendente que se manifiesta a sí misma en la comunidad espiritual como gracia. La autoconstitución de una persona como tal sin la gracia abandona a la persona a las ambigüedades de la ley. La moralidad en la comunidad espiritual viene determinada por la gracia.

Con todo, la unidad de la religión y de la moralidad conserva su carácter fragmentario, ya que tiene unos límites en el tiempo y en el espacio; y conserva también su carácter de anticipación ya que no abarca todo el campo de las relaciones interpersonales. Incluso la personalidad y la comunidad bajo la gracia, sometida al impacto de la presencia espiritual, no llega a ser la personalidad y comunidad en su plenitud. Con todo, estos son los criterios de la autoconstitución moral entre personas y grupos religiosos y seculares. La «ética del reino de Dios» es la medida de la ética en las iglesias y en la sociedad.

La unidad de la religión con la cultura y la moralidad implica la unidad entre cultura y moralidad. Esto tiene su primera aplicación en el contenido que da la cultura a la moralidad. El carácter incondicional del imperativo moral no disminuye el contenido del mismo. El contenido ético es un producto de la cultura y participa de todas las relatividades de la creatividad cultural. Su relatividad sólo tiene un límite, el acto de constitución del yo personal en el encuentro interpersonal; y esto ya nos ha llevado a un conocimiento no simplemente abstracto —al amor multidimensional que afirma al otro en un acto de reunión. En él, el imperativo moral y el contenido ético van juntos, y constituyen la moral teónoma de la comunidad espiritual. El amor está sometido a mutación constantemente al tiempo que continúa idéntico a sí mismo como amor. En la comunidad espiritual no se dan unas tablas de la ley además de la presencia espiritual, que crea el amor y que puede crear también documentos de la sabiduría del amor (como el decálogo). Pero tales documentos no son libros de ética legal. El amor decide a cada momento sobre su validez y aplicación en cada caso particular. De esta manera, la moralidad, por un lado, depende de la dinámica de la creatividad cultural y por el otro es independiente de la misma a través del amor que crea la presencia espiritual. El nuevo ser une la moralidad y la cultura mediante la participación en la unión trascendente de una vida sin ambigüedades.

Con todo, esta unidad, aun careciendo de ambigüedad, es fragmentaria y de anticipación, debido a la finitud de los individuos y de los grupos que son sus agentes morales. Cada decisión moral que viene impuesta por el Espíritu excluye otras posibles decisiones, lo cual no significa que la acción del amor sea ambigua, sino que cualquier acto de amor es fragmentario, capaz simplemente de anticipar una ultimidad —es decir, una plenitud omnienglobante. Sin embargo, esta unidad de la moralidad y de la cultura es el criterio de la situación moral-cultural en todas las comunidades religiosas y seculares. Es, al mismo tiempo, la fuerza espiritual oculta en su interior la que trata de solucionar las ambigüedades que se siguen de la separación existencial de la moralidad y de la cultura.

Al igual que la cultura presta contenido a la moralidad, la moralidad presta seriedad a la cultura. A la falta de seriedad con respecto a la creatividad cultural fue Kierkegaard el primero que le dio el nombre de «esteticismo». Se trata de una actitud distante para con las creaciones culturales que son valoradas simplemente por el gozo sin ningún tipo de *eros* por la misma creación. Esta actitud no debe confundirse con el elemento de juego en la creación y recepción cultural. El juego es una de las más características expresiones de la libertad del espíritu y en el juego libre se da una seriedad que no debe ser superada por la seriedad del trabajo obligatorio. Allí donde existe seriedad existe también la fuerza consciente o inconsciente del carácter incondicional del imperativo moral. Una cultura que pierde esta orientación en su obra creadora pierde su contenido y se autodestruye, y una moralidad que se establece a sí misma en la oposición como «retirada a la seriedad» niega su propia seriedad al autoconstituirse personal y comunitariamente en algo sin contenido, como es el caso de un moralismo desafiador de la cultura. En ambos casos, es la falta de un amor unificador lo que desata el conflicto. En la comunidad espiritual no existe un alejamiento esteticista; se da la seriedad de quienes tratan de experimentar lo último en el ser y en el significado a través de cada forma y de cada tarea cultural. La seriedad de la autointegración moral y la riqueza de la autocreación cultural están unidas en la presencia espiritual que da respuesta al matiz de autotrascendencia que se da en la cultura y en la moralidad. En la comunidad espiritual no se da el conflicto entre el gozo irresponsable de las formas y actividades culturales y la actitud de superioridad moral sobre la cultura tomada en nombre de la seriedad. Pero sí que se da aquella tensión de la que surge un tal conflicto, pues si bien existe la unidad genuina de la cultura y de la moralidad en la teonomía de la comunidad espiritual, su existencia es fragmentaria y por anticipación. Los límites de la finitud humana son un obstáculo para una seriedad omnienglobante y para un *eros* cultural del mismo tipo. Pero aún dentro de estos límites, la unidad de la seriedad moral y de la abertura cultural es el criterio para la relación de la moralidad con la cultura en todos los grupos religiosos y seculares. Es el poder espiritual que combate las ambigüedades que son consecuencia de la separación de la moralidad y de la cultura.

Esta descripción de la comunidad espiritual nos la muestra tan manifiesta y oculta como lo es el nuevo ser en todas sus expresiones. Tan manifiesta y oculta como la manifestación central del nuevo ser en Jesús como Cristo; tan manifiesta y oculta como la presencia espiritual que crea el nuevo ser en la historia de la humanidad, e indirectamente, en el universo en su conjunto. Esta es la razón por la que usamos el término «comunidad espiritual», ya que toda realidad espiritual se manifiesta en la ocultación. Está abierta sólo a la fe como el estado de ser asido por la presencia espiritual. Como hemos dicho antes: sólo el Espíritu discierne al Espíritu.

III

EL ESPÍRITU DIVINO Y LAS
AMBIGÜEDADES DE LA VIDA

A. LA PRESENCIA ESPIRITUAL
Y LAS AMBIGÜEDADES
DE LA RELIGIÓN

1. LA COMUNIDAD ESPIRITUAL, LA IGLESIA
Y LAS IGLESIAS

a) *El carácter ontológico de la comunidad espiritual*

La expresión «comunidad espiritual» se ha empleado para caracterizar con nitidez aquel elemento del concepto de iglesia al que el nuevo testamento da el nombre de «cuerpo de Cristo» y la Reforma el de «iglesia invisible o espiritual». En la discusión anterior hemos calificado alguna vez a dicho elemento como la «esencia invisible de las comunidades religiosas». Una tal afirmación implica el que la comunidad espiritual no es un grupo que existe al lado de otros sino más bien un poder y una estructura inherente y eficiente en tales grupos, o sea, en las comunidades religiosas. A tales grupos se les da el nombre de iglesias cuando están fundamentados de manera consciente en la aparición del nuevo ser en Jesús como Cristo. Si tienen otros fundamentos se les da otros nombres, como sinagogas, congregaciones del templo, grupos místéricos, grupos monásticos, grupos cúlticos, movimientos. En la medida en que están influenciados por una última preocupación, la comunidad espiritual es eficiente en su poder y estructura ocultos en todos estos grupos.

En el lenguaje del nuevo testamento, se describe así la manifestación de la comunidad espiritual en la iglesia cristiana: en el griego del nuevo testamento la iglesia es *ecclesia,* la asamblea de quienes son llamados de todas las naciones por los *apostoloi,* los mensajeros de Cristo, a la congregación de los *eleutheroi,* aquellos que se han convertido en ciudadanos libres del «reino de los cielos». Existe una «iglesia», una «asamblea de Dios» (o de Cristo), en todas las ciudades en las que ha tenido buena acogida el mensaje y ha cobrado cuerpo una *koinonia* cristiana, o comunión. Pero existe también la unidad superior de estas asambleas locales en la iglesia universal, en virtud de la cual los grupos particulares se convierten en iglesias (locales, provinciales, nacionales o, tras la división de la Iglesia universal, denominacionales). La iglesia universal, así como las iglesias particulares en ella incluidas, se ve bajo un doble aspecto como el «cuerpo de Cristo», por un lado —una realidad espiritual— y por el otro, como un grupo social de individuos cristianos. En el primer caso, reúnen todas las características que hemos atribuido a la comunidad espiritual en los capítulos precedentes; en el segundo caso, se hacen presentes todas las ambigüedades de la religión, de la cultura y de la moralidad de las que ya tratamos en su conexión con las ambigüedades de la vida en general.

Por razones de una mayor claridad semántica hemos empleado el término «comunidad espiritual» como equivalente de «la iglesia» (como el cuerpo de Cristo), evitando por completo el empleo del término «la iglesia» (con «I» mayúscula). Por supuesto que dicho término puede eliminarse del lenguaje litúrgico; pero la teología sistemática puede servirse de términos no bíblicos y no eclesiásticos si ello sirve para liberar el significado genuino de los términos tradicionales de aquellas connotaciones confusas que oscurecen su significado. Es lo mismo que hicieron los reformadores al distinguir nítidamente entre iglesia invisible y visible. También ellos tuvieron que oponerse a las peligrosas e incluso demoníacas distorsiones del verdadero significado de «iglesia» e «iglesias».

Pero con todo, no se puede negar que una nueva terminología, si bien es conveniente por un lado, por otro, puede ser la causa de nuevas confusiones. Este ha sido precisamente el caso de la distinción entre iglesia visible e invisible, y lo mismo podría ocurrir con la distinción entre la comunidad espiritual y las iglesias. En el primer caso, la confusión radica en que se interpreta la «iglesia invisible» como una realidad al lado de la iglesia visible o, con mayor precisión, al lado de las iglesias visibles. Pero en el pensamiento de los reformadores, no hubo una iglesia invisible a lo largo de las iglesias históricas. La iglesia invisible es la esencia espiritual de la iglesia visible; como todo lo espiritual, se trata de algo que está oculto, pero determina la naturaleza de la iglesia visible. De la misma manera, la comunidad espiritual no existe como una entidad al lado de las iglesias, sino que es su esencia espiritual, con eficiencia en las mismas a través de su poder, de su estructura y de su lucha contra sus ambigüedades.

A la pregunta del carácter lógico-ontológico de la comunidad espiritual se le puede dar la respuesta de que se trata de la esencialidad que determina la existencia y a la que la misma existencia ofrece resistencia. Aquí se deben soslayar dos errores. El primero es la interpretación de la comunidad espiritual como un ideal —como si fuera contra la realidad de las iglesias— o sea, como construida desde los elementos positivos en las ambigüedades de la religión y proyectada sobre la pantalla de la trascendencia. Esta imagen engendra la confianza de que las iglesias presentes progresarán hacia una aproximación de esta descripción ideal de la comunidad espiritual. Pero al mismo tiempo suscita esta pregunta: ¿qué justifica una tal confianza? O concretando más: ¿de dónde reciben las iglesias la fuerza para establecer y hacer realidad un tal ideal? La respuesta familiar es que la reciben del Espíritu divino que opera en la iglesia. Pero esta respuesta nos lleva a una nueva pregunta acerca de la manera cómo se hace presente el Espíritu divino. ¿Cómo se sirve el Espíritu de la palabra y de los sacramentos como medios de su obra creadora? ¿cómo puede originarse la fe sino por la fuerza de la fe; y el amor, sino por la fuerza del amor? La fuerza esencial debe preceder a su realización. Empleando terminología bíblica se diría que la iglesia como cuerpo de Cristo, o como templo espiritual, es la nueva creación a la que son llevados el cristiano como individuo y la iglesia particular. Esta manera de pensar resulta más extraña a nuestro tiempo de lo que fue en casi todos los períodos de la historia de la iglesia, incluidos los tiempos de la Reforma. Pero ciertamente es pensamiento bíblico, y en la medida en que las iglesias afirman que Jesús es el Cristo, el mediador del nuevo ser, es teológicamente necesario.

Queda, sin embargo, otro peligro por soslayar, una especie de platonismo o de literalismo mitológico que interpreta la comunidad espiritual como una asamblea de los así llamados seres espirituales, las jerarquías angélicas, los santos y los salvados de todos los tiempos y naciones, representados en la tierra por las jerarquías eclesiásticas y los sacramentos. Esta idea está en la línea del pensamiento de la ortodoxia griega. Sea cual fuere su verdad simbólica no es lo que hemos llamado la comunidad espiritual. La «asamblea celestial de Dios» es una réplica supranaturalista de la asamblea terrenal de Dios, la iglesia, pero no es esta cualidad en las iglesias la que las convierte en iglesias —es su espiritualidad invisible, esencial.

Esto requiere el empleo de una nueva categoría para interpretar la realidad que no es ni realista ni idealista o supranaturalista sino esencialista —una categoría que apunta al poder de lo esencial tras lo existencial y en su mismo seno. Este análisis es verdadero en todo proceso vital: en ellos, lo esencial es una de las fuerzas determinantes. Su fuerza no es causal sino directiva. Se le podría dar el nombre de teológica sino fuera que esta palabra ha sido mal empleada en el sentido de una causalidad más amplia, que por cierto debe ser rechazada tanto por la ciencia como por la filosofía. Y con todo se podría decir que la comunidad espiritual es el *telos* interno de las iglesias y que en cuanto tal es la fuente de todo aquello que las constituye en iglesias.

Esta interpretación esencialista de la comunidad espiritual puede prestar a la teología una categoría que es la más adecuada para interpretar la vida sin ambigüedades como vida eterna, ya que la vida espiritual es la vida eterna anticipada.

b) *La paradoja de las iglesias*

La paradoja de las iglesias radica en el hecho de que, por una parte, participan de las ambigüedades de la vida en general y de la vida religiosa en particular, y por otra, de la vida sin ambigüedades de la comunidad espiritual. La primera consecuencia de todo esto es que cuando se interpreta y se juzga a las iglesias se debe hacer bajo un doble aspecto. La toma de conciencia de esta necesidad ha sido expresada mediante la distinción entre iglesia visible e invisible, a la que ya nos hemos referido. En la medida en que quien emplea esta terminología es consciente de que no habla de dos iglesias sino de dos aspectos de una iglesia en el tiempo y el espacio, no sólo se hace posible sino incluso imprescindible el empleo de tales términos, ya que se hace necesario destacar el carácter invisible de la comunidad espiritual, que es la fuerza esencial en toda iglesia real. Ahora bien, si se abusara del empleo de tales términos hasta sugerir la existencia de dos iglesias distintas, el resultado viene a ser o bien una devaluación de la iglesia empírica aquí y ahora o bien la ignorancia de la iglesia invisible como un ideal sin importancia. Ambos resultados han caracterizado muchas fases de la historia del protestantismo. El primer resultado se ha presentado en ciertos tipos de movimientos del Espíritu, y el segundo en el protestantismo liberal.

Por tanto, podría ser útil hablar con un lenguaje epistemológico de los aspectos sociológicos y teológicos de la iglesia (en el sentido de cada iglesia particular en el tiempo y el espacio). Cada iglesia es una realidad sociológica y en cuanto tal está sometida a las leyes que determinan la vida de los grupos sociales con todas sus ambigüedades. Los sociólogos de la religión tienen su justificación al dirigir este tipo de investigaciones de la misma forma que los sociólogos de la ley, de las artes y de las ciencias. Todos ellos señalan acertadamente la estratificación social en el seno de las iglesias, el auge y declive de las élites, las luchas del poder, y las armas destructoras utilizadas, el conflicto entre libertad y organización, el esoterismo aristocrático en contraste con el esoterismo democrático, etc., etc. La historia de las iglesias, bajo esta luz, es una historia secular con todos los elementos desintegradores, destructivos y trágico-demoníacos que hacen la vida histórica tan ambigua como todos los demás procesos vitales. Si se mira este aspecto con exclusión del otro, se puede tratar a las iglesias de manera polémica o apologética. Si la intención es polémica (nacida con frecuencia de esperanzas indiscriminadas y los disgustos que inevitablemente se siguen), queda destacada la más bien triste realidad de las iglesias concretas y se compara esta realidad con su pretensión de encarnar la comunidad espiritual. La iglesia que está en plena calle puede quitarnos de la vista la iglesia espiritual.

Si, por el contrario, son las iglesias como realidades sociológicas las que se invocan con fines apologéticos, se las valora por

su significado social. Se las alaba como las más amplias y
eficientes agencias sociales dedicadas a mejorar una vida buena.
Se pide a la gente que se apunten a las iglesias, por lo menos en
período de prueba, para lograr, por ejemplo, una seguridad
psicológica, y para participar en la misma tarea de ayudar a los
demás en la obtención de la misma finalidad. Bajo esta luz, la
historia de las iglesias se identifica con la historia del progreso de
la humanidad. Por descontado que, sobre esta misma base,
quienes critican a las iglesias pueden anotar el impacto reaccionario, supersticioso e inhumano de las iglesias en la civilización
occidental, lo que han hecho con tremendo éxito. Este contraste
muestra que es absolutamente inadecuado juzgar a las iglesias
desde el punto de vista de sus funciones sociológicas y de su
influencia social, pasada o presente. Una iglesia que no es nada
más que un grupo de buena gente, útil desde el punto de vista
social, puede ser reemplazada por otros grupos que no pretenden ser iglesias; una iglesia así no justifica su existencia en
absoluto.

La otra visión de la iglesia es la teológica. No rechaza el
reconocimiento del aspecto sociológico, sino que simplemente
niega su validez en exclusiva. La visión teológica señala, dentro
de las ambigüedades de la realidad social de las iglesias, la
presencia de la comunidad espiritual sin ambigüedades.

Sin embargo, existe aquí también un peligro, parecido al
que ya encontramos en la visión sociológica, que amenaza y
deforma la teológica: la exclusividad. Por descontado que la
visión teológica no puede ser exclusiva en el sentido que niega
simplemente la existencia de las características sociológicas de
las iglesias y sus ambigüedades. Pero puede negar su significación para la naturaleza espiritual de la iglesia. Esta es la
doctrina oficial de la iglesia católica, según la cual la iglesia
romana es una realidad sagrada, por encima de las ambigüedades sociológicas del pasado y del presente. Desde este punto de
vista, la historia de la iglesia pasa a ser historia sagrada, elevada
por encima de toda otra historia a pesar de que aparecen en ella
señalados tan marcadamente, y con frecuencia aún con mayor
relieve que en la historia secular, los aspectos desintegradores,
destructivos y demoníacos de la vida. Esto hace que sea imposible la crítica de la iglesia romana en sus aspectos esenciales —en
su doctrina, ética, organización jerárquica y demás. Dado que

la iglesia romana identifica su existencia histórica con la comunidad espiritual, cualquier ataque que se le haga (aun acerca de aspectos accidentales) se considera un ataque a la comunidad espiritual y por tanto dirigido contra el mismo Espíritu. Aquí topamos con una de las raíces madres de la arrogancia jerárquica y, por contraste, de los movimientos antieclesiásticos y antijerárquicos. La iglesia romana trata de ignorar las ambigüedades de su vida y de sumergir el carácter sociológico de la iglesia en su carácter teológico, si bien la relación entre ambos es paradójica y no se puede entender ni por la eliminación de uno de los dos, ni por el sometimiento del uno al otro.

El carácter paradójico de las iglesias se pone en evidencia según la manera en que se toman las señales de la comunidad espiritual como señales de las iglesias. Cada una de ellas puede ascribirse a las iglesias sólo con la adición de un «a pesar de». Nos referimos a los predicados de santidad, unidad y universalidad (la fe y el amor se estudiarán en su relación con la vida de las iglesias y la lucha contra sus ambigüedades).

Las iglesias son santas por la santidad de su fundamento, el nuevo ser, que se hace presente en ellas. Su santidad no puede derivarse de la santidad de sus instituciones, de sus doctrinas, de sus actividades rituales y devocionales, o de sus principios éticos; todo ello queda entre las ambigüedades de la religión, así como tampoco se puede deducir la santidad de las iglesias de la santidad de sus miembros; los miembros de las iglesias son santos a pesar de su falta de santidad real, en la medida en que quieren pertenecer a la iglesia y han recibido lo que la iglesia ha recibido, o sea, el fundamento sobre el que son aceptados a pesar de su carencia de santidad. La santidad de las iglesias y de los cristianos no es un asunto de juicio empírico sino más bien de fe en la acción del nuevo ser en su interior. Se podría decir que una iglesia es santa porque es una comunidad de quienes son justificados en la gracia por la fe —y las iglesias lo que hacen ciertamente es repetir este mensaje como «buena noticia» a sus miembros. Sin embargo, este mensaje es válido también para las mismas iglesias. Las iglesias que viven en las ambigüedades de la religión son, al mismo tiempo, santas. Son santas por estar bajo los juicios negativos y positivos de la cruz.

Este es precisamente el punto en el que la división entre el protestantismo y el catolicismo romano parece insalvable. La iglesia romana acepta (por lo menos en principio) el juicio crítico de cada uno de sus miembros, incluido el «vicario de Cristo», el mismo papa, pero no acepta el juicio crítico de sí misma como institución, de sus decisiones doctrinales, de sus tradiciones rituales, de sus principios morales, y de su estructura jerárquica. Juzga sobre la base de su perfección institucional, pero no se juzga la misma base. El protestantismo no puede aceptar el predicado de santidad para sus iglesias si se basa sobre cualquier tipo de perfección institucional. La iglesia santa es la iglesia deformada, y esto significa cualquier iglesia en el tiempo y el espacio.

Si, como ha ocurrido con el papa Juan XXIII por medio del concilio Vaticano II, la iglesia católica ha revivido en su seno el principio de la reforma, el interrogante se coloca en cómo una tal reforma puede sobrevivir. El papa Juan dio la primera respuesta sin dejar lugar a dudas: las decisiones doctrinales de los concilios y de los papas son la base inmutable de la iglesia católica. Y las decisiones doctrinales incluyen afirmaciones que hacen referencia a la estructura jerárquica y al sistema ético de la iglesia. Pero existe una segunda respuesta, la que dio el cardenal Bea, en el sentido de que si bien las mismas doctrinas son inmutables, su interpretación debe cambiar. Sólo el futuro mostrará hasta qué punto el principio de reforma podrá mostrar su eficiencia en el seno de la iglesia romana a través de una interpretación bajo la guía del espíritu profético.

Sin embargo, las iglesias son encarnaciones del nuevo ser y creaciones de la presencia espiritual, y su poder esencial en la comunidad espiritual, que opera a través de sus ambigüedades hacia una vida sin ambigüedades. Y esta tarea no deja de producir sus efectos. Hay una fuerza regeneradora en las iglesias, incluso en su estado más lamentable. En la medida en que son iglesias y están relacionadas en la recepción y respuesta al nuevo ser en Jesús como Cristo, la presencia espiritual opera en ellas, y siempre se pueden apreciar algunos síntomas de esta operación. Este es el caso que con mayor claridad se puede apreciar en los movimientos de crítica y reforma proféticas a los que acabamos de referirnos. Es algo genérico a la santidad de las iglesias el que posean el principio de la reforma en su seno: las iglesias son santas, pero lo son en esos términos del «a pesar de» o como paradoja.

El segundo predicado de las iglesias que expresa la paradoja de su naturaleza es la unidad. Las iglesias están unidas debido a la unidad de su fundamento, el nuevo ser que actúa eficazmente en su seno. Pero no se puede derivar la unidad de las iglesias de su unidad real ni se puede negar el predicado de su unidad por su desunión actual. Este predicado es independiente de tales realidades y posibilidades empíricas. Se identifica con la dependencia de cualquier iglesia real de la comunidad espiritual como su esencia en poder y estructura. Esto es verdad de cualquier iglesia particular de denominación local y confesional que guarde referencia al acontecimiento de Cristo como su fundamento. La unidad de la iglesia es real en cada una de ellas a pesar del hecho de que todas ellas estén separadas entre sí.

Lo cual viene a contradecir la pretensión de la iglesia católica de que ella representa, en su particularidad, la unidad de la iglesia y su rechazo de cualquier otro grupo que se apropie el título de iglesia. Una consecuencia de este absolutismo fue que Roma prohibió la cooperación de tipo puramente religioso, con las otras iglesias cristianas. A pesar de que se ha dado una mayor flexibilidad a esta postura, viene a ser un reflejo de cómo entiende la iglesia romana la unidad de la iglesia, que sólo podría cambiarse si la iglesia romana abandonara su pretensión absolutista y con ella su propio carácter peculiar.

El protestantismo tiene conciencia del carácter paradójico del predicado de unidad. Considera inevitable la división de las iglesias a la luz de las ambigüedades de la religión pero no como algo que contradiga su unidad con respecto al fundamento de las iglesias —su unidad esencial, que está presente paradójicamente en su ambigua mescolanza de unión y desunión.

La lucha contra esta ambigüedad está iniciada por la fuerza de la comunidad espiritual, de la que es propia una unidad sin ambigüedades. Se pone de manifiesto en todos los intentos por reunir las iglesias que están a la luz del día y por arrastrar a esta unión las que hemos llamado «iglesias latentes». El intento de mayor relieve de nuestra época en este sentido es la obra del Consejo mundial de las iglesias. El movimiento ecuménico del que es la representación orgánica pone de manifiesto con fuerza la toma de conciencia del predicado de unidad en muchas iglesias contemporáneas. Dicho con lenguaje pragmático, es capaz de subsanar divisiones que han quedado desfasadas históricamente, de reemplazar el fanatismo confesional por una cooperación interconfesional, de superar el provincialismo denominacional, y de originar una nueva visión de la unidad de todas las iglesias en su fundamento. Pero ni el movimiento ecuménico ni cualquier otro movimiento del futuro puede superar la ambigüedad de la unión y de la división en la existencia histórica de las iglesias. Aun en el caso de que se pudiera llegar a la creación de las iglesias unidas del mundo, e incluso de que se integraran en esta unidad todas las iglesias latentes, nuevas divisiones volverían a hacer su aparición. La dinámica de la vida, la tendencia a preservar lo santo aun cuando haya quedado desfasado, las ambigüedades implicadas en la existencia sociológica de las iglesias, y sobre todo, la crítica profética y la exigencia de reforma volverían a traer nuevas divisiones, que en muchos casos quedarían justificadas espiritualmente. La unidad de las iglesias, que guarda una similaridad con su santidad, tiene un carácter paradójico. Es precisamente la iglesia dividida la que es un iglesia unida.

El tercer predicado de las iglesias que expresa la paradoja de su naturaleza es la universalidad. Las iglesias son universales debido a la universalidad de su fundamento —el nuevo ser que actúa eficazmente en ellas. La palabra «universal» ha sustituido la palabra clásica «católica» (aquello que guarda relación con todos los hombres), debido a que desde la división producida por la Reforma, esta última palabra ha sido reservada para la iglesia romana o para iglesias tan marcadamente sacramentales como la griega ortodoxa y la anglicana. Si bien la palabra debe ser reemplazada, el hecho que aún permanece es el de que una iglesia que renuncie a la catolicidad deja por ello mismo de ser iglesia.

Cualquier iglesia es universal —de manera intensiva y extensiva a la vez— debido a su naturaleza de realización de la comunidad espiritual. La universalidad intensiva de la iglesia es su fuerza y deseo de participar como iglesia en todo lo creado bajo todas las dimensiones de la vida. Por supuesto que una tal participación implica un juicio de las ambigüedades de la vida y una lucha contra las mismas en los dominios encontrados del ser. El predicado de la universalidad intensiva mantiene a las iglesias ampliamente abiertas —tan ampliamente como la vida universal. Nada creado, y por tanto, esencialmente bueno, queda excluido de la vida de las iglesias y de sus miembros. Esto es lo que quiere decir el principio del *complexio oppositorum,* del que se siente orgullosa con razón la iglesia romana. No hay nada en la naturaleza, nada en el hombre y nada en la historia que no tenga su lugar en la comunidad espiritual, y por ende, en las iglesias, de las que la comunidad espiritual es la esencia dinámica. Esto se expresa de manera clásica tanto en las catedrales medievales como en los sistemas escolásticos, en los que todas las dimensiones del ser encuentran su propio lugar, e incluso aparece en su papel de sometimiento, lo demoníaco, lo feo, lo destructivo. El peligro de esta universalidad fue, por supuesto, que los elementos de ambigüedad penetraron en la vida de la iglesia o de que, hablando con símbolos, lo demoníaco se rebeló contra su papel de sometimiento a lo divino. Este peligro indujo al protestantismo a sustituir la abundancia del *complexio oppositorum* por la pobreza de la carencia sagrada (siguiendo en este punto al judaísmo y al islam). Al obrar así, el protestantismo no rechazó el principio de universalidad, porque puede haber una universalidad de la carencia como la hay de la abundancia. El predicado de la universalidad sólo se viola si una de entre muchas posibilidades se eleva a una posición de absoluto, lo cual supone la exclusión de los otros elementos. Cuando ocurre esto desaparece el principio de universalidad de las iglesias, el cual se viene a realizar en el mundo secular. El hecho de que durante la Reforma y la Contrarreforma las iglesias se autoexcluyeran ampliamente de la universalidad de la abundancia e incluso de la carencia es, en parte, responsable de la aparición de un secularismo ampliamente abierto en el mundo moderno. Las iglesias habían pasado a ser segmentos de la vida y habían perdido su participación en la vida universal. Con todo, por muy positiva o negativa que pueda ser la actitud de las iglesias para con el predicado de la universalidad, son esencialmente universales a pesar de su pobreza actual en relación con la abundancia del mundo encontrado. Pueden incluir el trabajo pero excluyen la vitalidad natural; pueden incluir el análisis filosófico pero excluyen la metafísica; pueden incluir los estilos particulares de todas las creaciones culturales y excluir otros estilos. Por muy universales que intenten ser, la universalidad de las iglesias está presente, paradójicamente, en su particularidad.

Todo lo dicho hasta aquí es a propósito de la universalidad intensiva de las iglesias pero vale también para su universalidad extensiva —es decir, la validez de la función de la iglesia para todas las naciones, grupos sociales, razas, tribus y culturas. Tal como muestra el nuevo testamento esta universalidad extensiva es una implicación inmediata de la aceptación de Jesús como portador del nuevo ser. El tremendo énfasis que pone Pablo sobre este punto es debido a su propia experiencia como judío de la diáspora que une en su persona elementos judíos, griegos y romanos así como el sincretismo de la época helenista, y aporta todo ello a la iglesia en sí mismo y en su grupo. Una situación análoga en nuestro tiempo, que brota de los problemas nacionales, raciales y culturales, obliga a la teología contemporánea a subrayar la universalidad de las iglesias con la misma energía con que lo hizo Pablo.

Ahora bien, nunca se da una universalidad real en las iglesias. El predicado de la universalidad no se puede derivar de la situación real. A la luz de la particularidad históricamente condicionada —incluso de las iglesias mundiales y sus consejos— la universalidad es paradójica. La ortodoxia griega identifica la comunidad espiritual universal con la recepción del mensaje cristiano por la cultura bizantina. Roma identifica la comunidad espiritual universal con la iglesia, regida por el derecho canónico y su guardián, el papa. El protestantismo muestra su particularidad al intentar someter las religiones y culturas extranjeras a la civilización occidental contemporánea en nombre de la comunidad espiritual universal. Y en muchos casos, las particularidades raciales, sociales y nacionales impiden a las iglesias realizar el predicado de universalidad. La universalidad cuantitativa o extensiva, al igual que la cualitativa o intensiva, es un predicado paradójico de las iglesias. Tal como fue el caso a propósito de la santidad y unidad, también debemos decir de la universalidad de las iglesias que se hace presente en su particularidad. Y por cierto que no deja de producir su efecto: desde sus primeros momentos, todas las iglesias han intentado superar la ambigüedad de la universalidad tanto intensiva como extensivamente (con frecuencia ambas se identifican).

Uno de los rasgos más lamentables de la teología protestante de los últimos cien años es el de haber sido dominada por un matiz positivista, del que son ejemplos Schleiermacher y Ritschl. El positivismo en teología es la renuncia al predicado de universalidad. Aquello que es meramente «positivo», por ejemplo, una iglesia cristiana particular, no se puede considerar universal. Esto es sólo posible si se concibe la universalidad como paradójicamente presente en lo particular.

El seglar normal que escucha o recita las palabras del credo apostólico a propósito de la santidad, unidad y universalidad de la iglesia comprende frecuentemente la paradoja de las iglesias sin el concepto de la comunidad espiritual. Tiene conciencia del significado paradójico de tales palabras tal como se aplican a las iglesias a partir del conocimiento que tiene de la suya propia. Corrientemente es lo suficientemente realista como para rechazar la idea de que en un futuro estos predicados perderán su carácter paradójico y pasarán a ser verdaderos empíricamente. Conoce a las iglesias y sus miembros (incluido él mismo) lo suficiente como para desestimar tales esperanzas utópicas. A pesar de todo, se sabe asido por la fuerza de las palabras mediante las cuales se expresa un aspecto inambiguo de la iglesia, la comunidad espiritual.

2.   LA VIDA DE LAS IGLESIAS Y LA LUCHA CONTRA LAS AMBIGÜEDADES DE LA RELIGIÓN

a)   *Fe y amor en la vida de las iglesias*

1.   La comunidad espiritual y las iglesias como comunidades de fe

La comunidad espiritual es la comunidad de fe y amor que participa de la unidad trascendente de una vida sin ambigüedades. La participación es fragmentaria debido a la finitud de la vida, y no carece de tensiones debido a la polaridad de la individualización y de la participación, que jamás está ausente de un ser finito. La comunidad espiritual en cuanto esencia dinámica de las iglesias las convierte en comunidades de fe y amor en las que las ambigüedades de la religión no quedan eliminadas sino conquistadas en principio. La expresión «en principio» no significa *in abstracto* sino que quiere decir (al igual que las palabras latina y griega *principium* y *arche*) la fuerza del principio, que permanece como fuerza controladora en todo un proceso entero. En este sentido, la presencia espiritual, el nuevo ser, y la comunidad espiritual son principios *(archai)*. Las ambigüedades de la vida religiosa quedan conquistadas en principio en la vida de las iglesias; queda rota su fuerza autodestructora. No quedan eliminadas por completo —incluso se pueden hacer presente con su energía demoníaca— pero como dice Pablo en el capítulo octavo de su carta a los romanos, y en otros lugares de sus escritos: la aparición del nuevo ser supera el poder último de las demoníacas «estructuras de destrucción». Las ambigüedades de la religión en las iglesias quedan conquistadas por una vida sin ambigüedades en la medida en que encarnan al nuevo ser, si bien esta misma expresión «en la medida en que» ya nos pone en guardia para no identificar las iglesias con la vida sin ambigüedades de la unión trascendente. Allí donde está presente la iglesia quedan reconocidas y rechazadas las ambigüedades de la religión pero no quedan eliminadas.

Lo cual es verdad, en primer lugar, del acto en el que se recibe la presencia espiritual y se realiza el nuevo ser, es decir, en el acto de fe. La fe se convierte en religión en las iglesias —ambiguas, desintegradoras, destructoras, trágicas y demoníacas. Pero al mismo tiempo, se da una fuerza de resistencia ante las multiformes deformaciones de la fe —el Espíritu divino y su encarnación, la comunidad espiritual. Si llamamos a las iglesias o a una iglesia en particular, comunidad de fe, decimos que, de acuerdo con su propósito, se fundamenta sobre el nuevo ser en Jesús como Cristo o bien que su esencia dinámica es la comunidad espiritual.

Al tratar de la comunidad espiritual ya indicamos que se da una tensión entre la fe de quienes son asidos por la presencia espiritual y la fe de la comunidad que está formada por tales individuos pero que es más que cada uno de ellos y más que su totalidad. En la comunidad espiritual una tal tensión no provoca una ruptura. En las iglesias se presupone una ruptura que lleva a las ambigüedades de la religión pero de tal manera que la participación de la comunidad de la iglesia en la comunidad espiritual se opone a tales ambigüedades y, en principio, las supera. ¿Qué es lo que queremos decir cuando hablamos de la fe de las iglesias o de una iglesia en particular? Podemos considerar tres aspectos de esta cuestión. Ante todo, cuando en la primitiva iglesia, algunas personas decidían ingresar en la iglesia y al hacerlo ponían todas sus cosas en peligro, empezando por sus vidas, no era demasiado difícil hablar de la iglesia como comunidad de fe. Pero tan pronto como fueron muchos quienes ingresaron en la iglesia más con ganas de encontrar un refugio religioso que como fruto de una decisión existencial, cuando, en el seno de toda una civilización, todo el mundo, niños incluidos, pertenecían a la iglesia, no quedaba ya tan claro su carácter de comunidad de fe. La fe activa, la *fides qua creditur*, ya no se podía dar por supuesta en la mayoría de sus miembros. Sólo quedaba el fundamento del credo de la iglesia, la *fides quae creditur*. ¿Cómo se relacionan ambas? Sea cual fuere la respuesta, volvieron a hacer su aparición numerosas ambigüedades de la vida religiosa, y el mismo concepto de fe resultó tan ambiguo que hay buenas razones (aunque no sean suficientes) para no emplearlo ya más.

La segunda dificultad en el concepto de la comunidad de fe echa sus raíces en la historia de la *fides quae creditur*, el credo. Su historia es una trágica mescolanza histórica que se da entre la creatividad espiritual y las fuerzas sociales que determinan la historia. Las fuerzas sociales que entran aquí en consideración son la ignorancia, el fanatismo, la arrogancia jerárquica y la intriga política. Si las iglesias exigen que todos sus fieles acepten las formulaciones que vinieron a la existencia de esta manera, les impone una carga que, con toda sinceridad, ninguno que tenga clara conciencia de la situación podrá sobrellevar. Se trata de un acto demoníaco y por tanto destructivo para la comunidad de fe el que se tenga que interpretar como una sujeción incondicional a las afirmaciones doctrinales de la fe tal como se han ido desarrollando en la historia de las iglesias, una historia que más bien está llena de ambigüedades.

La tercera dificultad a este respecto radica en el hecho de que se ha establecido un mundo secular que fomenta una actitud crítica, escéptica o indiferente ante las afirmaciones de los credos —incluso entre miembros serios de las iglesias. ¿Qué viene a significar «comunidad de fe» cuando la comunidad así como cada uno de sus miembros, se ven asaltados por las críticas y las dudas?

Todas estas preguntas muestran cuán poderosas son las ambigüedades de la religión en las iglesias y qué dificultades ofrece la resistencia de la fe.

Existe una respuesta subyacente en todas las partes de nuestro sistema y que viene a ser el contenido básico de la fe cristiana y no es otra que Jesús es el Cristo, el portador del nuevo ser. Hay muchas posibles maneras de expresar esta afirmación, pero no hay manera alguna de poderla soslayar en una iglesia ya que cada una de las iglesias se fundamenta en ella. En este sentido podemos decir que una iglesia es una comunidad de quienes afirman que Jesús es el Cristo. Esto queda ya implicado en el mismo nombre de «cristiano». Ello presupone en cada individuo una decisión —*no* en cuanto él pueda, personalmente, aceptar la afirmación de que Jesús es el Cristo, *sino* en lo que hace referencia a su decisión de querer pertenecer o no a una comunidad que afirma que Jesús es el Cristo. Si su opción es contraria a esto, ha abandonado la iglesia, aun cuando, por motivos sociales o políticos, no formalice su negativa. En todas las iglesias son muchos los miembros formales que, de manera más o menos consciente, no quieren pertenecer a la iglesia. La iglesia los puede tolerar, debido a que no está basada en decisiones individuales sino en la presencia espiritual y sus medios.

Por el contrario, hay quienes, consciente o inconscientemente quieren pertenecer a la iglesia, hasta tal punto que ni siquiera pasa por su imaginación el que no pertenezcan a la misma, y quienes se encuentran en una tal situación de dudas acerca de la afirmación básica de que Jesús es el Cristo, con todas sus implicaciones, que están al borde de autosepararse de la iglesia, por lo menos en su interior. En nuestros días, este es el predicamento de mucha gente, tal vez de la mayoría, si bien se da una diversidad de grados. Pertenecen a la iglesia pero dudan de su pertenencia. Debemos decir que para ellos el criterio de la propia pertenencia a una iglesia y por su medio a la comunidad espiritual es el serio deseo, consciente o inconsciente, de participar en la vida de un grupo que esté basado en el nuevo ser tal como ha aparecido en Jesús como Cristo. Una tal interpretación puede servir de ayuda a muchos cuya conciencia está atormentada por las dudas acerca de todo el conjunto de símbolos a los que se autosometen en sus pensamientos, devociones y acciones. Pueden tener la seguridad de que pertenecen plenamente a la iglesia y por medio de ella a la comunidad espiritual, y pueden por tanto vivir en ella confiadamente y trabajar por ella.

Esta es una solución para todos los miembros de la iglesia, incluidos sus ministros y otros representantes, si bien en este último caso se suscitan problemas de sabiduría y tacto, como ocurre en cualquier grupo organizado. Es obvio que quien niegue, aunque sea tácitamente, la base y la finalidad de una función que debe ejercer él mismo debe o bien autoexcluirse de la misma o ser obligado a ello.

Los interrogantes apuntados más arriba acerca de la comunidad de fe nos conducen a un problema aún más difícil, y que ofrece una dificultad especial a la luz del principio protestante. La pregunta sería de qué manera la comunidad de fe —que debe ser una iglesia— está relacionada con sus expresiones por lo que respecta al credo y a la doctrina en su predicación y en su enseñanza y otras manifestaciones, especialmente aquellas que llevan a cabo los representantes de la iglesia. Se debe responder a esta pregunta con decisiones concretas de la iglesia concreta —idealmente por la iglesia universal, actualmente por los múltiples centros que se dan entre ella y la iglesia local. Las afirmaciones del credo se derivan de tales decisiones. La iglesia romana, por autoidentificarse con la comunidad espiritual, considera que sus decisiones por lo que respecta al credo son válidas de manera incondicional y considera cualquier desviación de las mismas como una separación herética de la iglesia espiritual. Ello origina una reacción de la iglesia, legalmente circunscrita, contra quienes son considerados herejes —antiguamente contra todos los miembros, hoy sólo contra los representantes de la iglesia. La doctrina protestante acerca de la ambigüedad de la religión aun en las iglesias hace que sea imposible una reacción de este tipo; sin embargo, incluso las iglesias protestantes deben formular sus propias bases del credo y defenderlas contra los ataques provenientes del bando de sus propios representantes. Ahora bien, una iglesia que sea consciente de sus propias ambigüedades debe reconocer que su juicio, tanto al decretar un credo como al aplicarlo a casos concretos es ambiguo en sí mismo. La iglesia no puede abandonar su lucha por la comunidad de fe (como en los casos de la apostasía nazi, de la herejía comunista, los no practicantes en la heteronomía romano-católica, o el rechazo del fundamento de la iglesia en el nuevo ser en Cristo), pero al obrar así la iglesia puede caer en errores desintegradores, destructivos o incluso demoníacos. Este es un riesgo inherente en la vida de cualquier iglesia que se sitúa a sí misma no por encima sino por debajo de la cruz de Cristo, es decir, en toda iglesia en la que el principio profético-protestante no ha sido absorbido por un absolutismo jerárquico o doctrinal.

Queda aún abierta la pregunta de si la afirmación de la iglesia como comunidad de fe implica la afirmación del concepto de herejía. Esta pregunta va sobrecargada con las connotaciones que en el desarrollo de la iglesia ha ido adquiriendo el mismo concepto de herejía. Empleada originariamente para designar las desviaciones de la doctrina oficial, esta palabra vino a significar, a partir de la implantación del derecho canónico, una ruptura de la ley canónica de la iglesia, y con la aceptación del derecho canónico como parte de ley del estado, pasó a convertirse en el más grave delito. La persecución de herejes ha borrado el justificado significado original de la palabra «herejía» para designar nuestras reacciones conscientes, y aún más las inconscientes. Ya no puede emplearse en una discusión seria, y estoy convencido de que no deberíamos intentar salvar esta palabra, si bien no podemos soslayar el problema que apunta.

Lo que viene a continuación se puede decir acerca de este problema. El rechazo del fundamento de una iglesia, es decir, de la comunidad espiritual y de su manifestación en Cristo, no es una herejía sino una separación de la comunidad en la que existe el problema de la herejía. El problema de la herejía se suscita cuando se hace el inevitable intento de formular conceptualmente las implicaciones de la afirmación básica cristiana. Desde el punto de vista del principio protestante y del reconocimiento de las ambigüedades de la religión y a la luz de la siempre presente comunidad espiritual en estado latente, se puede solucionar el problema de la siguiente manera: el principio protestante de la distancia infinita entre lo divino y lo humano, mina la pretensión absoluta de cualquier expresión doctrinal del nuevo ser. Ciertamente que se hace necesaria una decisión de la iglesia para fundamentar su predicación y su doctrina sobre una tradición o formulación doctrinal particular; pero si una tal decisión va acompañada por la pretensión de que es la única posibilidad entonces se viola el principio protestante. Pertenece a la esencia de la comunidad de fe en el protestantismo que una iglesia protestante pueda acoger en su pensamiento y acción cualquier expresión de pensamiento y vida creada por la presencia espiritual en cualquier momento de la historia de la humanidad. La iglesia romana tuvo más conciencia de esta situación en sus primeros inicios que en los posteriores, pero sólo desde la Contrarreforma cerró sus puertas a toda reconsideración del pasado. Se perdió así la libertad profética para una autocrítica esencial. El protestantismo, nacido de la lucha por una tal libertad, la perdió en la época de la ortodoxia teológica y la ha recuperado una y otra vez. Ahora bien, con esta libertad y a pesar de sus interminables divisiones denominacionales, el protestantismo ha continuado como una comunidad de fe. Es consciente, y así debe serlo siempre, de la doble realidad de la que participa —la comunidad espiritual, que es su esencia dinámica, y su existencia en medio de las ambigüedades de la religión. La conciencia de estos dos polos del protestantismo está subyacente en el presente intento de desarrollar un sistema teológico.

2.   La comunidad espiritual y las iglesias como comunidades de amor

Las iglesias al mismo tiempo que son una comunidad de fe, son también una comunidad de amor, lo cual se debe entender dentro de las ambigüedades de la religión y de la lucha que sostiene contra las mismas el Espíritu. Agustín en sus escritos antidonatistas cree que es posible la fe fuera de la iglesia, por ejemplo, en los grupos cismáticos, pero que el amor como *ágape* queda limitado a la comunidad de la iglesia. Al decir esto presupone un concepto intelectualista de la fe (por ejemplo, la aceptación de la fórmula del bautismo) que separa la fe del amor. Ahora bien, si la fe es el estado de ser asido por la presencia espiritual, no se puede separar una cosa de otra. Con todo, tiene razón Agustín al considerar a la iglesia como comunidad de amor. Ya hemos tratado ampliamente la naturaleza del amor, especialmente en su cualidad de *ágape,* en conexión con el carácter de la comunidad espiritual. Ahora debemos describir sus acciones en el seno y contra las ambigüedades de la religión.

En cuanto comunidad de amor, la iglesia realiza la comunidad espiritual, que es su esencia dinámica. Al analizar el acto de la constitución moral de la persona como persona, encontramos que esto sólo se puede dar en el encuentro yo-tú con la otra persona y este encuentro sólo se puede concentrar en los términos de *ágape,* la afirmación reunificadora del otro en términos del significado eterno de su ser. El presupuesto en la iglesia es que cada miembro tiene una tal relación con los demás y que esta relación se hace real en la cercanía espacial y temporal (el «prójimo» del nuevo testamento). Se expresa a sí misma en una aceptación mutua a pesar de las separaciones que se dan debido a que la iglesia es un grupo determinado sociológicamente. Esto guarda relación con las diferencias, preferencias, simpatías y antipatías políticas, sociales, económicas, educativas, nacionales, raciales y por encima de todo personales. En algunas iglesias, como en la primera iglesia de Jerusalén y en muchos grupos sectarios, el concepto «comunidad de amor» ha desembocado en un «comunismo extático», una aceptación de todas las diferencias, en especial las económicas. Pero una tal actitud falla en no apreciar la distinción entre el caracter teológico y sociológico de la iglesia y en no apreciar la naturaleza del último y, por ende, las ambigüedades de cada comunidad de amor. Con frecuencia es la imposición ideológica del amor la que produce las formas más intensivas de hostilidad. Al igual que todo lo demás en la naturaleza de las iglesias, la comunidad de amor tiene el carácter de «a pesar de»; el amor en las iglesias manifiesta el amor de la comunidad espiritual, si bien bajo la condición de las ambigüedades de la vida. No se puede deducir directamente del carácter de la iglesia como comunidad la exigencia de una igualdad política, social y económica. Lo que sí se deduce del carácter de la iglesia como comunidad de amor es que se debe atacar para transformarlas aquellas desigualdades que hacen imposible una comunidad real de amor e incluso de fe —con la sola excepción de algunos casos heroicos especiales. Esto hace referencia a las desigualdades políticas, sociales y económicas y a las formas de eliminación y explotación que destruyen las potencialidades de humanismo en el individuo y de justicia en el grupo. La voz de la iglesia se debe dejar oír contra unas tales formas inhumanas e injustas, pero lo que debe hacer en primer lugar es transformar la estructura social dada en su propio seno (Cf. «Las funciones de relación de las iglesias»). Al mismo tiempo debe prestar su ayuda a las víctimas de una estructura social deformada y de fuerzas como la enfermedad y la catástrofe natural, tanto para experimentar la comunidad de amor como para obtener aquellos bienes materiales que alimentan sus potencialidades como hombres. Es ésta la parte del *ágape* a la que llamamos caridad y que es tan necesaria como ambigua. Es ambigua porque puede convertirse en el simple sustitutivo de una contribución material en lugar de la obligación que tenemos para con cualquier ser humano por el hecho de serlo y también porque se puede emplear como medio para mantener aquellas condiciones sociales que hacen que la caridad sea necesaria, e incluso un orden social absolutamente injusto. Por el contrario, el auténtico *ágape* procura crear aquellas condiciones que hacen posible el amor en el otro(No es casualidad el que Erich Fromm, por ejemplo, lo haya declarado el principio de la psicoterapia).

Todo acto de amor implica un juicio contra todo lo que niega el amor. La iglesia como comunidad de amor ejerce constantemente este juicio con su sola existencia, y lo ejerce tanto contra quienes están fuera como contra quienes están dentro de su comunidad, y *debe* ejercitarlo conscientemente y activamente en ambas direcciones, si bien al obrar así queda implicada en las ambigüedades del juzgar —autoridad y poder. Desde el momento en que la iglesia, en contraste con otros grupos de la sociedad, juzga en nombre de la comunidad espiritual, su juicio corre el peligro de convertirse en más radical, más fanático, más destructivo y demoníaco. Por otro lado, y por esta razón, está presente en la iglesia el Espíritu, que juzga el juicio de la iglesia y combate sus desviaciones.

En relación con sus propios miembros, el juicio de la iglesia se da a través de los medios de la presencia espiritual, a través de las funciones de la iglesia, y finalmente a través de la disciplina, que en algunas iglesias, en las calvinistas especialmente, se considera un medio de la presencia espiritual, similar a la palabra y al sacramento. El protestantismo por lo general fue reacio a la disciplina debido a los abusos jerárquicos y monásticos, siendo su principal objeción con respecto a la práctica y la teoría de la excomunión. Según el principio protestante, la excomunión es imposible debido a que ningún grupo religioso tiene derecho a interponerse entre Dios y el hombre, ya sea para unir al hombre con Dios, ya sea para separarlo de él. La simple oración del excomulgado puede gozar de mayor fuerza espiritual y de mayor afecto salvador que cualquiera de los sacramentos con aprobación eclesiástica de los que se ve excluido. La disciplina protestante sólo puede aconsejar y, como en el caso de los representantes de la iglesias, destituir del cargo. El rasgo decisivo del juicio de amor es que tiene el único propósito de restablecer la comunión de amor —no una separación, sino una reunión. Incluso una separación temporal produce una herida que probablemente jamás podrá ser curada. Una tal separación puede cobrar también la forma de ostracismo social por parte de la comunidad de la iglesia. Esto se da en las iglesias protestantes y puede resultar aún peor que la excomunión en sus consecuencias destructoras, ya que es una ofensa a la comunidad espiritual y a la iglesia. Una adaptación de los representantes de una iglesia a los grupos sociales que ejercen una influencia predominante en ella es igualmente peligrosa, y a la larga su peligrosidad va en auge. Esto es un problema del ministro especialmente, más aún en las iglesias protestantes que en la católica. La doctrina protestante del sacerdocio general de todos los creyentes priva al ministro del tabú que protege al sacerdote en la iglesia católica, y consecuentemente la importancia de los seglares se ve incrementada. Ello hace difícil, por no decir casi imposible, un juicio profético de las congregaciones, incluidos sus grupos sociológicos más poderosos. Su resultado es frecuentemente la iglesia clasista, sociológicamente determinada, algo que es muy conspicuo en el protestantismo norteamericano. En nombre de una aproximación cauta y llena de tacto (que es de desear en sí misma) queda suprimida la función judicial de la comunidad de amor. Probablemente esta situación hace más daño a la iglesia que un ataque descarado a sus principios a cargo de sus miembros desviados y en el error.

Todo esto hace referencia a la función judicial de la comunidad de amor para con sus miembros. Los mismos criterios, por supuesto, son válidos no sólo para los representantes oficiales de la iglesia sino también para aquellos miembros que tienen una función sacerdotal en grupos limitados en nombre de la comunidad de amor, por ejemplo, los padres para con sus hijos, y los padres entre sí, unos amigos para con otros, los responsables de grupos voluntarios para con los miembros de sus grupos, los maestros para con sus clases, etcétera. La comunidad de amor debe ser realizada en la afirmación, el juicio y la reunión en todos estos casos, expresando así la comunidad espiritual. Y con la fuerza de la presencia espiritual la iglesia debe combatir las ambigüedades de la triple manifestación de amor a través de los individuos y movimientos movidos por el Espíritu. Cada una de las tres manifestaciones es una creación de la presencia espiritual, y en cada una de ellas actúa con eficacia el gran «a pesar de» del nuevo ser; pero donde más se pone de manifiesto es en la tercera —la «reunión a pesar de», el mensaje y el acto de perdón. Al igual que el elemento judicial del amor, el elemento de perdón está presente en todas las funciones de la iglesia, en la medida en que dependen de la comunidad espiritual. Pero las ambigüedades de la religión ofrecen también resistencia a la dinámica del Espíritu en el acto del perdón. El perdón puede ser un acto mecánico, o algo simplemente permisivo o bien la humillación de aquel que es perdonado. En ninguno de estos casos es posible la reunión en el amor, debido a que no se tiene en cuenta la paradoja en el perdón.

La cuestión de la relación de la iglesia particular como comunidad de amor con otras comunidades fuera de la misma está erizada de problemas. Tal vez en ningún otro punto sean tan difíciles de superar como aquí las ambigüedades de la religión. El primer problema concierne a los individuos miembros de todos los grupos que están fuera de una iglesia. La respuesta general a la pregunta —¿qué es lo que pide el amor si se presentan en el dominio de la iglesia?— es la de que deben ser admitidos como participantes en la comunidad espiritual en su estado latente y por tanto como posibles miembros de la iglesia particular. Pero luego los elementos de amor que hemos llamado «juicio» y «reunión» plantean la cuestión: ¿bajo qué condiciones es posible su completa o parcial aceptación como miembros? He aquí una cuestión profundamente problemática. ¿Acaso significa conversión, y si así es, conversión a qué? ¿Al cristianismo, a una de sus confesiones o denominaciones, a la fe de la iglesia particular? Nuestra doctrina de la comunidad espiritual en su estado latente nos sugiere una respuesta: si alguien desea participar en la comunidad de amor de una iglesia particular, entonces puede convertirse en miembro pleno de la misma mediante la aceptación del credo y del orden de esa iglesia; o puede permanecer en una iglesia particular y convertirse en un invitado plenamente aceptado en otra iglesia; o bien puede permanecer en la comunidad espiritual latente como judío, musulmán, humanista, místico, etc., que desea ser recibido en la comunidad de amor por tener conciencia de su propia pertenecia esencial a la comunidad espiritual. En el último caso, sería también un invitado, o más precisamente, un visitante y amigo. Tales situaciones son frecuentes hoy. Lo que es decisivo, por lo menos en la esfera protestante, es el deseo de participar en un grupo cuyo fundamento es la aceptación de Jesús como Cristo; este deseo ocupa el lugar de la afirmación del credo y, a pesar de la ausencia de conversión, abre la puerta a la comunidad de amor sin reservas por parte de la iglesia.

Otro problema referente a la relación de la comunidad de amor con quienes están fuera es el de la relación de una iglesia particular con otra —local, nacional, denominacional. El antagonismo entre iglesias, llevado incluso hasta el extremo de la persecución fanática de una iglesia por otra, tiene unas causas sociales y políticas que están entre las ambigüedades de las iglesias en su aspecto sociológico. Pero existen otras razones derivadas del combate de la presencia espiritual contra la profanización y demonización del nuevo ser. Existe una congoja profunda en toda iglesia con un credo definido y un orden de vida en el sentido de que quien pide ser aceptado en la comunidad de amor puede deformar esta comunidad por medio de elementos de profanización. En esta situación, el fanatismo, como siempre, es el resultado de una inseguridad interior, y la persecución, como siempre también, es fruto de la congoja. La sospecha y el odio que aparecen en las relaciones entre las comunidades de amor son una consecuencia del mismo miedo que provocó la caza de brujas y el juicio de herejes. Es el genuino miedo de lo demoníaco que por ende no puede ser superado por un ideal de tolerancia basado sobre la indiferencia o sobre una minimización abstracta de las diferencias. Sólo es vulnerable a la presencia espiritual que afirma y juzga toda expresión del nuevo ser tanto en la comunidad de amor como en las demás. En todas ellas, ya sea surgiendo de la comunidad espiritual latente ya de su aparición manifiesta, se da una presencia espiritual creadora y en todas ellas son una realidad las posibilidades profanas y demoníacas. Por tanto, una iglesia puede reconocer la comunidad de amor con otra en la comunidad espiritual como la esencia dinámica de ambas que afirma y juzga las particularidades de cada una de ellas. Estas consideraciones vienen a ser la substancia de lo que dijimos antes acerca del carácter paradójico de la unidad de la iglesia.

b)   *Las funciones de las iglesias,*
      sus ambigüedades y la comunidad espiritual

1.   El carácter general de las funciones de las iglesias y la presencia espiritual

Habiendo tratado ya en las secciones anteriores el carácter esencial de las iglesias en su relación con la comunidad espiritual, debemos regresar ya a la expresión que tienen en cuanto entidades vivientes en cierto número de funciones. Cada una de ellas viene a ser una consecuencia inmediata y necesaria de la naturaleza de una iglesia. Deben estar actuando allí donde se da una iglesia viviente, aun cuando periódicamente están más ocultas que manifiestas. Jamás están ausentes, si bien las formas bajo las que aparecen difieren en gran manera unas de otras. Se pueden distinguir estos tres grupos de funciones de iglesia que van a continuación: las funciones de constitución, que guardan relación con el fundamento de las iglesias en la comunidad espiritual; las funciones de expansión, que guardan relación con la exigencia universal de la comunidad espiritual; las funciones de construcción que guardan relación con la actualización de las potencialidades espirituales de las iglesias.

Al llegar aquí, se suscita una cuestión más general —la cuestión del sentido en que una doctrina de las iglesias y sus funciones sea una materia sometida al dominio de la teología sistemática y el sentido en que se trate de una materia sometida a la teología práctica. Por supuesto, que la primera respuesta es que no queda muy clara la línea divisoria. Podemos distinguir, sin embargo, entre los principios teológicos que rigen las funciones de las iglesias en cuanto tales y los instrumentos más prácticos y los métodos más adecuados para su ejercicio. Es tarea de la teología sistemática analizar los primeros; y tarea de

la teología práctica sugerir los segundos (Por supuesto que esta
distinción no implica una división en el pensamiento del teólogo
sistemático y práctico; ambos reflexionan sobre la doble serie de
problemas, pero cada uno dedica su trabajo a uno de ellos). Los
análisis que siguen de carácter sistemático se entremezclarán
con descripciones de carácter práctico, tal como ha ocurrido ya
en los capítulos precedentes.

La primera afirmación que se debe hacer acerca de los
principios lógicos que rigen las funciones de las iglesias en
cuanto tales es que todos ellos participan de la paradoja de las
iglesias. Todos ellos se realizan en nombre de la comunidad
espiritual; con todo, también es verdad que los realizan grupos
sociológicos y sus representantes. Todos ellos están implicados
en las ambigüedades de la vida —de la vida religiosa, sobre
todo— y su finalidad no es otra que la de conquistar tales
ambigüedades a través del poder de la presencia espiritual.

Se pueden distinguir tres polaridades de los principios que
corresponden a los tres grupos de función. Las funciones de
constitución están bajo la polaridad de la tradición y de la
reforma, las funciones de expansión bajo la polaridad de veracidad y adaptación, las funciones de construcción bajo la polaridad de la trascendencia formal y la afirmación formal. También
quedan indicadas en estas polaridades las ambigüedades com-
batidas por la presencia espiritual. El peligro de la tradición es
una *hybris* demoníaca; el peligro de la reforma es una crítica que
va vaciando. El peligro de la veracidad está en un absolutismo
demoníaco; el peligro de la adaptación en una relativización
que va vaciando. El peligro de la transcendencia formal es una
represión demoníaca; el peligro de la afirmación formal es la
vaciedad formalista. En relación con la descripción de las
respectivas funciones se discutirán algunos ejemplos concretos
de estas polaridades y de los peligros en ellas implicados; aquí
nos contentaremos con sólo unas cuantas indicaciones de carácter general.

El principio de tradición en las iglesias no es un simple
reconocimiento del hecho sociológico de que las formas culturales de cada nueva generación se originan a partir de aquellas
que fueron producidas por las generaciones precedentes. Por
supuesto que esto también es válido para las iglesias. Pero más
allá de esto, el principio de tradición en la iglesia brota del

hecho de que la naturaleza de las iglesias y el carácter de su vida vienen determinadas por su función en el nuevo ser tal como ha aparecido en Jesús como Cristo y también porque la tradición es el nexo entre este fundamento y cada nueva generación. No es este, necesariamente, el caso con los grupos nacionales o los movimientos culturales, cuyos inicios pueden ser más bien irrelevantes para su desarrollo. Pero la comunidad espiritual es eficiente a través de toda función de la iglesia y, por tanto, todas las generaciones están presentes idealmente —no sólo las generaciones que experimentaron la manifestación central, sino también aquellas que la esperaron. En este sentido, la tradición no es particular, si bien incluye todas las tradiciones particulares; expresa la unidad de la humanidad histórica, cuyo centro es la aparición de Cristo.

La iglesia ortodoxa griega se considera a sí misma como la iglesia de la tradición viva en contraposición con la tradición de la iglesia católica que está definida legalmente y controlada por el papa. La crítica que presentó la Reforma contra muchos de los elementos de ambas tradiciones, sobre todo de la católica, ha hecho que el mismo concepto sea sospechoso para el sentimiento protestante, si bien la verdad es que la tradición es un elemento en la vida de todas las iglesias. Aun la misma crítica protestante sólo fue posible gracias a la ayuda de elementos particulares en la tradición católica, como por ejemplo, la Biblia, Agustín, los místicos germanos, el substrato humanista, etcétera. Un carácter general de la crítica profética de una tradición religiosa es que no es algo que sobreviene desde fuera sino que procede del mismo centro de la misma tradición, y que combate sus deformaciones en el nombre de su verdadero significado. No se da ninguna reforma sin una tradición previa.

La palabra «reforma» tiene dos connotaciones: señala un acontecimiento único en la historia de la iglesia, la Reforma protestante del siglo XVI; y señala también a un principio permanente, activo en todas las épocas que va implicado en la lucha del Espíritu contra las ambigüedades de la religión. La Reforma histórica se produjo debido a que la iglesia romana había logrado quitar del medio un tal principio precisamente en el momento en que el espíritu profético exigía una reforma de la iglesia en su «cabeza y en sus miembros». Como es obvio, no existe un criterio objetivo para un movimiento de reforma; ni la misma Biblia puede servir, ya que necesita asimismo ser interpretada. En su lugar se da un riesgo, enraizado en la toma de conciencia de la libertad espiritual, y es precisamente el espíritu profético el que origina la valentía necesaria para afrontar un tal riesgo. El protestantismo asume este riesgo —aun cuando puede suponer la desintegración de las iglesias particulares. Asume este riesgo con la certeza de que hay algo que no puede ser destruido y que constituye la esencia dinámica de una iglesia, a saber, la comunidad espiritual.

La polaridad de la tradición y de la reforma desemboca en la lucha de la presencia espiritual con las ambigüedades de la religión. El principio de la reforma es el correctivo ante la supresión diabólica de la libertad del Espíritu a cargo de una tradición revestida de validez absoluta, en la práctica o por la ley; y dado que todas las iglesias tienen una tradición, esta tentación demoníaca se da en realidad y con éxito en todas ellas. Su éxito se debe a la congoja que origina tabúes acerca de todo lo que sea una desviación de todo lo santo y de todo lo que haya aparecido dotado de poder salvador. En esta congoja va implícita la anticipación de que, bajo el principio de la reforma, las iglesias caerán en una crítica que lleva a lo profano. Realmente tienen su dosis de verdad aquellas palabras, tan frecuentemente citadas por Schleiermacher, de que «la reforma continúa»; si bien esto suscita el interrogante de la congoja: ¿cuál es el límite más allá del cual se inicia la desintegración crítica? Este interrogante es el que da fuerza a los guardianes de una tradición absolutista para que eliminen todo deseo de reforma y ejerzan coacción sobre las conciencias de quienes tienen un mejor conocimiento pero no tienen valentía para aventurarse por nuevos caminos. Los dos principios se unen en la comunidad espiritual. Se encuentran en tensión pero no en conflicto. En la medida en que la dinámica de la comunidad espiritual es eficaz en una iglesia, el conflicto se transforma en tensión viva.

La segunda polaridad de los principios está relacionada esencialmente con las funciones de expansión en la vida de las iglesias. Se trata de la polaridad de la veracidad y de la adaptación. El problema es tan antiguo como las palabras de Pablo cuando hace referencia a que él es judío con los judíos y griego con los griegos, al mismo tiempo que rechaza a todos los que, en contra de la verdad de su mensaje, intentan la reconversión del nuevo ser (la «nueva creación», la llama él) en la vieja creatura de la ley judaica o de la sabiduría griega. El conflicto existencial entre veracidad y adaptación, así como la lucha de la presencia espiritual, para superarlo, queda expresado clásicamente en sus escritos.

En la primitiva iglesia hubo unos pequeños grupos que pretendían el sometimiento de las iglesias a la ley judía, y una amplia mayoría, con la inclusión de los más importantes teólogos, pretendían la adaptación a las formas de pensamiento que habían sido desarrolladas por la filosofía clásica griega y helenista. Al mismo tiempo, las masas se acomodaron, bajo la supervisión permisiva de las autoridades de la iglesia, a las tendencias politeístas en la religión, ya fuera por la veneración de las imágenes (iconos) ya por la invasión en las devociones de una hueste de santos, la Virgen María de un modo especial. Sin estas adaptaciones hubiera sido imposible la obra misionera de la primitiva iglesia; pero en este proceso de adaptación, y precisamente por esta razón, estaba en peligro constante el mismo contenido del mensaje cristiano. Este peligro de abandonar el polo de la veracidad en favor del polo de la adaptación era tan real que la mayor parte de los grandes conflictos en el primer milenio de las iglesias cristianas se pueden ver a la luz de este conflicto.

En la edad media, la adaptación de las tribus germanoromanas al orden feudal fue tanto una necesidad misionera como educativa e iba acompañada por un constante sometimiento de la veracidad a la acomodación. La lucha entre el emperador y el papa debe ser entendida en parte como la reacción de la iglesia contra la identificación feudal de las jerarquías sociales con las religiosas; y la reacción de la piedad personal de la alta edad media, con la inclusión de la Reforma, se puede entender como una resistencia a la transformación de la misma iglesia en una autoridad feudal omnienglobante. Por supuesto que ninguno de estos movimientos en favor de la verdad y en contra de la adaptación escaparon ellos mismos a la necesidad de adaptación. A pesar de la ruptura entre Lutero y Erasmo, el espíritu humanista entró en el protestantismo a través de Melanchton, de Zuinglio y, en parte, de Calvino. En los siglos siguientes, la lucha entre la verdad y la adaptación prosiguió sin descanso y aún hoy continúa siendo uno de los problemas más reales. Estas luchas no quedan restringidas, por supuesto, a la expansión misionera hacia religiones y culturas extranjeras sino que se refieren de manera aún más inmediata a la expansión en las civilizaciones formadas por la tradición cristiana. Tanto el cambio en el clima cultural general a partir del siglo XVI como la necesidad de introducir a nuevas generaciones en las iglesias plantean el inevitable problema que va implicado en la polaridad de verdad y adaptación.

El peligro del pronunciamiento de la verdad sin adaptación, tal como se indicó más arriba, es un absolutismo demoníaco que arroja la verdad como piedras contra las cabezas de las gentes, sin preocuparse de si la pueden aceptar o no. Es lo que podemos llamar el escándalo demoníaco que dan con frecuencia las iglesias al tiempo que creen que sólo es el escándalo divino necesario. Sin una adaptación a las categorías de comprensión de aquellos a quienes se dirigen las funciones de expansión de la iglesia, la iglesia no sólo no se expande sino que incluso pierde lo que tiene, ya que sus miembros viven también en el seno de una civilización determinada y sólo pueden recibir la verdad del nuevo ser con las categorías de aquella civilización.

Si, por otro lado, la adaptación se convierte en una acomodación ilimitada como ha ocurrido en muchos períodos de la historia de las iglesias, se pierde la verdad del mensaje y se apodera de la iglesia un relativismo que lleva al secularismo, primero meramente vacío y sin éxtasis, pero abierto luego a un éxtasis deformado de manera demoníaca. Si la acomodación misionera abandona el principio de verdad no conquista los poderes demoníacos ya sean religiosos o profanos.

La tercera polaridad de los principios, relacionada con las funciones de construcción, es la de trascendencia formal y la de afirmación formal. Las funciones de construcción emplean las diferentes esferas de creación cultural a fin de expresar la comunidad espiritual en la vida de las iglesias. Esto se refiere a la *theoria* y a la *praxis,* y en su seno, a lo estético y a lo cognoscitivo, a lo personal y comunitario, esferas de la vida bajo la dimensión del espíritu. De todos ellos las iglesias asumen material, o sea, estilos, métodos, normas y relaciones, pero de tal manera que afirma y trasciende las formas culturales. Si las iglesias se comprometen en una construcción estética o cognoscitiva, personal o comunitaria, lo harán como iglesias sólo si la relación de la presencia espiritual se pone de manifiesto en sus obras, lo que equivale a decir si se da en ellas una cualidad extática, que transciende la forma. Las iglesias no actúan como iglesias cuando actúan como partido político o como tribunal de justicia, como escuela o movimiento filosófico, como patrocinadoras de una producción artística o de una curación psicoterapéutica. La iglesia se muestra como tal sólo si el Espíritu irrumpe en las formas finitas y las dirige más allá de sí mismas. Es esta cualidad espiritual, que trasciende la forma, la que caracteriza las funciones de construcción en la iglesia: las funciones de autoexpresión estética, de autointerpretación cognoscitiva social y política. No es la materia sujeta en cuanto tal la que las convierte en funciones de la iglesia sino su carácter extático, que trasciende la forma.

Al mismo tiempo, se debe observar el principio de afirmación formal. En toda función de la iglesia la forma esencial del dominio cultural debe emplearse sin una violación de sus exigencias estructurales. Esto queda ya implicado en lo tratado anteriormente a propósito de la estructura y del éxtasis. A pesar del carácter que tiene el arte religioso de trascender la forma se deben obedecer las reglas estéticas; a pesar del carácter que tiene el conocimiento religioso de trascender la forma no se deben romper las reglas cognoscitivas. Esto mismo es válido con respecto a la ética, la política y la educación personal y social. Más adelante se tratarán algunos de los importantes problemas que todo esto plantea; y llegados aquí debemos referirnos de nuevo a los dos peligros entre los que se mueven las funciones de construcción en la vida de las iglesias. Si el principio de la trascendencia de la forma es eficiente en la separación del principio de la afirmación de la forma, las iglesias se convierten en represivo-demoníacas. Se ven abocadas a reprimir en cada uno y en todo grupo aquella conciencia de forma que exige una sumisión sincera a las necesidades estructurales de la creación cultural. Violan, por ejemplo, la integridad artística en nombre de un estilo sagrado (o políticamente conveniente); o sacavan la sinceridad científica que conduce a planteamientos radicales acerca de la naturaleza, del hombre y de la historia; o destruyen la humanidad personal en nombre de una fe fanática deformada de manera diabólica, y así sucesivamente.

En el otro polo, está el peligro de una profanización de las creaciones espirituales y el vacío que invita a las invasiones demoníacas. Una forma que sea demasiado rígida para ser trascendida pierde gradualmente significado —aun no siendo errónea. Se experimenta primero como una protección de la interferencia trascendente, luego como creatividad autónoma, posteriormente como la encarnación de la corrección formal, y finalmente como formalismo vacío.

Allí donde la presencia espiritual hace sentir su fuerza en las iglesias allí van unidos los dos principios, el de la trascendencia de la forma y el de la afirmación de la forma.

2.   Las funciones constitutivas de las iglesias

La teología sistemática tiene que ocuparse de las funciones de la iglesia porque forman parte de su naturaleza y completan su caracterización al añadirle elementos especiales. Si las funciones de la iglesia son de su misma naturaleza, deben estar siempre presentes allí donde está la iglesia; sin embargo pueden aparecer con diferentes grados de cuidado, de intensidad y de adecuación conscientes. Su ejercicio debe ser suprimido desde fuera, o pueden fundirse con otras funciones, si bien están siempre presentes como un elemento en la naturaleza de la iglesia, que empuja hacia su realización.

Sin embargo, no siempre están presentes de manera organizada; las funciones y las instituciones no son necesariamente interdependientes. Las instituciones dependen de las funciones a las que sirven, pero las funciones pueden existir aun allí donde ninguna institución les sirve, tal como sucede frecuentemente. La mayoría de las evoluciones institucionales tienen un origen espontáneo. La naturaleza de la iglesia requiere que una función particular se haga sentir a sí misma en las experiencias espirituales y en las acciones consiguientes, que finalmente desembocan en una forma institucional. Si una institución se vuelve anticuada, pueden originarse espontáneamente otras maneras de ejercer la misma función para tomar cuerpo en una nueva forma institucional. Esto concuerda con lo que hemos dicho anteriormente acerca de la libertad del Espíritu; libera a la iglesia de cualquier tipo de legalismo ritual, con la fuerza de la comunidad espiritual. Ninguna institución, ni siquiera el sacerdocio o el ministerio, sacramentos especiales o servicios devotos, se derivan necesariamente de la naturaleza de la iglesia, pero sí que se derivan las funciones que han sido la causa de que tales instituciones hayan cobrado vida. Nunca están ausentes del todo.

Al primer grupo de funciones se le conoce como la función de la constitución. Puesto que toda iglesia depende del nuevo ser tal como se manifiesta en el Cristo y se actualiza en la comunidad espiritual, la función constitutiva de una iglesia es la de *recibir*. Esto tiene aplicación a una iglesia como un todo así como a cada uno de sus miembros. Si una iglesia pide receptividad de sus miembros, pero ella misma en cuanto iglesia rehúsa su aceptación, se convierte o bien en un sistema jerárquico estático, que pretende haberla recibido de una vez por todas sin necesidad alguna de volverlo a recibir, o bien se convierte en un grupo religioso con experiencias privadas que sirven de transición al secularismo. La función de recepción incluye la función simultánea de mediación a través de los medios de la presencia espiritual, de la palabra y el sacramento. El que recibe hace de mediador, y por otro lado, sólo ha recibido porque el proceso de mediación va siguiendo su curso constantemente. En la práctica, la mediación y la recepción son una misma cosa: la iglesia es sacerdote y profeta para sí misma. El que predica se predica a sí mismo como oyente, y quien escucha es un predicador en potencia. La identidad de recepción y mediación excluye la posibilidad del establecimiento de un grupo jerárquico que hace las veces de mediador al paso que todos los demás simplemente reciben.

El acto de mediación se da en parte en servicios comunitarios y en parte en encuentros entre el sacerdote que hace de mediador y el laicado que responde. Pero esta división jamás es completa; quienquiera que medie debe responder él mismo, y quienquiera que responda media ante su mediador. El «consiliario», como agente de la función de «tener cura de las almas» *(Seelsorge)* es llamado en esta terminología, pero no debe ser nunca sujeto solamente; no debe jamás hacer de su aconsejado un objeto para ser manejado correctamente y ayudado tal vez mediante el tratamiento adecuado. Si ocurre esto, tal como se da con mucha frecuencia en los consejos de tipo pastoral o médico, entonces la función o mediación espiritual ha sido invadida por una ambigüedad de la religión. Ahora bien, si la mediación viene determinada por la presencia espiritual, el consejero se somete a sí mismo a los juicios y exigencias que intenta comunicar. Reconoce la verdad de que él básicamente está en el mismo predicamento que el aconsejado. Y esto le puede dar la posibilidad de hallar para él la palabra de curación. Quien está asido por el Espíritu puede hablar a quien necesite su ayuda de tal manera que el Espíritu pueda asir por su medio al otro, y así la ayuda se hace posible, ya que el Espíritu sólo puede curar lo que está abierto al Espíritu.

Más adelante trataremos de la relación entre el consejo pastoral y la ayuda psicoterapéutica. Allí donde se da recepción y mediación, allí se da respuesta. La respuesta es la afirmación de lo que se recibe —la confesión de fe— y la vuelta a la fuente de donde se recibe, o sea, el culto. El término «confesión de fe» ha sido mal interpretado al identificársele con la aceptación de las afirmaciones del credo y su repetición en actos rituales, pero la función de responder y aceptar acompaña todas las otras funciones de la iglesia. Se puede expresar en prosa y en poesía, en símbolos e himnos. Se puede concentrar también en las formulaciones de un credo y ser elaboradas después por una conceptualización teológica. Una iglesia no tiene plena consistencia cuando rehúye una afirmación de fe en los términos de un credo y al mismo tiempo es incapaz de rehuir la expresión del contenido de su credo en cada uno de sus actos y prácticas litúrgicas.

El otro aspecto de la función de respuesta es el culto; en él la iglesia vuelve al fondo último de su ser, a la fuente de la presencia espiritual y al creador de la comunidad espiritual, a Dios que es Espíritu. Siempre que es alcanzado en experiencias comunitarias o personales, la presencia espiritual ha asido a aquellos que tienen la experiencia de él. Ya que sólo el Espíritu puede experimentar al Espíritu, así como sólo el Espíritu puede discernir al Espíritu.

El culto en cuanto elevación de la iglesia que responde al último fondo de su ser incluye la adoración, la plegaria y la contemplación.

La adoración de una iglesia, verbal en la alabanza y acción de gracias, es el reconocimiento extático de la santidad divina y de la distancia infinita de aquél que al mismo tiempo está presente en la presencia espiritual. Este reconocimiento no es una afirmación teórica sino más bien una participación paradójica de lo finito y alienado en el infinito al que pertenece. Cuando una iglesia alaba la majestad de Dios por su misma gloria, se unen dos elementos: el absoluto contraste entre la pequeñez del hombre como creatura y la infinita grandeza del creador, y la elevación a la esfera de la gloria divina, de manera que la alabanza de su gloria es al mismo tiempo una participación fragmentaria de la misma. La unidad de estos elementos es paradójica y no se puede romper sin producir una imagen demoníaca de Dios, por un lado, y del hombre miserable, sin dignidad genuina, por el otro. Una tal deformación del significado de la adoración conduce a las ambigüedades de la religión, a la que ofrece resistencia la presencia espiritual, que, en cuanto presencia, incluye la participación de quien adora en aquél que es adorado. La adoración en este sentido no es la humillación del hombre, si bien perdería su sentido si con ella se intentara otra cosa que no fuera la alabanza de Dios. La adoración para la propia autoglorificación del hombre se autodestruiría. Jamás alcanza a Dios.

El segundo elemento en el culto es la oración. En la sección sobre la creatividad directora de Dios se ha dado la interpretación básica de la oración. La idea central que allí se expuso fue que toda oración seria produce algo nuevo en términos de la libertad de una creatura que se tiene en cuenta en el conjunto de la creatividad directora de Dios, tal como ocurre con cada acto del yo centrado del hombre. Esta novedad, creada por la oración de súplica, es el acto espiritual de elevar el contenido de los propios deseos y esperanzas al interior de la presencia espiritual. Una oración en lo que se da esto es «oída», aun cuando los acontecimientos subsiguientes estén en contradicción con el contenido manifestado en la oración. Lo mismo es verdad de las oraciones de intercesión que no sólo producen una nueva relación para con aquellos por quienes se hace la oración sino que introducen también un cambio en la relación con lo último de los sujetos y objetos de intercesión. Es, por tanto, falso limitar la oración a la oración de gracias. Esta sugerencia de la escuela de Ritschl está enraizada en una profunda congoja acerca de la deformación mágica de la oración y de sus consecuencias supersticiosas para la piedad popular, pero esta congoja carece de fundamento, hablando sistemáticamente, si bien está más que justificada en la práctica. Dar gracias a Dios es una expresión de adoración y alabanza pero no un reconocimiento formal que prejuzga el que Dios derrame más beneficios sobre quienes expresan su gratitud. Sin embargo, se produciría una relación con Dios del todo irreal si se prohibieran las oraciones de súplica. En ese caso, la expresión de las necesidades del hombre a Dios y la acusación del hombre a Dios por no dar respuesta (como en el libro de Job) y todo el forcejeo del espíritu humano con el Espíritu divino quedaría excluido de la oración. Ciertamente estos comentarios no son la última palabra en la vida de oración, pero la «última palabra» sonaría a hueca y profana, como ocurre con muchas oraciones, si las iglesias y sus miembros se olvidaran de la paradoja de la oración. Pablo expresa la paradoja de la oración de manera clásica cuando habla acerca de la imposibilidad de la oración correcta y acerca del Espíritu divino que representa a aquellos que oran ante Dios sin un lenguaje «objetivante» (Rom 8, 26). Es el Espíritu que habla al Espíritu, como es el Espíritu el que discierne y experimenta al Espíritu. En todos estos casos el esquema sujeto-objeto de «hablar a alguien» queda trascendido: aquél que habla a través nuestro es el mismo a quien hablamos.

La oración espiritual en este sentido (y no una conversación profana con otro ser llamado Dios) conduce al tercer elemento en la función de respuesta —la contemplación. La contemplación es el hijastro en el culto protestante. Sólo últimamente ha sido introducido el silencio litúrgico en algunas iglesias protestantes, y por supuesto, no hay contemplación sin silencio. La contemplación significa participación en aquello que trasciende el esquema sujeto-objeto, con sus palabras objetivantes (y subjetivantes), y por tanto también la ambigüedad de lenguaje (incluido el lenguaje inarticulado de hablarse a uno mismo). El abandono de la contemplación de las iglesias protestantes hunde sus raíces en su interpretación centrada en la persona de la presencia espiritual. Pero el Espíritu trasciende la personalidad, si se identifica la personalidad con la conciencia y la autointegración moral. El Espíritu es extático, al igual que la contemplación, la oración y el culto en general. La respuesta al impacto del Espíritu debe ser a su vez espiritual, lo cual quiere decir que trasciende en éxtasis el esquema sujeto-objeto de la experiencia ordinaria. Ello es obvio sobre todo en el acto de contemplación y se puede exigir que toda oración seria introduzca un elemento de contemplación, porque en la contemplación se pone de manifiesto la paradoja de la oración, la identidad y no-identidad de quien ora y a quien se ora: Dios en cuanto Espíritu.

La presencia del Espíritu divino en la experiencia de la contemplación contradice la idea que encontramos con frecuencia en el misticismo medieval de que la contemplación debe alcanzarse gradualmente, como en un movimiento que lleva de la meditación a la contemplación, y que la misma debe ser un puente tendido hacia la unión mística. Este pensamiento gradual pertenece a las ambigüedades de la religión porque nos enfrenta a Dios como fortaleza asediada que debe rendirse a quienes escalan sus muros. Según el principio protestante, la rendición de Dios es el principio; es un acto de su libertad por el que supera la alienación entre él y el hombre en el acto único, incondicional y completo de la gracia del perdón. Todos los grados de apropiación de la gracia son secundarios, al igual que el crecimiento es secundario con respecto al nacimiento. La contemplación en el ámbito protestante no es un grado sino una cualidad, es decir, una cualidad de una oración que tiene conciencia de que la misma se dirige a aquél que origina en nosotros la oración adecuada.

3. Las funciones expansivas de las iglesias

La universalidad de la comunidad espiritual exige la función de expansión de las iglesias. Puesto que la universalidad de la comunidad espiritual está implicada en la confesión de Jesús como Cristo, toda iglesia debe participar en las funciones de expansión. La primera función de expansión, histórica y sistemáticamente, es la misión. Es tan antigua como el relato de Jesús enviando a los discípulos a las ciudades de Israel, y tiene tanto éxito o fracaso como tuvo la primera misión. La mayoría de los hombres no es todavía cristiana a pesar de dos mil años de actividad misionera, si bien no hay rincón alguno en el mundo que no haya sido tocado de alguna manera por la cultura cristiana.

A pesar de que las consecuencias de la misión tienen un carácter fragmentario (y frecuentemente ambiguo) la función de la expansión sigue su curso en cada momento de la existencia de la iglesia. Siempre que unos miembros activos de la iglesia se encuentran con aquellos que están fuera de la misma, son misioneros de la iglesia, voluntaria o involuntariamente. Su mismo ser es misionero. La finalidad de la misión en cuanto función institucionalizada de la iglesia no es salvar a los individuos de la condenación eterna —como ocurría en algunas misiones piadosas; como tampoco lo es el de fecundar a las religiones y culturas con la cruz. La finalidad de la misión radica más bien en la realización de la comunidad espiritual en el interior de las ambigüedades de la religión que pone en peligro a la misión consistente en que la religión imponga sus propias formas culturales sobre otra cultura en nombre del nuevo ser en Cristo. Esto lleva necesariamente a reacciones que pueden destruir todas las consecuencias de las funciones de expansión de las iglesias cristianas. Ahora bien, resulta difícil para cualquier iglesia separar el mensaje cristiano de aquella cultura particular en la que ha sido proclamado. En cierto sentido es imposible, ya que no existe un mensaje cristiano abstracto, sino que siempre está encarnado en una cultura particular. Aun el intento más autocrítico, por ejemplo, de la misión suiza o norteamericana por despojarse ellas mismas de sus tradiciones culturales sería un fracaso. Con todo, si estuviera presente en ellas la fuerza espiritual, hablarían de lo que nos concierne últimamente a través de las categorías culturales tradicionales. No es un asunto de análisis formal sino de transparencia paradójica. Allí donde se da la presencia espiritual, cualquier misionero, con el bagaje de cualquier tipo de formación, puede comunicar la presencia espiritual (El significado histórico a nivel mundial de la misión se tratará en la quinta parte del sistema: «La historia y el reino de Dios»).

La segunda función de la expansión se basa en el deseo de las iglesias por continuar sus vidas de generación en generación —la función de la educación. El problema de la educación religiosa se ha convertido en uno de los problemas más acuciantes de las iglesias contemporáneas. No creemos que sea este el lugar para tratar la serie de problemas que vienen originados por las técnicas de la educación religiosa, pero sí que tiene gran importancia para la teología sistemática el problema del significado de la función religiosa. Debe ser destacado, ante todo, que la función educativa de la iglesia cristiana empezó en el mismo instante en que se dio acogida en la misma a la primera familia, ya que este hecho planteó a la iglesia la tarea de acoger en su comunión a la nueva generación. Esta tarea es consecuencia de la autointerpretación de la iglesia como la comunidad del nuevo ser o la realización de la comunidad espiritual. Las dudas de los padres acerca de la educación cristiana de sus hijos reflejan en parte las dificultades del proceso educativo, y en parte también las dudas de los mismos padres acerca de la afirmación de que Jesús es el Cristo. Con respecto al primer problema, la teoría educativa puede superar errores psicológicos y la falta de juicio. Con respecto al segundo problema, sólo la presencia espiritual puede dar el coraje para afirmar la aserción cristiana y comunicarla a la nueva generación.

La función educativa de la iglesia no consiste en una información acerca de la historia y de las autoexpresiones doctrinales de la iglesia. Una instrucción-confirmación que simplemente hace eso pierde sus finalidades, aun cuando pueda comunicar un conocimiento útil. Ni tampoco consiste la función educativa de la iglesia en el despertar una piedad subjetiva, que se puede llamar conversión pero que desaparece normalmente con su causa emocional. Una educación religiosa que intenta hacer esto no está en línea con la función educativa de la iglesia. La tarea de la iglesia consiste en introducir a cada nueva generación en la realidad de la comunidad espiritual, en su fe y en su amor. Esto acontece a través de la participación en los grados de madurez, y a través de la interpretación en los grados de comprensión. No se puede comprender de ninguna manera la vida de una iglesia sin participación; y si no existe comprensión la participación se convierte en mecánica y obligada.

La última de las funciones de expansión es la evangelizadora. Va dirigida a los miembros de las iglesias que les son extraños o indiferentes. Se trata de una misión para con los no-cristianos en el interior de una cultura cristiana. Sus dos actividades que se entremezclan si bien se pueden distinguir, son una apologética práctica y una predicación evangélica. Si el resultado de la una o de la otra es el deseo de un consejo personal, la función de mediación reemplaza la de expansión.

La apologética práctica es la aplicación práctica del elemento apologético en toda teología. Ya indicamos en la parte de introducción a todo el sistema que el tipo de pensamiento teológico presentado en este sistema es más apologético que kerigmático y en cuanto tal pretende dar el fundamento teórico de la apologética práctica. Ante todo, se debe destacar que la apologética práctica es un elemento constante en todas las expresiones de la vida de la iglesia. A la iglesia, por razón de su naturaleza paradójica, se le están haciendo preguntas incesantemente acerca de su naturaleza a las que debe dar una respuesta, y eso es lo que significa la apologética: el arte de responder. Ciertamente, la respuesta más eficiente es la realidad del nuevo ser en la comunidad espiritual y en la vida de las iglesias en la medida en que están determinadas por él. Es el testimonio silencioso de la comunidad de fe y amor el que convence al que hace la pregunta quien puede ser reducido al silencio pero no podrá ser convencido ni siquiera por los argumentos más incontrovertibles. Sin embargo, hacen falta argumentos, porque pueden servir para abrir una brecha a través de los muros intelectuales del escepticismo y del dogmatismo con el que los críticos de las iglesias se protegen a sí mismos contra los ataques de la presencia espiritual. Y dado que estos muros se están levantando constantemente en todos nosotros y que han sido la causa de que unas masas de gente se hayan separado de las iglesias a todos los niveles de la educación, la apologética debe ser cultivada por las iglesias; de lo contrario, en lugar del crecimiento experimentarán una disminución en extensión y cada vez más quedarán reducidas a ser una sección pequeña e ineficiente en el seno de una civilización dinámica. Las condiciones psicológicas y sociológicas de una apologética práctica válida dependen de muchos factores, que deben ser valorados por una teología práctica, si bien es tarea de la teología sistemática echar los fundamentos conceptuales sobre los que se debe apoyar la apologética. La teología sistemática debe subrayar también sus propios límites como apologética teórica así como los límites de la práctica apologética más experta. El reconocimiento de sus propios límites viene a ser un elemento en la función apologética.

La evangelización mediante la predicación, al igual que la apologética, va dirigida a unas personas que han pertenecido o pertenecen todavía al ámbito de la civilización cristiana pero que han dejado de ser miembros activos de la iglesia o que se han vuelto indiferentes u hostiles para con ella. La evangelización mediante la predicación tiene más de función carismática que la misma apologética; depende de la aparición en las iglesias de gente que sea capaz de hablar a grupos ya caracterizados, en nombre y con el poder de la comunidad espiritual pero no de la manera como lo hacen las iglesias, y que por esta misma razón causan impacto en los oyentes a quienes no llega la predicación ordinaria. Sería poco elegante decir que este impacto es «meramente» psicológico y predominantemente emocional. La presencia espiritual puede emplear cualquier condición psicológica y cualquier combinación de factores para asir al yo personal, y es una ventaja de la metáfora «dimensión» el que sirva de puente de unión entre lo que separa lo psicológico de lo espiritual (así como de lo espiritual). Sin embargo, no es una artimaña, sino algo que está de acuerdo con la realidad de los hechos, el que señalemos los peligros de la evangelización como un fenómeno religioso con las ambigüedades propias de la religión. El peligro de la evangelización contra el que combate el Espíritu, es la confusión del impacto subjetivo de la predicación evangélica con el impacto espiritual que trasciende el contraste de subjetividad y objetividad. Aquí el criterio es el carácter creador de la presencia espiritual, es decir, la creación del nuevo ser que no despierta la subjetividad del oyente sino que la transforma. Un mero despertar no puede crear la participación en la comunidad espiritual aún en el caso de que origine los diferentes elementos de conversión de acuerdo con el modelo tradicional. El arrepentimiento, la fe, la santidad, etcétera, no son lo que significan estas palabras, y por tanto su efecto sólo es momentáneo y transitorio. Sin embargo, sería una equivocación rechazar la evangelización, ni que se tratara de un solo evangelizador, *in toto* a causa de estas ambigüedades. Debe existir la evangelización, pero no debe confundirse un despertar con el éxtasis.

4.   Las funciones constructivas de las iglesias

a)   *La función estética en la iglesia.*   Llamamos funciones de la iglesia aquellas mediante las cuales edifica su vida al emplear y trascender las funciones de la vida del hombre bajo la dimensión del espíritu. Nunca pueden faltar a la iglesia las funciones de construcción y, por tanto, no puede renunciar al empleo de las creaciones culturales en todas las direcciones básicas. Quienes subrayan el contraste entre el Espíritu divino y el espíritu humano en términos de exclusividad no pueden evitar contradecirse a sí mismos: en el mismo momento de expresar este rechazo de cualquier contacto entre la creatividad cultural y la espiritual, emplean todo el aparato del espíritu cognoscitivo del hombre, aun cuando se sirvan de pasajes bíblicos, ya que las palabras con las que se expresa la Biblia son creaciones del desarrollo cultural del hombre. Se puede rechazar la cultura mediante su empleo como instrumento para lograrlo. Ahí está la inconsistencia de lo que en las discusiones recientes se conoce con el nombre de diastasis, es decir, la separación radical de lo religioso de la esfera cultural.

Las iglesias son constructivas en todas aquellas direcciones de la vida cultural del hombre que ya hemos distinguido en las secciones acerca de la autocreación cultural de la vida. Son constructivas en el campo de la *theoria,* que son las funciones estéticas y cognoscitivas, y son constructivas en el campo de la *praxis,* que son las funciones personales y comunitarias. Más adelante discutiremos estas funciones en su relación inmediata con la comunidad espiritual; pero llegados a este punto, debemos considerar el problema de la participación que tienen en las funciones constructivas de las iglesias. Hay una pregunta central en todas ellas: ¿cómo se relaciona la forma cultural autónoma que las hace ser lo que son con su función en cuanto material para la autoconstrucción de las iglesias? ¿Acaso su tipo de función al servicio del edificio eclesiástico disminuye la pureza de su forma autónoma? ¿Acaso la expresividad, la verdad, la humanidad y la justicia deben doblegarse a fin de poder ser incorporadas a la vida de las iglesias? Y si se rechaza este elemento demoníaco en las ambigüedades de la religión, ¿cómo puede evitarse que el espíritu humano reemplace el impacto de la presencia espiritual por otros actos suyos autocreadores? ¿Cómo se puede evitar que la vida de las iglesias caiga bajo la influencia del elemento profano en las ambigüedades de la religión? En lugar de una respuesta general trataremos de responder ocupándonos directamente de cada una de las funciones de construcción y de sus problemas particulares.

La iglesia se sirve del campo estético debido al arte religioso, por medio del cual la iglesia expresa el significado de su vida con símbolos artísticos. El contenido de los símbolos artísticos (poéticos, musicales, visuales) no son otros que los símbolos religiosos que proporcionan las experiencias de la revelación original así como las tradiciones que de ellos se derivan. El hecho de que los símbolos artísticos traten de expresar mediante un estilo siempre en mutación los símbolos religiosos recibidos produce el fenómeno de un «doble símbolo», del que tenemos un ejemplo en el símbolo del «Cristo crucificado» expresado mediante los símbolos artísticos del pintor del Renacimiento nórdico Matias Grünewald —uno de los raros cuadros que es a la vez protestante en espíritu y al mismo tiempo arte de primera categoría. Lo destacamos como ejemplo de un doble símbolo, pero es también ejemplo de algo más, es decir, del poder que tiene la expresión artística para ayudar a transformar lo que expresa. La «Crucifixión» de Grünewald no sólo expresa la experiencia de los grupos de la pre-Reforma a los que pertenecía el pintor, sino que ha ayudado a difundir el espíritu de la Reforma y a crear una imagen de Cristo radicalmente opuesta a la de los mosaicos orientales, en los que como un niño en el regazo de María es ya al mismo tiempo el gobernador del universo. Es comprensible que un cuadro como el de Grünewald fuera censurado por las autoridades de la iglesia oriental, la iglesia de la resurrección y no de la crucifixión. Las iglesias sabían que la expresividad estética es algo más que un simple y bello añadido a la vida devota. Sabían que la expresión da vida a lo que expresa —da fuerza para estabilizar y fuerza para transformar— y por ello intentaban influenciar y controlar a quienes creaban el arte religioso. Las iglesias orientales eran muy rigurosas al respecto, pero también obraba así la iglesia católica, de manera especial con la música, e incluso las iglesias protestantes por lo que hacía referencia sobre todo a la poesía de los himnos. La expresión *hace* algo a lo que expresa: este es el significado del arte religioso en cuanto función constructiva de las iglesias.

El problema implicado en esta situación es el posible conflicto entre la demanda justificada de las iglesias de que el arte religioso que aceptan expresa lo que las mismas confiesan y las exigencias justificadas de los artistas para que se les permita hacer uso del estilo al que les conduzca su conciencia artística.

Podríamos decir que la una y la otra son como los dos principios que controlan el arte religioso, el principio de la consagración y el principio de la sinceridad. El primero es el poder de expresar lo santo en la concreción de una tradición religiosa especial (con la inclusión de sus posibilidades de reforma). El principio de la consagración en este sentido es una aplicación del más amplio principio de la trascendencia de la forma (del que ya tratamos antes) a la esfera del arte religioso. Incluye el uso de símbolos religiosos que caracterizan la tradición religiosa particular (por ejemplo, el retrato de Cristo o el relato de la pasión) y las cualidades de estilo que distinguen las obras de arte religioso de la expresión artística de los encuentros no-religiosos con la realidad. La presencia espiritual se hace sentir asimismo en las dimensiones de la arquitectura, en la música y en el lenguaje litúrgico, en las representaciones pictóricas y esculturales, en el carácter solemne de los gestos de todos los participantes y así sucesivamente. Es tarea de la teoría estética en colaboración con la psicología analizar el carácter estilístico de la consagración. Sea cual fuere el estilo artístico general de una época, siempre se dan unas cualidades que distinguen el empleo del estilo sagrado del secular.

Existe, sin embargo, un límite a las demandas que se hacen a los artistas en nombre del principio de la consagración y no es otro que el que impone la exigencia del principio de sinceridad. Este principio es la aplicación del principio general de afirmación de la forma, tal como ya fue estudiado anteriormente, al arte religioso. Esto tiene una importancia especial en una época en la que aparecen nuevos estilos y la conciencia cultural se divide en la lucha entre autoexpresiones culturales. El principio de sinceridad corre un grave peligro en tales situaciones, que se han dado con cierta frecuencia en la historia de la civilización occidental. Formas consagradas de expresión artísticas se arrogan una validez absoluta porque han impregnando el recuerdo de experiencias extático-devotas, y se defienden en contra del desarrollo de nuevos estilos en nombre de la presencia espiritual. Tales pretensiones conducen a los artistas a un profundo conflicto moral y a los miembros de la iglesia a decisiones religiosamente dolorosas. Ambos experimentan, por lo menos en profundidades inconscientes, que las viejas formas de estilo, por muy consagradas que estén, ya no realizan una función expresiva. Dejan de ser una expresión de lo que ocurre en el encuentro religioso de quienes son asidos por la presencia espiritual en su situación concreta. Pero las nuevas formas estilistas no han encontrado aún las cualidades de la consagración. En una tal situación, la exigencia de sinceridad por parte de los artistas les puede obligar a abstenerse de intentar expresar los símbolos tradicionales de manera absoluta, o en el caso de que lo intenten, a reconocer su fracaso. Por otro lado, la exigencia de sinceridad en quienes son los receptores de las obras de arte es que confiesen su malestar ante las formas de estilo más antiguas, aun cuando no sean capaces todavía de apreciar las nuevas formas —tal vez simplemente porque no existen aún formas convincentes con la cualidad de la consagración. Pero tanto los artistas como los no artistas están quedando bajo la exigencia severa que va implícita en el principio de sinceridad —la de no admitir imitaciones de estilos que en otros tiempos tuvieron grandes posibilidades consagradoras pero que han perdido su expresividad religiosa para una situación real. El ejemplo más famoso —o infame— lo tenemos en la arquitectura religiosa de imitación pseudogótica.

Debemos mencionar aún otro problema que asedia la relación de los dos principios del arte religioso: pueden aparecer estilos artísticos que por su misma naturaleza excluyen formas consagradas y deben por tanto ser excluidos de la esfera del arte religioso. Pensamos en algunos tipos de naturalismo o del estilo no-objetivo contemporáneo. Por su misma naturaleza uno y otro quedan exluídos del uso de muchos símbolos religiosos tradicionales: el estilo no-objetivo, porque exluye la figura orgánica y el rostro humano; y el naturalismo, porque al describir sus objetos trata de hacer exclusión de la autotrascendencia de la vida. Podríamos decir que tan sólo los estilos que puedan expresar el carácter extático de la presencia espiritual se prestan al arte religioso, y ello significaría que en un estilo tiene que estar presente algún elemento expresionista a fin de poderlo convertir en instrumento para el arte religioso. Lo cual es, por cierto, correcto, sin que por ello excluya ningún estilo en particular, ya que en cada uno de ellos se dan elementos expresionistas que apuntan a la autotrascendencia de la vida. Los estilos idealistas se pueden convertir en vehículos de éxtasis religioso ya que ninguno de ellos excluye por completo el elemento expresionista. Pero la historia nos muestra que aquellos estilos en los que predomina la cualidad expresionista se prestan mejor a una expresión artística de la presencia espiritual. Son los más aptos para expresar la cualidad extática del Espíritu. Esta es la razón por la que, en los períodos en que desaparecían tales estilos no hacían su aparición grandes obras de arte religioso. La mayor parte de las últimas consideraciones se derivan de una interpretación de las artes visuales para las demás artes.

Si miramos la historia del protestantismo nos encontramos con que ha continuado y con frecuencia superado las obras de la iglesia primitiva y medieval con respecto a la música religiosa y a la poesía de los himnos pero que más bien ha quedado disminuida su capacidad creadora en todas las artes visuales, incluidas aquellas en las que son igualmente importantes el oído y la vista, como son la danza religiosa y en las representaciones religiosas. Esto se relaciona con la vuelta a finales de la edad media a poner el énfasis en el oído en lugar de en la vista. Con la reducción de los sacramentos en número e importancia y el fortalecimiento de la participación activa de los fieles en los servicios religiosos, ganaron importancia la música y la poesía, y los movimientos iconoclastas en los primeros tiempos del protestantismo y el radicalismo evangélico llegaron tan lejos que condenaron el empleo de las artes plásticas en todas las iglesias. El trasfondo de este rechazo de las artes de la vista no es otro que el miedo —e incluso el horror— de recaer en la idolatría. Desde los primeros tiempos de la Biblia hasta nuestros días, una corriente de miedo y pasión iconoclasta recorre el mundo occidental e islámico, y no existe la menor duda de que las artes visuales están más expuestas a la demonización idólatra que las artes auditivas. Pero la diferencia es relativa, y la misma naturaleza del Espíritu está en contra de la exclusión de la vista de la experiencia de su presencia. De acuerdo con la unidad multidimensional de la vida, la dimensión del espíritu incluye a todas las demás —a todo lo visible en el universo entero. El espíritu penetra en el campo físico y biológico por el mismo hecho de que su base es la dimensión de la autoconciencia. Por tanto no se puede expresar sólo mediante palabras. Tiene también un aspecto visible, como se manifiesta en el rostro del hombre, que expresa una estructura corpórea y un espíritu personal. Esta experiencia de nuestra vida cotidiana es la premonición de la unidad sacramental de materia y espíritu. Se debe recordar que fue un místico (Ötinger) quien formuló todo esto cuando dijo que la «corporalidad (hacerse cuerpo) es el fin de los caminos de Dios». La ausencia de las artes plásticas en el contexto de la vida protestante, aunque comprensible desde un punto de vista histórico, es insostenible sistemáticamente y lamentable en la práctica.

Cuando apuntamos al hecho histórico de que los estilos con un elemento predominantemente expresionista se prestan mejor al arte religioso, suscitamos la cuestión de las circunstancias bajo las cuales puede aparecer un tal estilo. La respuesta negativa era del todo clara: la religión no puede forzar ningún estilo en el desarrollo autónomo de las artes. Ello contradeciría el principio de la sinceridad artística. Aparece un nuevo estilo en el curso de la autocreación de la vida bajo la dimensión del espíritu. Se crea un estilo por el acto autónomo del individuo artista y, al mismo tiempo, por el destino histórico. Pero la religión puede influir en el destino histórico y en la creatividad autónoma indirectamente, y así sucede cuando el impacto de la presencia espiritual en una cultura crea una teonomía cultural.

b)   *La función cognoscitiva en la iglesia.*   El campo cognoscitivo aparece en las iglesias como teología. Con ella las iglesias interpretan sus símbolos y los relacionan con las categorías generales de conocimiento. La materia propia de la teología, al igual que la de las artes religiosas, consiste en los símbolos proporcionados por las primitivas experiencias de revelación así como por las tradiciones en ellas basadas. Ahora bien, mientras que las artes expresan los símbolos religiosos con símbolos artísticos, la teología los expresa con conceptos que vienen determinados por los criterios de racionalidad. De esta manera la doctrina y los dogmas de las iglesias legalmente establecidos suscitan e impulsan una conceptualización teológica más amplia.

Lo que se debe decir ante todo acerca de la función teológica de las iglesias es que al igual que la función estética, nunca están ausentes. La afirmación de que Jesús es el Cristo contiene de alguna manera todo el sistema teológico, como la narración de una parábola de Jesús contiene todas las potencialidades artísticas del cristianismo.

No es necesario ahora que nos ocupemos de la teología en cuanto tal ya que lo hicimos en la introducción de nuestro sistema. Pero a la luz de las secciones previas de esta parte del sistema, pueden resultar convenientes una serie de puntualizaciones: como todas las funciones de la iglesia, también la teología permanece bajo los principios de la trascendencia de la forma y de la afirmación de la misma. En el campo estético estos principios se presentan como la consagración y la sinceridad. De manera análoga, podemos hablar, con respecto a la función cognoscitiva, de los elementos meditativos y discursivos en la teología. El acto meditativo penetra la substancia de los símbolos religiosos; el acto discursivo analiza y describe la forma en la que la substancia puede ser asida. En el acto meditativo (que en algunos momentos se puede convertir en contemplación) el sujeto cognoscente y su objeto, el misterio de lo santo, están unidos. Sin una tal unión el procedimiento teológico permanece como análisis de estructuras sin substancia; por otro lado, la meditación (con la inclusión de momentos de contemplación) sin un análisis de sus contenidos y sin una síntesis constructiva no puede crear una teología. Esta es la limitación de la «teología mística». Se puede convertir en teología sólo en el grado en que ejercita la función discursiva del conocimiento.

El elemento meditativo en la tarea teológica se dirige hacia los símbolos concretos que se originan en la experiencia de revelación de la que han brotado. Puesto que la teología es una función de la iglesia, la iglesia queda justificada al presentar al teólogo los objetos concretos de su meditación y contemplación y al rechazar una teología en la que han sido rechazados tales símbolos o han perdido su significado. Por otro lado, el elemento discursivo del conocimiento está infinitamente abierto en todas direcciones y no puede quedar ligado a un conjunto particular de símbolos. Esta situación parece excluir toda teología, y la historia de la iglesia muestra una serie continua de movimientos antiteológicos, apoyados a uno y otro lado por quienes rechazan la teología debido a que su elemento discursivo parece destruir la substancia concreta de la iglesia encarnada en sus símbolos y por quienes la rechazan porque su elemento meditativo parece restringir el raciocinio a unos objetos y soluciones preconcebidos. Si tales presupuestos tuvieran justificación, no sería posible ninguna teología. Pero, ciertamente, la teología es real y debe tener caminos para superar la alternativa de la meditación y el raciocinio.

El problema está en si existen formas del encuentro conceptual con la realidad en las que predomine y sea eficiente el elemento meditativo sin que sea suprimida la seriedad discursiva del pensamiento. ¿Se da la analogía existente entre la consagración y la sinceridad en la relación de la meditación y el raciocinio? La respuesta es afirmativa, porque el pensamiento discursivo no excluye a un sector teológico en su seno si tal sector teológico no pretende ejercer un control sobre los demás sectores. Pero podíamos preguntar si no existen formas del pensamiento discursivo que harían que el sector teológico fuera no sólo relativamente sino absolutamente imposible. El materialismo, por ejemplo, ha sido llamado una tal forma de pensamiento discursivo. Se ha afirmado que un materialista no puede ser teólogo. Pero una tal visión es más bien superficial: ante todo, el materialismo no es una posición que dependa simplemente del raciocinio; depende también de la meditación y tiene un elemento teológico en su seno. Esto es verdad con respecto a todas las posturas filosóficas: no sólo son hipótesis científicas sino que tienen también un elemento meditativo oculto bajo sus argumentos filosóficos. Esto significa que la teología es siempre posible sobre la base de cualquier tradición filosófica. Con todo, se dan diferencias en el material conceptual que emplea. Si el elemento meditativo tiene fuerza en una filosofía, se le puede comparar con los estilos artísticos en los que tiene fuerza el elemento expresionista. Hoy decimos de tales filosofías que son existencialistas o que tienen importantes elementos existencialistas en el seno de sus propias estructuras. El término «existencialistas» en este contexto designa aquellas filosofías en las que el problema de la existencia humana en el tiempo y en el espacio y del predicamento del hombre en unidad con el predicamento de todo lo existente se pregunta y contesta con símbolos o mediante su transformación conceptual. En este sentido, fuertes elementos existencialistas están presentes en Heráclito, Sócrates, Platón, los estoicos y los neoplatónicos. Filósofos tales como Anaxágoras, Demócrito, Aristóteles y los epicúreos son predominantemente esencialistas, que se ocupan más bien de la estructura de la realidad que del predicamento de la existencia. De la misma manera podemos distinguir en los tiempos modernos hombres tales como Nicolás de Cusa, Pico, Bruno, Boehme, Pascal, Schelling, Schopenhauer, Nietzsche y Heidegger como predominantemente existencialistas y a Galileo, Bacon, Descartes, Leibniz, Locke, Hume, Kant y Hegel como predominantemente esencialistas. Estas enumeraciones muestran que se trata siempre de saber dónde ponemos el énfasis más que de hacer exclusiones.

La división de «estilos» de pensamiento es análoga a la división de estilos artísticos. En ambos casos tenemos a un lado la polaridad idealista-naturalista, y al otro el énfasis expresionista o existencialista. A la vista del carácter extático de la presencia espiritual, las iglesias pueden servirse para su propia autoexpresión cognoscitiva de los sistemas de pensamiento en los que tiene fuerza el énfasis existencialista (nótese, por ejemplo, el significado de Heráclito, Platón, los estoicos y Plotino en la primitiva iglesia y la necesidad de Tomás de Aquino de introducir elementos existencialistas heterogéneos en Aristóteles). Pero como ocurre en el caso de los estilos artísticos, las iglesias no pueden imponer un estilo de pensamiento a los filósofos. El que el elemento existencialista que está presente en toda filosofía irrumpa al exterior o no es asunto de la creatividad autónoma y del destino histórico. Con todo, la iglesia no ha de estar a la espera de un tal acontecimiento, ya que no puede trabajar sin las descripciones esencialistas de la realidad, y es capaz de descubrir los presupuestos existencialistas que se esconden tras aquellas y servirse de ellos ya sea aceptándolos o rechazándolos, en el naturalismo así como en el idealismo; la teología no debe temer a ninguno de ellos.

Las últimas consideraciones al igual que las correspondientes en la sección acerca del arte religioso, son transiciones a la «teología de la cultura», de la que trataremos más adelante.

c) *Las funciones comunitarias en la iglesia.* El problema de todas las funciones constructivas de la iglesia es la relación de su forma cultural autónoma con su función en cuanto material para la vida de las iglesias. Hemos tratado esto con respecto a las funciones estéticas y cognoscitivas de la *theoria.* Ahora debemos ocuparnos de ello con respecto a las funciones de la *praxis:* el crecimiento interdependiente de la comunidad y de la personalidad. Debemos hacer la pregunta: ¿acaso su funcionamiento al servicio de las iglesias distorsiona sus formas autónomas? Con respecto a la *theoria* ello implicaba la pregunta de si la expresividad y la verdad pueden preservar su honestidad y su seriedad discursiva cuando se emplean para la consagración y la meditación. Con respecto a la *praxis* suscita la pregunta de si la comunidad puede mantener la justicia y si la personalidad puede mantener la humanidad cuando se emplean para la autoconstrucción de las iglesias. Concretamente el problema está en si se puede preservar la justicia cuando se emplea para la realización de la santidad comunitaria y si se puede preservar la humanidad cuando se emplea para la realización de la santidad personal. Si las funciones constructivas de la iglesia, en el poder de la presencia espiritual, conquistan las ambigüedades de la religión (aunque sólo sea de manera fragmentaria), deben ser capaces de crear una santidad comunitaria que va unida a la justicia y una santidad personal unida a la humanidad.

La santidad comunitaria en las iglesias es una expresión de la comunidad santa, que es su esencia dinámica. Las iglesias expresan, y distorsionan a la vez, la santidad comunitaria, y la presencia espiritual lucha contra las ambigüedades que se derivan de una tal situación. La santidad comunitaria (abreviación del intento por realizar la comunidad santa en un grupo histórico) contradice el principio de justicia cuando una iglesia comete o permite la injusticia en nombre de la santidad. En el seno de la civilización cristiana ello no ocurre normalmente de la misma manera que se daba en las religiones paganas, en las que, por ejemplo, la superioridad sacramental del rey o del sumo sacerdote les colocaba en una posición en la que el principio de justicia quedaba ampliamente suspendido. La ira de los profetas del antiguo testamento iba dirigida contra esa actitud. Pero incluso en el seno del cristianismo tiene actualidad el problema, ya que todo sistema de jerarquías religiosas conduce a la injusticia social. Aun cuando no existan jerarquías formales existen grados de importancia en la iglesia, y los grados más altos tienen una dependencia social y económica y están interrelacionados con los grados más elevados del grupo social. Esta es una de las razones por las que en la mayoría de casos las iglesias han apoyado a los «poderes que sean», incluidas sus injusticias contra las clases inferiores (Otra razón es el matiz conservador que hemos descrito como «tradición contra la reforma»). La alianza de las jerarquías eclesiásticas con las jerarquías feudales de la sociedad medieval es un ejemplo de esta «injusticia de la santidad»; la dependencia del ministro religioso de los representantes de las clases económica y socialmente influyentes en su parroquia es otro ejemplo. Podíamos decir que una tal santidad no lo es en absoluto, lo cual sería una reducción simplista, puesto que el concepto de santidad no se puede reducir al concepto de justicia. Representantes injustos de la iglesia pueden ser con todo representantes de la autotrascendencia religiosa, a la que, por el solo hecho de su existencia, apuntan las iglesias; pero ciertamente, esto no es más que una representación deformada que conduce finalmente al repudio de las iglesias no sólo por parte de quienes tienen que soportar sus injusticias, sino también por parte de aquellos que sufren porque ven unidas la santidad (que no niegan) con la injusticia.

La descripción dada más arriba de las ambigüedades de la vida comunitaria, acarrea cuatro ambigüedades: la primera es la ambigüedad de la inclusividad; la segunda es la ambigüedad de la igualdad; la tercera, la ambigüedad de la dirección; la cuarta, la ambigüedad de la forma legal. Ahora la pregunta es ésta: ¿en qué sentido están todas ellas superadas en la comunidad que reclama su participación en la comunidad santa y derivó la santidad para sí misma? La ambigüedad de la inclusividad queda superada en la medida en que la iglesia pretende la inclusión de todos más allá de cualquier limitación social, racial o nacional. Esta pretensión es incondicional pero su realización está condicionada y se da el repetido síntoma de la alienación del hombre de su verdadero ser (obsérvese, por ejemplo, que son constantes en el seno de las iglesias los problemas raciales y sociales). Se da además una forma especial de la ambigüedad de la inclusividad en las iglesias y esa no es otra que la exclusión de quienes confiesan otra fe. La razón que lo motiva es obvia: toda iglesia se considera a sí misma una comunidad de fe bajo un conjunto de símbolos, lo que implica la exclusión de los símbolos que estén en competencia. Sin una tal exclusión no podría existir. Pero esta exclusión la hace culpable de una adherencia idólatra a sus propios símbolos históricamente condicionados. Por tanto, siempre que se hace sentir la presencia espiritual, comienza la autocrítica de las iglesias en nombre de sus propios símbolos. Esto es posible porque en todo símbolo religioso auténtico se da un elemento que juzga al símbolo y a quienes lo utilizan. El símbolo no es simplemente rechazado sino que es criticado y precisamente se cambia gracias a esa crítica. La iglesia al criticar sus propios símbolos expresa su dependencia de la comunidad espiritual, su carácter fragmentario, y la amenaza constante de caer en esas ambigüedades de la religión a las que en teoría debe combatir.

El elemento de igualdad que pertenece a la justicia es reconocido en las iglesias como la igualdad de todos ante Dios. Esta igualdad trascendente no implica la exigencia de una igualdad social y política. Los únicos intentos para realizar la igualdad social y política no se originan en el cristianismo (con la excepción de algunas sectas radicales) sino en el estoicismo antigua y moderno. Con todo la igualdad ante Dios debe crear un deseo de igualdad entre quienes se acercan a Dios, o sea, de igualdad en la vida de la iglesia. Es importante tomar nota de que muy pronto en el nuevo testamento, concretamente en la carta de Santiago, se trató del problema de la igualdad en los servicios religiosos y se denunció el mantener una desigualdad social en los servicios de la iglesia. Una de las peores consecuencias del abandono del principio de igualdad en el seno de las iglesias es el tratar a algunos como «pecadores públicos» no sólo en la edad media sino también en nuestros días. Las iglesias raras veces siguieron la actitud de Jesús para con los «publicanos y las prostitutas». Estaban y están avergonzadas por la manera cómo Jesús se comportaba al reconocer la igualdad de todos los hombres ante el pecado (que ellas confiesan) y por tanto de la igualdad de todos los hombres ante el perdón (que también todas ellas confiesan). El establecimiento del principio de desigualdad entre los pecadores socialmente condenados como tales y los justos socialmente aceptados como tales es una de las negaciones más conspicuas y la más anticristiana del principio de igualdad. En contraste con esta actitud de muchos grupos e individuos en las iglesias, el hecho de que la psicología secular del inconsciente hay redescubierto la realidad de lo demoníaco en cada uno de nosotros se debe interpretar como un impacto de la presencia espiritual. Al hacerlo así, ha restablecido, por lo menos de manera negativa, el principio de igualdad como un elemento de justicia. Si las iglesias no experimentan la llamada a la conversión en este orden quedarán anticuadas y el

Espíritu divino actuará en los movimientos aparentemente ateos y anticristianos y a través de los mismos.

La ambigüedad de la dirección está íntimamente relacionada con las ambigüedades de la inclusividad y de la igualdad, ya que son los grupos dirigentes los que excluyen y los que crean desigualdad, incluso en la relación con Dios. El liderazgo y sus ambigüedades pertenecen a la vida de cualquier grupo histórico. La historia de la tiranía (que abraza la mayor parte de la historia de la humanidad) no es la historia de malos accidentes históricos sino más bien de una de las grandes e inevitables ambigüedades de la vida, de las que no queda exenta la religión. El liderazgo religioso tiene las mismas posibilidades profanas y demoníacas que cualquier otro liderazgo. El constante ataque de los profetas y de los apóstoles a los líderes religiosos de su tiempo no constituía una injuria para la iglesia sino su salvación. Y lo mismo ocurre hoy día. El hecho de que la iglesia católica no reconozca la ambigüedad del liderazgo del papa la libera de las ambigüedades obvias del liderazgo pero le confiere una cualidad demoníaca. La debilidad protestante de una autocrítica constante constituye su grandeza y es un síntoma del impacto del Espíritu en esa misma debilidad.

La ambigüedad de la forma legal es tan inevitable como la ambigüedad del liderazgo, de la igualdad y de la inclusividad. No hay nada en la historia humana que tenga realidad sin una forma legal, así como no existe nada en la naturaleza que tenga realidad sin una forma natural, pero la forma legal de las iglesias no es asunto de una exigencia incondicional. El Espíritu no da leyes constitucionales, pero guía a las iglesias hacia un uso espiritual de los oficios e instituciones sociológicamente adecuados. Lucha contra las ambigüedades de poder y de prestigio que son efectivas en la vida de cada día de la comunidad de la más pequeña aldea así como en el encuentro de las grandes denominaciones. Ningún oficio eclesial, ni siquiera los que existían en las iglesias apostólicas, son el resultado de una orden directa del Espíritu divino. Pero la iglesia está y están sus funciones, porque forman su misma naturaleza. La institución y los oficios que sirven a la iglesia en estas funciones son materia de adecuación sociológica, de conveniencia práctica y de humana sabiduría. Sin embargo, es correcto preguntarse si las diferencias en la constitución no tienen una significación espiritual indirecta puesto que las interpretaciones de la relación de Dios con el hombre quedan implicadas en la forma de liderazgo (monárquico, aristocrático, democrático). Esto convertiría los problemas de la constitución en problemas teológicos indirectamente y explicaría las luchas y divisiones de las iglesias a propósito de las formas constitucionales. Si se considera el problema de la constitución tanto teológica como sociológicamente, se puede apuntar primeramente a los últimos principios teológicos implicados en las diferencias de constituciones, como son, por ejemplo, el principio protestante de la «falibilidad» de todas las instituciones religiosas y la consiguiente protesta contra un lugar infalible en la historia, la *cathedra papalis,* o bien el principio protestante del «sacerdocio de todos los creyentes» y la consiguiente protesta contra un sacerdocio que queda separado de los laicos y que representa un grado sagrado en una estructura jerárquica divino-humana. Unos tales principios son objeto de una preocupación última. Las funciones esenciales de la iglesia, y por tanto unas ciertas provisiones organizativas para su ejecución, son objeto no ya de preocupación última sino necesaria. Ahora bien, la cuestión de cuáles deben ser los métodos preferidos es un problema de conveniencia bajo el criterio de los principios últimos teológicos.

Las ambigüedades que van conectadas con la organización legal de las iglesias han sido causa de un amplio resentimiento en contra de una «religión organizada». Por supuesto que ya el mismo término formula un prejuicio, ya que no es la religión la que está organizada sino una comunidad centrada alrededor de un conjunto de símbolos y tradiciones religiosas, y en una comunidad de este tipo se hace socialmente inevitable un mínimo de organización. Los grupos sectarios, en su primera etapa revolucionaria, han intentado evitar cualquier tipo de organización y vivir en la anarquía. Pero las necesidades sociológicas no les permitieron salir airosos en su intento; casi inmediatamente después de su separación empezaron la erección de nuevas formas legales que con frecuencia venían a ser más exigentes y opresoras que las de las grandes iglesias. Y en algunos casos.importantes esos mismos grupos se convirtieron en grandes iglesias con todos sus problemas constitucionales.

La aversión por una religión organizada aún va más lejos: pretende la eliminación del elemento comunitario de la religión. Y esto es un engañarse a sí mismo, ya que el hombre sólo puede llegar a ser persona en un encuentro interpersonal y puesto que el lenguaje de la religión —aun cuando se trate de un lenguaje silencioso— depende de la comunidad, la «religiosidad subjetiva» es un reflejo de la tradición comunitaria, y se evapora si no se alimenta constantemente por medio de una vida en la comunidad de fe y amor. No existe lo que podríamos llamar «religión privada»; pero sí que se da una respuesta personal a la comunidad religiosa, y esta respuesta personal puede causar un impacto creador, revolucionario e incluso destructivo sobre la comunidad. El profeta va al desierto para regresar y el eremita vive de lo que ha tomado de la tradición de la comunidad, y con frecuencia se desarrolla una nueva comunidad en el desierto, como sucedió durante el primer período del monaquismo cristiano.

La confrontación entre la religión privada y la organizada sería una simple locura si tras ella no existiera un motivo más profundo, aunque se expresara pobremente, a saber, una crítica *religiosa* de toda forma de religión, ya sea pública o privada. Es acertado experimentar que la religión en su sentido más estricto es una expresión de la alienación del hombre de su unidad esencial con Dios. Si se entiende así sólo existe otra manera de hablar de la profunda ambigüedad de la religión, y se debe entender como una queja producida porque aún no ha llegado la reunión escatológica. Esta queja se origina en los corazones de cada una de las personas religiosas individualmente así como en las expresiones propias de las comunidades. Pero ello es algo que abarca más y tiene una mayor significación que la crítica de la religión organizada.

d) *Las funciones personales en la iglesia.* Nos hemos referido a los eremitas y a los monjes en cuanto son personas que intentan escapar a las ambigüedades que van implicadas en el carácter sociológico de cualquier comunidad religiosa. Ello es posible ciertamente sólo dentro de los límites trazados por el hecho de que también ellos participan, cuando no lo crean ellos mismos, de la vida de una comunidad religiosa con sus características sociológicas. De todas formas, su retiro es posible dentro de estos límites y tiene la importante función simbólica de apuntar a la vida sin ambigüedades de la comunidad espiritual.

Y al desempeñar esta función toman parte de manera destacada en la función constructiva de las iglesias. Ahora bien el deseo de evitar las ambigüedades de las comunidades religiosas no es la única razón de su retiro sino que era también y es todavía algo básico para ellos: el problema de una vida personal bajo el impacto de la presencia espiritual.

Las ambigüedades de la vida personal son ambigüedades en la realización de la humanidad como propósito interior de la persona y aparecen tanto en la relación de la persona consigo misma como en su relación con los demás. La ambigüedad de determinación, ya mencionada, va implicada en ambos casos: la ambigüedad de la autodeterminación y la ambigüedad de la determinación de los demás.

La primera pregunta que debe hacerse es la de la relación existente entre el ideal de santidad y el ideal de la humanidad. Antes ya preguntamos si la santidad de la comunidad destruye su justicia y ahora debemos preguntar: ¿la santidad de la personalidad en el seno de esta comunidad destruye la humanidad de la persona? ¿Cómo se relacionan bajo el impacto de la presencia espiritual? El problema suscitado con esta pregunta es el problema del ascetismo y de la humanidad. La santidad ha sido identificada frecuentemente con el ascetismo y en parte ha sido puesta bajo su dependencia. Más allá del ascetismo, es la transparencia del fondo divino del ser en una persona lo que la hace santa. Pero una tal transparencia (que según la doctrina católica, queda expresada en su capacidad de obrar milagros) depende de la negación de muchas potencialidades humanas, y, por tanto, está en tensión con el ideal de humanidad. La pregunta fundamental es la de si esta tensión se convierte necesariamente en conflicto. La respuesta depende de la distinción de diferentes tipos de ascetismo. Tras el ideal de ascetismo monástico de la iglesia romana católica se esconde el concepto místico-metafísico de la resistencia de la materia a la forma —una resistencia de la que se derivan todas las negatividades de la existencia y las ambigüedades de la vida. Se renuncia a lo material a fin de poder alcanzar lo espiritual; es de esta manera como se libera al Espíritu de su sumisión a la materia. El ascetismo que se deriva de una tal metafísica de fundamentos religiosos es «ontológica». Implica que quienes lo practican están religiosamente más elevados en la jerarquía humanodivina que aquellos que viven en la realidad del «mundo» materialmente condicionado. Desde el punto de vista de nuestra pregunta fundamental, debemos decir que se da un conflicto, un conflicto irreconciliable, entre este tipo de ascetismo y el *telos* de la humanidad; debemos añadir que este tipo de ascetismo presupone una negación implícita de la doctrina de la creación. Por tanto, el protestantismo ha rechazado el ascetismo y, a pesar de su lucha con los humanistas, ha preparado el camino al *telos* de la humanidad. Según el principio protestante, no hay ninguna espiritualidad que se base en la negación de la materia, ya que Dios creador está igualmente cerca de lo material que de lo espiritual. La materia pertenece a la buena creación, y su afirmación humanista no contradice la espiritualidad.

Pero existe otra forma de ascetismo que se ha desarrollado en la esfera judía y protestante, la del ascetismo de la autodisciplina. La encontramos en Pablo y Calvino. Tiene fuertes connotaciones morales más que ontológicas. Presupone el estado de caída de la realidad y la voluntad de resistir a la tentación que proviene de muchas cosas que no son malas en sí mismas. En principio esto se adecua a la situación humana y no sería posible ningún tipo de humanidad sin elementos de este tipo de ascetismo. Pero el impacto del tipo tradicional de ascetismo era tan fuerte que el *telos* de la humanidad quedaba de nuevo amenazado por el ideal de represión puritana. La restricción radical del sexo y la abstención de muchas otras potencialidades de la bondad creada llevó a este tipo de ascetismo disciplinar muy cerca del ascetismo ontológico de la iglesia romana y puesto que con frecuencia se concentraba rigurosamente en las transgresiones de sus mezquinas prohibiciones venía a ser farisaico y ridículo al mismo tiempo. La misma palabra «santo» (con la implicación de no beber, ni bailar y cosas por el estilo) se convirtió en algo vacío desde el punto de vista moral para acabar siendo sinónimo de ridículo. Gracias, en parte, al movimiento psico-terapéutico que empezó con Freud, las iglesias han recibido un fuerte impulso para liberarse de esta imagen distorsionada de la santidad.

Existe un ideal de ascetismo bajo el impacto de la presencia espiritual que va del todo unido al *telos* de la humanidad: la disciplina ascética sin la. que no es posible ningún trabajo creador, la disciplina requerida por el *eros* al objeto. La combinación de las palabras *eros* y «disciplina» muestra que el *telos* de la humanidad incluye la idea de santidad, ya que el ascetismo que se pide aquí es la conquista de una autoafirmación subjetiva que impide la participación en el objeto. La «humanidad» con todas sus implicaciones, así como la «santidad» en el sentido de estar abiertos a la presencia espiritual, incluye el ascetismo que hace posible la unión del sujeto con el objeto.

En nuestra descripción de la ambigüedad de la realización personal quedó mostrado que es la separación del sujeto y el objeto lo que produce ambigüedades. La pregunta es: ¿cómo es posible la autodeterminación personal si el yo determinante necesita determinación al igual que el yo determinado? No es posible ni la santidad ni la humanidad sin la solución de este problema. La solución radica en que el sujeto determinante está determinado por aquello que trasciende al sujeto y al objeto, la presencia espiritual. Su impacto en el sujeto que está separado existencialmente de su objeto se llama «gracia». La palabra tiene muchos significados, algunos de ellos serán discutidos más adelante, pero en todos sus significados es idéntica la actividad precedente de la presencia espiritual. «Gracia» significa que la presencia espiritual no es causada sino dada. La ambigüedad de la autodeterminación queda superada por la gracia y no hay otra manera de superarla y de escapar a la desesperación del conflicto entre la orden de autodeterminación y la imposibilidad de determinarse a uno mismo en la dirección de lo que uno es esencialmente.

En la relación interpersonal las funciones de educación y orientación ayudan a alcanzar el *telos* de la humanidad. Hemos visto la ambigüedad de estas funciones en la separación del sujeto y objeto que presuponen. Las actividades educativas y orientadoras de las iglesias no pueden soslayar el problema, pero pueden combatir contra las ambigüedades con el poder de la presencia espiritual. Mientras que en el trato de la persona consigo misma es la presencia espiritual en cuanto gracia la que hace posible la autodeterminación, al tratar con otra persona el Espíritu, como creador de la participación, hace posible la determinación del otro. Sólo el Espíritu puede trascender la división entre el sujeto y el objeto en la educación y en la orientación, porque sólo a través de la participación en lo que abarca a ambos desde una dimensión vertical se supera la diferencia entre aquel que, como educador y guía, da y aquel que recibe. Al ser asido por la presencia espiritual el sujeto en la educación y en la orientación se ha convertido a sí mismo en objeto, y el objeto de educación y orientación se ha convertido a sí mismo en sujeto. Ambos, como portadores del Espíritu, son sujeto y objeto. En los procesos reales de educación y orientación, esto significa que aquel que está más cerca del *telos* de la humanidad tiene constantemente conciencia del hecho de que está todavía infinitamente alejado de él y que por tanto la actitud de superioridad y la voluntad de controlar al otro (para su bien) está reemplazada por el reconocimiento de que el educador o el guía está en el mismo predicamento que aquel a quien trata de ayudar. Y significa que quien tiene conciencia de su infinita distancia del *telos* de la humanidad, con todo participa en él porque el Espíritu ase de él desde una dimensión vertical. El Espíritu no permite que el sujeto en cualquier relación humana permanezca simple sujeto y el objeto simple objeto: el Espíritu está presente allí donde se da la superación de la división sujeto-objeto en la existencia del hombre.

5. Las funciones de relación de las iglesias

Las iglesias, en paradójica unión con su esencia espiritual, son realidades sociológicas, que muestran todas las ambigüedades de la autocreación social de la vida. Por tanto tienen contactos continuos con otros grupos sociológicos, actuando en ellos y recibiendo de los mismos. La teología sistemática no puede ocuparse de los problemas prácticos que se derivan de estas relaciones, pero sí debe tratar de formular las maneras y los principios mediante los cuales las iglesias se relacionan ellas mismas como iglesias con otros grupos sociales.

Esto ocurre de tres maneras: una manera es la de la interpenetración silenciosa, otra la del juicio crítico y la tercera la del establecimiento político. La primera se puede describir como la radicación constante de la esencia espiritual de las iglesias hacia todos los grupos de la sociedad en la que viven. Su misma existencia cambia el conjunto de la existencia social. Podíamos llamar a esto el derramamiento de la substancia sacerdotal en la estructura social de la que las iglesias son una parte. A la vista de la rápida secularización de la vida en los últimos siglos, uno se siente inclinado a pasar por alto esta influencia, pero si con la imaginación quitamos las iglesias, el espacio vacío que se origina en todos los dominios de la vida personal y comunitaria del hombre nos muestra la significación que tiene su silenciosa influencia. Aun cuando las posibilidades educativas de las iglesias sean oficialmente limitadas, su misma existencia causa un impacto educativo en la cultura, ya sea indirectamente, provocando una protesta contra lo que ellas representen.

Más aún, la influencia es mutua; las iglesias reciben el silencioso influjo de las formas culturales de la sociedad que están en desarrollo y en cambio, y ello ya sea de manera consciente o inconsciente. Lo más obvio de estas influencias se experimenta en la constante transformación de los modos de comprender y expresar las experiencias en una cultura viva. Las iglesias silenciosamente comunican substancia espiritual a la sociedad en la que viven, y las iglesias silenciosamente reciben formas espirituales de la misma sociedad. Este mutuo intercambio ejercido silenciosamente a cada momento, es la primera función de relación de la iglesia.

La segunda es el modo de juicio crítico, ejercido mutuamente por la iglesia y los otros grupos sociales. Esta relación entre las iglesias y la sociedad se pone de manifiesto al máximo en la época moderna de la historia occidental, pero ha existido en todos las épocas, aun bajo los sistemas teocráticos de las iglesias orientales y las de Occidente. La crítica de la primitiva iglesia de la sociedad de la Roma imperial iba dirigida contra sus maneras paganas de vida y de pensamiento hasta lograr finalmente que la sociedad pagana se convirtiera en cristiana. Si se puede dar el nombre de «sacerdotal» a la silenciosa penetración de una sociedad por la presencia espiritual, se puede dar el nombre de «profético» al ataque abierto a esta sociedad en nombre de la presencia espiritual. Su éxito puede ser más bien limitado, pero el hecho de que la sociedad sea juzgada y deba reaccionar positiva o negativamente ante este juicio es ya de por sí un éxito. Una sociedad que rechaza o persigue a los portadores de una crítica profética contra sí misma no permanece la misma que era. Se puede debilitar o endurecer en sus rasgos demoníacos y profanos; en cualquier caso se transforma. Por tanto las iglesias no sólo deben luchar por la preservación y fortalecimiento de su influencia sacerdotal (por ejemplo, en el campo de la educación), sino que deben animar la crítica profética de las negatividades en su sociedad hasta el martirio y a pesar de tener conciencia de que el resultado de una crítica profética de la sociedad no es la comunidad espiritual, sino, tal vez, un tipo de sociedad que se aproxima a la teonomía —el emparentamiento de todas las formas culturales con lo último.

Pero aquí de nuevo la relación es mutua. Hay, por parte de la sociedad, una crítica dirigida a las iglesias, una crítica que queda tan justificada como la crítica profética de las iglesias a la sociedad. Es la crítica de la «injusticia santa» y de la «inhumanidad santa» en el seno de las iglesias y en su relación con la sociedad en la que viven. El significado histórico-mundial de esta crítica en los siglos XIX y XX es obvio. Su primera consecuencia fue producir un abismo casi insalvable entre las iglesias y amplios grupos de la sociedad, en particular en los movimientos obreros; pero más allá de esto tuvo el efecto de inducir a las iglesias cristianas a revisar sus interpretaciones de la justicia y de la humanidad. Fue una especie de profetismo al revés, una crítica profética inconsciente dirigida a las iglesias desde fuera, así como un impacto sacerdotal al revés se dio en el hecho de los cambios culturales cambiantes en las iglesias, una influencia sacerdotal inconsciente dirigida a las iglesias desde fuera. Esta mutua crítica ejercida y recibida por las iglesias es su segunda función de relación.

La tercera es la del establecimiento político. Mientras que las maneras sacerdotal y profética permanecen dentro de la esfera religiosa, la tercera manera parece quedar absolutamente fuera de esta esfera. Pero el simbolismo religioso ha añadido siempre a las funciones religiosas sacerdotal y profética la función real. La cristología atribuye a Cristo el oficio real. Toda iglesia tiene una función política que va del nivel local al internacional. Una tarea de los líderes de la iglesia a todos los niveles es la de influenciar a los líderes de los otros grupos sociales de tal manera que reconozcan el derecho de la iglesia a ejercer su función sacerdotal y profética. Esto se puede hacer de muchas maneras, dependiendo de la estructura constitucional de la sociedad y de la posición legal que en ella ocupan las iglesias; pero en cualquier caso, si las iglesias actúan políticamente, lo deben hacer en nombre de la comunidad espiritual, o sea, espiritualmente. Ello excluye el uso de medios que estén en contradicción con su carácter como comunidad espiritual, como son el empleo de la fuerza militar, una propaganda atosigadora, las astucias diplomáticas, la excitación del fanatismo religioso, etcétera. Cuanto con mayor decisión rechace una iglesia tales métodos, tanto mayor será su influencia, ya que su auténtica fuerza radica en ser una creación de la presencia espiritual. El hecho de que la iglesia romana no haya tenido en cuenta estos principios ha contribuido a fomentar en el protestantismo el escepticismo con respecto a la función real de la iglesia. Pero no está justificado un tal escepticismo. Las iglesias protestantes no pueden evitar su responsabilidad política, y siempre la han ejercido, aunque haya sido con mala conciencia, habiendo olvidado que existe una función real de Cristo. Por cierto que como la función real pertenece a Cristo crucificado, por eso mismo la iglesia que debe ejercer esa misma función real es la iglesia que está bajo la cruz, la iglesia humilde.

Al obrar así, reconoce que se da también en las iglesias un impacto político justificado por parte de la sociedad. Basta con pensar en la influencia que ejercieron en la estructura de las iglesias las formas de sociedad de la edad media y las anteriores a ella. El establecimiento político es el resultado de un acuerdo entre las distintas fuerzas políticas dentro y fuera de los grupos más amplios. Incluso las iglesias están sujetas a la ley del compromiso político. Deben estar dispuestas no sólo a dirigir sino también a ser dirigidas. Sólo hay un límite en el establecimiento político de las iglesias: el carácter de la iglesia como expresión de la comunidad espiritual debe continuar de manifiesto. Y ello queda amenazado ante todo si el símbolo del oficio real de Cristo, y a través de él, de la iglesia, se ve como un sistema teocrático-político de control totalitario sobre todos los dominios de la vida. Por otro lado, si la iglesia se ve obligada a asumir el papel de siervo obediente del estado, como si se tratara de uno de sus departamentos u oficinas, ello significa el final absoluto de su oficio real y supone una humillación de la iglesia que no es la humildad del Crucificado sino la debilidad de los discípulos que huyeron ante la cruz.

Si volvemos ahora a los principios bajo los que las iglesias como realizaciones de la comunidad espiritual se relacionan ellas mismas con otros grupos sociales, nos encontramos con que existe una polaridad entre el principio de pertenencia a los mismos que se deriva de las ambigüedades de la vida y el principio de oposición por el que se ha de luchar contra las ambigüedades de la vida. Cada uno de estos principios tiene consecuencias de largo alcance. El primero implica que la relación de las iglesias con los otros grupos tiene el carácter de mutualidad, como hemos visto con respecto a las tres maneras que tienen las iglesias de relacionarse con ellos. El motivo de esta mutualidad está en la igualdad de predicamento. Este principio es el criterio antidemoníaco de la santidad de las iglesias, ya que impide la arrogancia de la santidad finita, que es la tentación básica de todas las iglesias. Si interpretan su paradójica santidad como santidad absoluta, caen en una *hybris* demoníaca y sus funciones sacerdotal, profética y real para con el «mundo» se transforman en instrumentos de una voluntad pseudo-espiritual de poder. Fue la experiencia de la demonización de la iglesia romana en la avanzada edad media la que originó la protesta tanto de la Reforma como del Renacimiento. Tales protestas liberaron amplias capas del cristianismo de la sumisión al poder de la iglesia distorsionado demoníacamente haciendo que el pueblo tomara conciencia de las ambigüedades de la religión real.

Pero al conseguir esto con frecuencia provocaban también, no sólo en el mundo secular sino también en la esfera del protestantismo, la pérdida del otro aspecto de la relación, la oposición de las iglesias a los otros grupos sociales. A este respecto, el peligro fue obvio ya desde el inicio de estos dos grandes movimientos. Ambos propagaron un nacionalismo del que fueron víctimas tanto la cultura como la religión. La oposición que presentó la iglesia a la ideología nacionalista, con todas sus exigencias injustas y sus falsas afirmaciones, se fue debilitando a medida que iban avanzando las décadas de la historia moderna. La voz profética de la iglesia quedó silenciada por el fanatismo nacionalista. Su función sacerdotal quedó distorsionada por la instrucción de sacramentos y ritos nacionales en todos los niveles de la educación, de manera especial en los grados inferiores. Su función real no fue tomada en serio y quedó reducida a la importancia ya fuera por la sujeción de las iglesias a los estados nacionales ya fuera por el ideal liberal de separación entre la iglesia y el estado, que situó a la iglesia en uno de los rincones más destartalados de la fábrica social. En todos estos casos se perdió el poder de la oposición, y cuando la iglesia pierde su radical alteridad, queda ella misma perdida y se convierte en un club tolerante. Frases como la de «la iglesia contra el mundo» apuntan a un principio que determina esencialmente la relación de las iglesias con la sociedad en su conjunto y que deben determinarla realmente. Con todo, si se emplean frases de este tipo sin que sean equilibradas por otras frases tales como «la iglesia dentro del mundo», resuenan con arrogancia y pierden la ambigüedad de la vida religiosa.

Es parte y contenido de esta ambigüedad el hecho de que el mundo al que se opone la iglesia no es simplemente la no-iglesia sino que tiene en sí mismo elementos de la comunidad espiritual en estado latente y que operan en favor de una cultura teónoma.

3. El individuo en la iglesia
   y la presencia espiritual

a) *El ingreso del individuo en una iglesia*
    y la experiencia de la conversión

La comunidad espiritual es la comunidad de personas espirituales, es decir, de personas que son asidas por la presencia espiritual y que están determinadas por la misma, sin ambigüedades pero fragmentariamente. En este sentido, la comunidad espiritual es la comunidad de los santos. El estado de santidad es el estado de transparencia ante el fondo divino del ser; es el estado de ser determinado por la fe y el amor. Quien participa en la comunidad espiritual está unido a Dios en la fe y en el amor. Es una creación del Espíritu divino. Todo esto se debe decir paradójicamente de todo miembro de la iglesia, ya que como miembro activo de la iglesia (no sólo legal) es en esencia y en dinamismo miembro de la comunidad espiritual. Así como la comunidad espiritual es la esencia dinámica de las iglesias así también la personalidad espiritual es la esencia dinámica de todo miembro activo de una iglesia. Tiene un inmenso significado para el miembro individual de una iglesia constatar que su esencia dinámica como miembro de la iglesia es la personalidad espiritual, que es una parte de la comunidad espiritual y al que Dios ve como tal. Es santo a pesar de su falta de santidad.

Es obvio que sobre la base de estas consideraciones cualquiera que es miembro activo de una iglesia es «sacerdote» por el simple hecho de pertenecer a la comunidad espiritual, y está habilitado para ejercer todas las funciones sacerdotales, si bien, por razones de orden y de adaptación a la situación, se puedan llamar a individuos especiales para el desempeño regular y competente de las actividades sacerdotales. Pero el hecho de que actúen como expertos no les confiere un estado superior al que les proviene de su participación en la comunidad espiritual.

La pregunta acerca de quien tiene «ontológicamente» la preferencia, la iglesia o el simple individuo, ha desembocado en dos tipos de iglesias, la de quienes destacan el predominio de la iglesia sobre el individuo y la de quienes destacan el predominio del individuo sobre la iglesia. En el primer caso, el individuo ingresa en una iglesia que le precede siempre; ingresa en ella de manera consciente o inconsciente (como párvulo), pero la presencia del nuevo ser en una comunidad precede todo lo que él es y sabe. Esta es la justificación teológica del bautismo de los niños. Apunta acertadamente al hecho de que no existe un momento en la vida de una persona en el que se pueda fijar con certeza el estado de madurez espiritual. La fe que constituye la comunidad espiritual es una realidad que precede los actos de fe personal que se están haciendo siempre y son siempre cambiantes, que desaparecen siempre para volver siempre a aparecer. Según la unidad multidimensional de la vida en el hombre, el primer inicio de un ser humano en el seno materno está conectado directamente, en términos de potencialidad, con las últimas etapas de la madurez. La fe personal real no puede ser determinada en ninguna etapa de la vida de una persona, y es una tentación de falta de sinceridad, considerar, por ejemplo, el acto cuasi-sacramental de la «confirmación» de un muchacho a los catorce años, como una opción libre por la comunidad espiritual. Las reacciones de muchos niños poco tiempo después de su solemne declaración de compromiso, emotivamente forzada, muestran el carácter insano psicológicamente y teológicamente injustificable de este acto.

La situación cambia totalmente si se da preferencia al individuo frente a la iglesia. En este caso, la decisión de los individuos por realizar un pacto es el acto que crea una iglesia. El presupuesto es, ciertamente, que una tal decisión viene determinada por la presencia espiritual, que implica que los individuos que formalizan el pacto lo hacen como miembros de la comunidad espiritual. Este supuesto disminuye hasta casi hacerlo desaparecer el contraste entre el tipo de iglesia «objetiva» y «subjetiva». Para poder estar habilitado para crear una iglesia uno debe ya estar asido por la presencia espiritual y ser así miembro de la comunidad espiritual. Por el contrario, los portadores de la iglesia «objetiva» (en la que ingresan los niños bautizados) son en su esencia dinámica, personalidades espirituales. El concepto de comunidad espiritual supera la dualidad de la interpretación de la iglesia «objetiva» y «subjetiva».

La situación real del individuo en las iglesias de decisión voluntaria confirma el menor significado de la distinción. A partir de la segunda generación son arrastrados por la atmósfera familiar y social hacia la iglesia cuya presencia real precede sus decisiones voluntarias tanto como ocurre en el otro tipo de iglesia.

La pregunta importante es: ¿cómo participa un individuo en una iglesia de tal manera que, a través de ella, participe en la comunidad espiritual como una personalidad espiritual? La respuesta, dada ya, era negativa: No hay ningún momento en la vida de una persona que pueda destacarse como el principio (o el fin) de una tal participación. Esto hace referencia no sólo a la persona que ha nacido y se ha criado en la atmósfera de una familia, de una comunidad y de una sociedad en general adictas a una iglesia sino también a aquel que sólo tiene experiencias de modos de vida seculares y más tarde se afilia a una iglesia con toda seriedad. Ni tampoco se puede determinar el momento en el que se pasa a ser esencialmente miembro de la comunidad espiritual, si bien se puede fijar con exactitud el momento en el que manifiestamente se convierte en miembro de la iglesia. Esta afirmación parece estar en contradicción con el concepto de conversión, que juega un papel tan importante en ambos testamentos, en la historia de la iglesia, y en la vida de innumerables individuos en el mundo cristiano y más allá de él, en todas las religiones vivas. Según este concepto el acontecimiento de la conversión señala el momento en el que una persona ingresa en la comunidad espiritual.

Pero la conversión no es necesariamente un acontecimiento momentáneo; en la mayoría de casos presupone un largo proceso que se ha ido prolongando inconscientemente mucho antes que irrumpiera en la conciencia, dando la impresión de una crisis repentina, inesperada y abrumadora. Existen relatos en el nuevo testamento, como el de la conversión de Pablo, que nos señalan la pauta para una interpretación de la conversión como la que acabamos de señalar, y se da también una gran abundancia de otros relatos de otro tipo, muchos de ellos genuinos y vigorosos, algunos sentimentalmente distorsionados para dar un ejemplo. Es indiscutible que tales experiencias son numerosas y muestran de manera muy conspicua el carácter extático de la presencia espiritual, pero no constituyen —como cree el pietismo— la esencia de la conversión. La verdadera naturaleza de la conversión queda bien expresada en las palabras con las que se la designa en distintas lenguas. En hebreo la palabra *shûbh* indica un volverse hacia atrás en el propio camino, especialmente en las esferas social y política. Indica un volverse de la injusticia hacia la justicia, de lo inhumano a lo humano, de los ídolos a Dios. La palabra griega *metanoia* implica la misma idea pero en relación con la mente, que cambia de una dirección a otra, de lo temporal a lo eterno, de uno mismo a Dios. La palabra latina *conversio* une la imagen espacial con el contenido intelectual. Estas palabras y las imágenes que provocan sugieren dos elementos: la negación de una dirección precedente del pensamiento y de la acción y la afirmación de la dirección contraria. Lo que se niega es la sumisión a la alienación existencial y lo que se afirma es el nuevo ser creado por la presencia espiritual. La repudiación de lo negativo con todo el propio ser es lo que llamamos arrepentimiento —concepto que debemos purificar de toda distorsión emocional. La aceptación de lo positivo con todo el propio ser es lo que llamamos fe, —concepto que debemos purificar de la distorsión intelectual. El impacto de la presencia espiritual llamado conversión es eficiente en todas las dimensiones de la vida humana debido a la unidad multidimensional del hombre. Es orgánico así como psicológico; se da bajo el predominio del espíritu y tiene una dimensión histórica. Sin embargo, la imagen de volverse hacia atrás del propio camino produce la impresión de algo momentáneo y repentino, y a pesar de que este elemento repentino ha sido mal empleado por el pietismo no se debe exluir de una descripción de la conversión. Se trata de una decisión y esta misma palabra indica un acto momentáneo de cortar con otras posibilidades. Con todo, el ingreso en la comunidad espiritual ha sido siempre preparado por elementos del pasado y siempre conserva algunos de ellos. Es un proceso que se pone de manifiesto en un momento extático. Sin una tal preparación la conversión sería un estallido emocional sin consecuencias, que sería pronto engullido por el viejo ser en lugar de constituir el nuevo ser.

La conversión puede tener el carácter de una transición de la etapa latente de la comunidad espiritual a su etapa manifiesta. Esta es la auténtica estructura de la conversión; implica que el arrepentimiento no es completamente nuevo y que tampoco lo es la fe. Ya que la presencia espiritual crea ambos aun en la etapa oculta de la comunidad espiritual. No se da una conversión absoluta, pero sí una relativa antes y después del acontecimiento central de alguien que se está «arrepintiendo» y «creyendo», de alguien que está siendo asido por la presencia espiritual en un momento oportuno, en el *kairós*.

Esto tiene gran importancia para la actividad evangelizadora de las iglesias, cuya función no es convertir a la gente en un sentido absoluto sino más bien convertirla en el sentido relativo de trasladarlos de una participación latente de la comunidad espiritual a otra que sea manifiesta. Ello quiere decir que el evangelismo no se dirige a las «almas perdidas», a hombres sin Dios, sino a personas que están en una etapa latente, para transformarlas en personas que han experimentado la manifestación. Y debemos recordar que experiencias análogas a la conversión han sido descritas por filósofos griegos como experiencias en las que se abrieron sus ojos. La conversión a la verdad filosófica es un tema tratado en todos los períodos de la historia. Esto es una expresión del hecho de que la comunidad espiritual se relaciona con la cultura y la moralidad tanto como con la religión y de que allí donde actúa la presencia espiritual se hace necesario un momento de cambio radical en la actitud para con lo último.

b)   *El individuo en el seno de la iglesia y la experiencia del nuevo ser*

1.   La experiencia del nuevo ser como creación (regeneración)

Quien ingresa en una iglesia, considerada no como un grupo sociológico entre otros sino aquel grupo cuya esencia dinámica es la comunidad espiritual, y quien es asido él mismo por la presencia espiritual es, en su esencia dinámica, personalidad espiritual. Pero en su ser real es miembro de una iglesia que está sometida a las ambigüedades de la vida religiosa, si bien bajo el impacto paradójico de una vida sin ambigüedades. Esta situación ha sido descrita de distintas maneras según los distintos puntos de vista desde donde haya sido enfocada. Parece adecuado —y en la línea de la tradición clásica— darle el nombre de experiencia del nuevo ser y se pueden distinguir en ella varios elementos que —de acuerdo nuevamente con la tradición clásica— se pueden describir como la experiencia del nuevo ser como creador (regeneración), la experiencia del nuevo ser como paradoja (justificación), y la experiencia del nuevo ser como proceso (santificación).

Se puede hacer la pregunta de si es correcto describir las maneras de participación en el nuevo ser como «experiencias», dado que esta palabra parece connotar un elemento subjetivo discutible. Con todo, de quien estamos hablando aquí es del sujeto, o sea, de la personalidad espiritual en cuanto miembro de la iglesia. El aspecto objetivo de la regeneración, justificación y santificación ha sido tratado en la sección titulada «El nuevo ser en Jesús como Cristo como poder de salvación». Aquí «experiencia» significa simplemente la conciencia de algo que ocurre a alguien, o sea, el estado de ser asido por la presencia espiritual. Se ha preguntado si esta se puede convertir alguna vez en objeto de experiencia y si no debe permanecer objeto de fe, en el sentido de las frases: «yo creo que creo», o «yo tengo fe en la presencia espiritual en mí pero no experimento mi fe, mi amor, mi espiritualidad». Pero aun cuando yo sólo crea que creo, debe haber una razón para una tal fe, y esta razón debe ser una cierta clase de participación en lo que creo y por tanto una especie de certeza que impide una regresión infinita del tipo que representa la afirmación «yo creo que creo que creo», y así sucesivamente. Por muy paradójicas que puedan ser las propias afirmaciones teológicas, uno no puede evitar la necesidad de asignar un fundamento espiritual para tales afirmaciones. Esta consideración justifica el empleo del término «experiencia» para la toma de conciencia de la presencia espiritual.

En los textos bíblicos y teológicos al estado de ser asido por la presencia espiritual se le da el nombre de «nuevo nacimiento» o «regeneración». La expresión «nuevo nacimiento» (al igual que la expresión paulina «nueva creación») es un precedente bíblico del concepto aún abstracto de nuevo ser. Ambos apuntan a la misma realidad, el acontecimiento en el que el Espíritu divino toma posesión de una vida personal a través de la creación de la fe.

Con todo, el empleo de la palabra «experiencia» no implica que quien es asido por la presencia espiritual pueda verificar su experiencia a través de la observación empírica. Si bien nacidos de nuevo, los hombres no son aún seres nuevos pero han entrado en una nueva realidad que los puede convertir en seres nuevos. La participación en el nuevo ser no garantiza automáticamente que uno sea nuevo.

Por esta razón los teólogos de la Reforma prefieren iniciar la descripción de la participación del hombre en el nuevo ser poniendo de relieve su carácter paradójico, y así ponen en primer lugar la justificación en lugar de la regeneración. Su principal problema era y es evitar la impresión de que el estado del hombre de nacer de nuevo sea la causa de que Dios le acepte. En esto estaban ciertamente acertados, ya que liberaban al hombre alienado de la ansiedad de preguntas como: ¿he renacido? Preguntas de este tipo destruyen el significado de «buena noticia», que consiste en que, aunque no soy aceptable, soy aceptado. Pero entonces surge la pregunta: ¿cómo puedo aceptar que soy aceptado? ¿Cuál es la fuente de una tal fe? La única respuesta posible es: el mismo Dios como presencia espiritual. Cualquier otra respuesta degradaría la fe al grado de creencia, a un acto intelectual producido por la voluntad y la emoción. Sin embargo, una tal creencia no es más que la aceptación de la doctrina de la «justificación por la gracia por medio de la fe»; no es la aceptación de que soy aceptado ni es la fe que significa la palabra «justificación». Esa fe es la creación del Espíritu; y fue una distorsión completa del mensaje de justificación cuando apareció la doctrina de que el don del Espíritu divino sigue a la fe en el perdón divino. Para Lutero no habría un don mayor, y en cierto sentido ningún otro don, del Espíritu que la certeza de ser aceptado por Dios, la fe en Dios está justificando al pecador. Pero si se afirma esto, la participación en el nuevo ser, la creación del Espíritu, es el primer elemento en el estado del individuo en la iglesia en la medida en que es la realización de la comunidad espiritual.

Si se acepta esto la pregunta que se hace frecuentemente es: si la presencia espiritual tira de mí y crea la fe en mí, ¿qué puedo hacer yo para alcanzar una tal fe? Yo no puedo forzar al Espíritu en mí y así ¿qué otra cosa puedo hacer que esperar sin hacer nada más? A veces esta pregunta no se hace con seriedad sino tan solo de una manera agresiva y dialéctica, y entonces realmente no hace falta contestarla. No se puede dar ninguna respuesta a quien pregunta de esa forma, porque toda respuesta le diría algo que debería hacer o que debería ser, estaría en contradicción con la fe por la que pregunta. Si, con todo, la pregunta: —¿qué puedo hacer a fin de experimentar el nuevo ser?— se plantea con seriedad existencial, la respuesta va implicada en la pregunta, ya que la seriedad existencial tiene evidencia del impacto de la presencia espiritual en el individuo. Aquel que está preocupado últimamente acerca de su estado de alienación y acerca de la posibilidad de reunión con el fondo y la finalidad de su ser ya está asido por la presencia espiritual. En esta situación no significa nada la pregunta ¿qué puedo hacer para recibir el Espíritu divino? ya que la respuesta real ya ha sido dada y cualquier respuesta ulterior no haría más que distorsionarla.

Con palabras sencillas esto significa que la pregunta simplemente polémica referente a la manera de reunir lo que está separado no se puede responder y se debe exponer con su falta de seriedad. Así pues a quien pregunta con preocupación última se le debe responder que el hecho de su preocupación última implica la respuesta y que por tanto está bajo el impacto de la presencia espiritual y es aceptado en su estado de alejamiento. Finalmente a aquellos que hacen preguntas que se decantan a veces por el lado de lo serio y a veces por el de la falta de seriedad se les habría de hacer tomar conciencia de esta situación —una conciencia de que pueden suprimir y evitar del todo la pregunta o bien afirmarla y que al hacerlo así constatan su seriedad.

2. La experiencia del nuevo ser como paradoja (justificación)

Al discutir la relación de la regeneración con la justificación ya hemos empezado la discusión de la doctrina central de la Reforma, al artículo por el que el protestantismo permanece o desaparece, el principio de la justificación por la gracia por medio de la fe. No sólo le doy el nombre de doctrina y de un artículo entre otros sino que le llamo también principio por ser la expresión primera y básica del mismo principio protestante. Sólo es una doctrina particular por razones inevitables de conveniencia, y al mismo tiempo se le debe considerar como el principio que está presente en cada una de las afirmaciones del sistema teológico. Debe considerarse como el principio protestante el que, en relación con Dios, Dios sólo puede actuar y que ninguna reclamación humana, especialmente ninguna reclamación religiosa, ninguna «obra» intelectual, moral o devota nos pueda reunir con él. Mi intención y mi esperanza era y sigue siendo lograr ese fin aun cuando ello me haya llevado a muchas formulaciones en todas las partes del sistema no del todo «ortodoxas». La pregunta que hemos tenido siempre ante la vista es la siguiente: ¿acaso otras formulaciones imponen al creyente una «buena obra» intelectual, por ejemplo, la represión de una duda o el sacrificio de la conciencia cognoscitiva, que fueran la causa de la formulación final? En este sentido la doctrina de la justificación es el principio universal de la teología protestante, pero es también un artículo determinado en una sección determinada del sistema teológico.

La doctrina de la justificación nos plantea algunos problemas semánticos. En la disputa con Roma acerca de la *sola fide*, la doctrina fue la «justificación por la fe» —y no por las «obras». Ello ha llevado, sin embargo, a una confusión devastadora. La fe, en esta frase, se ha entendido como la causa del acto justificante de Dios, lo que viene a decir que se sustituyen las obras morales y rituales de la doctrina católica por la tarea intelectual de aceptar una doctrina. No es la fe sino la gracia la causa de la justificación porque sólo Dios es la causa. La fe es el acto de recibir y este acto es en sí mismo un don de la gracia. Se debe, por tanto, prescindir de la frase «justificación por la fe» para sustituirla por la fórmula «justificación por la gracia por medio de la fe». Deben procurar con toda seriedad los ministros en su predicación poner remedio a esta profunda distorsión de la «buena noticia» del mensaje cristiano.

Podemos dar otra pista relacionada con la semántica a tener en cuenta en la enseñanza y en la predicación y que hace referencia al mismo término paulino de «justificación». Pablo lo empleó al tratar de la perversión legalista de su mensaje de la nueva creación en la aparición de Cristo. Los propagandistas de esta perversión, cristianos que no se podían separar de los mandamientos de la ley judaica, hablaban en términos de justo, justicia, justificación *(tsedaqah* en hebreo, *dikaiosyne* en griego). El mismo Pablo había sido educado en esta terminología, que no podía abandonar en su relación con los antiguos miembros de la sinagoga. Puesto que es un término bíblico tampoco se puede rechazar en las iglesias cristianas sino que debe reemplazarse en la práctica de la enseñanza y de la predicación por el término «aceptación», en el sentido de que somos aceptados por Dios aun siendo inaceptables según el criterio de la ley (nuestro ser esencial puesto contra nosotros) y que se nos pide que aceptemos esta aceptación. Una tal terminología es en sí misma aceptable para quienes la fraseología del antiguo y del nuevo testamento ha perdido todo sentido, si bien se da un mayor significado serio existencial para quienes están en la realidad a la que hacen referencia todas estas frases.

Se presenta un tercer problema semántico si se emplea el término «perdón de los pecados» para expresar el carácter paradójico de la experiencia del nuevo ser. Se trata de una expresión simbólica religiosa tomada de un tipo de relaciones humanas como las existentes entre el deudor y aquel a quien se debe, entre el hijo y el padre, entre el esclavo y el amo o entre el acusado y el juez. Como en todo símbolo, la analogía es limitada. Una limitación estriba en que la relación entre Dios y el hombre no tiene el carácter de una relación finita entre seres finitos y alejados sino que es infinita y universal e incondicional en significado, y que el perdón divino no requiere, como es el caso del perdón humano, que quien perdona sea a su vez perdonado. La segunda limitación de analogía está en la forma

plural del pecado. Los hombres perdonan pecados determinados, por ejemplo, ofensas contra ellos mismos o la conculcación
de unas leyes y mandamientos concretos. En la relación con
Dios, no es un pecado determinado como tal el que es perdonado sino el acto de separación de Dios y la resistencia a la reunión
con él. Se perdona el pecado al perdonar un pecado determinado. El símbolo del perdón de los pecados ha sido peligroso
porque ha concentrado la mente en pecados particulares y en su
categoría moral más bien que en la separación de Dios y en su
categoría religiosa. Con todo, los «pecados» en plural pueden
reemplazar el «pecado» en singular y señalar la situación del
hombre ante Dios, e incluso se puede experimentar una ofensa
determinada como una manifestación del pecado, el poder de
alienación de nuestro verdadero ser. Es uno de los pasos que da
Pablo, como teólogo, más allá del lenguaje simbólico de Jesús,
que interpretara la aceptación del poder divino mediante el
concepto de justificación por la gracia por medio de la fe. Al
obrar así daba una respuesta a las preguntas suscitadas por el
símbolo del perdón, a las preguntas de la relación del perdón
con la justicia así como la base de la certeza de que uno es
perdonado. Se da una respuesta a estas preguntas objetivamen-
te en términos cristológicos, una respuesta que subyace a la
doctrina de la expiación, es decir, la doctrina de la participación de Dios en la alienación existencial del hombre y en su
victoria sobre la misma. Con todo, llegados aquí buscamos la
respuesta subjetiva a las preguntas: ¿cómo puede el hombre
aceptar que es aceptado? ¿cómo puede reconciliar su sentimiento de culpa y su deseo de ser castigado con la súplica de perdón;
y qué le da la certeza de que es perdonado?

La respuesta está en el carácter incondicional del acto
divino por el que Dios declara justo al injusto. La paradoja *simul
justus, simul peccator* apunta a esta declaración divina incondicional. Si Dios aceptara a quien es medio-pecador y medio-justo,
su juicio vendría condicionado por la bondad a medias del
hombre. Pero no hay nada que Dios rechace con más fuerza que
la bondad a medias y cualquier pretensión humana fundamentada en ella. El impacto de este mensaje, mediado por la
presencia espiritual, aparta los ojos del hombre del mal y del
bien en él mismo para volverlos hacia la bondad divina que está
más allá del bien y del mal y que se entrega a sí misma sin

condiciones ni ambigüedades. La exigencia moral de justicia y el deseo temeroso de castigo son válidos en el dominio de la ambigüedad de la bondad. Expresan la situación humana en sí misma. Pero en el interior del nuevo ser queda superado por una justicia que hace justo al injusto, por la aceptación. Esta justicia trascendente no niega sino que realiza la ambigua justicia humana. Realiza también la verdad en la demanda de castigo mediante la destrucción de lo que debe ser destruido en el caso de que el amor reunificante alcance su objetivo. Y de acuerdo con la profunda psicología de Pablo y Lutero, esto no es el mal en el propio ser como tal sino la *hybris* de intentar conquistarlo y lograr la reunión con Dios mediante la propia buena voluntad. Una tal *hybris* evita el dolor de la entrega a la sola actividad de Dios en nuestra reunión con él, un dolor que sobrepasa infinitamente el dolor del esfuerzo moral y de la autotortura ascética. Esta entrega de la propia bondad se da en aquel que acepta la aceptación divina de sí mismo, el inaceptable. La valentía de entregar la propia bondad a Dios es el elemento central en la valentía de la fe. En ella se experimenta la paradoja del nuevo ser, se conquista la ambigüedad del bien y del mal, la vida sin ambigüedades se ha apoderado del hombre a través del impacto de la presencia espiritual.

Todo esto queda de manifiesto en el cuadro de Jesús crucificado. La aceptación de Dios de lo inaceptable, la participación de Dios en la alienación del hombre y su victoria sobre la ambigüedad del bien y del mal aparecen en él de manera única, definida y transformadora. Aparece en él pero no es causada por él. La causa es Dios y sólo Dios.

La paradoja del nuevo ser, el principio de la justificación por la gracia a través de la fe, se halla en el centro de las experiencias de Pablo, Agustín y Lutero, si bien tiene matices distintos en cada uno de ellos. Pablo pone el énfasis en la conquista de la ley en el nuevo eón que ha traído Cristo. Este mensaje de justificación tiene una estructura cósmica en la que pueden o no participar los individuos. Para Agustín la gracia tiene el carácter de una substancia, infundida en los hombres, que crea el amor y establece el último período de la historia en la que Cristo gobierna a través de la iglesia. Es Dios y sólo él quien lo hace. El hado del hombre depende de la predestinación. El perdón de los pecados es un presupuesto de la infusión del amor, pero no es una expresión de la relación constante con Dios. Por tanto el individuo se hace dependiente de su relación con la iglesia. Para Lutero la justificación es la experiencia de cada persona tanto de la ira divina contra su pecado como del perdón divino que lleva a una relación interpersonal con Dios sin la estructura cósmica y eclesial de Pablo o Agustín. Esta es la limitación en el pensamiento de Lutero que ha llevado tanto a una ortodoxia intelectual como a un pietismo emocional. En él no quedó contrarrestado el elemento subjetivo. Pero su «psicología de la aceptación» es la más profunda en la historia de la iglesia y queda confirmada por las mejores intuiciones de la contemporánea «psicología de la profundidad».

Existe una pregunta que ni Pablo ni Lutero hicieron o contestaron, si bien en Juan y Agustín hay conciencia de ella: ¿como se relaciona la fe por cuyo medio llega a nosotros la justificación con la situación de duda radical? La duda radical es una duda existencial acerca del significado de la misma vida; puede incluir el rechazo no ya de todo lo religioso en el sentido restringido de la palabra sino también de la preocupación última que constituye la religión en su sentido más amplio. Si una persona en este predicamento oye el mensaje de Dios que acepta lo inaceptable, ello no supone nada para él ya que el término «Dios» y el problema de ser aceptado o rechazado por Dios no tiene para él ningún significado. La pregunta de Pablo: ¿cómo me libero de la ley? y la de Lutero: ¿como encuentro un Dios compasivo? son sustituidas en nuestra época por esta otra: ¿cómo puedo encontrar sentido a un mundo sin sentido? La pregunta de Juan acerca de la manifestación de la verdad y su afirmación de que Cristo *es* la verdad, así como las afirmaciones de Agustín a propósito de la verdad que aparece en la misma naturaleza de la duda, están más cerca de la situación actual que las preguntas y respuestas de Pablo y Lutero. Pero nuestra respuesta debe derivarse de la situación especial que encontramos, si bien sobre la base del mensaje del nuevo ser.

La primera parte de toda respuesta a este problema debe ser negativa: Dios en cuanto verdad y origen de todo sentido no puede ser alcanzado mediante un trabajo intelectual así como tampoco mediante un trabajo moral. No se puede responder a la pregunta: ¿qué puedo hacer para superar la duda radical y la sensación de absurdo y falta de sentido? Toda respuesta justificaría la pregunta, lo cual implica que se puede hacer algo. En cambio la paradoja del nuevo ser es precisamente que el hombre que está en la situación en la que formula la pregunta no puede hacer nada. Sólo se puede decir al tiempo que se rechaza la forma de la pregunta, que la seriedad de la desesperación desde la que se hace la pregunta es ya la respuesta. Esto está en la línea de la argumentación de Agustín, de que en situación de duda la verdad de la que uno se siente separado está presente en la medida en que en toda duda ya se presupone la afirmación formal de la verdad como verdad. Pero la afirmación análoga de sentido en medio de la falta de sentido se relaciona también con la paradoja de la justificación. Es el problema de la justificación, no del pecador, sino de quien tiene dudas, la que ha llevado a esta solución. Puesto que en el predicamento de duda y de falta de sentido Dios como fuente del acto justificante ha desaparecido, lo único que queda (en lo que reaparece Dios sin que se le reconozca) es la sinceridad última de la duda y la seriedad incondicional del desespero acerca del sentido. Esta es la manera como se puede relacionar la experiencia del nuevo ser como paradoja con la función cognoscitiva. Esta es la manera como se puede decir a la gente de nuestro tiempo que son aceptados con respecto al último sentido de sus vidas, aunque sean inaceptables a la vista de la duda y de la falta de sentido que se ha apoderado de ellas. En la seriedad de su desesperación existencial, Dios está presente. En aceptar esta paradójica aceptación consiste el coraje de su fe.

3. La experiencia del nuevo ser como proceso (santificación)

a) *Contrastación de tipos en la descripción del proceso.* El impacto de la presencia espiritual en el individuo desemboca en un proceso vital fundamentado en la experiencia de regeneración, cualificado por la experiencia de justificación y que se desarrolla como experiencia de santificación. El carácter de la experiencia de santificación no se puede derivar de la misma palabra. Originariamente, la justificación y la santificación apuntaban a la misma realidad, o sea, a la conquista de las ambigüedades de la vida personal. Pero poco a poco, especialmente bajo la influencia de Pablo, el término «justificación» adquirió la connotación de aceptación paradójica de quien es inaceptable, mientras que «santificación» recibió la connotación de transformación real. En este sentido es sinónimo del proceso vital bajo el impacto del Espíritu. Siempre ha sido una importante tarea teológica describir el carácter de este proceso, y las diferentes descripciones fueron frecuentemente expresiones de diferentes maneras de vida que al mismo tiempo recibían confirmación por parte del énfasis teológico.

Si comparamos las actitudes de la teología luterana, calvinista y la radical-evangélica ante el carácter de la vida cristiana, aparecen diferencias que tuvieron y tienen consecuencias para la religión y la cultura en todos los países protestantes. Si bien todos los protestantes rechazaron la «ley» tal como era predicada y administrada por la iglesia romana, en el momento en que las iglesias protestantes intentaron formular sus propias doctrinas de la ley surgieron diferencias importantes. Lutero y Calvino coincidieron a propósito de dos funciones de la ley, la función de dirigir la vida del grupo político impidiendo o castigando las transgresiones y la función de mostrar al hombre lo que él es esencialmente y por tanto lo que debe ser y hasta qué punto su estado real está en contradicción con la imagen de su verdadero ser. Al mostrar su esencia, la ley revela la existencia alienada del hombre —y le lleva a la búsqueda de una reunión con lo que esencialmente le pertenece y de lo que está separado. Esta es la postura común a Lutero y a Calvino. Pero Calvino habló de una tercera función de la ley, a saber, la función de guiar al cristiano que es asido por el Espíritu divino pero que aún no se ve libre del poder de lo negativo en el conocimiento y en la acción. Lutero rechazó esta solución, asegurando que el Espíritu mismo conduce a decisiones en las que se superan las ambigüedades de la vida. El Espíritu, al liberar a una persona de la letra de la ley, le da a la vez que una intuición de la situación concreta, la fuerza para actuar en esta situación de acuerdo con la llamada del *ágape*. La solución de Calvino es más realista, más apta para apoyar una teoría ética y una vida disciplinada de santificación. La solución de Lutero es más extática, está incapacitada para apoyar una «ética protestante» si bien está llena de posibilidades creadoras en la vida personal. Las iglesias nacidas del radicalismo evangélico del período de la Reforma aceptaron del calvinismo la doctrina del tercer empleo de la ley y de la disciplina como instrumento en el proceso de santificación. Pero en contraste con Calvino, han perdido la comprensión del carácter paradójico de las iglesias y de las vidas de los individuos en las mismas. Niegan prácticamente el permanente significado del gran «a pesar de» en el proceso de santificación. En este punto vuelven a las tradiciones ascéticas católicas: la perfección puede alcanzarse en esta vida en aquellos individuos y grupos que son elegidos como portadores del Espíritu divino.

Las consecuencias para la comprensión de la vida cristiana basada sobre estas diferentes actitudes para con la ley son de largo alcance. En el calvinismo la santificación procede en línea ligeramente ascendente; tanto la fe como el amor son realizados progresivamente. Aumenta el poder del Espíritu divino en los individuos. La perfección está cerca, pero jamás alcanzada. Los primeros radicales evangélicos rechazaron esta restricción y reafirmaron el concepto de los perfectos pero de tal manera que el carácter paradójico de la perfección cristiana se hace invisible. Se exige y se considera posible la perfección real. En los grupos selectos es realidad la santidad del conjunto y la de sus miembros, en contraposición con el «mundo» que incluye las grandes iglesias. Obviamente la situación se hizo bastante más problemática cuando las sectas de la santidad se convirtieron ellas mismas en grandes iglesias. Entonces, si bien no se podía sostener el ideal de santidad no paradójica de todos los miembros del grupo aún prosiguió con fuerza el ideal perfeccionista y fue la causa de la identificación del mensaje cristiano de salvación con la perfección moral de cada uno de sus miembros individuales. El calvinismo con sus elementos perfeccionistas (aunque no con el perfeccionismo), ha producido una clase de ética protestante en la que la santificación progresiva es la finalidad de la vida. Tuvo una tremenda influencia en la formación de poderosas personalidades, de gran autocontrol. Avidos de contemplar en sí mismos los síntomas de su elección, creaban tales síntomas mediante lo que ha sido llamado «ascetismo intra-mundano», es decir, mediante el trabajo, el autocontrol y la represión de la vitalidad, especialmente en lo relacionado con el sexo. Estas tendencias perfeccionistas fueron fortalecidas cuando apareció el perfeccionismo de los evangélicos con elementos perfeccionistas del calvinismo.

En el luteranismo el énfasis puesto en el elemento paradójico en la experiencia del nuevo ser fue tan predominante que la santificación no se podía interpretar con los términos de una línea ascendente hacia la perfección. Se veía más bien entre los altibajos del éxtasis y de la congoja, del sentirse asido por el *ágape* y el ser rechazado hasta la alienación y la ambigüedad. El mismo Lutero experimentó esa oscilación de los altibajos y de una manera radical, con cambios que iban de momentos de ánimo y gozo a otros de ataques demoníacos, como interpretaba él sus estados de duda y de profunda desesperación. La consecuencia de la ausencia en el luteranismo de la valoración calvinista y evangelista de la disciplina fue que se tomara con menos seriedad el ideal de la santificación progresiva y se le reemplazara por un gran énfasis en el carácter paradójico de la vida cristiana. En el período de la ortodoxia esto condujo al luteranismo a aquella desintegración de la moralidad y de la religión práctica contra la que surgió el movimiento pietista. Pero la experiencia de Lutero de los ataques demoníacos llevó también a una profunda comprensión de los elementos demoníacos en la vida en general y en particular en la vida religiosa. La segunda época del romanticismo, en la que se preparó el movimiento existencialista del siglo XX, difícilmente podía haber brotado en el surco calvino-evangelista, mientras era genuino en una cultura impregnada de tradiciones luteranas (Se puede observar una analogía en la literatura y en la filosofía rusas procedentes de la base de las tradiciones greco-ortodoxas).

b) *Cuatro principios que determinan al nuevo ser como proceso.* La exclusividad de los diferentes tipos al interpretar el proceso de santificación va disminuyendo bajo el impacto de la crítica secular que pone en cuestión el significado de todos ellos. Debemos preguntar, por tanto, si podemos encontrar criterios para una futura doctrina de la vida bajo la presencia espiritual. Se pueden dar los siguientes principios: primero, incrementar la toma de conciencia; segundo: incrementar la libertad; tercero: incrementar la relación; cuarto: incrementar la transcendencia. Cómo se unirán estos principios en un nuevo tipo de vida bajo la presencia espiritual no se puede describir antes de que ello ocurra, pero elementos de una tal vida se pueden ver en individuos y grupos que anticipaban lo que posiblemente nos puede guardar el futuro. Los mismos principios unen tradiciones tanto religiosas como seculares y pueden crear, en su totalidad, una imagen indefinida pero apreciable de la «vida cristiana».

El principio de toma de conciencia está relacionado con la psicología contemporánea de la profundidad, pero es tan antiguo como la religión misma y queda expresado con agudeza en el nuevo testamento. Es el principio según el cual el hombre en el proceso de santificación toma conciencia de manera progresiva de su situación real y de las fuerzas que luchan alrededor suyo y de su humanidad pero toma también conciencia de las respuestas implicadas en esta situación. La santificación incluye una toma de conciencia tanto de lo demoníaco como de lo divino. Una tal toma de conciencia, que aumenta en el proceso de santificación, no conduce a la figura del «hombre sabio» estoico, que está por encima de las ambigüedades de la vida porque ha vencido sus pasiones y deseos, sino más bien a una toma de conciencia de estas ambigüedades en sí mismo al igual que en los demás, y al poder de afirmar la vida y su dinamismo vital a pesar de sus ambigüedades. Una tal conciencia incluye una sensibilidad para con las exigencias del propio crecimiento, para con las esperanzas y desengaños que se esconden en los demás, para con la voz sin voz de una situación concreta, para con los grados de autenticidad en la vida del espíritu en los otros y en uno mismo. Todo ello no es asunto de educación o sofisticación cultural sino de crecimiento bajo el impacto de la fuerza espiritual y es, por tanto, apreciable en todo ser humano que esté abierto a este impacto. La aristocracia del espíritu y la aristocracia del Espíritu no son idénticas, aunque en parte coinciden.

El segundo principio del proceso de santificación es el principio del incremento de la libertad. Las descripciones que hacen Pablo y Lutero de la vida en el Espíritu ponen un énfasis especialmente notable sobre este segundo principio. En la literatura contemporánea los oráculos de Nietzsche y la lucha existencialista por la libertad del yo personal del hombre de la esclavitud a los objetos que él ha creado tienen una gran importancia.

También aquí la filosofía de la profundidad contribuye con sus demandas a liberar a los hombres de determinadas coacciones que obstaculizan el crecimiento en la libertad espiritual. El crecimiento en libertad espiritual es ante todo crecimiento en libertad de la ley, que es una consecuencia inmediata de la interpretación de la ley como el ser esencial del hombre que le confronta en estado de alienación. Cuanto más reunido está uno con su verdadero ser bajo el impacto del Espíritu, tanto más libre se ve de los mandamientos de la ley. Este es el proceso más difícil, y la madurez en él es muy rara. El hecho de que la reunión es fragmentaria implica que la libertad de la ley es siempre fragmentaria. En la medida en que estamos alienados, aparecen las prohibiciones y los mandamientos que crean una mala conciencia. En la medida en que estamos reunidos constatamos que esencialmente estamos en libertad, sin imposiciones. La libertad de la ley en el proceso de santificación es una libertad creciente con respecto a la forma obligatoria de la ley y a la vez es una libertad con respecto a su contenido en concreto. Leyes específicas que expresan la experiencia y la sabiduría del pasado no sólo son útiles sino opresoras al mismo tiempo, por no poder salir al encuentro de la situación siempre concreta, siempre nueva, siempre única. La libertad de la ley significa el poder de juzgar la situación dada a la luz de la presencia espiritual y decidir qué acción es la adecuada, que frecuentemente está en contradicción con la ley. Esto es lo que se quiere decir cuando se contrasta el espíritu de la ley con su letra (Pablo) o cuando el yo llevado por el Espíritu se siente con fuerza para redactar una ley nueva y superior a la de Moisés (Lutero) o —en forma secularizada— cuando el portador de libertad revaloriza todos los valores (Nietzsche) o cuando el sujeto existente abre paso al impasse de la existencia mediante la resolutividad (Heidegger). La libertad madura para dar nuevas leyes o para interpretar las antiguas de una nueva manera es una finalidad del proceso de santificación. El peligro de que una tal libertad se puede convertir en terquedad queda superado siempre que el poder de reunión de la presencia espiritual sea efectivo. La terquedad es un síntoma de alienación y un sometimiento a condiciones y compulsiones que esclavizan. Una libertad madura de la ley implica el poder de resistir a las fuerzas que tratan de destruir una tal libertad desde dentro del yo personal y de sus condicionamientos sociales; y por supuesto, las fuerzas externas que esclavizan sólo pueden triunfar porque existen en el interior unas inclinaciones hacia la servidumbre. La resistencia contra ambas puede incluir unas decisiones ascéticas y una disponibilidad para el martirio, pero el significado de estas decisiones radica en la exigencia que se haga sobre ellas para que ayuden a preservar la libertad en la situación concreta y no en dotarlas de un mayor grado de santidad. Son instrumentos bajo unas condiciones especiales pero no son fines en sí mismas en el proceso de santificación.

El tercer proceso es el de una relación creciente que, a través de la necesidad de resistir a las influencias que esclavizan, puede aislar a la persona que va madurando. Ambas, la libertad y la relación, así como la toma de conciencia y la autotrascendencia, están enraizadas en las creaciones espirituales de la fe y el amor. Están presentes cuando se pone de manifiesto la presencia espiritual. Son las condiciones de participación en la regeneración y en la aceptación de la justificación, y determinan el proceso de santificación y la manera como lo hacen queda caracterizada por los cuatro principios que cualifican al nuevo ser como proceso. Por ejemplo, el principio de libertad creciente no se puede imaginar sin el coraje de arriesgarse a tomar una decisión equivocada sobre la base de la fe, y el principio de la relación creciente no se puede imaginar sin el poder de reunión del *ágape* para superar la autosoledad fragmentariamente. Pero en ambos casos los principios de santificación concretizan la manifestación básica de la presencia espiritual para el progreso hacia la madurez.

La relación implica la toma de conciencia del otro y la libertad en relacionarse con él superando el autoaislamiento en el interior de uno mismo y en el del otro. Existen un sinfín de obstáculos en este proceso como podemos constatar por una literatura abundante al respecto (con sus analogías en las artes plásticas) en la que se describe el autoaislamiento del individuo de los demás. Los análisis que se hacen en tales obras de introversión y hostilidad guardan una interdependencia con los análisis psicoterapéuticos de las mismas estructuras. Y las aportaciones bíblicas acerca de la relación en el seno de la comunidad espiritual presuponen la misma falta de relación en el mundo pagano del que proceden sus miembros, una falta de relación que continúa aún presente ambigüamente en las mismas reuniones de fieles.

El nuevo ser como proceso conduce hacia una relación madura. El Espíritu divino ha sido descrito correctamente como el poder de irrumpir a través de los muros del autoaislamiento. No hay otra manera de superar el autoaislamiento de forma duradera como no sea el impacto del poder que eleva a la persona individual por encima de sí misma extáticamente y le capacita para encontrar a la otra persona —si la otra persona está dispuesta a ser elevada por encima de sí misma. Todas las demás relaciones son transitorias y ambiguas. Existen ciertamente y llenan la vida de cada día pero son síntomas tanto de separación como de reunión. Todas las relaciones humanas tienen este carácter. Solas, no pueden superar la soledad, el autoaislamiento y la hostilidad. Sólo es capaz de hacerlo una relación que esté inherente en todas las demás relaciones y que incluso pueda existir sin ellas. La santificación, o proceso hacia la madurez espiritual, supera la soledad atendiendo de manera interdependiente a la soledad y a la comunión. Un síntoma decisivo de madurez espiritual es el poder de mantener la soledad. La santificación conquista la introversión haciendo girar el centro personal no hacia afuera, en extroversión, sino hacia la dimensión de su profundidad y de su altura. La relación necesita de la dimensión vertical para poderse realizar en la dimensión horizontal.

Esto es verdad también de la autorrelación. El estado de soledad, de introversión y de hostilidad es exactamente tan contrario a la autorrelación como lo es a la relación con los demás. La serie de términos que tienen como primera sílaba el *autos* griego (cuyo equivalente castellano sería el propio yo), es de una ambigüedad peligrosa. El término «autocentrado» se puede emplear para describir la grandeza del hombre como plenamente centrado o para designar una actitud negativa éticamente de estar sometido al propio yo; los términos «autoamarse» o «autoodiarse» son difíciles de entender porque es imposible separar el yo propio como sujeto de amor o de odio del propio yo como objeto. Pero no se da un amor real o un odio real sin una tal separación. Y la misma ambigüedad lleva consigo el término «autorrelación». Debemos sin embargo hacer uso de tales términos con la plena conciencia de que se emplean de manera no propia sino analógica.

En sentido analógico se puede hablar del proceso de santificación como creador de una autorrelación madura en la que la autoaceptación supera tanto la autoelevación como el autodesprecio en un proceso de reunión con el propio yo. Una tal reunión se crea trascendiendo tanto al yo como sujeto, que trata de imponerse a sí mismo, en términos de autocontrol y de autodisciplina al yo como objeto, de una parte, como, de otra, al yo como objeto, que ofrece resistencia a una tal imposición en términos de autocompasión y de huida del propio yo. Una autorrelación madura es el estado de reconciliación entre el yo como sujeto y el yo como objeto y la afirmación espontánea del propio ser esencial que está más allá del sujeto y del objeto. Cuando el proceso de santificación se aproxima a una autorrelación más madura, el individuo es más espontáneo, se afirma más a sí mismo, sin autoelevación o autohumillación.

La «búsqueda de identidad» es la búsqueda de lo que aquí hemos llamado «autorrelación». Si se entiende con propiedad, esta búsqueda no es el deseo de preservar un estado accidental del yo existencial, el yo en la alienación, sino más bien el camino hacia un yo que trasciende todo estado contingente de su desarrollo y que permanece inalterado en su esencia a través de tales cambios. El proceso de santificación se encamina hacia un estado en el que la «búsqueda de identidad» alcance su meta, que es la identidad del yo esencial que resplandece a través de las contingencias del yo existente.

El cuarto principio que determina el proceso de santificación es el principio de autotrascendencia. El objetivo de madurez bajo el impacto de la presencia espiritual abarca la toma de conciencia, la libertad y la relación, pero hemos encontrado en cada caso que no puede conseguirse el objetivo sin un acto de autotrascendencia. Esto implica que no es posible la santificación sin una continua trascendencia de uno mismo en la dirección de lo último —con otras palabras, sin la participación en lo santo.

Esta participación se describe normalmente como vida devota bajo la presencia espiritual. Esta descripción queda justificada si se entiende el término «devoción» de tal manera que lo santo abarque tanto lo santo como lo secular. Si se emplea exclusivamente en el sentido ordinario de la vida devota —una vida centrada en la oración particular— no agota las posibilidades de autotrascendencia. En la vida madura, determinada por la presencia espiritual, la participación en la vida devota de la propia comunidad se puede restringir o rechazar, la oración se puede subordinar a la meditación, la religión en el sentido más restringido de la palabra, puede ser negada en nombre de la religión en el sentido más amplio de la palabra; pero nada de ello contradice el principio de autotrascendencia. Puede incluso suceder que una experiencia incrementada de la trascendencia lleve a un incremento de crítica de la religión como una función especial. Pero a pesar de estas afirmaciones cualificadoras, la «autotrascendencia» se identifica con la actitud de devoción hacia aquello que es lo último.

Al tratar de la vida devota una distinción que se hace con frecuencia es relativa a la devoción organizada o formalizada y la devoción privada. Esta distinción tiene un significado muy limitado. Aquel que reza en la soledad lo hace empleando las palabras de la tradición religiosa que le ha dado ese lenguaje, y aquel que contempla sin palabras participa también de una larga tradición que viene representada por los hombres religiosos dentro y fuera de las iglesias. La distinción es significativa sólo en la medida en que afirma que no existe ninguna ley que exija la participación en los servicios religiosos en nombre de la presencia espiritual. Lutero reaccionó violentamente contra una tal ley pero al mismo tiempo creó una liturgia para los servicios protestantes y se puede decir en general que apartarse de la devoción comunitaria es peligroso porque crea fácilmente un vacío con el que acaba por desaparecer toda vida devota.

La autotrascendencia que pertenece a los principios de santificación es real en todo acto en el que se experimenta el impacto de la presencia espiritual. Ello puede ocurrir en la oración o en la meditación en la intimidad total, en el intercambio de experiencias espirituales con otros, en comunicaciones sobre una base secular, en la experiencia de obras creadoras del espíritu del hombre, en pleno trabajo o en pleno descanso, en la orientación privada, en los servicios religiosos. Es como el inspirar otros aires, un elevarse por encima de la vida normal. Es lo más importante en el proceso de madurez espiritual. Tal vez se pueda decir que con una madurez creciente en el proceso de santificación la trascendencia se hace más definida y su expresión se vuelve más indefinida. La participación en la devoción comunitaria puede disminuir y los símbolos religiosos conectados con ella pueden perder importancia, mientras que el estado de estar preocupado últimamente se puede poner más de manifiesto y la devoción al fondo y finalidad de nuestro ser se puede hacer más intensiva.

Este elemento en la realidad del nuevo ser como proceso ha causado lo que se ha llamado el resurgimiento de la religión en las décadas que siguieron a la segunda guerra mundial. La gente ha experimentado que la experiencia de la trascendencia es necesaria en una vida en la que el nuevo ser se hace real. La toma de conciencia de una tal exigencia está muy extendida, va en aumento un sentirse libre de prejuicios contra la religión en cuanto mediadora de trascendencia. En la situación actual lo que uno quiere son símbolos concretos de autotrascendencia.

A la luz de los cuatro principios que determinan al nuevo ser como proceso podemos decir: la vida cristiana no alcanza nunca el estado de perfección —sigue siempre un curso marcado por altibajos— pero a pesar de su carácter mutable incluye un movimiento hacia la madurez, por muy fragmentario que pueda ser el estado de madurez. Se manifiesta tanto en la vida religiosa como en la secular y trasciende a ambas con la fuerza de la presencia espiritual.

c) *Imágenes de perfección.* Las diferencias en la descripción de la vida cristiana desembocan en diferencias en la descripción de la meta ideal de santificación, del *sanctus*, del santo. En el nuevo testamento el término «santo», *hagios*, designa a todos los miembros de la comunidad, incluyendo a aquellos que, según los términos de lo que hoy llamamos santidad, no eran ciertamente santos. El término «santo» tiene la misma implicación paradójica, cuando se aplica a un individuo cristiano, que la que tiene el término «santidad» cuando se aplica a la iglesia. Ambos son santos por la santidad de su función, el nuevo ser en Cristo. Este significado paradójico de santidad se perdió cuando la primitiva iglesia atribuyó una santidad especial a los ascetas y mártires. Comparados con ellos los miembros ordinarios de la iglesia dejaron de ser santos y se inició una doble manera de juzgar la santidad. Sin embargo, la idea no era que el santo representaba una superioridad moral sobre los demás; su santidad era la trasparencia de lo divino. Esta transparencia se manifestaba a sí misma no sólo en sus palabras y en su excelencia personal sino también —y ello de manera decisiva— en su poder sobre la naturaleza y el hombre. Un santo, según esta doctrina, es alguien que ha realizado algunos milagros. Los milagros demuestran la superioridad del santo sobre la naturaleza, no en un sentido moral sino espiritual. La santidad es transmoral en esencia. Sin embargo, el protestantismo ha rechazado por completo el concepto de santo. No hay santos protestantes o, más precisamente, no existen santos bajo el criterio del principio protestante. Se pueden distinguir tres razones del porqué de este rechazo. La primera es que parece inevitable que la distinción entre quienes se llaman santos y los otros cristianos introduzca un estado de perfección que contradice la paradoja de justificación, según la cual es el pecador el que es justificado. Los santos son pecadores justificados; en esto son iguales a cualquier otro. La segunda es que la protesta de la Reforma iba dirigida contra una situación en la que los santos se habían convertido en objetos de culto. No se puede negar que tal era el caso en la iglesia romana, a pesar de las precauciones teológicas que la iglesia había tomado para impedirlo. La iglesia no pudo salir airosa porque incurrió muy pronto en las supersticiones conectadas con todo ello y porque sí salió airosa en el aplastamiento de los movimientos iconoclastas que intentaban reducir el peligro eliminando las representaciones visibles de los santos. Finalmente, el protestantismo no podía aceptar la idea romana del santo porque estaba conectada con una valoración dualista del ascetismo. El protestantismo no reconoce a los santos pero sí reconoce la santificación y puede aceptar representaciones del impacto de la presencia espiritual en el hombre. Estas personas representativas no son más santos que cualquier otro miembro de la comunidad espiritual, por muy fragmentaria que pueda ser su participación, sino que representan a los demás como símbolos de santificación. Son ejemplos de la encarnación del Espíritu en los portadores de un yo personal y en cuanto tales tienen una tremenda importancia para la vida de las iglesias. Pero también ellos, en todos los momentos de su vida, están a la vez separados y reunidos y puede ser que en su yo interno tengan una fuerza extraordinaria no sólo lo divino sino también lo demoníaco —como el arte medieval muestra de manera expresiva. El protestantismo puede encontrar representantes del nuevo ser tanto en el campo religioso como en el secular, no como un grado particular de santidad, sino como representantes y símbolos de aquello en lo que participan todos los que son asidos por el Espíritu.

La imagen de la perfección está trazada de acuerdo con las creaciones del Espíritu, la fe y el amor, y de acuerdo con los cuatro principios que determinan el proceso de santificación —una progresiva toma de conciencia, una progresiva libertad, una progresiva relación, una progresiva trascendencia.

Existen dos tipos de problemas conectados con el fundamento de la perfección sobre la fe y el amor que necesitan una más amplia discusión. El primero es el problema de la duda en relación con el incremento de la fe; el segundo es el problema de la relación de la cualidad *eros* del amor con el incremento del amor en su cualidad de *ágape*. Ambos problemas, que en parte han sido tratados en contextos anteriores, aparecen aquí en conexión con el nuevo ser como proceso y de la cuádruple forma de su progreso hacia la madurez.

El primer problema es el siguiente: ¿qué significa la duda dentro del proceso de santificación? ¿incluye el estado de perfección la eliminación de la duda? En el catolicismo romano una tal pregunta sólo puede significar si el creyente católico en estado de perfección, por ejemplo, como santo, puede tener dudas del sistema de doctrinas, o de alguna de sus partes, propuestas por la autoridad de la iglesia, sin que pierda por ello el estado de perfección. La respuesta es un no absoluto, ya que cuando se ha alcanzado la santificación, según la enseñanza de la iglesia romana, se acepta incondicionalmente la autoridad de la iglesia. Esta respuesta viene impuesta, por supuesto, por la identificación de la comunidad espiritual con una iglesia y debe por consiguiente, rechazarse en nombre del principio protestante.

En la práctica tanto el protestantismo ortodoxo como el pietismo aceptan en lo fundamental la respuesta católica —a pesar del principio protestante, la distorsión intelectualista de la fe en una aceptación de la autoridad literal de la Biblia (que en la práctica significa la autoridad de los credos eclesiásticos) conduce a la ortodoxia a una idea de la perfección en la que se descarta la duda al paso que se considera inevitable el pecado. Contra esta afirmación se podría señalar al hecho de que hay una duda que es una implicación inevitable del pecado, y ambas son expresiones del estado de separación. Pero el problema no es el de la duda como consecuencia del pecado; el problema es el de la duda como elemento de fe. Y precisamente debe afirmarse esto desde el punto de vista del principio protestante. Nunca se salva la infinita distancia entre Dios y el hombre; se identifica con la finitud del hombre. Por tanto el coraje creativo es un elemento de fe incluso en el estado perfección, y donde está el coraje, allí está el riesgo y la duda implicada en el riesgo. La fe no sería fe sino una unión mística si se la privara del elemento de duda que hay dentro de la misma.

El pietismo, en contraste con la ortodoxia, tiene conciencia del hecho de que la sujeción a las leyes doctrinales no puede desterrar la duda. Trata, sin embargo, de eliminar la duda mediante experiencias que sean una anticipación de la unión mística con Dios. El sentimiento de la regeneración, de una reunión con Dios, de un descanso en el poder salvador del nuevo ser, destierra la duda. En contraste con la ortodoxia el pietismo representa el principio de la cercanía. La cercanía da certeza, una certeza que no puede dar la obediencia a una autoridad doctrinal. Pero uno debe preguntar: ¿acaso la experiencia religiosa de un hombre en un estado avanzado de santificación elimina la posibilidad de la duda? De nuevo debemos responder negativamente. Es inevitable la duda hasta tanto exista la separación entre sujeto y objeto, e incluso el sentimiento más inmediato e íntimo de unión con lo divino, tal como se describe en el misticismo de los desposorios de Cristo con el alma, es incapaz de salvar la infinita distancia entre el yo finito y lo infinito por el que se siente asido. En las oscilaciones del sentimiento, se percibe esta distancia y con frecuencia arroja a quien está avanzado en la santificación a una duda más profunda que la de la gente con menor intensidad en su experiencia religiosa. La pregunta que se hace aquí no es psicológica; no se refiere a la posibilidad psicológica sino a la necesidad teológica de la duda en la fe del pietista. La posibilidad psicológica siempre está presente; la necesidad teológica puede aparecer o no en la realidad. Pero la teología debe afirmar la necesidad de la duda que se sigue de la finitud del hombre bajo las condiciones de alienación existencial.

El segundo problema es el de la relación de la cualidad *eros* del amor con su perfeccionamiento en la cualidad de *ágape*. Ya tocamos este problema al rechazar la superior cualidad religiosa del ascetismo en la descripción de la imagen del santo y la imagen protestante de una personalidad que representa de manera conspicua el impacto del poder espiritual en él. El problema no ha sido bien planteado al establecerse una separación entre *eros* y *ágape* —*eros* abarcando *libido, philia* y *eros* en el sentido platónico, y *ágape* designando el concepto de amor del nuevo testamento. Si bien el establecimiento de este contraste ha sido criticado desde distintos aspectos, su efecto es aún muy fuerte, en parte porque atrajo la atención a un problema fundamental de la vida bajo el impacto del Espíritu divino. Al mismo tiempo el movimiento psicoanalista en todas sus ramas ha destruido las ideologías del moralismo cristiano y humanista. Ha mostrado cuán profundamente, incluso las más sublimes funciones del espíritu, están enraizadas en las tendencias vitales de la naturaleza humana. Más aún, la doctrina de la unidad multidimensional de la vida en el hombre exige que se rechace cualquier intento de suprimir vitalidad a causa del espíritu y de sus funciones. Un incremento de toma de conciencia, de libertad, de relación y de trascendencia no implica una disminución de autoexpresión vital; al contrario, el espíritu y la vida en las otras dimensiones son interdependientes, sin que signifique que todas ellas deban realizarse, pues entraría en contradicción con la finitud del hombre. Y con frecuencia hace falta una disciplina no-ascética, aunque igualmente estricta, apoyada por un *eros* y una sabiduría creativas. Sin embargo, dirigir la propia vida hacia la integración del mayor número de elementos no ha de identificarse con la aceptación del prácticas represivas al estilo de las empleadas por el ascetismo romano y el moralismo protestante. La psicoterapia analítica y su aplicación al ser humano normal ha puesto de manifiesto, de la manera más convincente, las consecuencias distorsionantes de una tal represión. Y éste es uno de sus grandes servicios a la teología. Si el teólogo trata de descubrir el nuevo ser como proceso ha de evitar el desprecio de las intuiciones de la psicología analítica con respecto a la psicodinámica de la represión.

La teología no debe considerar con ligereza las consecuencias de tales intuiciones que ejercen, realmente, un efecto muy serio sobre la imagen de la perfección. No basta, y sería poco serio, recomendar en la predicación y en las orientaciones pastorales los «placeres inocentes de la vida», dando así paso a la concepción equivocada de que unos placeres son inocentes en sí mismos y otros pecaminosos, en lugar de animar a un reconocimiento de la ambigüedad de la creatividad y de la destrucción en todo placer así como en todo lo que calificamos como serio. Ningún placer es inofensivo, y buscar placeres inofensivos lleva a una valoración poco profunda del poder de la dinámica vital en la naturaleza humana. Esta condescendencia ante la vida vitalista del hombre así como una especie de autorización de los placeres infantiles es más perjudicial que el ascetismo genuino; conduce a la explosión constante de las fuerzas reprimidas y sólo superficialmente admitidas en la totalidad del ser del hombre. Y tales explosiones son personal y socialmente destructivas. Quien admite una dinámica vital en el hombre como elemento necesario en todas sus autoexpresiones (sus pasiones o su *eros*) debe saber que ha aceptado la vida en su ambigüedad divino-demoníaca y que supone un triunfo de la presencia espiritual situar esas profundidades de la naturaleza humana en su ámbito, en lugar de suprimirlas mediante las sutilezas de placeres «inofensivos». En las imágenes de perfección de los santos de la iglesia católica o en los representantes de la nueva piedad de la Reforma no se aprecia ningún tipo de precisión. Quien trata de soslayar el aspecto demoníaco de lo santo pierde también su aspecto divino y sólo alcanza una seguridad deceptiva. La imagen de la perfección es el hombre que, en el campo de batalla entre lo divino y lo demoníaco, sale victorioso contra lo demoníaco, si bien sólo de manera fragmentaria y anticipada. Esta es la experiencia en la que la imagen de la perfección bajo el impacto de la presencia espiritual trasciende el ideal humanista de la perfección. No es una actitud negativa con respecto a las potencialidades humanas la que produce el contraste sino la conciencia de la lucha indecisa entre lo divino y lo humano en cada hombre, que en el humanismo queda reemplazada por el ideal de una autorrealización armoniosa. Y es la búsqueda de la presencia espiritual y del nuevo ser como superación de lo demoníaco lo que se echa de menos en la imagen humanista del hombre y contra lo que se rebela el humanismo.

En la ortodoxia protestante el punto más elevado alcanzado en el proceso de santificación es la *unio mystica* (unión mística). Esta idea, aceptada fácilmente por el pietismo, fue rechazada radicalmente —como todo el misticismo— por la teología personalista de la escuela de Ritschl. Hay ciertamente mucho misticismo en la imagen de la perfección de los santos de la iglesia romana. Pero el protestantismo —como afirmaban los teólogos de la escuela de Ritschl— debe desembarazarse de estos elementos que están en contradicción tanto con el fin de la santificación, la relación personal con Dios, como con el camino para conseguir este fin, la fe que rechaza toda preparación ascética para las experiencias místicas así como estas mismas experiencias.

El problema que plantea una discusión más extensa de la fe y del misticismo en la teología protestante no es sólo el de su compatibilidad, sino también el de su interdependencia. Son compatibles sólo si la fe es un elemento del misticismo; no podrían existir dos actitudes para lo último, una al lado de otra, sino se diera la una con la otra. Este es el caso a pesar de todas las tendencias antimísticas en el protestantismo; no hay fe (sólo una creencia) sin que el Espíritu se apodere del centro personal de aquel que está en estado de fe, y esto es una experiencia mística, una experiencia de la presencia de lo infinito en lo finito. Como experiencia extática, la fe es mística, si bien no produce el misticismo como tipo religioso. Pero sí que incluye el misticismo como categoría, a saber, la experiencia de la presencia espiritual. Toda experiencia de lo divino es mística porque trasciende la separación existente entre el sujeto y el objeto, y allí donde esto ocurre se da lo místico como categoría. Lo mismo es verdad desde otro aspecto. Hay fe en la experiencia mística. Es una consecuencia del hecho de que tanto la fe como la experiencia mística son estados en los que la presencia espiritual se apodera de nosotros. Ahora bien, la experiencia mística no se identifica con la fe. En la fe los elementos de coraje y riesgo son reales, al paso que en la experiencia mística estos elementos, que presuponen una escisión entre el sujeto y el objeto, quedan abandonados. El problema no está en si la fe y el misticismo se contradicen entre sí; no se contradicen. El problema real está en saber si es posible en la situación existencial del hombre trascender la división que se da entre el sujeto y el objeto. La respuesta consiste en que es una realidad en todo encuentro con el fondo divino del ser pero dentro de los límites de la finitud y alienación humanas —fragmentaria, anticipada y amenazada por las ambigüedades de la religión. Sin embargo, esta no es ninguna razón para excluir la experiencia mística de la interpretación protestante de la santificación. El misticismo como cualidad de toda experiencia religiosa es universalmente válido. El misticismo como tipo de religión está bajo las mismas cualificaciones y ambigüedades que el tipo contrario al que, con frecuencia, se denomina erróneamente el tipo de fe. El hecho de que el protestantismo no entendiera su relación con el misticismo ha sido causa de unas tendencias que rechazan el cristianismo absolutamente en el misticismo oriental, por ejemplo, del tipo zen budista. La alianza del psicoanálisis y del budismo zen en algunos miembros de las clases superiores de la sociedad occidental (que están dentro de la tradición protestante) es un síntoma de desagrado hacia un protestantismo en el que se ha perdido el elemento místico.

Si se hiciera la pregunta de cómo se podría describir un misticismo protestante de este tipo me referiría a lo que ya se dijo acerca de la oración que se transforma a sí misma en contemplación, así como haría referencia también al silencio sagrado que se ha introducido en la mayoría de las liturgias protestantes y al énfasis en lo litúgico frente a la predicación y a la doctrina. Sólo es imposible según el espíritu del protestantismo aquello que intenta producir un misticismo a través de unos medios ascéticos o de otro tipo, aquello que ignora la culpabilidad y la aceptación divina, o sea, aquello que ignora los principios del nuevo ser como justificación.

4. LA CONQUISTA DE LA RELIGIÓN POR LA PRESENCIA
    ESPIRITUAL Y EL PRINCIPIO PROTESTANTE

En la medida en que es efectiva la presencia espiritual en las iglesias y en cada uno de sus miembros se apodera de la religión en cuanto función particular del espíritu humano. Cuando la teología contemporánea rechaza la palabra «religión» para designar el cristianismo, está en la misma línea de pensamiento que el nuevo testamento. La venida de Cristo no significa la fundación de una nueva religión sino la transformación del viejo estado de cosas. Por consiguiente, la iglesia no es una comunidad religiosa sino la representación anticipada de una nueva realidad, el nuevo ser como comunidad. De la misma manera, cada miembro de la iglesia no es una personalidad religiosa sino la representación anticipada de una nueva realidad, el nuevo ser como personalidad. Todo lo que llevamos dicho hasta aquí acerca de las iglesias y de la vida de sus miembros apunta en la misma dirección de la conquista o superación de la religión. La conquista de la religión no significa secularización sino más bien el final de la separación entre lo religioso y lo secular al eliminar lo uno y lo otro por medio de la presencia espiritual. Este es el significado de la fe como el estado de ser asido por lo que, en última instancia, nos preocupa y no como un conjunto de creencias, aún cuando el objeto de la creencia sea un ser divino. Este es el significado del amor como reunión de lo que estaba separado en todas las dimensiones, incluyendo la del espíritu, y no como un acto de negación de todas las dimensiones debido a una trascendencia sin dimensiones.

En la medida en que la presencia espiritual conquista la religión, quedan conquistadas también la profanización y la demonización. La participación de los miembros de la iglesia en la comunidad espiritual (que es la esencia dinámica de las iglesias y de la que las iglesias son tanto su representación existencial como su distorsión existencial) es la que opone resistencia a la profanización interna-religiosa de la religión, a su transformación en un mecanismo sagrado de estructura, de doctrina y de ritual jerarquizados. La libertad del Espíritu irrumpe a través de la profanización mecanizada —al igual que ocurrió en los momentos creativos de la Reforma. Al hacerlo así se opone también a la forma secular de profanización, ya que lo secular en cuanto tal se alimenta de la protesta contra la profanización de la religión en su seno. Si esta protesta pierde su sentido, las funciones de moralidad y de cultura se abren de nuevo a lo último, que es la finalidad de la autotrascendencia de la vida.

También queda conquistada la demonización en la medida en que la presencia espiritual conquista la religión. Hemos distinguido entre lo demoníaco oculto —la afirmación de una grandeza que lleva al conflicto trágico con «lo mismo grande»— y lo abiertamente demoníaco, —la afirmación de un finito como infinito en nombre de lo santo. En principio, tanto lo trágico como lo demoníaco es conquistado por la presencia espiritual. El cristianismo siempre ha pretendido que ni la muerte de Cristo ni el sufrimiento de los cristianos es trágico, porque ni una cosa ni otra está enraizada en la afirmación de su grandeza sino en la participación en el predicamento del hombre alienado a que cada uno pertenece y no pertenece. Si el cristianismo enseña que Cristo y los mártires sufrieron «inocentemente», esto significa que su sufrimiento no se basa en la culpa trágica de una grandeza autoafirmada sino en su buena voluntad por participar en las trágicas consecuencias de la alienación humana.

La grandeza autoafirmada en el dominio de lo santo es demoníaca. Esto es verdad de la pretensión de una iglesia por representar en su estructura a la comunidad espiritual sin ambigüedad alguna. La voluntad consiguiente de un poder sin límites sobre todas las cosas santas y seculares ya es en sí misma el juicio contra una iglesia que tiene esta pretensión. Lo mismo se puede decir de los individuos que pertenecientes a un grupo con tal pretensión se convierten en personas autoseguras, fanáticas y destructoras de la vida en los demás y del significado de la vida en el interior de ellos mismos. Pero en la medida en que el Espíritu divino conquista la religión, imposibilita una tal pretensión tanto en las iglesias como en sus miembros. Allí donde el Espíritu divino produce efecto, se rechaza la pretensión de una iglesia de representar a Dios excluyendo a las demás. La libertad del Espíritu opone resistencia a una tal pretensión. Y cuando el Espíritu divino produce su efecto queda eliminada la pretensión de un miembro de la iglesia por poseer en exclusividad la verdad porque el Espíritu divino atestigua su fragmentaria y ambigua participación en la verdad. La presencia espiritual excluye el fanatismo, porque en la presencia de Dios ningún hombre se puede vanagloriar de que ha asido a Dios. Nadie puede asir aquello por lo que es asido —la presencia espiritual.

En otros contextos he calificado esta verdad como el «principio protestante». Es aquí donde tiene su lugar el principio protestante en el sistema teológico. El principio protestante es una expresión de que la presencia espiritual conquista la religión y, por consiguiente, una expresión de la victoria sobre las ambigüedades de la religión, su profanización y su demonización. Es protestante porque protesta contra la autoelevación trágico-demoníaca de la religión y libera a la religión de sí misma para las otras funciones del espíritu humano, liberando al mismo tiempo a estas funciones de su autoexclusión contra las manifestaciones de lo último. El principio protestante (que es una manifestación del espíritu profético) no queda restringido a las iglesias de la Reforma o a cualquier otra iglesia; trasciende cualquier iglesia particular para ser expresión de la comunidad espiritual. Ha sido traicionado por todas las iglesias, incluidas las de la Reforma, pero es también efectivo en todas ellas como el poder que impide el que la profanización y la demonización destruyan por completo las iglesias cristianas. El sólo no basta; necesita la «substancia católica», la encarnación concreta de la presencia espiritual; pero es el criterio de la demonización (y de la profanización) de tal encarnación. Es la expresión de la victoria del Espíritu sobre la religión.

B. LA PRESENCIA ESPIRITUAL
Y LAS AMBIGÜEDADES DE LA CULTURA

1. LA RELIGIÓN Y LA CULTURA A LA LUZ DE
LA PRESENCIA ESPIRITUAL

La relación de la presencia espiritual con la religión tiene dos aspectos, porque en ella se manifiestan tanto la más profunda ambigüedad de la vida como el poder de conquistar esas mismas ambigüedades de la vida. Esta es en sí misma la ambigüedad básica de la religión y la raíz de todas sus demás ambigüedades. Hemos tratado ya de la relación entre religión y cultura, de su unidad esencial y de su separación existencial. La pregunta que ahora nos hacemos es la de cómo aparece esta relación a la luz de la presencia espiritual y de su creación básica, la comunidad espiritual, la comunidad de fe y amor. Lo primero que hay que destacar es que esta relación no es idéntica a la relación de las iglesias con la cultura en la que viven. Puesto que las mismas iglesias son tanto distorsión como representaciones de la comunidad espiritual, su relación con la cultura es cultura ella misma y no la respuesta a las preguntas implicadas en la cultura. Todas las relaciones de las iglesias con la cultura, tal como se describieron en la sección de las funciones de las iglesias, en particular la función de la relación, exigen una doble consideración, basada en la doble relación de las iglesias con la comunidad espiritual. En la medida en que la comunidad espiritual es la esencia dinámica de las iglesias, su existencia es un medio a través del cual la presencia espiritual opera hacia la autotrascendencia de la cultura. En la medida en que las iglesias representan la comunidad espiritual a la manera ambigua de la religión, su influencia en la cultura es ambigua en sí misma. Esta situación se opone a todos los intentos teocráticos de someter la cultura a una iglesia en nombre de la comunidad espiritual, y se opone también a todos los intentos profanizadores por mantener a las iglesias separadas de la vida cultural general. El impacto de la presencia espiritual en las funciones de la creatividad cultural no es posible sin una representación intrahistórica de la comunidad espiritual en una iglesia. Pero el impacto espiritual se puede experimentar de manera preliminar en grupos, movimientos y experiencias personales que se han caracterizado como la obra oculta de la presencia espiritual. «De manera preliminar» en nuestro contexto significa en preparación para la plena manifestación de la comunidad espiritual en una iglesia, o puede significar a consecuencia de una tal manifestación plena si la iglesia ha perdido su poder mediador, pero los efectos de su poder previo están presentes de manera latente en una cultura y mantienen viva la autotrascendencia de la creatividad cultural. Esto implica que el Espíritu divino no está atado a los medios que ha creado, las iglesias (y sus medios, la palabra y los sacramentos), sino que el libre impacto del Espíritu divino en una cultura prepara para una comunidad religiosa o se recibe porque una tal comunidad ha preparado a seres humanos para la recepción del impacto espiritual.

Sobre esta base podemos establecer algunos principios con respecto a la relación entre religión y cultura. El primer principio se encuentra en la libertad del Espíritu, por el que el problema de la religión y de la cultura no es idéntico al problema de la relación entre las iglesias y la cultura. Se le podría denominar «el principio de la consagración de lo secular». Esto no significa, por supuesto, que lo secular como tal es espiritual pero sí significa que está abierto al impacto del espíritu aún sin la mediación de una iglesia. Las consecuencias prácticas de esta «emancipación de lo secular», que estaba implicada en las palabras y en los actos de Jesús y que fue redescubierta por la Reforma, son de largo alcance. Entran en conflicto definitivo con esas afirmaciones públicas de escritores, oradores y ministros de que, a fin de superar las ambigüedades con frecuencia destructivas de la cultura, se debe reforzar la «religión». Estas declaraciones son especialmente ofensivas cuando introducen la religión, no por ella misma, sino para salvar una cultura vacía o decadente y de esta manera poder salvar a una nación. Aun cuando se evite la ofensa de servirse de lo último como de un instrumento en favor de algo no último, continúa el error de pensar que el Espíritu divino está atado a la religión a fin de poder ejercer su impacto en la cultura. Este «error» es realmente la identificación demoníaca de las iglesias con la comunidad espiritual y un intento por limitar la libertad del Espíritu mediante la pretensión absoluta de un grupo religioso. El principio de la «consagración de lo secular» se aplica también a los movimientos, grupos e individuos que están no sólo en el polo secular de las ambigüedades de la religión sino en abierta hostilidad con las iglesias e incluso con la misma religión en todas sus formas, el cristianismo inclusive. El Espíritu se puede manifestar, y con frecuencia lo ha hecho, mediante tales grupos, por ejemplo, en la manera de despertar la conciencia social o en dar al hombre un autoconocimiento más profundo o al deshacer la atadura a supersticiones mantenidas eclesiásticamente. De esta forma la presencia espiritual se ha servido de medios antirreligiosos para transformar no sólo a una cultura secular sino también a las iglesias. El protestantismo, gracias al poder auto-crítico del principio protestante está capacitado para reconocer la libertad del Espíritu con respecto a las iglesias, incluidas las protestantes.

El segundo principio que determina la relación entre religión y cultura es el principio de «convergencia de lo santo y de lo secular». Esta tendencia convergente es la explicación del hecho, al que ya nos hemos referido, de que el efecto latente de la presencia espiritual procede de y conduce a una manifestación del mismo en una comunidad histórica, una iglesia. Lo secular está bajo el dominio de toda vida, lo que hemos llamado su función autotrascendente, que se transciende a sí mismo en línea vertical. Lo secular es, como hemos visto, el resultado de una resistencia contra la realización de la autotrascendencia vertical. Esta resistencia es ambigua en sí misma. Impide que lo finito sea engullido por lo infinito. Hace posible la realización de sus potencialidades. Y por encima de todo levanta una oposición a las pretensiones por parte de las iglesias de que representan lo trascendente de manera directa y exclusiva. En este sentido lo secular es el correctivo necesario de lo santo. Con todo, también lo secular encamina hacia lo santo. No puede ofrecer resistencia de manera indefinida a la función de autotrascendencia que está presente en toda vida, por muy secularizada que esté, ya que una tal resistencia produce el vacío y el absurdo que caracteriza a lo finito cuando se separa de lo infinito. Produce la vida de agotamiento y de autorrechazo que se ve abocada a preguntarse por una vida inagotable que está por encima de sí misma y de esta manera desemboca en la autotrascendencia. Lo secular es llevado hacia la unión con lo santo, una unión que, en realidad, es reunión porque lo santo y lo secular se pertenecen el uno al otro.

Tampoco puede existir lo santo sin lo secular. Si, en nombre de la preocupación última, intenta aislarse en sí mismo, o bien cae en autocontradicciones o bien se vacía de contenido de una manera contraria a lo secular. La autocontradicción del intento de lo santo por prescindir de lo secular está en que cada intento de este tipo debe hacer uso de la cultura en todas sus formas seculares, desde el lenguaje hasta el conocimiento y expresión, y desde el acto técnico hasta la autocreatividad personal y comunitaria. La proposición más simple con la que intenta lo santo aislarse a sí mismo de lo secular es secular en la forma. Pero si lo santo quiere soslayar este problema, debe mantener silencio y vaciarse de todos los contenidos finitos, y de esta manera deja de ser la posibilidad genuina de un ser finito. Lo santo tiende a llenar el «mundo», que es el dominio de lo secular, de santidad. Intenta introducir lo secular en la vida de la preocupación última. Pero esta pretensión de la presencia espiritual encuentra resistencia en la pretensión secular de existir por sí mismo. Y de esta manera nos encontramos con una pretensión y su contrapartida. Pero en realidad se da un movimiento convergente del uno hacia el otro; el principio de la convergencia de lo santo y de lo secular siempre es efectivo.

Estos dos principios están enraizados en un tercero, el de la «pertenencia esencial de la religión y de la cultura entre sí». He expresado frecuentemente este principio diciendo que la religión es la substancia de la cultura y la cultura la forma de la religión. Hemos señalado esto al tratar de la relación esencial de la moralidad, de la cultura y de la religión. Ahora sólo debemos reafirmar que la religión no se puede expresar a sí misma ni siquiera con un silencio lleno de sentido sin la cultura de la que toma todas las formas de expresión significativa. Y debemos reafirmar que la cultura pierde su profundidad y su cualidad de inagotable sin la ultimidad de lo último.

Teniendo presentes estos principios pasamos ahora a un análisis de la idea humanista, de sus ambigüedades, y al problema de su relación con la presencia espiritual.

2. EL HUMANISMO Y LA IDEA DE LA TEONOMÍA

Al tratar de la finalidad humanista de la autocreación de la vida hicimos esta pregunta: ¿a qué lleva, por ejemplo, en realidad, la orientación educativa hacia esta finalidad? El desarrollo de todas las potencialidades humanas, el principio del humanismo, no indica en qué dirección se van a producir. Esto queda claro por la misma palabra «educación» que significa «sacar fuera», es decir, fuera de un estado de tosquedad, pero sin indicar hacia dónde debe dirigirse. Quedó indicado que la «iniciación» en el misterio del ser podría ser esta finalidad. Esto presupone, por supuesto, una comunidad en la que el misterio de la vida, expresado de manera concreta, es el principio determinante de su vida. Ahí queda transcendida, sin ser negada, la idea de humanismo. El ejemplo de la educación y la necesidad en la misma de un humanismo trascendente nos lleva a una consideración más amplia, es decir a la pregunta: ¿qué ocurre con la cultura globalmente considerada bajo el impacto de la presencia espiritual? La respuesta que quiero dar queda resumida con la palabra «teonomía». Se podría hablar también de la espiritualidad de la cultura pero daría la impresión —aunque sin quererlo— de que la cultura se ha de convertir en religión. El término «autotrascendencia de la cultura» sería más adecuado, pero puesto que esta es una función general de la vida, que bajo la dimensión del espíritu aparece como religión, se habría de encontrar otro término para la autotrascendencia de la cultura (y otro para la autotrascendencia de la moralidad). Sobre la base de mi experiencia y teoría religioso-socialista, mantengo el término «teonomía» que ya ha sido explicado anteriormente y que aparecerá de nuevo en la última parte del sistema. Aquí se emplea esta palabra para designar el estado de cultura bajo el impacto de la presencia espiritual. El *nomos* (ley) efectivo en ella es el encaminamiento de la autocreación de la vida bajo la dimensión del Espíritu en la dirección de lo último en el ser y en el significado. Es ciertamente desafortunado que el término «teonomía» pueda indicar la sujeción de una cultura a las leyes divinas, impuestas desde fuera y por medio de una iglesia. Pero este inconveniente es menor que los que se derivan de otros términos y aún queda compensado por la posibilidad de emplear la palabra «heteronomía» para aquella situación en la que una ley desde fuera, una ley extraña *(heteros nomos)* viene impuesta y destruye la autonomía de la creatividad cultural, su *autos nomos*, su ley interna. A partir de la relación de la teonomía con la heteronomía queda claro que la idea de una cultura teónoma no implica ninguna imposición desde fuera. La cultura teónoma es una cultura determinada y dirigida por el Espíritu y el Espíritu realiza al espíritu en lugar de destruirlo. La idea de la teonomía no es antihumanista sino que cambia la falta de definición humanista acerca del «a dónde» en una dirección que trasciende toda finalidad humana concreta.

La teonomía puede caracterizar a toda una cultura y facilitar una pista para la interpretación de la historia. Los elementos teónomos pueden entrar en conflicto con una heterenomía que tenga, por ejemplo, origen eclesiástico o político, y sus elementos autónomos pueden verse derrotados y temporalmente suprimidos (como en la alta edad media). Pueden entrar en conflicto con la triunfante autonomía, por ejemplo, de origen racionalista o nacionalista, y pueden quedar sepultados bajo una cultura (como en los siglos XVIII y XIX). O pueden llegar a producir un equilibrio entre las tendencias heterónomas y autónomas (como en los siglos XII y XIII). Pero la teonomía nunca puede ni triunfar absolutamente ni ser derrotada totalmente. Su victoria siempre es fragmentaria debido a la alienación existencial que acompaña a la historia humana y su derrota siempre queda

limitada por el hecho de que la naturaleza humana es esencialmente teónoma.

Resulta difícil ofrecer unas características generales de la
cultura teónoma separada de sus funciones particulares, pero sí
se pueden señalar las siguientes cualidades de la teonomía,
derivadas de su misma naturaleza. La primera de todas el estilo,
la forma exterior, de las obras teónomas de la creación cultural
expresa la ultimidad de significado incluso en los más limitados
transmisores de significado —una flor pintada, un hábito familiar, un instrumento técnico, una forma de relación social, la
visión de una figura histórica, una teoría epistemológica, un
documento político, y cosas por el estilo. En una situación
teónoma, ninguna de esas cosas carece de consagración; tal vez
no hayan sido consagradas por una iglesia pero ciertamente
están consagradas en la manera en que son experimentadas
incluso sin una consagración externa.

Al intentar caracterizar la autonomía uno ha de ser consciente de que la imagen de teonomía desarrollada nunca es una
imagen independiente de una situación histórica concreta que
se ve como símbolo de una cultura teónoma. El entusiasmo que
los románticos sentían por la edad media tenía sus raíces, en
gran parte, en esta transformación del pasado en un símbolo de
autonomía. Los románticos se equivocaron, por supuesto, en el
momento en que aceptaron una situación teónoma no simbólica
sino empíricamente. Luego empezó la glorificación históricamente insostenible y casi ridícula de algunas épocas pasadas.
Pero si se toma el pasado como modelo de una futura teonomía,
se toma de manera simbólica, no empírica. La primera cualidad
de una cultura teónoma es que comunica, en todas sus creaciones, la experiencia de la santidad, de algo último en el ser y en el
significado.

La segunda cualidad es la afirmación de las formas autónomas del proceso creativo. La teonomía quedaría destruida en el
momento en que una conclusión lógica válida fuera rechazada
en nombre de lo último hacia lo que apunta la teonomía, y lo
mismo puede decirse de todas las demás actividades de la
creatividad cultural. No existe teonomía alguna allí donde se
rechaza una demanda válida de justicia en nombre de lo santo
ni donde se impide un acto válido de autodeterminación personal por una tradición sagrada, ni allí donde se suprime un

nuevo estilo de creación artística en nombre de unas formas de expresión supuestamente eternas. En todos estos ejemplos la teonomía queda distorsionada en heteronomía; se elimina el elemento de autonomía —se reprime la libertad que es una característica del espíritu humano y del Espíritu divino. Y puede luego ocurrir que la autonomía irrumpa a través de las fuerzas supresivas de la heteronomía y deseche no sólo la heteronomía sino también la teonomía.

Esta situación nos lleva a la tercera característica de la teonomía, a saber, a su constante lucha contra la heteronomía independiente así como contra la autonomía independiente. La teonomía es anterior a ambas que son parte de la misma. Pero al mismo tiempo, la teonomía es posterior a ambas; intentan reunirse en la teonomía de la que proceden. La teonomía precede y sigue al mismo tiempo a los elementos de contraste que contiene. El proceso según el cual se desarrolla todo esto puede describirse así: se abandona la teonomía original al aparecer tendencias autónomas que conducen necesariamente a una reacción del elemento heterónomo. Si la autonomía no se libera de la sumisión a una teonomía «arcaica» con fundamentos mitológicos, la cultura no podría desarrollar sus potencialidades. Sólo tras su liberación del mito unificante y del estado teónomo de conciencia pueden hacer su aparición la filosofía y las ciencias, la poesía y las otras artes. Pero si logran su independencia, pierden su fundamento trascendente que les daba profundidad, unidad y significado último; y se inicia, por tanto, la reacción de la heteronomía: la experiencia de lo último, tal como se expresa en la tradición religiosa, reacciona contra las creaciones de una autonomía vacía. Esta reacción aparece fácilmente como una simple negación de creatividad autónoma y como un intento por suprimir las exigencias justificadas de verdad, expresividad, humanidad y justicia. Pero esto no es todo. En la forma distorsionada de las reacciones heterónomas contra la autonomía cultural va incluida una justificada advertencia contra la pérdida del ser y del sentido. Si se rechaza una teoría científica con un alto grado de probabilidad en nombre de una tradición religiosamente consagrada, se debe precisamente descubrir lo que se rechaza. Si es la misma teoría, se da un ataque heterónomo a la idea de la verdad al que se tiene que resistir en el poder del Espíritu. Pero si lo que se ataca, por el contrario, en nombre de la religión es un supuesto metafísico —y últimamente religioso— subyacente, la situación deja de ser un conflicto entre heteronomía y autonomía para convertirse en una confrontación de dos ultimidades que puede conducir a un conflicto entre actitudes religiosas pero no a un conflicto entre autonomía y heteronomía.

La lucha constante entre la independencia autónoma y la reacción heterónoma lleva a la búsqueda de una nueva teonomía, tanto en las situaciones particulares como en la profundidad de la conciencia cultural en general. A esta búsqueda responde el impacto de la presencia espiritual en la cultura. Allí donde es efectivo este impacto se crea la teonomía y allí donde está la teonomía son visibles los indicios del impacto de la presencia espiritual.

3. MANIFESTACIONES TEÓNOMAS DE LA
    PRESENCIA ESPIRITUAL

a) *Teonomía: verdad y expresividad*

La presencia espiritual lleva hacia la conquista de las ambigüedades de la cultura mediante la creación de formas teónomas en los diferentes dominios de la autocreación cultural de la vida. Para poder presentar estas formas hemos de referirnos a la ya dada enumeración de las ambigüedades culturales e indicar lo que ocurre con ellas bajo el impacto de la presencia espiritual. Pero antes se ha de analizar la ambigüedad básica que ha aparecido, de manera más o menos obvia, en todas las funciones culturales, la separación entre sujeto y objeto así como la manera en que todo ello queda superado bajo el impacto de la presencia espiritual. ¿Existe una respuesta teónoma general a la pregunta del sujeto ante el objeto? Los filósofos, los místicos, los amantes, quienes han intentado la embriaguez, incluso la muerte, no han intentado sino la superación de esta división. En algunos de estos intentos se manifiesta la presencia espiritual; en otros, se puede constatar un deseo desesperado y con frecuencia demoníaco de soslayar esta división esquivando la realidad. La psicología tiene conciencia de este problema; el deseo inconsciente de retornar al seno materno, ya sea al seno devorador de la naturaleza, ya sea al seno protector de la sociedad contemporánea, es una expresión de la voluntad de hacer desaparecer la subjetividad propia en algo trans-subjetivo, que no es objetivo (de lo contrario, reafirmaría al sujeto) sino que está más allá de la subjetividad y de la objetividad. Las dos respuestas más pertinentes han sido dadas por dos fenómenos que están muy relacionados a este respecto —el misticismo y el *eros*. El misticismo responde con la descripción de un estado de mente en el que el «universo del discurso» ha desaparecido pero el yo que experimenta tiene conciencia de esta desaparición. Sólo en la plenitud eterna, efectivamente, el sujeto (y por consiguiente, el objeto) desaparecen por completo. El hombre histórico sólo puede anticipar de manera fragmentaria la plenitud última en la que el sujeto deja de ser sujeto y el objeto deja de ser tal.

Un fenómeno similar es el amor humano. La separación entre el amante y la persona amada es la expresión más conspicua y dolorosa de la división de finitud entre sujeto y objeto. El sujeto del amor nunca es capaz de penetrar plenamente dentro del objeto de amor, y el amor continúa irrealizado, y así es necesariamente, ya que si se realizara alguna vez quedaría eliminado tanto el amante como la persona amada; esta paradoja nos muestra la situación humana y con ella la pregunta a la que da respuesta la teonomía como creación de la presencia espiritual.

La división entre sujeto-objeto está subyacente en el lenguaje. Nuestra enumeración de sus ambigüedades —como la pobreza en la riqueza, la particularidad en la universalidad, facilitar e impedir la comunicación, estar abierto a la expresión y a la distorsión de la expresión, y así sucesivamente— se puede resumir con la afirmación de que no es posible ningún lenguaje sin la división entre sujeto-objeto y de que el lenguaje se ve abocado continuamente a su propia derrota por esta misma división. En la teonomía el lenguaje está fragmentariamente liberado de la sumisión al esquema sujeto-objeto. Alcanza momentos en los que se convierte en transmisor del Espíritu expresando la unión de quien habla con aquello de lo que habla en un acto de autotrascendencia lingüística. La palabra que es portadora del Espíritu no toma posesión de un objeto que está frente al sujeto que está hablando, sino que atestigua la sublimidad de la vida más allá del sujeto y del objeto. Atestigua, expresa, presta la voz, a lo que trasciende la estructura sujeto. Una de las maneras consiste en la creación del símbolo. Al paso que el símbolo ordinario está abierto a una interpretación que lo devuelve al esquema sujeto-objeto, el símbolo creado por el Espíritu supera esta posibilidad y con ella las ambigüedades del lenguaje. Nos encontramos aquí en un punto en que el término «palabra de Dios» recibe su justificación y caracterización final. Palabra de Dios es la palabra humana llevada por el Espíritu. En cuanto tal no está ligada a un acontecimiento revelador determinado, cristiano o no cristiano; no está ligada a la religión en el sentido más restringido de la palabra; no va unida a un contenido o a una forma especiales. Aparece siempre que la presencia espiritual se impone a sí misma sobre un individuo o un grupo. El lenguaje, bajo un tal impacto, está más allá de la pobreza y de la abundancia. ¡Unas cuantas palabras se convierten en palabras de importancia! Esta es la experiencia siempre repetida de la humanidad con la literatura sagrada de una religión determinada o de una cultura teónoma. Pero la experiencia sobrepasa a las «santas escrituras» de cualquier religión concreta. En toda literatura y en todo uso del lenguaje, la presencia espiritual puede asir de quien habla y elevar sus palabras al estado de portadoras del Espíritu, conquistando la ambigüedad de la pobreza y de la abundancia. De la misma manera conquista las ambigüedades de la particularidad y de la universalidad. Todo lenguaje es particular porque expresa un encuentro particular con la realidad, pero el lenguaje que es portador del Espíritu es al mismo tiempo universal porque trasciende el encuentro particular que expresa en la dirección de lo que es universal, el Logos, el criterio de todo logos particular. La presencia espiritual conquista también la ambigüedad de lo indefinido del lenguaje. Es inevitable en todo lenguaje ordinario la falta de definición debido a la distancia infinita entre el sujeto que forma el lenguaje (colectivo o individual) y el objeto inagotable (cualquier objeto) que intenta asir. La palabra, determinada por la presencia espiritual no intenta asir un objeto que está siempre escabulléndose sino que expresa una unión entre el sujeto inagotable y el objeto inagotable en un símbolo que es, por su misma naturaleza, indefinido y definido al mismo tiempo. Deja abiertas las potencialidades de ambos aspectos del encuentro que crea el símbolo —y en este sentido es indefinida— pero excluye otros símbolos (y cualquier arbitrariedad de simbolismo) debido al carácter único del encuentro. Otro ejemplo más del poder de la presencia espiritual para conquistar las ambigüedades del lenguaje es el poder sobre la ambigüedad de sus posibilidades comunicativas y anticomunicativas. Dado que el lenguaje no puede penetrar hasta el mismo centro del otro yo, es siempre una mezcla de revelación y de ocultación; y de esta última se siguen las posibilidades de ocultación intencionada —de mentir, de engañar, de distorsionar, y de vaciar el lenguaje. La palabra determinada por el Espíritu alcanza el centro del otro pero no en términos de definiciones o circunscripciones de objetos finitos o de subjetividad finita (por ejemplo, las emociones); alcanza el centro del otro uniendo los centros del que habla y del que escucha en la unidad trascendente. Allí donde está el espíritu, allí queda superada la separación en términos de lenguaje —como nos dice el relato de pentecostés. Y así se supera también la posibilidad de distorsionar el lenguaje de su significado natural. En todos estos aspectos se podría decir que las ambigüedades de la palabra humana quedan conquistadas por aquella palabra humana que se convierte en palabra divina.

Para superar las ambigüedades del conocimiento el Espíritu divino debe conquistar la división entre sujeto y objeto de manera más drástica aún que en el caso del lenguaje. La división aparece, por ejemplo, en las circunstancias de que todo acto cognoscitivo debe usar conceptos abstractos, sin tener en cuenta, por tanto, lo concreto de la situación; en que debe dar una respuesta parcial, si bien «la verdad es el todo» (Hegel); y en que debe usar tipos de conceptualización y discusión que se adaptan sólo al dominio de los objetos y a su relación entre sí. Esta necesidad no se puede abandonar al nivel de las relaciones finitas; y surge así la pregunta de si existe otra relación en la que pueda alcanzarse la totalidad de la verdad y superarse el «dominio demoníaco de la abstracción». Esto no se puede hacer a la manera dialéctica de Hegel, que pretendía tener el todo mediante la combinación de todas las partes en un sistema consistente. Al obrar así se convirtió, y de manera conspicua, en víctima de las ambigüedades de la abstracción (sin alcanzar la totalidad a la que aspiraba). El Espíritu divino abarca tanto la totalidad como lo concreto, no evitando los universales —sin los que sería imposible todo acto cognoscitivo— sino usándolos sólo como vehículos para la elevación de lo parcial y concreto a lo eterno, que es donde tienen sus raíces tanto la totalidad como la unicidad. El conocimiento religioso es el conocimiento de algo particular a la luz de lo eterno y de lo eterno a la luz de algo particular. En este tipo de conocimiento quedan superadas las ambigüedades de la subjetividad así como las de la objetividad; se trata de un conocimiento autotrascendente que sale del centro de la totalidad para devolvernos a ella. El impacto de la presencia espiritual se manifiesta también en el método del conocimiento teónomo. Dentro de la estructura de separación del sujeto-objeto, la observación y la conclusión son la manera como el sujeto trata de asir el objeto, permaneciendo siempre separado del mismo y sin ninguna seguridad de salirse airoso. En el grado en que se supera la estructura sujeto-objeto, se sustituye la observación por la participación (que incluye la observación) y se sustituye la conclusión por la intuición (que incluye las conclusiones). Una tal intuición sobre la base de participación no es un método que se pueda usar a voluntad sino un estado de ser elevado a lo que hemos llamado la unidad trascendente. Un tal conocimiento determinado por el Espíritu es «revelación», al igual que el lenguaje determinado por el Espíritu es «palabra de Dios». Y así como la «palabra de Dios» está restringida a las sagradas Escrituras, así también la «revelación» no está restringida a las experiencias de revelación sobre las que se fundamentan todas las religiones reales. El reconocimiento de esta situación se esconde tras la afirmación de muchos teólogos de tradición clásica, católicos y protestantes, de que en la sabiduría de algunos sabios no cristianos estaba presente la sabiduría divina —el Logos— y que la presencia del Logos significaba para ellos —como para nosotros— la presencia espiritual. Se puede distinguir la sabiduría del conocimiento objetivante (la *sapientia* de la *scientia*) por su capacidad de manifestarse a sí misma más allá de la separación del sujeto y objeto. La imagen bíblica que describe a la Sabiduría y al Logos estando «con» Dios y «con» los hombres hace que este punto sea de una obviedad total. El conocimiento teónomo es la sabiduría determinada por el Espíritu. Pero al igual que el lenguaje de la teonomía determinado por el Espíritu no prescinde del lenguaje que está determinado por la división entre sujeto y objeto, así también el conocimiento determinado por el Espíritu no está en contradicción con el conocimiento que se obtiene en la estructura sujeto-objeto de encuentro con la realidad. La teonomía jamás está en contradicción con el conocimiento creado de manera autónoma, pero sí entra en contradicción con un conocimiento que pretende ser autónomo y que, en realidad, es el resultado de una teonomía distorsionada.

La función estética de la autocreación cultural del hombre presenta el mismo problema que el lenguaje y el conocimiento: al buscar expresividad en sus creaciones se enfrenta a la pregunta de si las artes expresan al sujeto o al objeto. Pero antes de que se encuentre una respuesta teónoma a esta pregunta, surge otra, y es la relación del hombre como personalidad autointegradora con el conjunto de la expresión estética —el problema del esteticismo. Al igual que la pregunta anterior, está enraizada en la estructura sujeto-objeto del ser finito. El sujeto puede transformar cualquier objeto en «nada más que objeto» usándolo para sí mismo en lugar de intentar penetrar en él mediante la reunión con lo separado. La función estética —ya sea preartística o artística— crea imágenes que son objeto de gozo estético. El gozo está basado en la fuerza expresiva de una creación estética aun cuando el tema expuesto sea feo o espantoso. El gozo de las imágenes creadas estéticamente —preartísticas o artísticas— coincide con la creatividad del espíritu. Pero el esteticismo mientras acepta el gozo se aparta de la participación. El impacto de la presencia espiritual, al unir el sujeto y el objeto, hace imposible el esteticismo.

Así pues a la pregunta de si las artes expresan al sujeto o al objeto, debemos dar la respuesta obvia: ni al uno ni al otro. El sujeto y el objeto deben estar unidos en una creación teónoma de la presencia espiritual a través de la función estética. Esta pregunta tiene relación con la valoración de los diferentes estilos artísticos. En cada estilo es diferente la relación del sujeto y del objeto; así surge la pregunta de si hay un estilo más teónomo que los otros o de cuál es el más teónomo entre todos. Es muy difícil hacer una tal afirmación pero debe hacerse. Por analogía con la función cognoscitiva, normalmente la pregunta se hace en la forma de si una determinada filosofía (por ejemplo, la platónica, la aristotélica, la estoica o la kantiana) tiene más potencialidad autónoma que las demás. Esta pregunta debe ser contestada y siempre lo ha sido por el trabajo real de los teólogos que usaron una u otra de estas filosofías con la convicción de que era la más adecuada a la situación humana y para la elaboración de una teología. Pero parece imposible hacer lo mismo con una enumeración de estilos. En relación con la pregunta de la teonomía no podemos distinguir estilos; sólo podemos distinguir elementos estilísticos. Esto es obvio a la vista del hecho de que no se puede imitar ningún estilo concreto mientras exista una voluntad para una expresión artística original. Se puede permanecer dentro de una tradición estilística, pero no se puede cambiar de una tradición a otra caprichosamente. (Esta es la misma situación que se da en relación con la filosofía teónoma. Ningún sistema filosófico se puede repetir por otro filósofo, pero todos toman elementos de sus predecesores, y ciertamente que hay algunos elementos que tienen más potencialidades teónomas que otros. Pero lo decisivo en la búsqueda de la verdad es que, bajo el principio de autonomía, se desarrollan todas las potencialidades del encuentro cognoscitivo del hombre con la realidad).

Con respecto a los elementos estilísticos (que reaparecen en todos los estilos históricos), se pueden distinguir los elementos realistas, idealistas y expresionistas. Cada uno aparece en todos los estilos, pero normalmente uno es el que predomina. Desde el punto de vista de la teonomía se puede decir que el elemento expresionista es el más apto para expresar la autotrascendencia de la vida en la línea vertical. Rompe con el movimiento horizontal y muestra la presencia espiritual con símbolos de una finitud rota. Esta es la razón por la que la mayor parte del gran arte religioso en todas las épocas ha sido determinado por el elemento expresionista en su expresión estilista. Cuando predominan los elementos naturalistas e idealistas, o bien se acepta lo finito en su finitud (aunque no se copie) o bien se ve en sus potencialidades esenciales pero no en su ruptura y salvación. Cuando predomina el naturalismo produce aceptación, el idealismo anticipación y el expresionismo irrumpe en lo vertical. Así el expresionismo es el elemento genuinamente teónomo.

b)   *Teonomía: propósito y humanidad*

La ambigüedad básica del sujeto y del objeto se expresa en la relación con la actividad técnica del hombre en los conflictos causados por las posibilidades ilimitadas del progreso técnico y los límites de su finitud al adaptarse él mismo a los resultados de su propia productividad. La ambigüedad del sujeto y del objeto se expresa también a sí misma en la producción de medios para fines que se convierten a sí mismos en medios sin un fin último y en la transformación técnica de partes de la naturaleza en cosas que son solamente cosas, es decir, objetos técnicos. Si se pregunta qué podría significar la teonomía en relación con estas ambigüedades o, más precisamente, cómo se puede superar la división entre sujeto y objeto en este campo de la objetivización completa, la respuesta sólo puede ser: produciendo objetos que puedan ser imbuidos de cualidades subjetivas; dirigiendo todos los medios hacia un fin último y limitando de esta manera la ilimitada libertad del hombre en ir más allá de lo dado. Bajo el impacto de la presencia espiritual, incluso los procesos técnicos se pueden convertir en teónomos y se puede superar la división entre el sujeto y el objeto de la actividad técnica. Para el Espíritu no hay ninguna cosa que sea simplemente una cosa. Es portadora de forma y de significado y, por tanto, un posible objeto de *eros*. Esto es verdad incluso de los instrumentos, desde el martillo más primitivo a la computadora más precisa. Como en los primeros tiempos cuando eran portadores de poderes fetichistas, también hoy se pueden considerar y valorar artísticamente como nuevas encarnaciones del poder del mismo ser. Este *eros* para con el técnico *Gestalt* es la manera como se puede alcanzar una relación teónoma con la tecnología. Se puede observar un tal *eros* en la relación de los niños y de los adultos con tales técnicos *Gestalten* como barcos, coches, aviones, muebles, máquinas impresionantes, fábricas, y cosas por el estilo. Si el *eros* para con estos objetos no está corrompido por intereses competitivos o mercenarios, tiene un carácter teónomo. El objeto técnico —la única «cosa» completa en el universo— no está en un conflicto esencial con la teonomía, pero es un factor importante en la creación de las ambigüedades de la cultura y necesita la sublimación del *eros* y del arte.

El segundo problema que pide una solución teónoma es la libertad indeterminada de producir medios para fines que a su vez se convierten en medios, y así sucesiva e ilimitadamente. La cultura teónoma incluye una autolimitación técnica. Las posibilidades no son sólo beneficios; son también tentaciones, y el deseo de realizarlas puede desembocar en vaciedad y destrucción. Ambas consecuencias son visibles en la actualidad.

La primera ha sido vista y denunciada durante mucho tiempo. Se nutre de los negocios y apoyada en los anuncios lleva a la producción de lo que se ha llamado en inglés el *gadget* que podríamos traducir por superfluo. Lo superfluo en sí mismo no es ningún mal pero sí lo es cuando arrastra tras sí toda la economía e impide el planteamiento del fin último de toda la producción de material técnico. Este problema se suscita necesariamente bajo el impacto de la presencia espiritual y viene a revolucionar la actitud para las posibilidades técnicas de tal manera que llegue a operar un cambio en la producción real. Esto, por supuesto, no se puede hacer desde fuera por las autoridades políticas eclesiásticas o cuasi-religiosas sino que sólo se puede hacer influyendo en la actitud de aquellos para quienes se producen esas cosas —como conocen muy bien los especialistas de la propaganda. El Espíritu divino, partiendo de la línea vertical para resistir a un avance ilimitado en la línea horizontal, conduce hacia una producción técnica, que está sometida al fin último de todos los procesos de la vida —la vida eterna.

El problema causado por las ilimitadas posibilidades de la producción técnica se hace aún más difícil cuando las consecuencias son casi inevitablemente destructivas. Tales consecuencias se han hecho visibles a partir de la segunda guerra mundial y han causado en muchísima gente fuertes reacciones emocionales y morales, sobre todo en quienes son los principales responsables de las «estructuras de destrucción» técnicas —armas atómicas— que, como es propio de la naturaleza de lo demoníaco, no se pueden ni rechazar ni aceptar. Por tanto, la reacción de estos hombres, así como la de la gente, queda dividida ante el carácter demoníaco inherente a las estupendas posibilidades técnicas de los descubrimientos atómicos. Bajo el impacto de la presencia espiritual, el aspecto destructivo de esa posibilidad humana quedará «proscrito» (término usado en el libro de la *Revelación* para la previa conquista de lo demoníaco).

De nuevo, esta «proscripción» no es a base de una restricción autoritaria de las posibilidades técnicas sino a base de un cambio en la actitud, un cambio en la voluntad de producir cosas que son ambigüas en su misma naturaleza y estructuras de destrucción. Sin la presencia espiritual no hay solución imaginable, porque la ambigüedad de producción y destrucción no se puede conquistar a nivel horizontal ni siquiera fragmentariamente. Para constatar esto se ha de recordar que la presencia espiritual no está ligada al dominio religioso (en el sentido más restringido de religión) sino que incluso puede ser efectiva a través de destacados enemigos de la religión y del cristianismo.

De la discusión de la función técnica de la cultura y de las ambigüedades, pasamos a la función personal (y comunitaria) y a las ambigüedades de la autodeterminación, de la determinación ajena y de la participación personal. En los tres casos la división entre sujeto y objeto, como en todas las funciones culturales, es la condición necesaria así como la causa inevitable de las ambigüedades. La ambigüedad de la autodeterminación está enraizada en el hecho de que el yo como sujeto y el yo como objeto están divididos y de que el yo como sujeto trata de determinar al yo como objeto en una dirección de la que está separado a su vez el yo como sujeto. La «buena voluntad» solamente es buena ambiguamente, precisamente porque no está unida con el yo como objeto que en principio debe ella dirigir. Ningún yo centrado bajo las condiciones de existencia se identifica plenamente consigo mismo. Siempre que la presencia espiritual se apodera de una persona centrada reestablece su identidad de manera inambigua (si bien fragmentariamente). La «búsqueda de identidad» que es un problema genuino de la generación presente es, en realidad, la búsqueda de la presencia espiritual, porque la división del yo en un sujeto controlador y un objeto controlado sólo puede ser superada desde la dirección vertical, a partir de la cual se da la reunión y no se impone. El yo que ha encontrado su identidad es el yo de quien es «aceptado» como unidad a pesar de su desunión.

La división entre sujeto y objeto produce también las ambigüedades de la educación y orientación de otra persona. En ambas actividades es necesario, aunque imposible, dar con un camino entre la autorrestricción y la autoimposición por parte del educador u orientador. Una total autorrestricción, tal como queda ejemplarizada en algunos tipos de escuelas progresivas, conduce a una ineficiencia total. No se pide al objeto que se una con el sujeto en un contenido común sino que se le deja solo en una sumisión a sí mismo y a sus ambigüedades como persona, mientras que el sujeto, en lugar de educar u orientar, permanece como observador irrelevante. La actitud contraria viola el objeto de la educación y orientación al transformarlo en un objeto sin subjetividad e incapaz, por tanto, de ser educado hasta su plenitud u orientado hasta su fin último. Sólo puede ser controlado mediante adoctrinamiento, órdenes, engaños, «lavados de cerebro» y cosas por el estilo, y en casos extremos, como en los campos de concentración, mediante métodos deshumanizantes que le privan de su subjetividad al privarle de las condiciones necesarias biológicas y psicológicas para existir como persona. Le transforman en un ejemplo perfecto del principio de los reflejos condicionados. El Espíritu libera tanto de la mera subjetividad como de la mera objetividad. Bajo el impacto de la presencia espiritual el acto educativo crea teonomía en la persona centrada al dirigirle hacia lo último de donde recibe independencia sin caos interior. Pertenece a la misma naturaleza del Espíritu el que una la libertad y la forma. Si la comunión educativa u orientadora entre persona y persona es elevada más allá de sí misma por la presencia espiritual, la división entre sujeto y objeto queda fragmentariamente superada en ambas relaciones y se alcanza la humanidad fragmentariamente.

Lo mismo es verdad de otros encuentros interpersonales. La otra persona es un extraño, pero un extraño sólo en apariencia. En realidad, es una parte extraña de su propio yo. Por tanto la propia humanidad de cada uno sólo se puede constatar en reunión con él —una reunión que es también decisiva para la realización de su humanidad. En la línea horizontal esto conduce a dos soluciones posibles pero igualmente ambiguas: el esfuerzo por superar la división entre sujeto y objeto en un encuentro interpersonal (dado que cada persona es tanto sujeto como objeto) ya sea mediante la entrega del propio yo al del otro, ya sea mediante la incorporación del otro yo al propio. Ambas formas son intentadas continuamente, con muchos grados de predominio de un elemento o de otro, y ambas son un fracaso porque destruyen a las personas a las que intentan unir. De nuevo llega la respuesta desde la dimensión vertical: ambos aspectos en el encuentro pertenecen a una especie de tercer elemento que trasciende a ambos. Ni la entrega ni la sujeción son los medios adecuados para alcanzar al otro. El de ninguna manera puede ser alcanzado directamente. El sólo puede ser alcanzado a través de aquello que le eleva por encima de su relación. La afirmación de Sartre acerca de la objetivación mutua de los seres humanos en todos sus encuentros no se puede negar a no ser desde el punto de vista de la dimensión vertical. El cascarón de la autoexclusión sólo es agujereado a través del impacto de la presencia espiritual. El extraño que es una parte extraña del propio yo ha dejado de ser un extraño cuando es experimentado como procediendo del mismo fondo que el propio yo. La teonomía salva a la humanidad en cada encuentro humano.

c)   *Teonomía: poder y justicia*

En el dominio comunitario, también, la división entre sujeto y objeto lleva a un gran número de ambigüedades. Hemos hecho referencia a algunas de ellas y ahora debemos mostrar lo que les ocurre bajo el impacto de la presencia espiritual. Allí donde está el Espíritu son conquistadas, si bien fragmentariamente. El primer problema que se sigue del establecimiento de cualquier clase de comunidad es la exclusividad que corresponde a la limitación de su inclusividad. Como toda amistad excluye una serie innumerable con quienes no hay amistad, así toda tribu, clase, ciudad, nación y civilización excluye a todos aquellos que no le pertenecen. La justicia de cohesión social implica la injusticia del rechazo social. Bajo el impacto de la presencia espiritual ocurren dos cosas en las que se vence la injusticia dentro de la justicia comunitaria. Las iglesias, en la medida en que representan a la comunidad espiritual, se transforman de comunidades religiosas con exclusividad demoníaca en comunidad santa con inclusividad universal, sin perder su identidad. El efecto indirecto que esto causa en las comunidades seculares es un aspecto del impacto de la presencia espiritual en el campo comunitario. El otro aspecto es el efecto directo que causa el Espíritu sobre la comprensión y realización de la idea de justicia. La ambigüedad de cohesión y rechazo se conquista

por la creación de unidades más amplias a través de las cuales
quienes son rechazados por la insoslayable exclusividad de
cualquier grupo concreto son incluidos en un grupo más amplio
—finalmente en la humanidad. Sobre esta base, la exclusividad
de tipo familiar queda fragmentariamente superada por la
amistad de inclusión, el rechazo fruto de la amistad por la
aceptación en comunidades locales, la exclusividad de clase por
una inclusión de tipo nacional y así sucesivamente. Por supuesto
que esta es una lucha constante de la presencia espiritual, no
sólo contra la exclusividad sino también contra una inclusividad que desintegra a una comunidad genuina y la priva de su
identidad (como en algunas expresiones de la sociedad de
masas).

Este ejemplo lleva directamente a otra de las ambigüedades
de la justicia, la de la desigualdad. La justicia implica igualdad;
pero la igualdad de lo que es esencialmente desigual es tan
injusto como la desigualdad de lo que es esencialmente igual.
Bajo el impacto de la presencia espiritual (que es lo mismo que
decir, determinada por la fe y el amor), la igualdad última de
todo el que es llamado a la comunidad espiritual va unida a la
desigualdad previa que está enraizada en la autorrealización
del individuo en cuanto individuo. Cada uno tiene su propio
destino, basado, en parte, en las condiciones dadas de su existencia y, en parte, en su libertad de reaccionar de una manera
centrada ante la situación y los diversos elementos en ella, que
vienen dados por su destino. Sin embargo, la igualdad última
no se puede separar de la desigualdad existencial; esta última
está constantemente bajo un juicio espiritual porque trata de
crear situaciones sociales en las que la igualdad última se hace
invisible e ineficiente. Si fue más bien la influencia de la filosofía
estoica que la de las iglesias cristianas la que redujo la injusticia
de la esclavitud en su poder deshumanizador, con todo era (y
es) la presencia espiritual la que actuaba a través de los filósofos
de ascendencia estoica. Pero también aquí la lucha del Espíritu
contra las ambigüedades de la *praxis* se dirige no sólo contra la
desigualdad comunitaria sino también contra formas de igualdad comunitaria en las que se prescinde de la desigualdad
esencial, como se da, por ejemplo, en el principio de igualdad de
educación en una sociedad de masas. Una tal educación es una
injusticia para aquellos cuyo carisma está precisamente en su

capacidad de trascender la conformidad de una cultura igualitaria. Juntamente con la afirmación de la igualdad última de todos los hombres, la presencia espiritual afirma también la polaridad de una igualdad relativa y de una desigualdad relativa en la vida comunitaria real. La solución teónoma de las ambigüedades de la igualdad produce una genuina teonomía.

Entre las más conspicuas ambigüedades de la comunidad está la del liderazgo y el poder. También aquí, de la manera más obvia, se muestra la división entre sujeto y objeto como la fuente de las ambigüedades. Debido a la falta de una centralidad fisiológica, como la que encontramos en la persona individual, la comunidad debe crear centralidad, en la medida en que ello sea posible, mediante un grupo dirigente que está representado asimismo por un individuo (rey, presidente, etcétera). En un tal individuo, la centralidad comunitaria está encarnada en una centralidad psicosomática. El representa el centro pero no *es* el centro de la manera como su propio yo es el centro de todo su ser. Las ambigüedades de justicia que se siguen de este carácter de centralidad comunitaria están enraizadas en el hecho insoslayable de que el gobernante y el grupo que gobierna realizan su propio poder de ser cuando realizan el poder de ser de toda la comunidad que representan. La tiranía que penetra todos los sistemas de poder, aun los más liberales, es una consecuencia de esta estructura altamente dialéctica de poder social. La otra consecuencia, resultado de la oposición a las implicaciones de poder, es un liberalismo o anarquismo sin fuerza al que sigue, por lo general rápidamente, una tiranía consciente y sin restricciones. Bajo el impacto de la presencia espiritual los miembros del grupo dirigente (incluido el gobernador) son capaces de sacrificar en parte su subjetividad convirtiéndose en objetos de su propio gobierno al lado de los demás objetos y transfiriendo la parte sacrificada de su subjetividad a la parte gobernada. Este sacrificio parcial de la subjetividad de los gobernantes y esta elevación parcial de la parte gobernada a la subjetividad es el significado de la idea «democrática». No se identifica con ninguna constitución democrática determinada que intente realizar el principio democrático. Este principio es un elemento en la comunidad espiritual y en su justicia. Está presente incluso en las constituciones aristocráticas y monárquicas —y puede ser distorsionado de manera notable en las

democracias históricas. Allí donde es realidad fragmentariamente allí está actuando la presencia espiritual —mediante las
iglesias o en oposición a ellas o al margen de una vida abiertamente religiosa.

La justicia en la vida comunitaria es, por encima de todo, la
justicia de la ley, la ley en el sentido de un sistema legal apoyado
en el poder. Sus ambigüedades son de dos tipos: la ambigüedad
del establecimiento de la ley y la ambigüedad de su ejecución.
La primera se identifica, en parte, con la ambigüedad del
liderazgo. El poder legal, ejercido por el grupo gobernante (y el
individuo que representa al grupo), es ante todo un poder
legislativo. La justicia de un sistema de leyes está inseparablemente ligada a la justicia tal como es concebida por el grupo
gobernante, y esta justicia es expresión tanto de los principios de
lo bueno y de lo malo como de los principios mediante los cuales
el grupo dirigente afirma, mantiene y apoya su propio poder. El
espíritu de una ley une inseparablemente el espíritu de justicia y
el espíritu de los poderes que tienen el control, y esto significa
que su justicia implica la injusticia. Bajo el impacto de la
presencia espiritual, la ley puede adquirir una cualidad teónoma en la medida en que el Espíritu es efectivo. Puede representar la justicia sin ambigüedades aunque fragmentariamente; en
lenguaje simbólico, se puede convertir en «la justicia del reino
de Dios». Esto no quiere decir que se convierta en un sistema
racional de justicia por encima de la vida de cualquier grupo
comunitario, tal como han intentado desarrollar algunos filósofos de la ley neo-kantianos. No hay tal cosa, ya que la unidad
multidimensional de la vida no admite una función del espíritu
en la que no estén presentes de manera efectiva las dimensiones
precedentes. El espíritu de la ley es necesariamente no sólo el
espíritu de justicia sino también el espíritu de un grupo comunitario. No hay ninguna justicia que no sea la justicia de alguien,
no la justicia de un individuo sino de una sociedad. La presencia
espiritual no suprime la base vital de la ley sino que elimina sus
injusticias luchando contra las ideologías que las justifican. Esta
lucha ha sido emprendida, a veces, a través de la voz de las
iglesias como imágenes de la comunidad espiritual y, a veces, de
manera directa, por la creación de movimientos proféticos
dentro del mismo dominio secular. La legislación teónoma es la
tarea de la presencia espiritual por medio del autocriticismo

profético en quienes son los responsables de la misma. Una tal afirmación no es «idealista», en el sentido negativo de la palabra, mientras mantengamos la afirmación «realista» de que el Espíritu opera indirectamente a través de todas las dimensiones de la vida, si bien directamente sólo lo hace a través de las dimensiones del espíritu del hombre.

La otra ambigüedad de la forma legal de la vida comunitaria es la ambigüedad de la ejecución de la ley. Aquí hacen falta dos consideraciones. Una se refiere al hecho de que la ejecución de la ley depende del poder de quienes hacen los juicios, y que cuando los hacen dependen, al igual que los legisladores, de su propio ser total en todas sus dimensiones. Cada uno de sus juicios expresa no sólo el significado de la ley, no sólo su espíritu, sino también el espíritu del juez, con la inclusión de todas las dimensiones que le pertenecen como persona. Una de las funciones más importantes del profeta del antiguo testamento era la de exhortar a los jueces a ejercer justicia contra sus intereses de clase y contra sus cambiantes estados de ánimo. La dignidad de la que se reviste el oficio y las funciones de juez nos recuerdan el origen teónomo así como el ideal teónomo presentes en la ejecución de la ley.

Existe, sin embargo, otra ambigüedad de la forma legal de la vida comunitaria y que está enraizada en la misma naturaleza de la ley, su abstracción e incapacidad de una adecuación precisa a cada caso concreto al que se aplica. La historia ha mostrado que la situación no ha mejorado, sino más bien empeorado, cuando han sido añadidas nuevas leyes, más específicas, a las más generales. Son igualmente inadecuadas a cualquier situación concreta. La sabiduría del juez se sitúa entre la ley abstracta y la situación concreta, y esta sabiduría puede ser inspirada de una manera teónoma. En la medida en que así es se percibe y obedece la exigencia del caso particular. La ley en su abstracta majestad no elimina las diferencias individuales ni se priva a sí misma de su validez general al reconocer las diferencias.

Las últimas puntualizaciones han preparado el tránsito hacia lo que está subyacente en la justicia y en la humanidad directamente y en todas las funciones culturales indirectamente, —la moralidad. Debemos pasar ahora a considerar el impacto de la presencia espiritual en la moralidad.

C. LA PRESENCIA ESPIRITUAL Y LAS AMBIGÜEDADES DE LA MORALIDAD

1. LA RELIGIÓN Y LA MORALIDAD A LA LUZ DE LA PRESENCIA ESPIRITUAL: MORALIDAD TEÓNOMA

La unidad esencial de la moralidad, de la cultura y de la religión queda destruida bajo las condiciones de existencia y en los procesos de la vida sólo permanece una ambigua versión de la misma. Sin embargo, es posible, bajo el impacto del Espíritu divino, una reunión sin ambigüedades aunque fragmentaria. La presencia espiritual crea una cultura teónoma y crea una moralidad teónoma. El término «teónomo» cuando se aplica a la cultura y a la moralidad tiene el significado de las frases paradójicas «cultura transcultural» y «moralidad transmoral». La religión, la autotrascendencia de la vida bajo la dimensión del espíritu, comunica autotrascendencia a ambas, a la auto-creación y a la autointegración de la vida bajo la dimensión del espíritu. Hemos tratado de la relación entre religión y cultura a la luz de la presencia espiritual; debemos tratar ahora de la relación entre religión y moralidad bajo el mismo aspecto.

El tema de la relación entre religión y moralidad se puede tratar en términos de relación entre la ética filosófica y la teológica. Esta dualidad es análoga a la dualidad de la filosofía autónoma y cristiana y, en realidad, forma parte de esta última. Ya hemos rechazado la idea de una filosofía cristiana que traicionaría inevitablemente la honestidad de la búsqueda al determinar, con anterioridad a la investigación, cuáles han de ser los resultados. Esto tiene relación con todas las partes de la tarea filosófica, incluyendo la ética. Si la frase significa lo que dice, la «ética teológica» es conscientemente una ética predeterminada. Pero esto no es verdad, sin embargo, de la ética teónoma, como tampoco es verdad de una filosofía teónoma. Es teónoma aquella filosofía que está libre de interferencias externas y en la que, en el proceso real de pensamiento, es eficiente el impacto de la presencia espiritual. Es teónoma aquella ética en la que los principios y los procesos éticos se describen a la luz de la presencia espiritual. La ética teónoma es parte de la filosofía teónoma. La ética teológica, como disciplina teológica independiente, debe ser rechazada, si bien toda afirmación teológica tiene implicaciones éticas (como tiene presupuestos ontológicos). Si la ética teológica (o filosofía de la religión) se estudia académicamente en un curso aparte, ello es simplemente por razones prácticas, y no se debe convertir en cuestión de principio. De lo contrario se plantea un intolerable dualismo entre la ética filosófica y la teología que lógicamente conduce a la posición esquizofrénica de la «doble verdad». En un curso se afirmaría la autonomía de la razón práctica, en el sentido que tiene ésta en Kant o Hume, y en el otro la heteronomía de los mandamientos divinos revelados que se ha de encontrar en los documentos bíblicos y eclesiásticos. Sobre la base de la distinción entre religión en el sentido más amplio y el más restringido de la palabra, podemos establecer *un* curso de estudio de la ética que analice la naturaleza de la función moral y juzgue los contenidos cambiantes a la luz de este análisis. Dentro de este análisis se puede afirmar o negar el carácter incondicional del imperativo moral y con él la cualidad teónoma de la ética, pero tanto la afirmación como la negación quedan en la arena de la controversia filosófica sin que ninguna autoridad externa, eclesiástica o política, haya decidido algo al respecto. El teólogo entra en estas controversias como un eticista filósofo cuyos ojos están abiertos por la preocupación última que ha asido de él, pero sus argumentos tienen la misma base experimental y la misma fuerza racional que los de quienes niegan el carácter incondicional del imperativo moral. El profesor de ética es un filósofo, sea o no sea teónoma su ética. Es filósofo aunque sea teólogo y aun cuando su preocupación última dependa de la temática de su obra teológica, por ejemplo, del mensaje cristiano. Pero en cuanto eticista no introduce sus afirmaciones teológicas como argumentos acerca de la naturaleza del imperativo moral.

Se puede preguntar si es posible una tal combinación de preocupación última y de un argumento, en parte, independiente. Hablando empíricamente es imposible porque la cualidad teónoma de la ética es siempre concreta y depende por tanto de tradiciones concretas, ya sean judías, cristianas, griegas o budistas. De lo cual se podría concluir que la teonomía debe ser concreta y, por tanto, en conflicto con la autonomía de la investigación ética. Pero este argumento no tiene en cuenta el hecho de que, incluso la investigación aparentemente autónoma en la filosofía en general y en la ética en particular, depende de una tradición que expresa una preocupación última, por lo menos indirecta e inconscientemente. La ética autónoma puede ser autónoma solamente con respecto al método científico, no con respecto a su substancia religiosa. En una tal ética hay siempre un elemento teónomo, por muy oculto, secularizado y distorsionado que pueda estar. Por tanto, la ética teónoma en un pleno sentido de la frase es una ética en la que, bajo el impacto de la presencia espiritual se expresa conscientemente la substancia religiosa —la experiencia de una preocupación última— a través del proceso de argumentación libre y no a través de un intento de control. La teonomía intencional es heteronomía y debe ser rechazada por la investigación ética. La teonomía real es la ética autónoma bajo la presencia espiritual.

Esto significa, en relación con el material ético bíblico y eclesiástico, que no se puede tomar y sistematizar como una «ética teológica», basada en una «información» revelada acerca de los problemas éticos. La revelación no es información y ciertamente que no es información acerca de normas o reglas éticas. Todo el material ético, por ejemplo, del antiguo y del nuevo testamento, está abierto a la crítica ética bajo el principio de *ágape*, ya que el Espíritu no produce nuevas y más refinadas «letras», es decir, mandamientos, sino que más bien el Espíritu juzga todos los mandamientos.

2. LA PRESENCIA ESPIRITUAL Y LAS AMBIGÜEDADES
   DE LA AUTOINTEGRACIÓN PERSONAL

En nuestra descripción de las ambigüedades de la intregación de la personalidad moral apuntamos a la polaridad de la autoidentidad y de la autoalteridad y a la pérdida del yo centrado, ya sea en una autoidentidad vacía, ya en una autoalteridad caótica. Los problemas implicados en esta polaridad nos llevaron al concepto del sacrificio y de sus ambigüedades. La alternativa constante —la de sacrificar o lo real por lo posible o lo posible por lo real— apareció como ejemplo destacado de las ambigüedades de la autointegración. Las preguntas que siempre se van repitiendo son: ¿cuántos contenidos del mundo encontrado *puedo* incorporar en la unidad de mi centro personal sin romperlo? Y ¿cuántos contenidos del mundo encontrado *debo* incorporar en la unidad de mi centro personal a fin de evitar una autoidentidad vacía? ¿En cuántas direcciones *puedo* empujar más allá de un estado dado de mi ser sin perder toda la dirección del proceso de mi vida? Y ¿en cuántas direcciones debo tratar de encontrar la realidad a fin de evitar una progresiva estrechez del proceso de mi vida hacia una pobreza monolítica? Y la pregunta básica es: ¿cuántas de las potencialidades que me son dadas en virtud de mi ser de hombre, y, más aún, en virtud de ser este hombre concreto, *puedo* realizar sin perder el poder de realizar cualquier cosa seriamente? Y ¿cuántas de mis potencialidades *debo* realizar a fin de evitar el estado de humanidad mutilada? Toda esta serie de preguntas no se hacen, por supuesto, *in abstracto* sino siempre de esta manera concreta: ¿tendré que sacrificar esto que tengo por esto otro que podría tener?

La alternativa se soluciona, si bien fragmentariamente, bajo el impacto de la presencia espiritual. El Espíritu introduce el centro personal en el centro universal, la unidad transcendente que hace posible la fe y el amor. Cuando el centro personal es introducido en la unidad trascendente es superior a los encuentros con la realidad sobre el plano temporal, porque la unidad transcendente abarca el contenido de todos los encuentros posibles. Los abraza más allá de la potencialidad y de la realidad porque la unidad transcendente es la unidad de la vida divina. En la «comunión del Espíritu santo» el ser esencial de la persona se libera de las contingencias de la libertad y del destino bajo las condiciones de existencia. La aceptación de esta liberación es el sacrificio que lo incluye todo que, al mismo tiempo, es la plenitud que lo incluye todo. Este es el único sacrificio sin ambigüedades que puede hacer un ser humano. Pero puesto que se hace dentro de los procesos de la vida, permanece fragmentario y abierto a la distorsión por las ambigüedades de la vida.

Las consecuencias de esta consideración para las tres preguntas dobles que se hicieron más arriba se pueden describir como sigue: en la medida en que el centro personal se establece en relación con el centro universal, los contenidos encontrados de la realidad finita se juzgan por su significación al expresar el ser esencial de la persona antes de que se les permita entrar, o se les impida hacerlo, en la unidad del yo centrado. El elemento de Sabiduría en el Espíritu hace posible un tal juicio (compárese, por ejemplo, la función de juzgar del Espíritu en 1 Cor 3). Es un juicio dirigido hacia lo que hemos distinguido como los dos polos en la autointegración del yo moral, la autoidentidad y la autoalteridad. La presencia espiritual mantiene la identidad del yo sin empobrecerlo, y lo dirige hacia la alteridad del yo sin romperlo. De esta manera el Espíritu conquista la doble congoja que lógicamente (pero no temporalmente) precede la transición de la esencia a la existencia, la congoja de no realizar el propio ser esencial y la congoja de perderse uno mismo dentro de la propia autorrealización. Donde está el Espíritu, lo real manifiesta lo potencial y lo potencial determina lo real. En la presencia espiritual, el ser esencial del hombre aparece bajo las condiciones de existencia, conquistando las distorsiones de la existencia en la realidad del nuevo ser. Esta afirmación se deriva de la afirmación básica cristológica de que en Cristo la unidad eterna de Dios y el hombre se hace real bajo las condiciones de existencia sin ser conquistada por ellas. Quienes participan del nuevo ser están, de manera análoga, más allá del conflicto de la esencia y del predicamento existencial. La presencia espiritual realiza lo esencial dentro de lo existencial de manera inambigua.

La pregunta de la cantidad de contenido extraño que se puede incorporar en la unidad del yo centrado ha conducido a una respuesta que se refiere a las tres preguntas que se hicieron más arriba y especialmente a la pregunta del sacrificio de lo potencial por lo real. Pero hacen falta respuestas más concretas. La ambigüedad de los procesos de la vida con respecto a sus direcciones y fines se debe conquistar por una determinación inambigua de los procesos de la vida. Allí donde es efectiva la presencia espiritual, la vida se vuelve en la dirección que es más que una dirección entre otras —la dirección hacia lo último dentro de todas las direcciones. Esta dirección no reemplaza a las otras pero aparece dentro de ellas como su fin último y por tanto como el criterio de elección entre ellas. El «santo» (aquel que está determinado por la presencia espiritual) sabe *dónde* ir y dónde *no* ir. Conoce el camino entre un ascetismo empobrecedor y un libertinaje disgregador. En la vida de la mayoría de las personas el problema de dónde ir, en qué direcciones abrirse y qué dirección hacer la predominante es una preocupación constante. No saben dónde ir y por ello muchos dejan de ir a cualquier sitio y permiten que los procesos de sus vidas caigan en la pobreza de la autorrestricción acongojada; otros empiezan a marchar en tantas direcciones que no pueden seguir ninguna de ellas. El Espíritu conquista la restricción así como la disgregación al preservar la unidad en direcciones divergentes, tanto la unidad del yo centrado que toma las direcciones divergentes como la unidad de las direcciones que vuelven a convergir tras haber divergido. Reconvergen en la dirección de lo último.

Con respecto a la doble pregunta de cuántas potencialidades —en el ser humano en general y en el individuo en particular— se *pueden* realizar y cuantas se *deben* realizar, la respuesta es la siguiente: la finitud exige el sacrificio de las potencialidades que se pueden realizar sólo por la suma de todos los individuos, e incluso el poder de estas potencialidades que deben ser realizadas queda restringido por las condiciones externas de la raza humana y de su finitud. Las potencialidades quedan sin realizarse en cada momento de la historia porque su realización jamás ha llegado a ser una posibilidad. De la misma manera, en cada momento de toda vida individual las potencialidades continúan irrealizadas porque jamás han alcanzado el estado de posibilidad. Sin embargo, hay potencialidades que son también posibilidades que deben, no obstante, ser sacrificadas debido a la finitud humana. No todas las posibilidades creadoras de una persona, o todas las posibilidades creadoras de la raza humana, han sido o serán realizadas. La presencia espiritual no cambia esa situación —pues aunque lo finito puede participar de lo infinito, no se puede convertir en infinito— pero el Espíritu puede crear una aceptación de la finitud del hombre y de la humanidad, y al hacerlo así puede dar un nuevo significado al sacrificio de las potencialidades. Puede eliminar el trágico y ambiguo carácter del sacrificio de las posibilidades de la vida y restaurar el genuino significado del sacrificio, a saber, el reconocimiento de la propia finitud. En todo sacrificio religioso, el hombre finito se priva a sí mismo de un poder del ser que parece ser suyo pero que no lo es en un sentido absoluto, tal como reconoce por el sacrificio; es suyo sólo porque le es dado y, por tanto, no es ultimamente suyo, y el sacrificio es el reconocimien-

to de esta situación. Una tal comprensión del sacrificio excluye
el ideal humanista de la personalidad acabada en el que se
realiza toda potencialidad humana. Es una idea del hombre-
Dios totalmente distinta de la imagen del hombre-Dios creada
por el Espíritu divino como la esencia del hombre Jesús de
Nazaret. Esta imagen muestra el sacrificio de todas las potencialidades humanas a causa de una que el mismo hombre no puede
realizar, la unidad ininterrumpida con Dios. Pero la imagen
muestra también que este sacrificio es indirectamente creador,
en todas direcciones, de verdad, de expresividad, de humanidad, de justicia —en la descripción de Cristo así como en la vida
de las iglesias. En contraste con la idea humanista del hombre
que realiza lo que el hombre puede ser directamente y sin
sacrificio, la plenitud del hombre determinado por el Espíritu
sacrifica todas las potencialidades humanas, en la medida en
que están en un plano horizontal, a la dirección vertical y las
vuelve a recibir dentro de los límites de la finitud del hombre
desde la dirección vertical, la dirección de lo último. Este es el
contraste entre la plenitud personal autónoma y la teónoma.

3. LA PRESENCIA ESPIRITUAL Y LAS AMBIGÜEDADES
    DE LA LEY MORAL

La intención de la consideración que viene a continuación es
la de establecer un fundamento teónomo para la ley moral. Han
quedado mostradas más arriba las ambigüedades de la ley
moral en sus expresiones heterónoma y autónoma, y ha sido
considerada la paradoja de una «moralidad transmoral». Ha
sido considerada bajo tres aspectos: la validez del imperativo
moral, la relatividad del contenido moral, el poder de la motivación moral. En cada caso, la respuesta fue el *ágape*, el amor
que reúne la persona centrada con la persona centrada. Si esta
respuesta es válida la ley moral es tanto aceptada como trascendida. Es aceptada como expresión de lo que el hombre es
esencialmente o por creación. Es trascendida en su forma como
ley, es decir, como aquello que está contra el hombre en su
alienación existencial, como mandamiento y amenaza. El amor
contiene y transciende la ley. Hace voluntariamente lo que
manda la ley. Pero ahora surge la pregunta: ¿no es el mismo

amor una ley, la ley que lo abarca todo? «Amarás...» y si el mismo amor es una ley, ¿no cae bajo las ambigüedades de la ley, incluso más aún que cualquier otra ley particular? ¿Por qué es válida? ¿cuál es su contenido? ¿cómo alcanza un poder motivante? La posibilidad de resumir todas las leyes en la ley del amor no soluciona el problema de la ley y sus ambigüedades. No se puede responder a la pregunta mientras el amor aparezca como ley. Se ha dicho que el mandamiento «Amarás...» es imposible, porque el amor, como emoción, no puede ser mandado. Pero este argumento no es válido porque la interpretación del amor como una emoción es falsa. El amor como mandamiento es imposible porque el hombre en su alienación existencial es incapaz de amor. Y puesto que no puede amar, niega la validez incondicional del imperativo moral, no tiene ningún criterio mediante el cual elegir dentro del flujo del contenido ético ni tiene tampoco ninguna motivación para la plenitud de la ley moral. Con todo, el amor no es una ley; es una realidad. No es algo que-tiene-que-ser-así —aun cuando se exprese en imperativo— sino que se trata de ser. La moral teónoma es una moral de amor como creación del Espíritu. Esto hace referencia a los tres problemas de la validez, del contenido y de la motivación.

La presencia espiritual muestra la validez del imperativo moral de manera inambigua, mostrando simplemente su carácter que trasciende la ley. El Espíritu eleva a la persona a la unidad trascendente de la vida divina y al hacerlo así reúne la existencia alienada de la persona con su esencia. Y es precisamente esta reunión lo que manda la ley moral y lo que hace incondicionalmente válido el imperativo moral. La relatividad histórica de todo contenido ético no contradice la validez incondicional del mismo imperativo moral, porque todo contenido debe, para ser válido, confirmar la reunión del ser existencial del hombre con su ser esencial; debe expresar el amor. De esta manera, se acepta y supera el formalismo kantiano del imperativo moral. El amor une el carácter incondicional del imperativo moral formalizado con el carácter condicional del contenido ético. El amor es incondicional en su esencia, condicional en su existencia. Se opone al amor elevar cualquier contenido moral, excepto el amor mismo, a una validez incondicional, ya que sólo el amor está, por su misma naturaleza, abierto a todo lo particular mientras permanece universal en su aspiración.

Esta respuesta anticipa la segunda pregunta que brota de las ambigüedades de la ley moral, la pregunta de su contenido. Los contenidos del imperativo moral son las demandas morales implicadas en las situaciones concretas y las normas abstractas derivadas de las experiencias éticas en relación con las situaciones concretas. La ambigüedad de la ley, que hemos descrito antes, lleva a una oscilación del centro decisivo del hombre entre las listas de leyes generales que no alcanzan nunca la situación concreta y el enigma de un caso excepcional que hace volver la mente a las leyes generales. Esta oscilación vuelve ambiguo todo juicio ético y desemboca en la búsqueda de un criterio inambiguo para los juicios éticos. El amor, en el sentido de *ágape*, es el criterio inambiguo de todos los juicios éticos. Es inambiguo, pero como toda creación de la presencia espiritual en el tiempo y el espacio, resulta fragmentario. Esta respuesta implica que el amor supera la oscilación entre los elementos abstractos y concretos en una situación moral. El amor está tan cerca de las normas abstractas como lo está de las demandas particulares de una situación pero es distinta la relación del amor con cada uno de estos dos elementos de un problema ético. En relación con el elemento abstracto, las leyes morales formuladas, el amor es efectivo a través de la sabiduría. La sabiduría de los siglos y la experiencia ética del pasado (incluyendo la experiencia de la revelación) se expresan en las leyes morales de una religión o filosofía. Este origen da un significado impresionante a las normas éticas formuladas, pero no les da una validez incondicional. Bajo el impacto de la crítica profética, las leyes morales cambian su significado o son abrogadas absolutamente. Si han perdido su fuerza para ayudar a la decisión ética en situaciónes concretas, quedan anticuadas y —si la conservan— son destructivas. Creadas una vez por el amor, están ahora en conflicto con el amor. Se han convertido en «letra» y el Espíritu las ha abandonado.

La situación concreta es la fuente constante de experiencia ética. En sí misma es muda —como todo hecho que no va acompañado por conceptos interpretativos. Tiene necesidad de normas éticas a fin de poderle prestar voz a su significado. Pero las normas son abstractas y no llegan a la situación. Solamente el amor lo puede hacer porque el amor une con la situación particular a partir de la cual surge la demanda concreta. El mismo amor se sirve de la sabiduría, pero el amor transciende la sabiduría del pasado con la fuerza de otro de sus elementos, el coraje. Es el coraje para juzgar lo particular sin someterlo a una norma abstracta —un coraje que puede hacer justicia a lo particular. El coraje implica riesgo, y el hombre debe asumir el riesgo de interpretar mal la situación y de actuar ambiguamente contra el amor —tal vez porque actúa contra una norma ética tradicional o tal vez porque se somete a sí mismo a una norma ética tradicional. En la medida en que el amor creado por el Espíritu prevalece en el ser humano, la decisión concreta es inambigua, pero jamás puede evitar el carácter fragmentario de finitud. Con respecto al contenido, la moralidad teónoma está determinada por el amor creado por el Espíritu. Se apoya en la sabiduría de siglos creada por el Espíritu, se expresa en las leyes morales de las naciones. Se hace concreta y adecuada mediante la aplicación del coraje del amor a la situación única.

El amor es también la fuerza motivante en la moralidad teónoma. Hemos visto las ambigüedades de la obediencia que la ley exige —aun cuando se trate de la ley del amor. El amor es inambiguo, no como ley sino como gracia. Teológicamente hablando, Espíritu, amor y gracia son una sola e idéntica realidad bajo diferentes aspectos. El Espíritu es el poder creador; el amor es su creación; la gracia es la presencia efectiva del amor en el hombre. El mismo término «gracia» indica que no es el producto de un acto de buena voluntad por parte de quien la recibe sino que se da gratuitamente, sin ningún mérito de parte de quien la recibe. El gran «a pesar de» es inseparable del concepto de gracia. Gracia es el impacto de la presencia espiritual que hace posible la plenitud de la ley —si bien fragmentariamente. Es la realidad de lo que manda la ley, la reunión con el propio ser, lo cual significa la unión consigo mismo, con los otros y con el fondo del propio ser y el de los demás. Allí donde está el nuevo ser está la gracia y viceversa. La moralidad autónoma o heterónoma carece de poder moral motivante último. Sólo el amor o la presencia espiritual puede motivar al dar lo que exige.

Este es el juicio contra todas las éticas no teónomas. Son inevitablemente éticas de la ley y la ley conduce al incremento de la alienación. No puede superarla sino que en su lugar alimenta el odio contra sí misma en cuanto ley. Las muchas formas de ética sin la presencia espiritual quedan juzgadas por el hecho de que no muestran el poder de la motivación, el principio de elección en la situación concreta, la validez incondicional del imperativo moral. El amor lo puede hacer, pero el amor no es cosa que dependa de la voluntad del hombre. Es una creación de la presencia espiritual. Es gracia.

D. EL PODER DE CURACIÓN DE LA PRESENCIA ESPIRITUAL Y LAS AMBIGÜEDADES DE LA VIDA EN GENERAL

1. LA PRESENCIA ESPIRITUAL Y LAS AMBIGÜEDADES DE LA VIDA EN GENERAL

Todos los temas precedentes con respecto al Espíritu se relacionan con las funciones del espíritu humano: la moralidad, la cultura, la religión. Pero las descripciones de las ambigüedades de la vida en las dimensiones que preceden a la aparición de las dimensiones del espíritu ocupan un amplio espacio y son una preparación para las descripciones de las ambigüedades de la vida bajo la dimensión del espíritu. La cuestión que se plantea, pues, es la de si el Espíritu tiene una relación con estas dimensiones de la vida tan definida como con el espíritu humano. ¿Tiene la presencia espiritual una relación con la vida en general?

La primera respuesta que debemos dar es la de que no se da un impacto directo de la presencia espiritual en la vida en las dimensiones de lo inorgánico, de lo orgánico, y de la autoconciencia. El Espíritu divino aparece en el éxtasis del espíritu humano pero no en algo que condicione la aparición del espíritu. La presencia espiritual no es una substancia embriagante, o un estímulo para la emoción psicológica, o una causa física milagrosa. Se debe destacar esto a la vista de muchos ejemplos en la historia de la religión, incluida la literatura bíblica, en los que se derivan efectos físicos o psicológicos del Espíritu en su cualidad como poder divino; por ejemplo, llevar a una persona de un lugar a otro «por los aires», la muerte de una persona sana pero moralmente desintegrada sólo con la palabra, la generación de un embrión en el seno materno sin intervención de varón, o el conocimiento de lenguas extranjeras sin un proceso de aprendizaje. Todos estos efectos se consideran causados por la presencia espiritual. Obviamente, si se toman todos estos relatos literalmente, se convierte al Espíritu divino en una causa finita, aunque extraordinaria, junto a otras. En esta visión el Espíritu es una especie de materia física. Se pierde tanto su espiritualidad como su divinidad. Si en los movimientos espiritualistas, se describe al Espíritu como una substancia de más elevado poder y dignidad que la de las ordinarias substancias naturales, se abusa de la palabra «Espíritu». Aun cuando existieran substancias naturales «superiores» a las que conocemos, no merecerían el nombre de «Espíritu»; serían «inferiores» al espíritu en el hombre y no estarían bajo el impacto directo de la presencia espiritual. Esta es la primera respuesta a la pregunta de la relación del Espíritu con la vida en general.

La segunda respuesta es que la unidad multidimensional de la vida implica una influencia indirecta y limitada de la presencia espiritual en las ambigüedades de la vida en general. Si es verdadera la presuposición de que todas las dimensiones de la vida están potencial o realmente presentes en cada una de las dimensiones, los acontecimientos bajo el predominio de una dimensión deben implicar acontecimientos en otras dimensiones. Esto significa que todo lo que hemos dicho acerca del impacto de la presencia espiritual en el espíritu del hombre y en sus tres funciones básicas implica cambios en todas las dimensiones que constituyen el ser del hombre y condicionan la aparición del espíritu en él. El impacto, por ejemplo, de la presencia espiritual en la creación de la moralidad teónoma produce sus efectos en el yo psicológico y en su autointegración y esto supone efectos en la autointegración biológica y en los procesos fisiológicos y químicos a partir de los cuales se produce. Sin embargo, estas implicaciones no se deben entender mal como una cadena de causas y efectos que empieza con el impacto de la presencia espiritual en el espíritu humano y que produce cambios en todos los demás dominios por medio del espíritu humano. La unidad multidimensional de la vida significa que el impacto de la presencia espiritual en el espíritu humano es *al mismo tiempo* un impacto en la *psyche*, en las células y en los elementos físicos que constituyen al hombre. Y si bien no se puede evitar que el término «impacto» sugiera la idea de causa, no se trata de causa en el sentido categórico, sino de una presencia que participa en el objeto de su impacto. Como la creatividad divina en todos sus aspectos, trasciende la categoría de causalidad, si bien el lenguaje humano debe hacer uso de la causalidad de manera simbólica. De la misma manera que el «impacto» de la presencia espiritual no es una causa en el sentido categórico, así mismo no es el primer eslabón de una cadena de causas en todas las dimensiones de la vida sino que está «presente» en todas ellas en una sola e idéntica presencia. Sin embargo, esta presencia queda restringida a aquellos seres en los que ha aparecido la dimensión del espíritu. Si bien cualitativamente hace referencia a todos los dominios, cuantitativamente queda limitada al hombre como ser en el que se ha hecho presente el espíritu.

Si miramos los procesos de autointegración, autocreación y autotrascendencia con estas limitaciones en nuestra mente entenderemos por qué sus ambigüedades no pueden ser conquistadas de manera total y universal por el Espíritu divino. El Espíritu ase del espíritu y sólo indirectamente y de manera limitada de la *psyche* y de la *physis*. El universo todavía no está transformado; «aguarda» la transformación. Pero el Espíritu transforma realmente en la dimensión del espíritu. Los hombres son los «primeros frutos» del nuevo ser; el universo vendrá a continuación. La doctrina del Espíritu desemboca en la doctrina del reino de Dios como plenitud eterna.

Pero hay una función que une la universalidad del reino de Dios con el impacto limitado de la presencia espiritual: la función de curación. En ella están implicadas todas las dimensiones de la vida. La realizan acciones en todos los dominios, incluido el dominio que viene determinado por la dimensión del espíritu. Es un efecto de la presencia espiritual y una anticipación de la plenitud eterna. Requiere, por tanto una atención especial. Salvación significa curación, y curación es un elemento en la obra de salvación.

2. CURACIÓN, SALVACIÓN Y LA PRESENCIA ESPIRITUAL

El proceso de la vida bajo todas las dimensiones une la autoidentidad con la autoalteridad. Se produce la desintegración cuando predomina tanto uno de los dos polos que llega a perturbar el equilibrio de la vida. El nombre de esta perturbación es enfermedad y su resultado final la muerte. Las fuerzas de curación dentro de los procesos orgánicos, tanto si están dentro como si se originan fuera del organismo, tratan de romper el predominio de uno de los polos y reanimar la influencia del otro. Trabajan para la autointegración de una vida centrada, para la salud. Puesto que la enfermedad es una perturbación de centralidad bajo todas las dimensiones de la vida, también se debe dar en todas direcciones la búsqueda de la salud, de la curación. Son muchos los procesos de desintegración que llevan a la enfermedad, y hay muchas maneras de curación, de intentar la reintegración, y muchos tipos de personas que curan, que dependen de los diferentes procesos de desintegración y de las diferentes maneras de curación. La pregunta en nuestro contexto es la de si existe una curación espiritual, y si así es, cómo se relaciona con otras maneras de curación, y aún más, cuál es su relación con esa clase de curación que en el lenguaje religioso se llama «salvación».

La unidad multidimensional de la vida aparece con máxima claridad en el dominio de la salud, de la enfermedad y de la curación. Cada uno de estos fenómenos deben ser descritos con los términos de la unidad multidimensional. En cada uno de ellos se incluyen todas las dimensiones de la vida. La salud y la enfermedad son estados de la persona entera; son, como de manera incompleta indica un término técnico contemporáneo, «psicosomáticos». La curación se debe dirigir a la persona entera. Pero tales afirmaciones necesitan una cualificación drástica a fin de dar una descripción verdadera de la realidad. Las distintas dimensiones que constituyen al ser humano no sólo están unidas; son también distintas y pueden ser afectadas o reaccionar con relativa independencia. Ciertamente no hay una independencia absoluta en la dinámica de las diferentes dimensiones, pero tampoco una dependencia absoluta. La herida de una pequeña parte del cuerpo (de un dedo, por ejemplo) produce siempre algún impacto en la dinámica biológica y psicológica de una persona como un todo, aun cuando no haga que toda la persona esté enferma y la curación pueda ser limitada (la cirujía, por ejemplo). La medida en la que prevalezca la unidad o la independencia decide la manera más adecuada de curación. Decide, sobre todo, cuántos tipos deben emplearse a la vez y si es preferible para la salud de la persona como un todo el que no sea sometida a curación una enfermedad limitada (por ejemplo, algunas compulsiones neuróticas). Todo esto se refiere a la curación bajo las diferentes dimensiones de la vida, sin considerar el poder de curación de la presencia espiritual. Muestra la variedad de conexiones entre la interdependencia y la independencia de los factores que determinan la salud, la enfermedad y la curación. Muestra que se debe rechazar enérgicamente cualquier aproximación unilateral a la curación y que incluso en algunos casos puede ser inadecuada una aproximación desde muchos o todos los aspectos. Los conflictos, por ejemplo, entre maneras de curación químicas y psicológicas son inevitables con solo que uno u otro modo pretenda una validez exclusiva. Unas veces se habrán de usar juntas las dos maneras; otras será una la preferida. Pero en todos los casos se habrá de preguntar, sin prejuicios dogmáticos, las relaciones de los diferentes métodos entre sí, ya sea para la medicina química, ya para la psicoterapia.

Si ahora preguntamos cómo se relacionan estas diferentes aproximaciones con la curación bajo el impacto de la presencia espiritual, tenemos como respuesta un concepto muy ambiguo: el concepto de la fe que cura. Puesto que la fe es la primera creación del Espíritu, el término «fe que cura» simplemente podría significar la curación bajo el impacto de la presencia espiritual. Pero no es este el caso. El término «fe que cura» se emplea normalmente para los fenómenos psicológicos que sugieren el término «curación mágica». La fe, en los movimientos de la fe que cura o de quienes curan por la fe individual, es un acto de concentración y autosugestión, producido ordinariamente, pero no necesariamente, por actos de otra persona o de un grupo. El concepto genuinamente religioso de fe, como el estado de ser asido por una preocupación última, o más específicamente, por la presencia espiritual, tiene poco que ver con la concentración autosugestiva llamada «fe» por quienes curan por la fe. En cierto sentido, es precisamente lo contrario, porque el concepto religioso de fe apunta a su carácter receptivo, al estado de ser asido por el Espíritu, mientras que el concepto de fe de quienes curan por la fe subraya un acto de concentración intensiva y autodeterminación.

Al llamar a la fe que cura «magia» no intentamos usar un término peyorativo. La fe que cura puede ser, y de hecho lo ha sido, absolutamente lograda y probablemente no exista curación de ninguna clase que esté libre por completo de elementos de magia. Ya que la magia se debe definir como el impacto de un ser sobre otro que no actúa a través de la comunicación mental o de una causa física pero que tiene, sin embargo, sus efectos físicos o mentales. El propagandista, el maestro, el predicador, el consejero, el doctor, el enamorado, el amigo, pueden combinar un impacto en el centro que percibe y delibera con un impacto en el ser entero por la influencia de la magia, y este último puede someter al primero hasta tal punto que se produzcan unas malas consecuencias que se escapan al yo responsable que delibera y decide. Sin el elemento de la magia toda comunicación sería solamente intelectual y toda influencia de un ser humano sobre otro un asunto de causas o argumentos físicos. La curación mágica, de la que la fe que cura es una forma conspicua, es una de las muchas maneras de curación. El nombre de la presencia espiritual ni se puede aceptar ni rechazar de manera inambigua. Pero se deben afirmar tres cosas a este respecto: la primera, que no es curación por la fe sino por concentración mágica; la segunda, que está justificada como un elemento en muchos encuentros humanos, aun cuando tiene posibilidades destructivas así como creativas; y la tercera, que si exluye por principio otras maneras de curación (como hacen algunos movimientos e individuos de los que curan por la fe) es predominantemente destructiva.

Hay una fe que cura dentro de las iglesias cristianas así como en grupos y círculos particulares. El principal instrumento son las oraciones intensivas y repetidas con frecuencia, a las que se añaden acciones sacramentales como apoyo psicológico. Puesto que las oraciones y las intercesiones por la salud pertenecen a la relación normal entre el hombre y Dios, es difícil trazar una clara línea divisoria entre la oración determinada por el Espíritu y la magia. Generalmente hablando se puede decir que una oración determinada por el Espíritu intenta llevar ante Dios el propio centro personal, incluyendo la propia preocupación por la salud del propio yo o de alguien más, y que está predispuesta a la aceptación divina de la oración tanto si se realiza como si no el objeto de la misma. Por el contrario, una oración que es solamente una concentración mágica en el fin deseado, que se sirve de Dios para su realización, no acepta una oración que no ha sido realizada como una oración aceptada, ya que la finalidad última en la oración mágica no es Dios y la reunión con él, sino el objeto de la oración, la salud, por ejemplo. Una oración por la salud en la fe no es una llamada a la fe que cura sino una expresión del estado de ser asido por la presencia espiritual.

Ahora es posible relacionar las diferentes maneras de curación con la realidad del nuevo ser y su significación para la curación. La afirmación básica que se deriva de todas las consideraciones previas de esta parte del sistema teológico, es la de que sólo es posible la integración del centro personal por su elevación a lo que se puede llamar simbólicamente el centro divino, y que esto sólo es posible a través del impacto del poder divino, la presencia espiritual. En este punto son idénticas la salud y la salvación, siendo ambas la elevación del hombre a la unidad transcendente de la vida divina. La función receptora del hombre en esta experiencia es fe; la función realizadora es amor. La salud en el sentido último de la palabra, la salud en cuanto idéntica a la salvación, es la vida en la fe y en el amor. En la medida en que es creada por la presencia espiritual, se alcanza la salud de una vida inambigua; y aunque inambigua, no es total sino fragmentaria, y está abierta a recaídas en las ambigüedades de la vida en todas sus dimensiones.

La pregunta ahora es cómo esta salud inambigua aunque fragmentaria, creada por el Espíritu, se relaciona con las actividades de curación bajo las diferentes dimensiones. La primera respuesta es doblemente negativa: el impacto de curación de la presencia espiritual no reemplaza las maneras de curación bajo las diferentes dimensiones de la vida. Y al revés, estas maneras de curación no pueden reemplazar el impacto del curación de la presencia espiritual. La primera afirmación rechaza no sólo las falsas pretensiones de los que curan por fe sino también el error mucho más serio pero bastante popular que consiste en derivar directamente la enfermedad de un pecado determinado o de toda una vida pecadora. Un tal error crea una conciencia de desesperación en quienes se sienten afectados y una autojustificación farisaica en los demás. Cierto que con frecuencia se da una simple línea de causa y efecto entre un acto o una conducta pecaminosa y un determinado estado de enfermedad. Pero incluso en ese caso, la curación no es sólo cuestión de perdón sino también asunto de tratamiento médico o psicológico. Es decisivo para juzgar esta situación saber que el mismo estado pecaminoso no es asunto del yo responsable sólo sino también del destino que incluye las ambigüedades en todas las dimensiones que constituyen la persona. Las diferentes dimensiones en las que se dan las enfermedades tienen una independencia relativa entre sí y del impacto espiritual en la persona y exigen una manera de curación comparativamente independiente. Pero la otra respuesta a nuestra pregunta es igualmente importante, y es la de que las otras maneras de curación no pueden reemplazar el poder de curación del Espíritu. En las épocas en las que las funciones médicas y sacerdotales estaban por completo separadas, esto no era un problema serio, especialmente cuando la curación médica se arrogaba una validez absoluta, incluso contra cualquier intento de la psicoterapia por su independencia. En esta situación la salvación no tenía nada que ver con la curación; se trataba de la salvación del infierno en una vida y la profesión médica la dejó con alegría en las manos de los sacerdotes. Pero la situación cambió cuando las enfermedades mentales ya no se atribuyeron más a la posesión diabólica o, por el contrario, a causas que se podían observar físicamente. Con el desarrollo de la psicoterapia como una manera independiente de curación, surgieron problemas en ambas direcciones, en la de la medicina y en la de la religión. Hoy la psicoterapia (con la inclusión de todas las escuelas de curación psicológica) intenta con frecuencia eliminar tanto la curación médica como la función de curación de la presencia espiritual. La primera es normalmente más bien cuestión de práctica que de teoría, y la segunda por lo general es cuestión de principio. El psicoanalista, por ejemplo, dice que él puede superar las negatividades de la situación existencial del hombre —la congoja, la culpa, la desesperación, el vacío, etcétera. Pero para apoyar su afirmación el psicoanalista debe negar tanto la alienación existencial del hombre de sí mismo como la posibilidad de su reunión trascendente consigo mismo; es decir, debe negar la línea vertical en el encuentro del hombre con la realidad. Si no quiere negar la línea vertical porque es consciente de una preocupación incondicional en sí mismo, debe aceptar la cuestión de una alienación existencial. Debe, por ejemplo, estar dispuesto a

distinguir entre la congoja existencial que debe ser conquistada
por un coraje creado por la presencia espiritual y una congoja
neurótica que debe ser conquistada por el análisis, en combinación tal vez con los métodos de la curación médica. Parece que
la intuición en el interior de estas estructuras va ganando entre
los representantes de las varias maneras de curación. De cualquier manera, la «lucha de las facultades» ha perdido su fundamento teórico así como su terreno práctico. Las maneras de
curación no se deben estorbar entre sí de la misma manera que
las dimensiones de la vida no entran en conflicto unas con otras.
La multidimensional unidad de curación es correlativa a la
multidimensional unidad de la vida. Ningún individuo puede
ejercer todas las maneras de curación con autoridad, si bien
algunos individuos pueden usar más de una manera. Pero, si
bien existe una unión, por ejemplo, de las funciones sacerdotales
y médicas en un hombre, las funciones deben distinguirse y no
ser confundidas la una con la otra, no sea que la una quede
eliminada por la otra.

La curación es fragmentaria en todas sus formas. Las manifestaciones de enfermedad luchan constantemente contra manifestaciones de salud y ocurre con frecuencia que la enfermedad
en un campo realza la salud en otro y que la salud bajo el
predominio de una dimensión incrementa la enfermedad bajo
otra dimensión (por ejemplo, el atleta sano con todos los síntomas de neurosis o el activista sano que oculta una desesperación
existencial). Ni siquiera el poder de curación del Espíritu puede
cambiar esta situación. Bajo la condición de la existencia permanece fragmentaria y queda bajo el «a pesar de» del que la
cruz de Cristo es el símbolo. Ninguna curación, ni siquiera la
curación bajo el impacto de la presencia espiritual, puede
liberar al individuo de la necesidad de la muerte. Por tanto, la
cuestión de la curación, y por tanto la de salvación, va más allá
de la salvación del individuo a la salvación a través de la
historia y más allá de la historia; nos lleva a la cuestión de la
vida eterna, de la que el reino de Dios es un símbolo. Sólo la
curación universal es curación total —salvación más allá de las
ambigüedades y parcialidades.

IV

LOS SÍMBOLOS TRINITARIOS

A. LOS MOTIVOS DEL SIMBOLISMO TRINITARIO

La presencia espiritual es la presencia de Dios bajo un aspecto definido. No se trata del aspecto que se expresa en el símbolo de la creación ni se trata tampoco del símbolo expresado en el símbolo de la salvación, si bien presupone y lleva a su realización al uno y al otro. Se trata del aspecto de Dios que está presente extáticamente en el espíritu humano e implícitamente en todo lo que constituye la dimensión del espíritu. Estos aspectos reflejan algo real en la naturaleza de lo divino para la experiencia religiosa y para la tradición teológica. No son simplemente unas maneras subjetivas distintas de mirar la misma realidad. Tienen un *fundamentum in re,* un fundamento en la realidad, por grande que pueda ser la contribución de la parte subjetiva de la experiencia del hombre. En este sentido podemos decir que los símbolos trinitarios son un descubrimiento religioso que se tiene que hacer, formular y defender. ¿Qué fue, pues, nos preguntamos, lo que llevó a su descubrimiento? Podemos distinguir por los menos tres factores que han llevado al pensamiento trinitario en la historia de la experiencia religiosa: el primero, la tensión entre el elemento absoluto y el concreto en nuestra preocupación última; el segundo, la aplicación simbólica del concepto de vida al fondo divino del ser; y el tercero, la triple manifestación de Dios como poder creador, amor salvífico y transformación extática. Es la última de estas tres la que sugiere los nombres simbólicos, Padre, Hijo y Espíritu; pero sin las dos razones precedentes para el pensamiento

trinitario el último grupo habría tan solo conducido a una
cruda mitología. Ya nos hemos ocupado de los dos primeros
grupos al describir el desarrollo de la idea de Dios y al comentar
la aplicación del símbolo de la vida a Dios. En la primera
consideración hemos encontrado que cuanto más se pone de
relieve la ultimidad de nuestra preocupación última tanto más
evoluciona la necesidad religiosa de una manifestación concreta
de lo divino, y que la tensión entre los elementos absolutos y
concretos en la idea de Dios lleva hacia el establecimiento de
figuras divinas entre Dios y el hombre. Es el posible conflicto
entre estas figuras y la ultimidad de lo último lo que motiva el
simbolismo trinitario en muchas religiones y lo que manifestó su
eficiencia en las discusiones trinitarias de la primitiva iglesia. El
peligro de caer en el triteísmo y los intentos de evitar este peligro
hundían sus raíces en la tensión interna entre lo último y lo
concreto.

   La segunda razón para el simbolismo trinitario ha sido
tratada en el apartado «Dios como vida». Ello llevó a la
intuición de que si se experimenta a Dios como un Dios viviente
y no como una identidad muerta, se debe ver en su ser un
elemento de non-ser, a saber, el establecimiento de la alteridad.
Entonces la vida divina sería la reunión de la alteridad con la
identidad en un «proceso» eterno. Esta consideración nos llevó
a la distinción de Dios como fondo, Dios como forma y Dios
como acto, una fórmula pretrinitaria que da sentido al pensamiento trinitario. Ciertamente, los símbolos trinitarios expresan
el misterio divino al igual que los demás símbolos que afirman
algo de Dios. Este misterio, que es *el* misterio del ser, continúa
siendo inalcanzable e impenetrable; se identifica con la divinidad de lo divino. Fue una equivocación de los filósofos clásicos
alemanes (cuyo pensamiento es básicamente una filosofía de la
vida) que, aun viendo la estructura trinitaria de la vida, no
salvaguardaran el misterio divino de la *hybris* cognoscitiva; pero
estaban en lo cierto (al igual que la mayoría de los teólogos
clásicos) al usar la dialéctica de la vida a fin de describir el
proceso eterno del fondo divino del ser. La doctrina de la
trinidad —esta es nuestra principal afirmación— no es ni
irracional ni paradójica sino más bien dialéctica. Nada divino es
irracional —si irracional significa contrario a la razón— ya que
la razón es la manifestación finita del logos divino. Sólo la

transición de la esencia a la existencia, el acto de autoalienación, es irracional. Ni es paradójica la doctrina de la trinidad. Sólo hay una paradoja en la relación entre Dios y el hombre, y es la aparición de la unidad eterna o esencial de Dios y el hombre bajo las condiciones de su separación existencial —o en el lenguaje joanneo, el Logos se ha hecho carne, es decir, ha entrado en la existencia histórica en el tiempo y el espacio. Todas las demás afirmaciones paradójicas del cristianismo son variaciones y aplicaciones de esta paradoja, por ejemplo, la docrina de la justificación por la sola gracia o la participación de Dios en el sufrimiento del universo. Pero los símbolos trinitarios son dialécticos; reflejan la dialéctica de la vida, o sea, el movimiento de separación y reunión. La afirmación de que tres son uno y uno es tres fue (y en muchos sitios aún es) la peor distorsión del misterio de la trinidad. Si se toma como una identidad numérica es un engaño o simplemente un absurdo. Si se toma como la descripción de un proceso real, no es paradójico o irracional en absoluto sino una descripción precisa de todos los procesos de la vida. Y en la doctrina trinitaria esto se aplica a la vida divina en términos simbólicos.

Pero todo esto es una preparación para la doctrina trinitaria desarrollada en la teología cristiana que viene motivada por la tercera razón básica para el pensamiento trinitario, o sea, la manifestación del fondo divino del ser en la aparición de Jesús como Cristo. Con la afirmación de que el Jesús histórico es el Cristo, el problema trinitario se convirtió en parte del problema cristológico, la parte primera y principal, tal como queda señalado en el hecho de que en Nicea se tomó la decisión trinitaria con anterioridad a la decisión definitivamente cristológica de Calcedonia. Esta continuación fue lógica pero en términos de motivación ocurre al revés; el problema cristológico es el que da origen al problema trinitario.

Por esta razón es adecuado en el contexto del sistema teológico tratar del simbolismo trinitario tras haber sido tratadas las afirmaciones cristológicas del cristianismo. Pero la cristología no queda completa sin la pneumatología (la doctrina del Espíritu), porque «el Cristo es el Espíritu», y la realización del nuevo ser en la historia es obra del Espíritu. Se dio un paso importante en la dirección de una comprensión existencial de las doctrinas teológicas cuando Schleiermacher colocó la doctrina de la trinidad al final del sistema teológico. Ciertamente, la base de su sistema, la conciencia cristiana, con las líneas tomadas de ella hasta llegar a su causa divina, era demasiado débil para aguantar el peso del sistema. No es la conciencia cristiana, sino la situación reveladora de la que la conciencia cristiana es sólo el aspecto receptor la que es fuente de conocimiento religioso y de reflexión teológica, con la inclusión de los símbolos trinitarios. Pero tiene razón Schleiermacher cuando deriva estos símbolos de las diferentes maneras como se relaciona la fe con su causa divina. Fue un error de Barth iniciar sus prolegómenos con lo que son los postlegómenos, por así decirlo: la doctrina de la trinidad. Se podría decir que en su sistema esta doctrina cae de los cielos, de los cielos de una autoridad bíblica y eclesiástica sin mediaciones.

Al igual que todo símbolo teológico, el simbolismo trinitario debe entenderse como una respuesta a las preguntas implicadas en el predicamento del hombre. Es la respuesta más inclusiva y con toda razón tiene esa dignidad que se le atribuye en la práctica litúrgica de la iglesia. El predicamento del hombre, a partir del cual surgen las preguntas existenciales, se debe caracterizar por tres conceptos: finitud con respecto al ser esencial del hombre como creatura, alienación con respecto al ser existencial del hombre en el tiempo y el espacio, ambigüedad con respecto a la participación del hombre en la vida universal. A las preguntas que surgen de la finitud del hombre se responde con la doctrina de Dios y los símbolos en ella empleados. A las preguntas que surgen de la alienación del hombre se responde con la doctrina del Cristo y los símbolos que se le aplican. A las preguntas que surgen de las ambigüedades de la vida se responde con la doctrina del Espíritu y sus símbolos. Cada una de estas respuestas expresa lo que es motivo de preocupación última en los símbolos derivados de experiencias reveladas particulares. Su verdad está en su fuerza de expresar la ultimidad de lo último en todas direcciones. La historia de la doctrina trinitaria es una lucha constante contra formulaciones que ponen en peligro este poder.

Hemos hecho referencia a varios motivos efectivos en el pensamiento trinitario. Todos ellos están basados en experiencias de revelación. El camino al monoteísmo y la aparición correspondiente de figuras mediadoras ha aparecido bajo el impacto de la presencia espiritual; la experiencia de Dios como un «Dios viviente» y no como una identidad muerta es obra de la presencia espiritual como lo es la experiencia del fondo creador del ser en todo ser, la experiencia de Jesús como Cristo, y la elevación extática del espíritu humano hacia la unión de la vida inambigua. Por otro lado, la doctrina trinitaria es la obra del pensamiento teológico que emplea conceptos filosóficos y sigue las reglas generales de racionalidad teológica. No existe nada parecido a la «especulación» trinitaria (si por «especulación» se entiende fantasías conceptuales). La substancia de todo pensamiento trinitario nos viene dada en las experiencias reveladas, y la forma tiene la misma racionalidad que debe tener toda teología, como obra del Logos.

B. EL DOGMA TRINITARIO

No es posible, en la estructura de este sistema penetrar en las intrincaciones de las luchas trinitarias. Sólo es posible hacer unas cuantas observaciones a la luz de nuestro procedimiento metodológico. La primera observación hace referencia a la interpretación que del dogma trinitario hace la escuela de Ritschl, sobre todo las historias del dogma de Harnack y Loofs. Me parece que la crítica que han hecho a esta teología diferentes escuelas antiliberales de teología contemporánea no han podido erradicar sus intuiciones básicas. Harnack y Loofs han mostrado ambos la importancia de las decisiones fundamentales que la iglesia tomó en Nicea así como el callejón sin salida en el que se vio metida la teología cristiana por la forma conceptual empleada para la decisión. La influencia liberadora que tuvieron estas intuiciones se puede experimentar todavía en los grupos antiliberales de la teología contemporánea y no debe perderse jamás en el protestantismo. Los límites de una obra como la de Harnack radican, desde un punto de vista histórico, en su equivocada clasificación del griego clásico, y aún más del pensamiento helenista, como «intelectualista». Esto le lleva a un rechazo de toda la primitiva teología cristiana en conjunto como una invasión de las actitudes helenistas en la predicación del evangelio y en la vida de la iglesia. Pero el pensamiento griego está afectado existencialmente por lo eterno, y busca en ello la verdad eterna y la vida eterna. El helenismo podía recibir el mensaje cristiano solamente en estas categorías, como la mentalidad de los judíos de la diáspora sólo lo podían recibir en categorías similares a las empleadas por Pablo y como los primeros discípulos sólo lo podían recibir en las categorías empleadas por los movimientos escatológicos contemporáneos. A la luz de estos hechos sería tan falso rechazar una teología porque emplea tales categorías como lo sería atar toda la teología futura al empleo de estas categorías.

La crítica de Harnack del dogma trinitario de la primitiva iglesia tiene en cuenta absolutamente el último punto; pero revela una falta de valoración positiva de lo que lograron las decisiones sinodales a pesar de sus formulaciones discutibles. Esto, por supuesto, va conectado con el intento de la escuela de Ritschl por reemplazar las categorías ontológicas del pensamiento griego por las categorías morales del pensamiento moderno, y en especial del kantiano. Ahora bien, y así lo ha demostrado la evolución posterior de la misma escuela neokantiana, siempre se han usado las categorías ontológicas, si no de manera explícita, sí implícita. Nos debemos acercar, por tanto, al dogma trinitario de la primitiva iglesia sin un prejuicio positivo o negativo sino sólo con la pregunta: ¿qué se ha logrado y qué no se ha logrado con ello?

Si Dios es el nombre de lo que nos afecta ultimamente, se establece el principio del monoteísmo exclusivo: ¡no hay otro dios fuera de Dios! Pero el simbolismo trinitario incluye una pluralidad de figuras divinas. Esto presenta la alternativa o de atribuir a algunas de estas figuras divinas una divinidad disminuida o de abandonar el monoteísmo exclusivo y con él la ultimidad de la preocupación última. La ultimidad de la preocupación última queda reemplazada por preocupaciones que son medianamente últimas, y el monoteísmo por poderes cuasidivinos como expresiones. Esta era la situación cuando la divinidad de Cristo se convirtió en un problema de interpretación teológica en lugar de proseguir como un acto de devoción litúrgica. El problema era inevitable, no sólo por la recepción del mensaje de Cristo por la mentalidad griega, sino también porque el hombre no puede reprimir su función cognoscitiva al tratar el contenido de su devoción religiosa. El gran intento de la primitiva teología griega por solucionar el problema con la ayuda de la doctrina del Logos fue la base de todos sus posteriores éxitos y fracasos. Es comprensible que las dificultades en las que se vio envuelta la doctrina llevara a algunas escuelas teológicas a abandonar por completo la doctrina. Pero aunque fuera posible desarrollar una cristología sin la aplicación del predicado logos a Cristo, es imposible desarrollar una doctrina del Dios viviente y de la creación sin la distinción del «fondo» y de la «forma» en Dios, el principio de abismo y el principio de automanifestación de Dios. Se puede decir, por tanto, que incluso aparte del problema cristológico, hace falta, en cualquier doctrina cristiana de Dios, una especie de doctrina del logos. Sobre esta base era y es necesario situar las afirmaciones precristológicas y cristológicas acerca de la vida divina dentro de una doctrina trinitaria plenamente desarrollada. Esta síntesis tiene una tan gran necesidad interna que no la puede aniquilar ni la más aguda y justificada crítica de la doctrina del Logos realizada por los teólogos clásicos. Quien sacrifica el principio del Logos sacrifica la idea de un Dios viviente, y quien rechaza la aplicación de este principio a Jesús como Cristo rechaza su carácter de Cristo.

El problema planteado ante la iglesia en Nicea así como en las luchas que le precedieron y le siguieron no fue el del establecimiento del principio del logos —esto se hizo mucho antes de la era cristiana y no sólo en la filosofía griega— ni era tampoco el de la aplicación de este principio a Jesús como Cristo —esto se hizo definitivamente en el cuarto evangelio. Se trataba más bien del problema de la relación entre Dios y su Logos (llamado también Hijo). Este problema era tan existencial para la primitiva iglesia porque de su solución dependía la valoración de Jesús como Cristo y su poder revelador y salvador. Si se define al Logos como la más elevada de todas las creaturas, como afirmaban los teólogos del ala izquierda de la escuela origenista, el Cristo, en quien se manifiesta el Logos como personalidad histórica, tiene necesidad él mismo, como todas las creaturas, de revelación y salvación. Los hombres, al tenerlo, habrían tenido algo inferior al «Dios con nosotros». No habrían sido superados ni el error, ni el pecado, ni la muerte. Esa es la preocupación existencial que se esconde en la lucha del ala derecha de la escuela origenista bajo las órdenes de Atanasio. Y su postura fue la que prevaleció, teológica, devota y políticamente, en la decisión trinitaria de Nicea. Así se evitó el Jesús semi-dios de la doctrina arriana. Pero el problema trinitario fue más que solucionado, planteado. En la terminología de Nicea, la «naturaleza» *(ousia)* es idéntica en Dios y en su Logos, en el Padre y el Hijo. Pero la *hypostasis* es diferente. *Ousia* en este contexto significa aquello que hace a una cosa lo que es, su particular *physis*. *Hypostasis* en este contexto significa el poder de estar por encima de sí mismo, la independencia del ser que hace posible el mutuo amor. La decisión de Nicea reconoció que el Logos-Hijo, al igual que el Dios-Padre, es una expresión de preocupación última. Pero, ¿cómo se puede expresar la preocupación última en dos figuras que, si bien son idénticas en substancia, son diferentes en términos de relaciones mutuas? En las luchas que siguieron a Nicea se discutió la divinidad del Espíritu, se negó y finalmente se afirmó en el segundo sínodo ecuménico. Otra vez el motivo de todo ello fue un motivo cristológico. El Espíritu divino que creó y determinó a Jesús como Cristo no es el espíritu del hombre Jesús; y el Espíritu divino que crea y dirige la iglesia no es el espíritu de un grupo sociológico. Y el Espíritu que toma posesión y transforma la persona individual no es una expresión de su vida espiritual. El Espíritu divino es Dios él mismo como Espíritu en Cristo y por él en la iglesia y en el cristiano. La consistencia de esta transformación de una tendencia binaria en la iglesia primitiva hasta una trinidad plenamente desarrollada es obvia, pero no ayudaba a solventar el problema básico: ¿cómo se puede expresar la preocupación última en más de una *hypostasis* divina?

En términos de devoción religiosa se puede preguntar: ¿la oración a una de las tres *personae* en la que existe la única substancia divina se dirige a alguien diferente de otra de las tres a la que se dirige otra oración? Si no hay ninguna diferencia ¿por qué no se dirige la oración simplemente a Dios? Si hay diferencia, por ejemplo, en la función ¿cómo se evita el triteísmo? Los conceptos de *ousia* y de *hypostais* o de *substantia* y *persona* no son respuesta a esta pregunta devota fundamental. No hacen más que añadir confusión y abrir el camino al ilimitado número de objetos de oración que aparecieron en conexión con la veneración de María y de los santos —a pesar de las distinciones teológicas entre una oración genuina, dirigida a Dios (adoración), y la evocación de los santos.

La dificultad aparece tan pronto como se hace la pregunta de ¿qué significa para la interpretación del Logos como la segunda *hypostasis* en la trinidad, el Jesús histórico, el hombre en el que el Logos se hizo «carne»? Ya hemos hablado de ello en conexión con los símbolos de la preexistencia y postexistencia del Cristo. Desde el punto de vista de la doctrina trinitaria, cualquier interpretación no simbólica de estos símbolos introducirían en el Logos una individualidad finita con una historia de vida particular, condicionada por las categorías de finitud. Ciertamente el Logos, la automanifestación divina tiene una relación eterna con su automanifestación en Cristo como centro de la existencia histórica del hombre, así como el Logos tiene una relación eterna con todas las potencialidades del ser; pero no se puede atribuir al Logos eterno en sí mismo la faz de Jesús de Nazaret o la faz de «hombre histórico» o de cualquier manifestación particular del fondo creativo del ser. Pero ciertamente la faz de Dios manifiesta *para* el hombre histórico es la faz de Jesús como Cristo. La manifestación trinitaria del fondo divino es cristocéntrica para el hombre, pero no es Jesúscéntrica en sí misma. El Dios que se ve y se adora en el simbolismo trinitario no ha perdido su libertad para manifestarse a sí mismo a otros mundos de otras maneras.

La doctrina trinitaria se aceptó lo mismo en occidente que en oriente, pero su espíritu fue oriental, no occidental. Esto se vio visiblemente en el intento de Agustín por interpretar las diferencias de las hipóstasis mediante analogías psicológicas, su reconocimiento de que las afirmaciones acerca de las relaciones de las *personae* son vacías, y su énfasis acerca de la unidad de los actos de la trinidad *ad extra*. Todo esto redujo el peligro del triteísmo que no se pudo eliminar del todo nunca del dogma tradicional y que estuvo siempre conectado con una especie de subordinación del Hijo al Padre y del Espíritu al Hijo. Tras el elemento de subordinación en la comprensión de la trinidad de la ortodoxia griega está presente uno de los rasgos más fundamentales y más persistentes del encuentro griego clásico con la realidad, la interpretación de la realidad en grados, que llevan del más bajo al más alto (y al revés). Esta comprensión profundamente existencial de la realidad va del *Symposium* de Platón a Orígenes y por él a la iglesia oriental y al misticismo cristiano. En las tendencias monárquicas de la iglesia romana y en el énfasis voluntarista de Agustín, entró en conflicto con una visión del mundo extrañamente personalista. Después del siglo VI el dogma ya no se pudo cambiar más. Ni siquiera los reformadores lo intentaron a pesar de la crítica mordaz de Lutero de algunos de los conceptòs usados en él. Se había convertido en el símbolo políticamente garantizado de todas las formas de cristianismo y en la forma básica de la liturgia de todas las iglesias. Pero debemos preguntar si tras el análisis histórico y la crítica sistemática del dogma en la teología protestante desde el siglo XVIII, puede durar este estado dè cosas —a pesar de su reafirmación— en la así llamada base del Consejo mundial de las iglesias, que en cualquier caso no está a la altura del auténtico logro de Nicea y Calcedonia.

C. REPLANTEAMIENTO DEL PROBLEMA TRINITARIO

La situación del dogma de la trinidad, como se indicó en el parágrafo precedente, tiene algunas consecuencias peligrosas. La primera es un cambio radical en la función de la doctrina. Mientras que originariamente su función fue expresar en tres símbolos centrales la automanifestación de Dios al hombre, poniendo de manifiesto la profundidad del abismo divino y dando respuestas a la pregunta del significado de la existencia, posteriormente se convirtió en un misterio impenetrable, puesto sobre el altar, para ser adorado. Y el misterio dejó de ser el misterio eterno del fondo del ser y en su lugar pasó a ser el enigma de un problema teológico por resolver y en muchos casos, como ya se dijo, la glorificación de un absurdo en números. De esta forma se convirtió en un arma poderosa para el autoritarismo eclesiástico y la supresión del espíritu de investigación.

Es comprensible que la rebelión autónoma contra esta situación en el período del Renacimiento y de la Reforma llevara a un rechazo radical de la doctrina de la trinidad entre los socinianos y los unitarios. La pequeñez de las consecuencias directas de esta rebelión fue debida al hecho de que no hizo justicia a los motivos religiosos del simbolismo trinitario, tal como se analizó más arriba; con todo, su efecto indirecto sobre la mayor parte de las iglesias protestantes desde el siglo XVIII ha sido grande. Se puede citar la regla general de que un órgano que ha perdido sus funciones se estropea y dificulta la vida. El protestantismo, por lo general, no atacó el dogma pero tampoco se sirvió de él. Incluso en denominaciones con una «elevada» cristología y una confesión enfática de la divinidad de Cristo (por ejemplo, la iglesia protestante episcopaliana), no se produjo ningún nuevo entendimiento de la trinidad. Pero en la mayoría de las iglesias protestantes se desarrolló algo que se podría llamar un «unitarianismo cristocéntrico», que quitó el énfasis puesto sobre Dios en cuanto Dios, sobre el misterio del fondo divino y su creatividad. Ello impidió una comprensión de la presencia espiritual y del carácter extático de la fe, del amor y de la oración. Redujo el cristianismo protestante a un instrumento para la educación moral, aceptado por la sociedad por esta razón. El libro elemental para esta educación es la «enseñanza de Jesús». A pesar de todo esto, los credos trinitarios y las oraciones de la liturgia se continúan usando y se continúan cantando los himnos con sus implicaciones trinitarias y se excluye del Consejo mundial de las iglesias a los unitarios.

¿Será de nuevo posible, alguna vez, decir sin embarazo teológico o por simple conformidad con la tradición las grandes palabras: «En el nombre del Padre y del Hijo y del Espíritu santo»? (El término inglés «Holy Ghost» * debe eliminarse de la liturgia y de cualquier otro uso). ¿O se podrá invocar de nuevo la bendición a través del «amor de Dios, el Padre, y la gracia de Jesucristo y la comunión del Espíritu santo» sin suscitar imágenes supersticiosas en quienes oyen la oración? Yo creo que es posible pero que requiere una revisión radical de la doctrina cristiana y una nueva comprensión de la vida divina y de la presencia espiritual.

Además de los intentos en esta dirección que se hacen en todas las partes del presente sistema, quedan algunas preguntas por contestar. La primera está relacionada con el número tres implicado en la palabra «trinidad». ¿Qué justificación hay para conservar este número? ¿Por qué se superó la primitiva tendencia binaria al pensar sobre Dios y Cristo mediante el simbolismo

---

* Por las resonancias y connotaciones que guarda este término inglés con los espíritus fantasmales de los cuentos y narraciones fantásticas *(N. del T.)*.

trinitario? Y tras éste, ¿por qué no se amplió la trinidad a una cuaternidad y aún más allá? Estas preguntas tienen un fondo histórico así como sistemático. Originariamente, la distinción entre el logos y el Espíritu era indefinida o inexistente. El problema cristológico evolucionó con independencia del concepto de Espíritu. El concepto de Espíritu se reservó para el poder divino que introduce a los individuos y a los grupos en experiencias extáticas. Se dio también en el pensamiento teológico una tendencia hacia la cuaternidad. Una de las razones para esta tendencia es la posibilidad de distinguir la común naturaleza divina de las tres *personae* de las mismas tres *personae,* ya sea estableciendo una divinidad por encima de ellas, ya sea considerando al Padre tanto una de las tres *personae* como la fuente común de la divinidad. Otro motivo para la ampliación de la trinidad era la elevación de la santísima Virgen a una posición en la que se acercaba cada vez más a la dignidad divina. Para la vida devota de la mayoría de los católicos romanos ella ha sobrepasado y con mucho al Espíritu santo y en el catolicismo moderno a las tres *personae* de la trinidad. Si la doctrina que ya se ha discutido entre los católicos, de que se la debe considerar corredentora con Cristo, se convierte en dogma, la Virgen se convertiría en tema de preocupación última, y por consiguiente, en *persona* dentro de la vida divina. Entonces no habrían distinciones escolásticas que pudieran impedir que la trinidad se convirtiera en cuaternidad.

Estos hechos muestran que no es el número «tres» lo que es decisivo en el raciocinio trinitario sino la unidad en una multiplicidad de las automanifestaciones divinas. Si preguntamos por qué, a pesar de su abertura a diferentes números, ha prevalecido el número «tres», parece lo más probable que el tres corresponde a la dialéctica intrínseca de la vida experimentada y es, por tanto, el más adecuado para simbolizar la vida divina. Se ha descrito la vida como el proceso de salir de sí misma para volver a sí misma. El número «tres» está implícito en esta descripción, como sabían los filósofos dialécticos. Las referencias al poder mágico del número «tres» no son satisfactorias porque otros números, el cuatro, por ejemplo, supera al tres en valoración mágica. De cualquier forma, nuestra afirmación anterior de que el simbolismo trinitario es dialéctico viene confirmada por la persistencia del número «tres» en las fórmulas devotas y en el pensamiento teológico.

El poder simbólico de la Virgen, a partir del siglo V después de Cristo hasta nuestros tiempos, plantea una pregunta al protestantismo, que ha eliminado radicalmente este símbolo en la lucha de la Reforma contra todos los mediadores humanos entre Dios y el hombre. En esta purga fue ampliamente eliminado el elemento femenino en la expresión simbólica de la preocupación última. En la Reforma prevaleció el espíritu del judaísmo, con su simbolismo exclusivamente masculino. Sin duda, esta fue una de las razones de los grandes éxitos de la Contrarreforma frente a la Reforma originalmente victoriosa. Ello dio pie dentro del mismo protestantismo a las imágenes más bien afeminadas de Jesús en el pietismo; ello es la causa de muchas conversiones a las iglesias griega o romana y es también responsable de la atracción que muchos protestantes humanistas sienten por el misticismo oriental.

Es sumamente improbable que el protestantismo reafirme alguna vez el símbolo de la Virgen. Como muestra la historia de la religión en su conjunto, un símbolo concreto de este tipo no puede ser reestablecido en su genuino poder. El símbolo religioso se puede convertir en símbolo poético, pero los símbolos poéticos no son objeto de veneración. La pregunta sólo puede ser ésta: ¿hay elementos en el simbolismo protestante que trasciendan la alternativa masculino-femenino y que puedan desarrollarse frente a un simbolismo de una sola faceta dominada por lo masculino?

Quiero apuntar las siguientes posibilidades. La primera está relacionada con el concepto «fondo del ser» que es —como ya se trató previamente— en parte conceptual y en parte simbólico. En la medida en que es simbólico apunta a la cualidad maternal de parir, de llevar, de abrazar, y al mismo tiempo de regresar, de resistir a la independencia de lo creado y de asimilarla. El sentimiento de disgusto de muchos protestantes acerca de la primera (¡no de la última!) afirmación de Dios, de que él es el ser mismo o el fondo del ser, radica en parte, en el hecho de que su conciencia religiosa y, aún más, su conciencia moral, están formadas por una exigente imagen-paterna de Dios, a quien se concibe como una persona entre otras. El intento de mostrar que no se puede decir nada acerca de Dios teológicamente antes de que se haga la afirmación de que él es el poder del ser en todo ser es, al mismo tiempo, una manera de reducir el predominio del elemento masculino en la simbolización de lo divino.

Con respecto al logos, tal como se manifiesta en Jesús como Cristo, es el símbolo del autosacrificio de su particularidad finita el que trasciende la alternativa masculino-femenino. El autosacrificio no es un carácter de lo masculino como masculino o de lo femenino en cuanto tal, sino que es, en el mismo acto del autosacrificio, la negación de lo uno o de lo otro con exclusividad. El autosacrificio rompe el contraste de los sexos, y esto se manifiesta simbólicamente en el cuadro de Cristo sufriendo, en el que los cristianos de ambos sexos han participado con igual intensidad psicológica y espiritual.

Si finalmente ponemos nuestra atención en el Espíritu divino, nos acordamos de la imagen del Espíritu empollando sobre el caos, pero no la podemos usar directamente porque el elemento femenino implicado en esta imagen fue desechado en el judaísmo, si bien tampoco se convirtió nunca en un destacado elemento masculino —ni incluso en la narración del nacimiento virginal de Jesús, en el que el Espíritu reemplaza el principio masculino pero no se convierte en masculino él mismo. Es el carácter extático de la presencia espiritual el que trasciende la alternativa del simbolismo masculino y femenino en la experiencia del Espíritu. El éxtasis trasciende tanto el elemento racional como el elemento emocional, que por lo normal se atribuyen a los tipos masculino y femenino respectivamente. De nuevo es el personalismo moralista protestante el que desconfía del elemento extático en la presencia espiritual y conduce a mucha gente, en protesta, hacia un misticismo apersonal.

La doctrina de la trinidad no queda zanjada. No puede ni ser descartada ni ser aceptada en su forma tradicional. Debe mantenerse abierta a fin de realizar su función original —expresar la automanifestación de la vida divina al hombre en símbolos que la abarquen.

Quinta parte

LA HISTORIA Y EL REINO DE DIOS

INTRODUCCIÓN

EL LUGAR SISTEMÁTICO DE LA QUINTA PARTE DEL SISTEMA TEOLÓGICO Y LA DIMENSIÓN HISTÓRICA DE LA VIDA

En el análisis de las dimensiones de la vida que se hizo en la cuarta parte, se puso entre paréntesis la dimensión histórica. Requiere un tratamiento especial porque es la dimensión de mayor alcance, que presupone las demás y les añade un nuevo elemento. Este elemento se desarrolla plenamente sólo después de que ha sido realizada la dimensión del espíritu por los procesos de la vida. Pero los mismos procesos de la vida están dirigidos horizontalmente, y realizan la dimensión histórica de manera anticipada. Esta realización se empieza pero no llega a su plenitud. Sería posible ciertamente llamar historia de un árbol a su nacimiento y crecimiento, a su envejecimiento y muerte; y aún es más fácil llamar historia al desarrollo del universo o al de las especies sobre la tierra. El término «historia natural» atribuye directamente la dimensión de historia a todo proceso en la naturaleza. Ahora bien, el término historia se usa ordinaria y prevalentemente para la historia humana. Ello indica la convicción de que si bien la dimensión histórica está presente en todos los dominios de la vida, donde está realmente con propiedad es sólo en la historia humana. En todos los dominios de la vida se encuentran análogos adecuados a la historia. Pero no hay historia adecuada allí donde no hay espíritu. Es necesario distinguir por tanto la «dimensión histórica», que pertenece a todos los procesos de la vida, de la historia adecuada, que es algo que sólo se da en la humanidad.

La quinta parte del sistema teológico es una extensión de la parte cuarta, y está separada de ella por razones tradicionales y prácticas. Cualquier doctrina de la vida debe incluir una doctrina de la dimensión histórica de la vida en general y de la historia humana como el proceso de vida más comprensivo en particular. Cualquier descripción de las ambigüedades de la vida debe incluir una descripción de la ambigüedad de la vida bajo la dimensión histórica. Y finalmente, la respuesta de la «vida inambigua» a las preguntas implicadas en las ambigüedades de la vida conduce a los símbolos de «presencia espiritual», «reino de Dios» y «vida eterna». Sin embargo, es aconsejable tratar por separado la dimensión histórica dentro del conjunto del pensamiento teológico. Así como en la primera parte del sistema la correlación entre razón y revelación se separó del contexto de las partes segunda, tercera y cuarta y se trató en primer lugar, así ahora en la quinta parte la correlación entre historia y el reino de Dios se separa del contexto de las tres partes centrales y se trata en último lugar. En uno y otro caso es la tradición teológica la responsable de esta manera de proceder: las cuestiones de la relación de la revelación con la razón y las del reino de Dios con la historia han recibido siempre un tratamiento comparativamente independiente y extensivo. Pero existe también una razón más práctica para tratar por separado las ambigüedades de la historia y los símbolos que dan respuesta a las preguntas implicadas en ellas. Es el carácter englobante de la dimensión histórica y el carácter igualmente englobante del símbolo «reino de Dios» el que da una significación particular a la discusión de la historia. La cualidad histórica de la vida está potencialmente presente bajo todas sus dimensiones. Se realiza bajo ellas de una manera anticipada, es decir, se hace presente bajo ellas no sólo potencialmente sino, en parte, realmente, mientras que se realiza plenamente en la historia humana. Por tanto es adecuado tratar primero la historia en su sentido pleno y adecuado, o sea, la historia humana, luego esforzarse por comprender la dimensión histórica en todos los dominios de la vida y, finalmente, relacionar la historia humana con la «historia del universo».

Un tratamiento teológico de la historia debe incluir, a la vista de su pregunta particular, la estructura de los procesos históricos, la lógica del conocimiento histórico, las ambigüedades de la existencia histórica, el significado del movimiento histórico. Debe también relacionar todo esto con el símbolo del reino de Dios, tanto en su sentido intrahistórico como transhistórico. En el primer sentido vuelve al símbolo de la «presencia espiritual», y en el segundo al símbolo de la «vida eterna».

Con el símbolo de la «vida eterna» se presentan problemas que normalmente se tratan como «escatológicos», es decir, relacionados con la doctrina de las «últimas cosas». En cuanto tales parece natural su colocación al final del sistema teológico. Pero no es así. La escatología trata de la relación de lo temporal con lo eterno, pero eso mismo hacen todas las partes del sistema teológico. Se podría por tanto muy bien dar principio a una teología sistemática con la pregunta escatológica —la pregunta de la finalidad interior, el *telos* de todo lo que es. Aparte de las razones de conveniencia, sólo existe una razón sistemática para el orden tradicional, que se sigue aquí, y es que la doctrina de la creación usa el modo temporal del «pasado» a fin de simbolizar la relación de lo temporal con lo eterno, mientras que la escatología emplea el modo temporal del «futuro» para hacer lo mismo —y el tiempo, en nuestra experiencia, va del pasado al futuro.

Entre las preguntas «de dónde» y «a dónde» se encuentra todo el sistema de preguntas y respuestas teológicas. Pero no hay una simple línea recta de la una a la otra. La relación es más intrínseca: el «a dónde» está inseparablemente implicado en el «de dónde»; el significado de la creación se revela en su final. Y por el contrario, la naturaleza del «a dónde» viene determinada por la naturaleza del «de dónde»; es decir, sólo una valoración de la creación como buena hace posible una escatología de la plenitud; y sólo la idea de plenitud da sentido a la creación. El final del sistema nos devuelve a sus inicios.

I

LA HISTORIA Y LA BÚSQUEDA
DEL REINO DE DIOS

A. LA VIDA Y LA HISTORIA

1. EL HOMBRE Y LA HISTORIA

a) *La historia y la conciencia histórica*

Una consideración semántica nos puede ayudar a descubrir una cualidad particular de la historia. Y se trata del hecho bien sabido de que la palabra griega *historia* significa primariamente investigación, información, relato y sólo secundariamente los acontecimientos sobre los que se investiga e informa. Esto nos muestra que para quienes originariamente empleaban la palabra «historia» el aspecto subjetivo precedía al objetivo. La conciencia histórica, de conformidad con esta visión, «precede» a los acontecimientos históricos. Por supuesto que la conciencia histórica no precede a los acontecimientos de los que tiene conciencia en una sucesión temporal, pero sí transforma los meros acontecimientos en sucesos históricos, y en este sentido los «precede». Estrictamente hablando se debe decir que la misma situación produce ambas cosas, los sucesos históricos y la toma de conciencia de los mismos como acontecimientos históricos. La conciencia histórica se expresa a sí misma en una tradición, o sea, en una serie de recuerdos que pasan de una generación a otra. La tradición no es una colección casual de acontecimientos recordados sino el recuerdo de aquellos acontecimientos que han cobrado significado para los transmisores y los receptores de la tradición. El significado que tiene un hecho para un grupo consciente de la tradición determina el que se haya de considerar como acontecimiento histórico.

Es natural que la influencia de la conciencia histórica en la relación histórica deba moldear la tradición de acuerdo con las necesidades activas del grupo histórico en el que está viva la tradición. Por consiguiente el ideal de una investigación histórica pura e imparcial aparece en una etapa más bien tardía en el desarrollo de la historia escrita. Pero la preceden combinaciones de mito e historia, leyendas y sagas, poesía épica. En todos estos casos, las incidencias son elevadas a significación histórica, pero la manera cómo se hace transforma las incidencias en símbolos de la vida de un grupo histórico. La tradición une los informes históricos con las interpretaciones simbólicas. No aporta «hechos desnudos», que ya es en sí mismo un concepto discutible; pero sí que aporta al recuerdo acontecimientos significativos a través de una transformación simbólica de los hechos. Lo cual no significa que el aspecto de los hechos sea pura invención. Incluso la forma épica en que se expresa la tradición tiene raíces históricas, por muy ocultas que puedan quedar, y la saga y la leyenda revelan de manera más obvia sus orígenes históricos. Pero en todas estas formas de la tradición es virtualmente imposible separar la incidencia histórica de su interpretación simbólica. En toda tradición viva se ve lo histórico a la luz de lo simbólico, y la investigación histórica puede deslindar esta amalgama sólo en términos de una probabilidad mayor o menor. Ya que la manera como se experimentan los acontecimientos históricos viene determinada por su valoración en términos de significación, lo que implica que en sus recepciones originales los informes dependen en parte de su elemento simbólico. Los datos bíblicos tratados en la tercera parte del sistema, son ejemplos clásicos de esta situación.

Pero debe preguntarse si una aproximación científica a los hechos históricos no depende también de símbolos escondidos de interpretación. Esto parece innegable. Hay varios puntos, en toda afirmación historica de carácter intencionadamente distante, que muestran la influencia de una visión simbólica. La elección de las incidencias que se deben establecer como hechos es lo más importante. Puesto que a cada momento en el tiempo y en cada lugar del espacio se están produciendo un número sin fin de incidencias, la elección del objeto de investigación histórica depende de la valoración de su importancia para el establecimiento de la vida de un grupo histórico. A este respecto, la historia depende de la conciencia histórica. Pero no es este el único punto en que se da este caso. Toda obra de historiografía valora el peso de las influencias que coinciden sobre una persona o grupo y sobre sus acciones. Esta es una causa de las diferencias sin fin en las presentaciones históricas de unos mismos hechos materiales. Otra causa que es menos obvia, pero aún más decisiva, es el contexto de la vida activa del grupo en el que actúa el historiador, ya que él participa en la vida de su grupo, compartiendo sus memorias y tradiciones. A partir de este factor surgen las preguntas a las que da respuesta la presentación de los hechos. Nadie escribe historia en un «lugar por encima de todos los lugares». Una tal pretensión no sería menos utópica que la de pretender que unas perfectas condiciones sociales están ya cercanas. Toda la historia escrita depende tanto de las incidencias reales como de su recepción por una conciencia histórica concreta. No hay historia sin incidencias fácticas, ni hay historia sin la recepción e interpretación de las incidencias fácticas por la conciencia histórica.

Estas consideraciones no están en conflicto con las exigencias de los métodos de la investigación histórica; los criterios científicos usados por la investigación histórica son tan definidos, obligatorios y objetivos como los que se usan en cualquier otro campo de investigación. Pero precisamente en el momento de aplicarlos y a través de ellos se hace efectiva la influencia de la conciencia histórica —si bien de manera no intencionada en el caso de una obra histórica sincera.

Debe mencionarse otra implicación del carácter sujeto-objeto de la historia. A través del elemento interpretativo de toda historia, la respuesta a la pregunta del significado de la historia tiene un impacto indirecto, meditado, en una presentación histórica. No se puede esquivar el destino de pertenecer a una tradición en la que la respuesta a la pregunta del significado de la vida en todas sus dimensiones, la historia incluida, se da en símbolos que influencian todo encuentro con la realidad. La finalidad de los próximos capítulos es tratar de los símbolos con los que el cristianismo ha expresado su respuesta a la pregunta del significado de la existencia histórica. No puede haber ninguna duda de que incluso el investigador más objetivo, si está determinado existencialmente por la tradición cristiana, interpreta los acontecimientos históricos a la luz de esta tradición, por muy inconsciente e indirecta que pueda ser su influencia.

b) *La dimensión histórica a la luz de la historia humana*

La historia humana, como ha mostrado el estudio semántico de la implicaciones del término *historia*, es siempre una unión de elementos objetivos y subjetivos. Un «acontecimiento» es un síndrome (es decir un correr-juntos) de hechos y de interpretación. Si pasamos ahora de la semántica a la discusión material, en todas las incidencias encontramos la misma estructura doble que merece el nombre de «acontecimiento histórico».

La dirección horizontal bajo la dimensión del espíritu tiene el carácter de intención y propósito. En un acontecimiento histórico, los propósitos humanos son un factor decisivo, pero no exclusivo. Los otros factores son las instituciones dadas y las condiciones naturales, pero sólo la presencia de acciones con un propósito convierte un acontecimiento en histórico. Los propósitos particulares pueden realizarse o no, o pueden conducir a algo no intentado (de acuerdo con el principio de la «heterogonia de propósitos»); pero la cosa decisiva es que son un factor determinante en los acontecimientos históricos. Los procesos en los que no se persigue ningún propósito no son históricos.

El hombre es libre en la medida en que se plantea y persigue propósitos. Transciende la situación dada, dejando lo real por lo posible. No está atado a la situación en la que se encuentra él mismo, y es precisamente esta autotrascendencia la que es la primera y básica cualidad de libertad. Por tanto, no hay ninguna situación histórica que determine por completo cualquier otra situación histórica. La transición de una situación a otra está determinada en parte por la reacción centrada del hombre, por su libertad. De acuerdo con la polaridad de la libertad y del destino, una tal autotranscendencia no es absoluta; surge de la totalidad de los elementos del pasado y del presente, pero dentro de estos límites puede producir algo cualitativamente nuevo.

Por lo tanto, la tercera característica de la historia humana es la producción de lo nuevo. A pesar de todas las semejanzas abstractas de los acontecimientos pasados y futuros, cada acontecimiento concreto es único e incomparable en su totalidad. Sin embargo, esta afirmación necesita una cualificación. No solamente en la historia humana es en la que se produce lo nuevo. La dinámica de la naturaleza crea lo nuevo al producir individualidad tanto en las partes más pequeñas como en los compuestos más amplios de la naturaleza y también al producir nuevas especies en el proceso evolutivo y nuevas constelaciones de materia en las extensiones y contracciones del universo. Pero hay una diferencia cualitativa entre estas formas de lo nuevo y lo nuevo en la historia propiamente tal. Esta última está relacionada esencialmente con los significados o valores. Ambos términos pueden ser adecuados si se definen correctamente. La mayor parte de las filosofías de la historia, en los últimos cien años, han hablado de la historia como el dominio en el que los valores son realizados. La dificultad de esta terminología está en la necesidad de introducir un criterio que distinga los valores arbitrarios de los valores objetivos. Los valores arbitrarios, a diferencia de los valores objetivos, no están sujetos a normas tales como la verdad, la expresividad, la justicia, la humanidad, la santidad. Los portadores de valoraciones objetivas son personalidades y comunidades. Si llamamos a tales valoraciones «absolutas» (y con este calificativo queremos decir que su validez es independiente del sujeto que valora), es posible describir la creación de lo nuevo en la historia humana como la creación de las nuevas realizaciones de valor *en* personalidades centradas. Sin embargo, si existen dudas por la palabra «valor», la podemos sustituir por la palabra «significado». La vida con significado, de acuerdo con las consideraciones previas, es la vida determinada por las funciones del espíritu y las normas y los principios que las controlan. La palabra «significado», por supuesto, no deja de ser ambigua. Pero el simple uso lógico del término («una palabra tiene un significado») queda trascendido si se habla de la «vida con significado». Si se emplea el término «significado» en este sentido, se describiría la producción de lo nuevo en la historia como la producción de nuevas y únicas encarnaciones de significado. Mi preferencia por esta última terminología se basa, en parte, en el rechazo de la teoría del valor anti-ontológico y, en parte, en la importancia de términos como «el significado de la vida» para la filosofía de la religión. Una frase como «el valor de la vida» no tiene ni la profundidad ni la amplitud del «significado de la vida».

La cuarta característica de la historia adecuada es la unicidad significativa de un acontecimiento histórico. La única, original cualidad de todos los procesos de la vida es compartida por los procesos históricos. Pero el acontecimiento único tiene significación sólo en la historia. Significar algo quiere decir señalar más allá del propio yo a lo que es significado —representar algo. Una personalidad histórica es histórica porque representa acontecimientos más amplios que representan a su vez la situación humana, que representa a su vez el significado del ser en cuanto tal. Las personalidades, las comunidades, los acontecimientos y las situaciones son significativas cuando en ellas mismas se contiene algo más que una incidencia transitoria dentro del proceso universal de lo que acontece. Estas incidencias, de las que aparecen un sinfín cada segundo para volver a desaparecer, no son históricas en sentido propio, pero una combinación de las mismas puede cobrar un significado histórico si representa una potencialidad de una manera única, incomparable. La historia describe la sucesión de tales potencialidades pero con una cualificación decisiva: las describe como aparecen bajo las condiciones de existencia y dentro de las ambigüedades de la vida. Sin la revelación de las potencialidades humanas (generalmente hablando las potencialidades de la vida), las informaciones históricas no relatarían acontecimientos significativos. Sin la incorporación única de estas potencialidades, no aparecerían en la historia; quedarían en puras esencias. Con todo, son significativas, porque están por encima de la historia, por una parte, y por otra, únicas, porque están dentro de la historia. Hay, sin embargo, otra razón para el significado de acontecimientos históricos únicos: el significado del proceso histórico como un todo. Exista o no algo así como una «historia del mundo», los procesos históricos dentro de la humanidad histórica tienen una finalidad interna. Van adelante en una dirección definida, corren hacia una plenitud, tanto si la alcanzan como si no. Un acontecimiento histórico es significativo en la medida en que representa un momento dentro del movimiento histórico hacia el final. Así pues, los acontecimientos históricos son significativos por tres razones: representan las potencialidades esenciales humanas, muestran esas potencialidades realizadas de manera única, y representan momentos en el desarrollo hacia el fin de la historia —en cuyo camino queda simbolizado el fin mismo.

Las cuatro características de la historia humana (estar relacionada con un propósito, estar influenciada por la libertad, crear lo nuevo en términos de significado, tener significado en un sentido universal, particular y teológico) llevan a la distinción entre la historia humana y la dimensión histórica en general. Las distinciones están implícitas en las cuatro características de la historia humana y se pueden mostrar también desde el otro aspecto, es decir, desde la dimensión de lo histórico en otros dominios que no sean los de la historia humana. Si tomamos como ejemplos la vida de los animales superiores, la evolución de las especies, y el desarrollo del universo astronómico, observamos ante todo que en ninguno de estos ejemplos son efectivos el propósito y la libertad. Los propósitos, por ejemplo, en los animales superiores no van más allá de la satisfacción de sus inmediatas necesidades; los animales no trascienden su cautiverio natural. Ni existe una intención particular que esté operando en la evolución de las especies o en los movimientos del universo. La cuestión es más complicada cuando preguntamos si se da un significado absoluto y unicidad significativa en estos dominios de la vida, por ejemplo, si la génesis de una nueva especie en el dominio animal tiene un significado comparable a la aparición de un nuevo imperio o de un nuevo estilo artístico en la historia humana. Está claro que la nueva especie es única, pero la pregunta es si es única significativamente en el sentido de una incorporación de significado absoluto. Nuevamente nuestra respuesta es negativa: no hay ningún significado absoluto y no hay unicidad significativa allí donde la dimensión del espíritu no es real. La unicidad de una especie o de un ejemplar particular dentro de una especie es real pero no últimamente significativa, mientras que el acto por el que una persona se establece a sí misma como persona, una creación cultural con su inagotable sentido, y una experiencia religiosa en la que un significado último irrumpe en los significados preliminares, tienen un significado infinito. Estas afirmaciones se basan en el hecho de que la vida bajo la dimensión del espíritu puede experimentar la ultimidad y crear encarnaciones y símbolos de lo último. Si hubiera un significado absoluto en un árbol o en una nueva especie animal o en una nueva galaxia de estrellas, este significado podría ser captado por los hombres, ya que el hombre experimenta el significado. Este factor en la existencia humana ha llevado a la doctrina del valor infinito de todas las almas humanas. Si bien una tal doctrina no es directamente bíblica, va implicada en las promesas y amenazas pronunciadas por todos los autores bíblicos: «cielo» e «infierno» son símbolos de significado último e incondicional. Pero una tal promesa o amenaza sólo se hace con respecto a la vida humana.

Sin embargo, no existe ningún dominio de la vida en el que no esté presente y realizada de manera anticipada la dimensión histórica. Aun en el dominio inorgánico, y ciertamente en el orgánico, hay *telos* (finalidad interna) que es cuasi-histórica, aun cuando el pensamiento no es una parte de la historia propiamente. Esto es verdad también de la génesis de la especie y del desarrollo del universo; son análogos de la historia, pero no son historia propiamente tal. La analogía aparece en la espontaneidad en la naturaleza, en lo nuevo producido por el progreso en la evolución biológica, en la unicidad de las constelaciones cósmicas. Pero queda en analogía. Carecen de libertad y de significado absolutos. La dimensión histórica en la vida universal es análoga a la vida en la historia propiamente tal, pero no es ella misma historia. En la vida universal sólo se realiza la dimensión del espíritu de manera anticipada. Existen analogías entre la vida bajo la dimensión biológica y la vida bajo la dimensión del espíritu, pero lo biológico no es espíritu. Por tanto la historia queda en dimensión anticipada, pero no realizada, en todos los dominios con la sola excepción del dominio propio de la historia humana.

c) *Prehistoria y posthistoria*

El desarrollo de la historia anticipada a la concreta se puede describir como la etapa del hombre prehistórico. En algunos aspectos ya es hombre, pero aún no es hombre histórico. Ya que si se da el nombre de «hombre» a ese ser que eventualmente hará historia, debe tener libertad para establecerse unos propósitos, debe tener un lenguaje y unos universales, por limitados que puedan ser, y debe tener también unas posibilidades artísticas y cognoscitivas y un sentido de lo santo. Si tuviera todo esto sería ya histórico de una manera en que ningún otro ser en la naturaleza es histórico, pero la potencialidad histórica en él sólo estaría en transición de la posibilidad a la realidad. Se trataría, en lenguaje metafórico, del estado del «despertar» de la humanidad. No hay ninguna manera de verificar un tal estado; con todo debe ser postulado como base para el posterior desarrollo del hombre y se puede emplear como arma crítica contra las ideas no realistas acerca del estado primitivo de la humanidad que atribuye al hombre prehistórico demasiadas cosas ya sea por exceso ya por defecto. Se le atribuyen cosas por exceso cuando se le dota con toda clase de perfecciones que anticipan o bien con desarrollos posteriores e incluso con un estado de plenitud. Ejemplos de ello lo tenemos en las interpretaciones teológicas del mito del paraíso que atribuyen a Adán las perfecciones de Cristo y las interpretaciones seculares del estado original de la humanidad que atribuyen al «noble salvaje» las perfecciones del ideal humanista del hombre.

Por otro lado se peca por defecto cuando es tan poco lo que se le atribuye al hombre prehistórico que se le considera como una bestia, sin la posibilidad, por lo menos, de los universales y, por consiguiente, del lenguaje. Si ello fuera verdad, no habría hombre prehistórico, y el hombre histórico sería una «creación de la nada». Pero toda la evidencia empírica va contra una tal suposición. El hombre prehistórico es aquel ser orgánico que está predispuesto a actualizar las dimensiones del espíritu y de la historia y que, en su desarrollo, se dirige hacia su realización. No hay un momento identificable en el que la autoconciencia animal se convierte en espíritu humano y en el que el espíritu humano entra en la dimensión histórica. La transición de una dimensión a otra es oculta, si bien el resultado de esta transición es obvio cuando aparece. No sabemos cuándo saltó la chispa de la conciencia histórica en la raza humana, pero sí que reconocemos expresiones de esta conciencia. Podemos distinguir al hombre histórico del prehistórico si bien no sabemos el momento de transición del uno al otro debido a lo entremezclado de una transformación lenta y a las lagunas repentinas propias de todos los procesos evolutivos. Si la evolución procediera sólo por saltos, se podría identificar el resultado de cada salto. Si la evolución procediera sólo por una transformación lenta, no podría apreciarse ningún cambio radical en absoluto. Ahora bien, los procesos evolutivos combinan ambos aspectos, el salto y el cambio lento y, por tanto, aunque se pueden distinguir los resultados, no se pueden fijar los momentos en los que aparecen.

La oscuridad que vela la humanidad prehistórica no se debe a un fallo previo científico sino más bien a lo indefinido que es todo proceso evolutivo con respecto a la aparición de lo nuevo. El hombre histórico es nuevo, pero es el hombre prehistórico el que le prepara para ello y lo anticipa de alguna manera y este punto de transición del uno al otro es esencialmente indefinido.

Se debe hacer una consideración similar para tratar de la idea de la posthistoria. La pregunta es la de si se debe anticipar una etapa del proceso evolutivo en la que la humanidad histórica, si bien no como raza humana, llegue a su fin. El significado de esta pregunta está en su relación con las ideas utópicas con respecto al futuro de la humanidad. La etapa última del hombre histórico ha sido identificada con la etapa final de plenitud —con el reino de Dios realizado en la tierra. Pero lo «último» en el sentido temporal no es lo «final» en el sentido escatológico. No es por pura casualidad que el nuevo testamento y Jesús se resistieran al intento de poner los símbolos del final dentro de una estructura cronológica. Ni el mismo Jesús sabe cuándo llegará el final; es independiente del desarrollo histórico-posthistórico de la humanidad, si bien se emplea en su descripción simbólica el modo «futuro». Esto deja abierto el futuro de la humanidad histórica a posibilidades que se derivan de la experiencia presente. Por ejemplo, no es imposible que el poder autodestructivo de la humanidad prevalezca y conduzca a la humanidad histórica a un fin. Es posible también que la humanidad pierda no su potencial libertad de trascender lo dado —esto haría de ella algo que ya no sería humano— sino el descontento con lo dado y por consiguiente la tendencia hacia lo nuevo. El carácter de la raza humana en este estado sería similar al que Nietzsche ha descrito como el «último hombre» que «lo sabe todo» y no tiene interés por nada; sería el estado de «animales sagrados». Las utopías negativas de nuestro siglo, como la de *Brave new world (Un mundo feliz)* anticipan —acertada o equivocadamente— una tal etapa de evolución. Una tercera posibilidad es la continuación de la tendencia dinámica de la raza humana hacia una realización imprevisible de las potencialidades, hasta la gradual o repentina desaparición de las condiciones biológicas y físicas para la continuación de la humanidad histórica. Estas y tal vez otras oportunidades de la humanidad posthistórica se pueden adivinar y liberar de todo embrollo con los símbolos del «final de la historia» en su sentido escatológico.

d) *Los portadores de historia:*
las comunidades, las personalidades, la humanidad

El hombre se realiza a sí mismo como persona en el encuentro con otras personas dentro de una comunidad. El proceso de autointegración bajo la dimensión del espíritu realiza tanto la personalidad como la comunidad. Si bien hemos descrito la realización de la personalidad en conexión con los principios morales, hemos retrasado hasta aquí la discusión de la realización de la comunidad porque los procesos de la vida en una comunidad vienen determinados de manera inmediata por la dimensión histórica de acuerdo con el hecho de que los portadores directos de historia son grupos más bien que individuos, que sólo son portadores indirectos.

Los grupos portadores de historia se caracterizan por su capacidad de actuar de una manera centrada. Deben tener un poder centrado que es capaz de mantener unidos a los individuos que pertenecen a él y que es capaz de preservar su poder en el encuentro con grupos de poder similar. A fin de poder realizar la primera condición, un grupo portador de historia debe tener una autoridad central, que legisla, que administra y que reafirma. A fin de poder realizar la segunda condición, un grupo portador de historia debe tener instrumentos para mantenerse a sí mismo en el poder en el encuentro con otros poderes. Ambas condiciones se cumplen en lo que, con terminología moderna, llamamos un «estado» y, en este sentido, la historia es la historia de los estados. Pero esta afirmación necesita varias cualificaciones. En primer lugar, se debe señalar el hecho de que el término «estado» es mucho más reciente que las organizaciones al estilo de las estatales, de las grandes familias, clanes, tribus, ciudades y naciones, en las que se realizaron previamente las dos condiciones de ser portadores de historia. En segundo lugar, se debe destacar que la influencia histórica se puede ejercer de muchas maneras, mediante grupos y movimientos económicos, culturales y religiosos que operan dentro de un estado o que se esparcen a través de muchos estados. Con todo, su efecto histórico está condicionado por la existencia del poder organizado interno y externo de los grupos portadores de histo-ria. El hecho de que, en muchos países, incluso las épocas de estilo artístico reciben su nombre de los emperadores o de listas de emperadores indica el carácter básico que tiene la organiza-ción política para toda existencia histórica.

Se describió el grupo portador de historia como un grupo centrado con poder interno y externo. Esto, sin embargo, no significa que el poder político, en ambas direcciones, sea un mecanismo independiente de la vida del grupo. En toda estruc-tura de poder las relaciones *eros* subyacen a la forma organizati-va. El poder a través de administrar y reforzar una ley, o el poder a través de imponer una ley por conquista, presupone un grupo de poder centrado cuya autoridad es reconocida, por lo menos silenciosamente; de otra manera no tendría el apoyo necesario para el refuerzo o la conquista. La retirada de un tal conocimiento silencioso por parte de quienes apoyan una es-tructura de poder sería su final. El apoyo se basa en una experiencia de pertenencia, en una forma de *eros* comunitario que no excluye las luchas por el poder dentro del grupo que apoya pero que lo une frente a otros grupos. Esto es obvio en todas las organizaciones similares al estado, desde la familia hasta la nación. Las relaciones de sangre, de lengua, de tradicio-nes y recuerdos crean muchas formas de *eros* que hacen posible la estructura de poder. La preservación, por medio del refuerzo, y el incremento, por medio de la conquista, son una consecuen-cia pero no la causa del poder histórico de un grupo. El elemento de obligatoriedad, en toda estructura de poder históri-co, no es su fundamento sino una condición inevitable de su existencia. Es, al mismo tiempo, la causa de su destrucción si las relaciones *eros* desaparecen o se reemplazan completamente por la fuerza.

Una manera, entre otras, como se expresan a sí mismas las relaciones *eros* que están subyacentes en una estructura de poder consiste en los principios legales que determinan las leyes y su administración por el centro rector. El sistema legal de un grupo portador de historia no se deriva ni de un concepto abstracto de justicia ni de la voluntad de poder del centro rector. Ambos factores contribuyen a la estructura concreta de justicia. También la pueden destruir si prevalece uno de los dos, ya que, ninguno de ellos, es la base de una estructura similar a la del estado. La base de todo sistema legal está en las relaciones *eros* del grupo en el que aparecen.

Sin embargo, no es sólo el poder del grupo en términos de reforzar la unidad interna y la seguridad externa sino también la finalidad hacia la que se dirige lo que le convierte en un grupo portador de historia. La historia corre en dirección horizontal y los grupos que le dan esta dirección están determinados por una finalidad hacia la que se esfuerzan por llegar y por un destino que tratan de realizar. Se podría llamar a esto la «conciencia vocacional» de un grupo portador de historia. Varía de grupo a grupo, no sólo en carácter, sino también en grado de conciencia y de poder motivante. Pero un sentimiento vocacional ha estado presente desde los primeros tiempos de la humanidad histórica. Su expresión más conspicua tal vez, sea, la llamada de Abrahán en la que la conciencia vocacional de Israel encuentra su expresión simbólica; y encontramos formas análogas en China, Egipto y Babilonia. La conciencia vocacional de Grecia se expresó en la distinción entre griegos y bárbaros, la de Roma se basaba en la superioridad de la ley romana, la de la Alemania medieval en el símbolo del sacro imperio romano de nacionalidad germánica, la de Italia en el «renacimiento» de la civilización en el Renacimiento, la de España en la idea de la unidad católica del mundo, la de Francia en su liderazgo en la cultura intelectual, la de Inglaterra en la tarea de someter todos los pueblos a un humanismo cristiano, la de Rusia en la salvación de Occidente a través de las tradiciones de la iglesia griega o a través de la profecía marxista, la de los Estados Unidos en la creencia en un nuevo principio en el que son superadas las maldiciones del viejo mundo y realizada la tarea misionera democrática. Allí donde la conciencia vocacional se ha desvanecido o allí donde jamás se llegó a realizar con plenitud, como en la Alemania e Italia del siglo XIX y en estados más pequeños con fronteras artificiales, el elemento de poder se convierte en el predominante ya sea en un sentido agresivo o meramente defensivo. Pero incluso en estos casos, como muestran los recientes ejemplos de Alemania e Italia, la necesidad de una autocomprensión vocacional es tan fuerte que se aceptaron los absurdos del racismo nazi porque llenaban un vacío.

El hecho de una conciencia vocacional muestra que el contenido de la historia es la vida del grupo portador de historia en todas sus dimensiones. No queda excluida del recuerdo vivo del grupo ninguna dimensión de la vida, pero hay diferencias en la elección. El dominio político predomina siempre porque es el constitutivo de la existencia histórica. Dentro de esta estructura tienen un mismo derecho a ser tenidos en cuenta los desarrollos sociales, económicos, culturales y religiosos. En algunos períodos, se puede poner más énfasis —y en otros menos— en cualquiera de ellos. Ciertamente, la historia de las funciones culturales del hombre no queda confinada a ningún grupo concreto portador de historia, ni incluso al más amplio. Pero si el historiador, cultural o religioso, cruza las fronteras políticas tiene conciencia de que esto es una abstracción de la vida real, y no olvida que las unidades *políticas*, ya sean amplias o reducidas, continúan siendo las condiciones de toda vida cultural. No se puede despreciar la primacía de la historia política, ya sea por una historia intelectual independiente, exigida por los historiadores idealistas, ya sea por una historia económica determinante, exigida por los historiadores materialistas. La historia misma ha refutado las exigencias de esta última cuando parecía estar cerca de su plenitud, como en el Israel sionista o en la Rusia comunista. Es significativo que el símbolo con el que la Biblia expresa el significado de la historia es político: «reino de Dios», y no «vida del Espíritu» o «abundancia económica». El elemento de centralidad que caracteriza el dominio político lo convierte en un símbolo adecuado del fin último de la historia.

Esto nos lleva a la pregunta de si se podría llamar a la humanidad, con preferencia a los grupos humanos particulares, la portadora de la historia. Ya que el carácter limitado de los grupos parece romper necesariamente la unidad que se intenta con el símbolo «reino de Dios». Pero la forma de esta pregunta prejuzga la respuesta; la finalidad de la historia no se encuentra en la historia. No hay ninguna humanidad unida dentro de la historia. Ciertamente no existió en el pasado; ni puede existir en el futuro porque una humanidad políticamente unida, si bien es imaginable, sería una diagonal entre vectores convergentes y divergentes. Su unidad política sería la armadura de una desunión que es la consecuencia de la libertad humana con su dinámica que sobrepasa todo lo dado. La situación sería distinta solamente si la unidad fuera el final de la historia y la estructura para la etapa posthistórica en la que la libertad despertada del hombre habría llegado a su descanso. Este sería el estado de «bienaventuranza animal». Mientras haya historia, una «humanidad unida» es la estructura de una «humanidad desunida». Sólo en la posthistoria podría desaparecer la desunión, pero una tal etapa no sería el reino de Dios, ya que el reino de Dios no es una «bienaventuranza animal».

Los grupos históricos son comunidades de individuos. No son entidades al lado o por encima de los individuos que las constituyen; son productos de la función social de estos individuos. La función social produce una estructura que logra una independencia parcial con respecto a los individuos (como ocurre en todas las otras funciones), pero esta independencia no produce una nueva realidad, con un centro de voluntad y de acción. No es «la comunidad» la que quiere y actúa; son los individuos en su cualidad social y a través de sus representantes quienes hacen posibles las acciones comunitarias al hacer posible la centralidad. La «decepción de personificar el grupo» se debe revelar y denunciar, especialmente para destacar los abusos tiránicos de esta decepción. De manera que debemos preguntar de nuevo: ¿en qué sentido es el individuo un portador de historia? A pesar de la crítica de cualquier intento de personificar el grupo, la respuesta debe ser la de que el individuo es portador de historia solamente en relación con un grupo portador de historia. Su proceso de vida individual no es historia, y por tanto la biografía no es historia. Pero puede resultar significativo o bien como el relato de alguien que activa y simbólicamente representa a un grupo portador de historia (César, Lincoln) o como un individuo que representa el término medio dentro de un grupo (*el* campesino, *el* burgués). La relación con el grupo de individuos históricamente significativos es especialmente obvia en personas que han abandonado la comunidad para retirarse al «desierto» o para dirigirse al «exilio». En la medida en que son históricamente significativos, permanecen en relación con el grupo del que proceden y al que podrían volver, o establecen una nueva relación con el nuevo grupo en el que entran y en el que pueden llegar a ser históricamente significativos. Pero en cuanto simples individuos no tienen ninguna significación histórica. La historia es la historia de los grupos.

Esto, sin embargo, no responde a la pregunta: ¿quién determina los procesos históricos, los «grandes» individuos o los movimientos de masas? Puesta así la pregunta no tiene contestación posible porque no se puede encontrar ningún tipo de evidencia empírica para apoyar un punto de vista u otro. También la pregunta es engañosa. El adjetivo «grande», en historia, se atribuye a las personas que son grandes como líderes en los movimientos de los grupos portadores de historia. El término «grande» en este sentido implica relación con las masas. Los individuos que han tenido una grandeza histórica potencial pero que jamás han alcanzado la realización no reciben el nombre de grandes, ya que la potencialidad para la grandeza sólo se puede probar por medio de su realización. Hablando concretamente, se habría de decir que nadie puede alcanzar una grandeza histórica si no es recibido por grupos portadores de historia. Por otro lado, los movimientos de masa jamás ocurrirían sin el poder productivo de los individuos en quienes las potencialidades y las tendencias reales de muchos se hacen conscientes y llegan a ser formuladas. La pregunta de si son los individuos o las «masas» quienes determinan la historia debe ser reemplazada por una descripción exacta de su mutua relación.

2. La historia y las categorías del ser

a) *Procesos y categorías de la vida*

En la segunda parte de la teología sistemática, «El ser y Dios», nos ocupamos de las principales categorías —tiempo, espacio, causalidad y substancia— y mostramos su relación con la finitud del ser. Cuando en la cuarta parte caracterizamos las diferentes dimensiones de la vida, no nos ocupamos de las relaciones de las categorías con las dimensiones. Se omitió a fin de poder considerar estas relaciones en su totalidad, incluyendo la dimensión histórica.

Cada categoría se diferencia dentro de sí misma de acuerdo con la dimensión bajo la que es efectiva. Por ejemplo, no hay *un* tiempo para todas las dimensiones, para lo orgánico, lo inorgánico, lo psicológico, lo histórico; pero en cada una de ellas hay tiempo. El tiempo es un concepto independiente y relativo a la vez: el tiempo permanece tiempo en todo el dominio de la finitud; pero el tiempo de una ameba y el tiempo del hombre histórico son diferentes. Y lo mismo es verdad de las otras categorías. Sin embargo, se puede describir lo que identifica a cada una de las cuatro categorías, justificando la identidad del término de la siguiente manera: se puede definir aquello que hace al tiempo tiempo, bajo todas las dimensiones, como el elemento de «tras-posición». La temporalidad es tras-posición en cada una de sus formas. Por supuesto que una tal definición no es posible sin usar la categoría de tiempo que va implícita en la frase «tras-posición». Sin embargo, tiene su utilidad extrapolar este elemento, porque está cualificado de diferentes maneras bajo diferentes dimensiones, si bien permaneciendo en toda forma la base de temporalidad. De la misma manera se puede definir lo que hace al espacio bajo todas las dimensiones como el elemento de «yuxta-posición». Tampoco se trata aquí de una verdadera definición porque incluye ya en la definición lo que ha de ser definido: la categoría de espacio está implicada en la frase «yuxta-posición». De nuevo aquí parece conveniente extrapolar este elemento, porque identifica el espacio como espacio, por muy cualificado que pueda estar por otros elementos. Lo que hace causa a una causa es la relación en la que una situación consecuente está condicionada por una precedente, si bien el carácter de este condicionamiento es diferente bajo las diferentes dimensiones de la vida. El condicionamiento ejercido por un cuerpo sólido en movimiento sobre otro cuerpo sólido es diferente del condicionamiento de un acontecimiento histórico por otros precedentes. La categoría de substancia expresa la unidad que permanece en el cambio de lo que llamamos «accidentes». Es eso literalmente lo que está subyacente en un proceso evolutivo y le da su unidad, convirtiéndolo en algo definido, relativamente duradero. La substancia en este sentido caracteriza a los objetos bajo todas las dimensiones, pero no de la misma manera. La relación de una substancia química con sus accidentes es diferente de la relación de la substancia de la cultura feudal con sus manifestaciones. Pero «la unidad que permanece en el cambio» caracteriza igualmente ambas substancias.

La pregunta que se suscita ahora es la de si, a pesar de las diferencias en las relaciones de las categorías con las dimensiones de la vida, hay una unidad en cada categoría, no sólo del elemento que determina la definición, sino también de las formas realizadas en las que se aplican y cualifican. Hablando concretamente, la pregunta sería: ¿existe un tiempo que comprenda todas las formas de temporalidad, un espacio que comprenda todas las formas de espacialidad, una causalidad que implique todas las formas de causalidad, una substancialidad que implique todas las formas de substancialidad? El hecho de que todas las partes del universo sean contemporales, coespaciales, condicionadas entre sí causalmente y substancialmente distintas unas de otras exige una respuesta afirmativa a la pregunta de la unidad categórica del universo. Pero esta unidad no puede ser conocida, al igual que el universo, en cuanto universo, no puede ser conocido. El carácter de un tiempo que no está relacionado con algunas de las dimensiones de la vida sino con todas ellas, trascendiendo así a todas, pertenece al misterio del mismo ser. La temporalidad, no relacionada con ningún proceso temporal identificable, es un elemento en el fondo del tiempo transtemporal, creador de tiempo. La espacialidad, no relacionada con ningún espacio identificable, es un elemento en el fondo del espacio transespacial, creador de espacio. La causalidad, no relacionada con ningún nexo causal identificable, es un elemento en el fondo de la causalidad transcausal, creador de causalidad. La substancialidad, no relacionada con ninguna forma substancial identificable, es un elemento en el fondo de la substancialidad trans-substancial, creador de substancia. Estas consideraciones, además de su significado inmediato para la pregunta antes planteada, dan la base para el uso de las categorías en el lenguaje de la religión. Este uso está justificado, porque las categorías tienen en su misma naturaleza un punto de autotrascendencia.

Los ejemplos siguientes están escogidos de acuerdo con su importancia para la comprensión de los procesos históricos, al igual que las mismas cuatro categorías están escogidas —en el conjunto del sistema— sobre la base de su importancia para la comprensión del lenguaje religioso. Se podrían haber escogido otras categorías así como otros ejemplos de sus funciones bajo las diferentes dimensiones de la vida. El análisis no es completo y probablemente, tal como ha mostrado la historia de la doctrina de las categorías, no pueda ser completo por su misma naturaleza; la línea fronteriza entre las categorías y sus dominios está abierta a un proceso indefinido de reformulación.

b) *El tiempo, el espacio y las dimensiones de la vida en general*

Es conveniente y en cierta manera es inevitable (como ha mostrado Kant), ocuparse del tiempo y del espacio con mutua interdependencia. Hay una especie de relación proporcional en el grado en el que predomina el tiempo o el espacio en un reino de seres. Generalmente hablando, se puede decir que mientras más esté un reino bajo el predominio de la dimensión inorgánica, tanto más lo está también bajo el predominio del espacio; y al contrario, cuanto más está un reino bajo el predominio de la dimensión histórica tanto más lo está bajo el predominio del tiempo. En las interpretaciones de la vida y de la historia, este hecho ha llevado a la «lucha entre tiempo y espacio», que aparece de la manera más conspicua en la historia de la religión.

En los reinos que están determinados por la dimensión de lo inorgánico, el espacio es, casi sin restricción, la categoría dominante. Ciertamente, las cosas inorgánicas se mueven en el tiempo, y sus movimientos se calculan con medidas temporales; pero este cálculo ha sido introducido en el cálculo de los procesos físicos como una «cuarta dimensión» del espacio. La solidez espacial de los objetos físicos, es decir, su poder para procurarse un lugar impenetrable, particular, se encuentra continuamente en la vida normal de cada uno. Existir significa ante todo tener un lugar entre los lugares de todos los demás seres y resistir a la amenaza de perder la propia plaza y con ella también la existencia.

La cualidad de yuxta-posición que caracteriza todo espacio tiene la cualidad de exclusividad en el reino inorgánico. La misma exclusividad caracteriza al tiempo bajo el predominio de la dimensión de lo inorgánico. A pesar de la continuidad del fluir del tiempo, todo momento de tiempo discernible es un proceso físico, excluye los momentos precedentes y siguientes. Una gota de agua que va corriendo río abajo está aquí en este momento y allí en el momento siguiente y no hay nada que una los dos momentos. Es este carácter de tiempo el que hace la trasposición de la temporalidad exclusiva. Y es una mala teología la que emplea la continuación incesante de este tipo de tiempo como símbolo material de la eternidad.

En los reinos que están determinados por la dimensión de lo biológico, se presenta una nueva dimensión, tanto del tiempo como del espacio: el carácter exclusivo de yuxta-posición y tras-posición queda roto por un elemento de participación. El espacio de un árbol no es el espacio de un agregado de partes inorgánicas desconectadas sino el espacio de una unidad de elementos interdependientes. Las raíces y las hojas tienen un espacio exclusivo sólo en la medida en que están determinadas por la dimensión de lo inorgánico; pero bajo el predominio de lo orgánico tienen una mutua participación, y lo que ocurre en las raíces ocurre también en las hojas y viceversa. La distancia entre las raíces y las hojas no tiene la cualidad de la exclusividad. De la misma manera, la tras-posición exclusiva de la temporalidad queda rota por la participación de las etapas de crecimiento dentro de cada uno; en el ahora presente, son efectivos el pasado y el futuro. Y sólo aquí los modos del tiempo se convierten en reales y cualifican la realidad. En el árbol joven va incluido el árbol viejo como «aún no», y a la inversa, el joven árbol está incluido en el viejo como «ya no». La inmanencia de todas las etapas de crecimiento en cada etapa del crecimiento de un ser viviente supera la exclusividad temporal. Así como el espacio de todas las partes de un árbol es el árbol entero, así el tiempo de todos los momentos de un proceso de crecimiento es el proceso entero.

Cuando en la vida animal aparece la dimensión de la autoconciencia, la inmanencia del pasado y del futuro en el ahora presente se experimenta como memoria y anticipación; aquí la inmanencia de los modos del tiempo es no sólo real sino que se conoce también como real. En el reino psicológico (bajo el predominio de la autoconciencia), el tiempo de un ser viviente es un tiempo experimentado, el presente experimentado que incluye el pasado recordado y el futuro anticipado en términos de participación. La participación no es identidad, y no se elimina el elemento de tras-posición; pero su exclusividad queda rota, tanto en la realidad como en la conciencia. Bajo la dimensión de autoconciencia, la espacialidad es correlativa de temporalidad. Es el espacio del movimiento autodirigido en el que se supera en parte la yuxta-posición de todas las formas. El espacio de un animal no es sólo el espacio ocupado por la física existencia de su cuerpo sino también el espacio de su movimiento autodirigido, que puede ser muy pequeño, como en algunos animales inferiores, o muy grande, como, por ejemplo, en las aves migratorias. El espacio cubierto por su movimiento es *su* espacio. En el tiempo y el espacio de crecimiento y autoconciencia, aún predomina el espacio sobre el tiempo, pero queda roto su predominio absoluto. En la dirección del crecimiento y el carácter futurista de la autoconciencia, el tiempo, por así decirlo, se prepara para la ruptura total de su sumisión al espacio lo cual ocurre en el tiempo bajo la dimensión de la historia («el tiempo histórico»).

Con la aparición de la dimensión del espíritu como predominante, se presenta otra forma de yuxta-posición y de trasposición; el tiempo y el espacio del espíritu. Su primera característica, dada con el poder de abstracción, es una ilimitación esencial. La mente experimenta límites trascendiéndolos. En el acto de creatividad, básicamente en lenguaje y técnica, lo limitado se sitúa como limitado en contraste con la posibilidad de ir más allá de él sin límite. Esta es la respuesta a la pregunta del carácter finito o infinito del tiempo y del espacio (como ha visto Kant, siguiendo a este respecto la tradición agustino-cusana). No se puede responder a la pregunta en el contexto del tiempo y el espacio de lo inorgánico, de lo biológico o de lo psicológico; sólo se puede responder en el contexto del tiempo y del espacio del espíritu creador. El tiempo del espíritu creador une un elemento de ilimitación abstracta con un elemento de limitación concreta. La misma naturaleza de la creación como un acto del espíritu implica esta dualidad: crear significa trascender lo dado en la dirección horizontal sin límites a priori, y significa traer algo a una existencia definida, concreta. El dicho: «La autolimitación muestra al maestro» implica tanto la posibilidad de lo ilimitado como la necesidad de la limitación en el acto creador. La concreción del tiempo bajo la dimensión del espíritu da al tiempo un carácter cualitativo. El tiempo de una creación no está determinado por el tiempo físico en el que se produce sino por el contexto creador que se emplea y que queda transformado por él. El tiempo de una pintura no es ni el margen de tiempo en el que se pintó ni la fecha en que se acabó, sino el tiempo que queda cualificado por la situación en el desarrollo de la pintura al que pertenece y que hace cambiar hacia un grado inferior o superior. El espíritu tiene un tiempo que no se puede medir por el tiempo físico si bien él permanece dentro del conjunto del tiempo físico. Esto, por supuesto, nos lleva a la pregunta de cómo se relacionan el tiempo físico y el tiempo del espíritu, es decir, a la pregunta del tiempo histórico.

Afirmaciones análogas se deben hacer acerca del espacio del espíritu. Parece rara la combinación de las palabras espacio y espíritu pero sólo si se entiende espíritu como un nivel incorpóreo del ser en lugar de una dimensión de la vida, en unión con todas las demás dimensiones. En realidad el espíritu tiene su espacio así como su tiempo. El espacio del espíritu creador une un elemento de ilimitación abstracta con un elemento de limitación concreta. La transformación creadora de un ambiente dado no tiene límites impuestos por este ambiente; el acto creador corre hacia adelante en el espacio sin límites, no sólo en la imaginación sino también en la realidad (como se demuestra en la así llamada conquista del espacio en nuestros días). Pero la creación implica concreción, y la imaginación debe volver al ambiente dado que a través del acto de trascender y regresar se convierte en una sección del espacio universal con un carácter particular. Se convierte en un espacio de asentamiento —una casa, un pueblo, una ciudad. Se convierte en un espacio de permanencia social dentro de un orden social. Se convierte en un espacio de comunidad tal como la familia, la vecindad, la tribu, la nación. Se convierte en un espacio de trabajo tal como la tierra, la fábrica, la escuela, el taller. Estos espacios son cualitativos, permanecen dentro de la estructura del espacio físico pero no pueden ser medidos por él. Y así se suscita la pregunta de cómo se relacionan entre sí el espacio físico y el espacio del espíritu, o sea, la pregunta acerca del espacio histórico.

c) *El tiempo y el espacio bajo la dimensión de la historia*

La pregunta de la relación del tiempo y el espacio físicos con el tiempo y el espacio bajo la dimensión del espíritu nos ha conducido al problema de la historia y de las categorías. En los procesos que llamamos históricos en sentido propio, los que quedan reservados al hombre, todas las formas de tras-posición y de yuxta-posición son directamente efectivas; la historia se mueve en el tiempo y el espacio del reino inorgánico. En la historia hay grupos centrados que crecen y envejecen y desarrollan órganos, de manera análoga a la existente en la dimensión de la autoconciencia. Por tanto la historia incluye tiempo y espacio, cualificado por el crecimiento y la autoconciencia. Y la historia determina y está determinada por la interdependencia, por la vida bajo la dimensión del espíritu. En la historia el acto creador del espíritu y con él el tiempo y el espacio del espíritu están siempre presentes.

Pero el tiempo y el espacio histórico muestran cualidades más allá de las cualidades temporales y espaciales de las dimensiones precedentes. Ante todo, en la historia el tiempo predomina sobre el espacio mientras que en el reino inorgánico es el espacio el que predomina sobre el tiempo. Pero la relación de estos dos extremos no es la de una simple polaridad: en la historia las potencialidades de lo inorgánico se convierten en reales; por tanto el reino histórico realizado incluye el reino inorgánico realizado, pero no al revés. Esta relación se aplica también al tiempo y al espacio. El tiempo histórico incluye el tiempo inorgánico realmente; el tiempo inorgánico incluye el tiempo histórico sólo potencialmente. En todo acontecimiento histórico los átomos se mueven de acuerdo con el orden del tiempo inorgánico, pero no todo movimiento de átomos provee una base para un acontecimiento histórico. Esta diferencia de las dimensiones contrastadas con respecto al tiempo es también verdadera de manera análoga con respecto al espacio. El espacio histórico incluye el espacio del reino físico así como el espacio de crecimiento, de autoconciencia, de creatividad. Pero así como en los reinos orgánico e inorgánico el tiempo estaba subordinado al espacio, así bajo la dimensión histórica el espacio queda subordinado al tiempo. Esta relación particular del espacio con el tiempo en el reino de la historia requiere primero un análisis del tiempo histórico.

El tiempo histórico se basa en una característica decisiva de la forma de tras-posición, y esa característica es la irreversibilidad. Bajo ninguna dimensión el tiempo va hacia atras. Algunas cualidades de un momento particular del tiempo pueden repetirse a sí mismas, pero sólo aquellas cualidades que son abstraídas de una situación total. La situación en la que reaparecen, por ejemplo, una puesta de sol o el rechazo de lo creativamente nuevo por la mayoría de gente, es diferente cada vez, y por consiguiente, incluso los elementos abstraídos tienen sólo similitud, no identidad. El tiempo, por así decirlo, corre adelante hacia lo nuevo, lo único, lo original, incluso en las repeticiones. En este sentido el tiempo tiene una señal de identificación en todas las dimensiones; la tras-posición no puede ser reinvertida. Pero dada esta base común, el tiempo histórico tiene una cualidad que le es peculiar. Está unida con el tiempo del espíritu, el tiempo creador, y aparece como el tiempo que corre hacia la plenitud. Todo acto creador apunta a algo. Su tiempo es el tiempo entre la visión de la intención creadora y la creación llevada a la existencia. Pero la historia trasciende todo acto creador horizontalmente. La historia es el lugar de todos los actos creadores y caracteriza a cada uno de ellos como sin plenitud a pesar de su plenitud relativa. Conduce más allá de todos ellos hacia una plenitud que no es relativa y que no tiene necesidad de otra temporalidad para su plenitud. En el hombre histórico, como portador del espíritu, el tiempo que corre hacia la plenitud se hace consciente de su naturaleza. En el hombre, aquello hacia lo que el tiempo está corriendo se convierte en fin consciente. Los actos históricos de un grupo histórico se dirigen hacia una plenitud que trasciende toda creación particular y que se considera la finalidad de la misma existencia histórica. Pero la existencia histórica está enclavada en la existencia universal sin que se la pueda separar. «La naturaleza participa en la historia» y en la plenitud del universo. Con respecto al tiempo histórico esto significa que la plenitud hacia la que corre el tiempo histórico es la plenitud hacia la que corre el tiempo bajo todas las dimensiones. En el acto histórico la plenitud del tiempo universal se convierte en un fin consciente. La pregunta de los símbolos con los que se ha expresado esta finalidad y con los que se debe expresar es idéntica a la pregunta del «final de la historia», y se debe contestar con la respuesta a esta pregunta. La respuesta dada en nuestro contexto es «la vida eterna».

El tiempo bajo dimensiones no-históricas ni carece de fin ni acaba. No se puede hacer la pregunta de su principio (lo cual debe disuadir a la teología de identificar un supuesto principio del tiempo físico con el símbolo de la creación). Ni se puede hacer la pregunta de su final (lo cual debe disuadir a la teología de identificar un supuesto final físico con el símbolo de la consumación). El final de la histórica es el fin de la historia como indica la palabra «final». El final es el fin realizado, aunque este fin pueda ser adivinado tan solo. Con todo, allí donde hay un final debe haber un principio, el momento en el que se experimenta la existencia como no realizada y en el que inicia la marcha hacia la plenitud. El principio y el final del tiempo son cualidades que pertenecen al tiempo histórico esencialmente y a cada momento. De acuerdo con la unidad multidimensional de todas las dimensiones de la vida, no puede haber tiempo sin espacio y por consiguiente, ningún tiempo histórico sin espacio histórico. El espacio en la dimensión histórica está bajo el predominio del tiempo. La yuxta-posición de todas las relaciones espaciales aparece en la dimensión histórica como el encuentro de los grupos portadores de historia, sus separaciones, luchas y reuniones. El espacio sobre el que están se caracteriza por las distintas clases de yuxta-posición bajo las diferentes dimensiones. Pero aún más allá tienen la cualidad de conducir hacia una unidad que las trasciende a todas sin aniquilarlas ni a ellas ni a sus potencialidades creadoras. En el símbolo «reino de Dios», que señala la finalidad hacia la que corre el tiempo histórico, es obvio el elemento espacial: un «reino» es un dominio, un lugar junto a otros lugares. Por supuesto que el lugar del que Dios es el gobernador no es un lugar junto a otros sino un lugar por encima de los demás lugares; sin embargo, se trata de un lugar y no de una «espiritualidad» inespacial en el sentido dualista. El tiempo histórico, que conduce hacia la plenitud, es real en las relaciones de los espacios históricos. Y así como el tiempo histórico incluye todas las otras formas de tiempo, así el espacio histórico incluye todas las otras formas de espacio. Así como en el tiempo histórico el significado de la tras-posición es elevado a la conciencia y se ha convertido en problema humano, así en el espacio histórico el significado de yuxta-posición es elevado a la conciencia y se ha convertido también en un problema. La respuesta en ambos casos es idéntica a la respuesta a la pregunta de la finalidad del proceso histórico.

d)   *La causalidad, la substancia y las dimensiones
de la vida en general*

La causalidad en la dimensión de lo histórico se debe
considerar tanto en contraposición como en unidad con la
substancia; pero a fin de comprender el carácter especial de
ambas bajo la dimensión histórica, se debe analizar su naturaleza en los otros dominios. Como en el caso del tiempo y del
espacio, hay un elemento que es común a la causalidad en todas
sus variedades, a saber, la relación en la que un complejo
precede a otro de tal manera que el otro no sería lo que es sin el
precedente. Una causa es un precedente condicionante, y la
causalidad es el orden de cosas según el cual se da un precedente
condicionante para cada cosa. Las implicaciones de este orden
para la comprensión de la finitud han sido tratadas en otra
parte del sistema *(Teología Sistemática* I, 242-269). Aquí la pregunta es: ¿cómo se da lo condicionante bajo las diferentes
dimensiones?

De la misma manera, la categoría de substancia bajo la
dimensión de lo histórico se debe considerar, primero, por un
análisis del significado de la substancia en general, luego, bajo
las dimensiones no-históricas y finalmente bajo la dimensión de
lo histórico en sí mismo. El carácter general de substancia es la
«identidad subyacente», es decir, la identidad con respecto a los
accidentes que cambian. Esta identidad que hace a una cosa
que sea cosa tiene diferentes características y diferentes relaciones con la causalidad bajo las diferentes dimensiones. Es de la
máxima importancia para la teología tener conciencia de estas
distinciones si se sirve de la causalidad y de la substancia en su
descripción de la relación de Dios con el mundo, del Espíritu
divino con el espíritu humano, de la providencia con el *ágape.*

Bajo el predominio de la dimensión de lo inorgánico, el
precedente condicionante y el consecuente condicionado (causa
y efecto) están separados, al igual que en el carácter correspondiente del tiempo los momentos observados están separados
entre sí. La causalidad en este sentido mantiene el efecto a una
distancia de la causa por la que, al mismo tiempo, viene
determinado el efecto. En el encuentro ordinario con la realidad
(excepto en las líneas fronterizas micro y macrocósmicas del
reino inorgánico), la determinación se puede expresar en térmi-

nos cuantitativos y con ecuaciones matemáticas. La causalidad bajo la dimensión de lo inorgánico es un condicionante cuantitativo, calculable de lo consecuente por lo precedente.

La substancia en el mismo dominio es la identidad transitoria del precedente causante consigo mismo y la identidad transitoria del consecuente causado consigo mismo. No hace falta decir que la substancia, en este sentido, no se ve como una «cosa subyacente inamovible» (como la substancia inmortal del alma de los primeros metafísicos). La substancia es esa suma de identidad dentro de los accidentes que cambian que hace posible hablar de su complejidad como una «cosa». Obviamente, la substancia en este dominio depende de divisiones arbitrarias que son posibles de manera indefinida. No existe una unidad substancial entre dos piezas de metal tras haber sido separadas entre sí; pero cada una de ellas tiene ahora una unidad substancial transitoria consigo misma. Están sujetas a la radical yuxtaposición del espacio en el reino inorgánico.

La dependencia del literalismo teológico de la comprensión ordinaria de las categorías se muestra cuando la causalidad y la substancia están dotadas de características que aparecen sólo en el reino inorgánico y quedan superadas en los otros. Vemos ejemplos de esta dependencia cuando se concibe a Dios como causa y al mundo como efecto o cuando hacemos a Dios una substancia y al mundo otra substancia.

Bajo las dimensiones de lo orgánico y de lo psicológico, la causalidad y la substancia cambian tanto en su carácter como en sus relaciones mutuas. El elemento de separación entre causa y efecto y entre una substancia individual y otra queda equilibrado por un elemento de participación. Dentro de un organismo, lo precedente condicionante es un estado del organismo y lo consecuente condicionado es otro estado del mismo organismo. Se pueden dar influencias causales sobre un sistema orgánico desde fuera, pero no son ellas la causa del estado consecuente del organismo sino que son una ocasión para los procesos orgánicos que conducen de un estado a otro. La causalidad orgánica es efectiva a través de un todo centrado —que definitivamente incluye los procesos químico-físicos internos al organismo y su causación mensurable cuantitativamente. Bajo la dimensión de la autoconciencia encontramos la misma situación. No hay una relación cuantitativamente mensurable entre el estímulo y la respuesta en la autoconciencia centrada. También aquí la causa externa es efectiva a través del conjunto psicológico que se mueve bajo el impacto causante de un estado a otro. Esto no excluye la validez del elemento calculable en los procesos de asociación, reacción, etc., pero su posible cálculo queda limitado por el centro individual de autoconciencia dentro de cuyo círculo se dan tales procesos.

El yo centrado dentro del cual son efectivas la causalidad orgánica y psicológica es una substancia individual con una identidad definida. No es transitoria porque (en la medida en que está centrada) no puede ser dividida. Su contenido puede cambiar pero sólo en una continuidad que, en el dominio de la autoconciencia, se experimenta como memoria. Si la continuidad (biológica o psicológica) se interrumpe completamente la substancia individual ha dejado de existir (normalmente por la muerte, a veces por una completa pérdida de memoria). Bajo las dimensiones de lo orgánico y de lo psicológico, la causalidad es, por así decirlo, la prisionera de la substancia. La causalidad tiene lugar en la unidad de un todo centrado, y las causas desde fuera del círculo son efectivas a través del todo —si no lo destruyen. Esta es la razón por la que una substancia llega a su fin si no es capaz de incorporar influencias externas en su identidad substancial sino que se ve separada por ellas. Entonces procesos calculables cuantitativamente (químicos, asociativos, etc.) se apoderan de la situación, como en la enfermedad corporal y en el desequilibrio mental, y conducen a la aniquilación de la substancia.

Si bien bajo la dimensión de la autoconciencia la causalidad se contiene dentro de la substancia, bajo la dimensión del espíritu la causalidad irrumpe en este contenido. La causalidad debe participar de la cualidad del espíritu para ser creadora. El precedente condicionante determina el margen dentro del cual es posible el acto creador y determina también el impulso para actuar que podría ser creador. Pero no determina el contenido de la creación, ya que el contenido es lo nuevo, que hace creador al acto creador. El concepto de lo nuevo necesita de una posterior consideración. Puesto que el ser concreto tiene el carácter de llegar a ser, se puede decir que todo lo que ocurre en el más pequeño momento de tiempo es nuevo en comparación con lo que ha ocurrido en el momento previo. Si «nuevo» significa cada situación en el proceso de llegar a ser, todo es nuevo siempre y esto es ciertamente verdad —a pesar de la afirmación del Eclesiastés de que no hay nada nuevo bajo el sol. Pero el concepto de lo nuevo exige tantas distinciones como el significado de las categorías— de acuerdo con las distinciones en las que aparece lo nuevo. Lo nuevo que resulta de la causalidad en cuanto transformación cuantitativa es diferente de lo nuevo que resulta de la causalidad en cuanto transformación cualitativa dentro de una substancia individual, y ambos tipos de novedad son diferentes de la novedad que es el resultado de la causalidad a través de un acto creador del espíritu del hombre. En los dos primeros casos, la determinación predomina sobre la libertad de situar lo nuevo. En el caso del espíritu, la libertad prevalece sobre la determinación y se crea lo que es nuevo sin que pueda derivarse de nada. En la creación de Shakespeare *Hamlet* el material, la forma particular, los presupuestos personales, los factores motivantes, etc., se pueden derivar de algo. Todos estos elementos son efectivos en el proceso artístico que creó *Hamlet;* pero el resultado es nuevo en el sentido de lo que no se puede derivar de nada. En este sentido hablamos cuando decimos que bajo la dimensión del espíritu, la causalidad general se convierte en causalidad como creadora de lo nuevo.

Lo nuevo no está ligado a la substancia individual, pero surge de la substancia y tiene efecto en el carácter de la substancia. La substancia individual pasa a estar determinada por el espíritu; el centro de la autoconciencia se convierte en persona. En la persona, la identidad substancial tiene el carácter de obligatoriedad en un sentido incondicional. Esto ha llevado a los primeros metafísicos al error de establecer una substancia inmortal como un ser separado que mantiene su identidad en el proceso del tiempo inorgánico. Una tal conclusión contradice la naturaleza de todas las categorías de ser manifestaciones de finitud. Pero la base de la argumentación es buena, ya que implica la intuición en el elemento incondicional que hace persona a una persona y le da su significación infinita. El que está determinado por el espíritu, el ser centrado, la persona, es el origen de la causalidad creadora; pero la creación sobrepasa la substancia de la que procede —la persona.

e) *La causalidad y la substancia bajo la dimensión de la historia*

La causalidad histórica es la forma englobante de causalidad debido al hecho de que en los acontecimientos históricos todas las dimensiones de la vida participan activamente. Ello depende de la libertad de la causalidad creadora pero depende igualmente de los desarrollos inorgánicos y orgánicos que han hecho posible al hombre histórico y que permanecen como la estructura o subestructura de toda su historia. Y esto no es todo; puesto que los portadores de historia son grupos históricos, la naturaleza de estos grupos representa la interpretación decisiva de la causalidad determinante y libre en el proceso histórico. En un grupo histórico se puede observar una causalidad doble; la causalidad de una estructura sociológica dada para la creación de contenido cultural y la causalidad de este contenido para con una estructura sociológica transformada. Lo «dado» de lo sociológico es un punto ideal en un pasado infinito en el que empezó el proceso histórico. A partir de este punto (la transición de la prehistoria a la historia), la creatividad ha irrumpido en la cultura dada y de esta manera ha aportado su contribución, de manera que se produjera una cultura transformada, de la que surgiera nueva creatividad y así sucesivamente. Por tanto es tan imposible derivar los contenidos del acto creador de la cultura dada, cosa que han hecho algunos antropólogos, como derivar una cultura dada exclusivamente de los actos creadores, cosa que hizo el idealismo clásico.

A la substancia bajo la dimensión histórica se le puede dar el nombre de «situación histórica». Una cultura dada, como ya se ha dicho anteriormente, es una tal situación. Se puede presentar sobre una base de familia, de tribu, nacional o internacional. Se puede restringir a un grupo particular portador de historia; se puede ampliar a una combinación de tales grupos; puede abarcar continentes. De cualquier forma, allí donde se da una situación a partir de la cual la causalidad histórica lleva hacia lo nuevo, allí está la substancia bajo la dimensión histórica. Si se da el nombre de substancia a una situación creadora de historia, esto significa que hay un punto de identidad en todas las manifestaciones. Una situación en este sentido alcanza a todas las dimensiones: tiene una base geográfica, un espacio en el reino inorgánico; es llevada por grupos biológicos, por la autoconciencia de los grupos y de los individuos y por las estructuras sociológicas. Es un sistema de tensiones y equilibrios sociológicos, psicológicos y culturales. Pero deja de ser substancia en el sentido histórico. Los nombres de los períodos históricos (tales como Renacimiento, Ilustración) expresan este punto de identidad si los equilibrios fallan y las tensiones destruyen el elemento de identidad que constituye la substancia. No sería posible ningún tipo de historiografía sin la aplicación de la categoría de substancia a la historia, ya sea implícita o explícitamente. Los nombres históricos, tales como Helenismo, Renacimiento, Absolutismo, «Occidente y Oriente» en el sentido cultural, «el siglo XVIII» en su sentido cualitativo, o la India en un sentido geográfico y cultural, no tendrían significación alguna si no apuntaran a una substancia histórica, una situación a partir de la cual la causalidad histórica puede crecer o ya lo hizo y que al mismo tiempo es el resultado de una causalidad histórica.

Al igual que el tiempo histórico, la causalidad histórica está dirigida al futuro; crea lo nuevo. Y así como el tiempo histórico arrastra al espacio histórico hacia su movimiento «futurista», así la causalidad histórica arrastra la substancia histórica en la dirección de futuro. La causalidad histórica lleva hacia lo nuevo más allá de todo lo nuevo particular, hacia una situación o substancia histórica más allá de toda situación o substancia particular. En esto trasciende las creaciones particulares bajo la dimensión del espíritu. El mismo concepto de nuevo que pertenece a la causalidad creadora implica el carácter trascendente del movimiento histórico. La creación siempre repetida de la novedad particular tiene en sí misma un elemento de vejez. No sólo las creaciones se vuelven viejas (se convierten en estáticas en una substancia dada), sino que el proceso de crear lo nuevo particular en un sinfín de variaciones tiene en sí mismo la cualidad de la vejez. Por ello la conciencia histórica del hombre ha mirado siempre hacia adelante más allá de cualquier nuevo particular a lo absolutamente nuevo, expresado simbólicamente como «nueva creación». El análisis de categoría de la causalidad histórica puede conducir hasta aquí, pero no puede dar una respuesta a la pregunta de lo «nuevo-en-sí-mismo».

La situación o substancia histórica, llevadas hasta la dinámica de la causalidad histórica, contiene la búsqueda de una substancia histórica universal (incluyendo todas las formas de la substancia cualificada dimensionalmente) o una situación que trasciende toda situación. Sería una situación en la que todas las tensiones históricas posibles están equilibradas universalmente. Aquí de nuevo la substancia histórica del hombre ha tenido conciencia de esta implicación de categoría de la substancia histórica y ha mirado hacia adelante más allá de toda situación a los símbolos de una situación última, por ejemplo, la unidad universal del reino de Dios.

3. La dinámica de la historia

a) *El movimiento de la historia: tendencias, estructuras, períodos*

Habiendo tratado la estructura categórica de la historia, pasamos ahora a la descripción del movimiento de la historia dentro de este conjunto estructural. Las categorías bajo la dimensión de la historia proporcionan los elementos básicos para una tal descripción: el tiempo proporciona el elemento de irreversibilidad del movimiento histórico; la causalidad proporciona el elemento de libertad, creador de lo que es nuevo sin ninguna posible derivación; el espacio y la substancia proporcionan el elemento relativamente estático a partir del cual la dinámica del tiempo y de la causalidad irrumpen y hacia el que retornan. Con estos elementos ante la vista podemos ocuparnos de varios problemas que surgen a partir del movimiento histórico.

El primero en importancia es el problema de la relación de la necesidad y de la contingencia en la dinámica de la historia. Es importante no sólo para el método de historiografía sino también para las decisiones y acciones históricas. El elemento de necesidad brota de la situación histórica; el elemento de contingencia surge de la creatividad histórica. Pero ninguno de estos elementos está nunca solo. Considerados bajo el predominio del elemento de necesidad, a su unidad le doy el nombre de «tendencia», y bajo el predominio del elemento de contingencia el de «suerte».

La naturaleza de las tendencias (así como la irreversibilidad del tiempo histórico) debe impedir todo intento de establecer leyes históricas. Tales leyes no existen porque todo momento en la historia es nuevo en relación con todos los momentos precedentes, y, una tendencia, por muy fuerte que pueda ser, puede ser cambiada. La historia jamás está libre de estos cambios de las tendencias que son aparentemente incambiables. Se dan, sin embargo, ciertas regularidades en las secuencias de los acontecimientos, enraizadas en las leyes sociológicas y psicológicas, que, a pesar de su falta de rigidez, participan en la determinación de una situación histórica. Pero estas regularidades no se pueden predecir con esa certeza que hace de las leyes naturales el ideal científico. Las tendencias pueden ser producidas por las leyes sociológicas, de lo cual es un ejemplo la norma de que las revoluciones triunfantes tienen la tendencia de aniquilar a sus líderes originales. Las tendencias pueden ser también producidas por actos creadores, tales como nuevos inventos y su impacto en la sociedad, o por reacciones en aumento contra tales impactos. Hay situaciones en las que las tendencias son casi irresistibles. Hay situaciones en las que las tendencias están menos manifiestas por no decir que son menos efectivas. Hay situaciones en las que las tendencias están equilibradas por la suerte, y hay tendencias ocultas bajo un número abundante de suertes.

Toda situación histórica al igual que contiene unas tendencias contiene suerte también. La suerte es una ocasión para cambiar el poder determinante de una tendencia. Una tal ocasión la crean elementos en la situación que son contingentes con respecto a la tendencia y tienen para el observador el carácter de lo imprevisible. La ocasión que da suerte, para que llegue a ser una suerte real, debe ser usada por un acto de causalidad creadora; y la sola prueba de que existe una ocasión real es el acto histórico en el que una tendencia es transformada con éxito. Muchas veces la suerte no se pone de manifiesto porque no hay nadie que se apodere de ella, pero no existe ninguna situación histórica en la que se puede decir, con certeza, que esté presente algún tipo de suerte. Por supuesto que ni la suerte ni la tendencia son absolutas. El poder determinante de la situación dada limita el margen de la suerte y, a veces, lo hace muy pequeño. Sin embargo, la existencia de la suerte, equilibrando el poder determinante de las tendencias, es el argumento decisivo contra todas las formas de determinismo histórico —naturalista, dialéctico o predestinaciano. Los tres conciben un mundo sin suerte— una visión que sin embargo entra en constante contradicción con los pensamientos y acciones a través de las cuales incluso sus propios partidarios ven la suerte y la toman, por ejemplo, la suerte de trabajar por el socialismo, o por la propia salvación, o por una metafísica determinista. En todo acto creador se presupone la suerte, consciente o inconscientemente.

El segundo problema acerca de la dinámica de la historia se refiere a las estructuras del movimiento histórico. Arnold Toynbee, en su *A study of history (Estudio de la historia)* tiene el mérito de haber intentado mostrar tales estructuras que se repiten, una y otra vez, sin convertirlas en universales ni hacer de ellas leyes. Los factores geográficos, biológicos, psicológicos y sociológicos son efectivos en las estructuras, creando situaciones de las que pueden surgir actos creadores.

Ya han sido descritas en los primeros tanteos otras estructuras, tales como las de progreso y regresión, acción y reacción, tensión y solución, crecimiento y declive, y la más importante de todas, la estructura dialéctica de la historia. El juicio general con respecto a todas ellas debe ser que tienen una verdad limitada, y aún más, que se emplean, en la práctica, en toda obra histórica, incluso por aquellos que las rechazan cuando se formulan *in abstracto*. Ya que sin ellas no sería posible ninguna descripción significativa de la contextura de los acontecimientos. Pero comparten un peligro que ha creado una fuerte resistencia contra ellas por parte de los historiadores empíricos: con frecuencia se emplean no como estructuras particulares sino como leyes universales. Tan pronto como ocurre esto distorsionan los hechos, aun cuando, consecuentemente con su verdad particular, revelan hechos. Precisamente porque es el carácter de la causalidad histórica ser creadora y servirse de la suerte, no se puede decir que exista una estructura universal de movimiento histórico. En algunos casos, el intento de formular una tal ley se basa en la confusión de la dimensión histórica con la función autotrascendente de la historia. Es una confusión entre una descripción científica y una interpretación religiosa de la historia. Por ejemplo, el progreso en algunos dominios (como la regresión en otros) se puede observar en todos los períodos de la historia, pero la ley del progreso universal es una forma secularizada y distorsionada del símbolo religioso de la divina providencia. En todas las obras históricas se contienen relatos de crecimiento y decadencia; con todo, ni siquiera ésta que es la más obvia de todas las estructuras del movimiento histórico es una ley empírica. Empíricamente, hay muchos casos que lo contradicen. Sin embargo, si se convierte en ley universal, asume un carácter religioso y es una aplicación de la interpretación circular de la existencia a los movimientos históricos —lo cual es una confusión de dimensiones.

La estructura dialéctica de los acontecimientos históricos pide una atención especial. Ha influenciado la historia del mundo más profundamente que cualquiera de los otros análisis estructurales. Se debe destacar, ante todo, que ello es verdad no sólo de muchos fenómenos históricos sino de los procesos de la vida en general. Es un instrumento científico importante para el análisis y la descripción de la dinámica de la vida como vida. Si la vida se disolviera en elementos y estos elementos se volvieran a reconstruir de acuerdo con unos propósitos, la dialéctica no tendría lugar; pero si la vida queda inviolada, los procesos dialécticos continúan y pueden ser descritos. Tales descripciones son más antiguas que el empleo que hace Platón de la dialéctica en sus diálogos y que la aplicación que hace Hegel del método dialéctico a todas las dimensiones de la vida y de manera especial a la historia. Allí donde la vida entra en conflicto consigo misma y lleva hacia una nueva etapa más allá del conflicto, allí tiene lugar la dialéctica objetiva o real. Cuando tales procesos se describen en términos de «sí» y «no», se emplea la dialéctica subjetiva o metodológica. El movimiento de la vida desde la autoidentidad a la autoalteridad para volver a la autoidentidad es el esquema básico de la dialéctica, y hemos visto que es adecuado incluso para la descripción simbólica de la vida divina.

Con todo, no se puede hacer una ley universal de la dialéctica y supeditar a ella el universo con todos sus movimientos. Cuando se eleva a una tal función, ya no se puede verificar empíricamente sino que presiona a la realidad hacia un esquema mecanizado que deja de transmitir conocimiento, como se muestra, por ejemplo, en la *Encyclopedia* de Hegel. Obviamente —y eso era lo que intentaba Hegel— su dialéctica es el símbolo religioso de la alienación y de la reconciliación conceptualizadas y reducidas a las descripciones empíricas. Pero de nuevo, esto es una confusión de dimensiones.

El término «dialéctica materialista» es ambiguo y peligroso por su ambigüedad. El término «materialista» se puede entender como materialismo metafísico (que fue enérgicamente rechazado por Marx) o como materialismo moral (al que él atacó como lo característico de la sociedad burguesa). Ambas interpretaciones son erróneas. Más bien, el materialismo, en conexión con la dialéctica, expresa la creencia de que las convicciones socioeconómicas de una sociedad determinan todas las otras formas culturales y que el movimiento de base socio-económica tiene carácter dialéctico que produce tensiones y conflictos en una situación social y lleva más allá de las mismas a una nueva etapa socio-económica. Es obvio que el carácter dialéctico de este materialismo excluye el materialismo metafísico e incluye el elemento de lo nuevo al que Hegel dio el nombre de «síntesis» y que no puede alcanzarse sin una acción histórica —como el mismo Marx comprobó y empleó en la práctica. La verdad relativa de la dialéctica social, enraizada en los conflictos económicos, no se puede negar, pero la verdad se convierte en error si esta clase de dialéctica se eleva a la categoría de ley para toda la historia. Entonces se convierte en un principio cuasi-religioso y pierde cualquier tipo de verificación empírica.

Un tercer problema suscitado por la dinámica de la historia es el problema del ritmo del movimiento histórico. Se trata del problema de las épocas históricas. Al tratar de la substancia bajo la dimensión de la historia, apuntamos a la identidad de una situación histórica y destacamos que la historiografía sería imposible sin nombrar las épocas históricas. En las primeras crónicas la sucesión de las dinastías imperiales proporcionaba nombres para las épocas históricas porque el carácter de cada dinastía se suponía que representaba el carácter significativamente histórico de la época en la que gobernaba. Una tal caracterización no ha desaparecido, como lo demuestra el empleo del término «época victoriana» para la segunda mitad del siglo XIX en Inglaterra y en extensas zonas de Europa. Otros nombres están tomados de los estilos predominantes en las artes, en la política y en las estructuras sociales, como por ejemplo, «barroco», «absolutismo», «feudalismo», o de una situación cultural total, como por ejemplo, «Renacimiento». Algunas veces el número que designa al siglo ha recibido un carácter cualitativo y sirve para designar a una época histórica de forma abreviada («siglo XVIII»). La época más universal está basada en la religión: el tiempo antes y después de Cristo en la era cristiana. Implica un cambio universal en la cualidad del tiempo histórico a través de la aparición de Jesús como Cristo, haciendo de él, en la visión cristiana, el «centro de la historia».

La pregunta que se debe hacer llegados a este punto sólo es: ¿cuál es la validez de estas épocas históricas? ¿Acaso la historia se mueve de una tal manera que la distinción de las épocas tenga un fundamento en la realidad y no sólo en la mente del historiador? La respuesta va implicada en dos observaciones anteriores: la primera hace referencia al carácter subjetivo-objetivo de la historia, y la segunda al concepto de importancia histórica. Las épocas son subjetivo-objetivas de acuerdo con la valoración de importancia en un grupo portador de historia. Ninguna división en épocas tiene sentido si no está basada en acontecimientos en el tiempo y el espacio, pero no se daría ninguna división en épocas sin una valoración de estos acontecimientos como históricamente decisivos por parte de los representantes de un grupo histórico consciente de la historia. Los acontecimientos que crean época pueden ser repentinos, dramáticos y de amplia difusión, como en la Reforma, o pueden ser lentos, no dramáticos, y restringidos a grupos pequeños, como en el Renacimiento. En cada caso la conciencia de la Europa occidental ha visto en estos acontecimientos el principio de una nueva época, y es imposible confirmar o negar esta visión mediante una investigación en el interior de los mismos acontecimientos. De la misma manera es imposible tratar de la centralidad histórica del acontecimiento de Jesús como Cristo mediante argumentos positivos o negativos basados en nuevos descubrimientos acerca de las circunstancias históricas de este acontecimiento. Ocurrió algo que durante dos mil años ha inducido a la gente a ver en ello, en términos de significación existencial, la frontera entre las dos épocas más importantes de la historia humana.

La historia se mueve a ritmo periódico, pero los períodos son períodos sólo para aquellos que los pueden ver como tales. En la sucesión de acontecimientos hay continuas transiciones, mescolanzas, avances y retrasos y no hay ninguna señal que indique cuándo empieza un nuevo período. Pero para aquellos que valoran estos acontecimientos de acuerdo con el principio de importancia, las señales indicadoras se hacen visibles, señalando la línea fronteriza entre las zonas cualitativamente diferentes del tiempo histórico.

b) *La historia y los procesos de la vida*

Los procesos de la vida, juntamente con sus ambigüedades, que hemos descrito en todas las dimensiones, no están ausentes bajo la dimensión de la historia. La vida se afana en dirección hacia una autointegración y se puede desintegrar en todo acto creador de historia. La vida crea y se puede destruir a sí misma cuando la dinámica de la historia conduce hacia lo nuevo. La vida se trasciende a sí misma y puede caer en la profanidad cuando corre hacia lo últimamente nuevo y trascendente.

Todo esto ocurre en los portadores de historia. Directamente en los grupos históricos e indirectamente en los individuos que constituyen los grupos y al mismo tiempo están constituidos por ellos. Ya hemos tratado de la naturaleza y de las ambigüedades de los grupos sociales en las secciones de la cuarta parte del sistema que se ocupan de la función cultural del espíritu del hombre, especialmente la función de la *praxis:* el acto personal y comunitario. Y hemos tratado de las ambigüedades de la *praxis* bajo el encabezamiento de las ambigüedades de la transformación técnica y personal, y sobre todo, comunitaria. En estas discusiones la dimensión histórica se «puso entre paréntesis»; describimos los grupos históricos sólo desde el punto de vista de su carácter como creaciones culturales, sujetos a los criterios de humanidad y justicia. Fue especialmente la relación de poder y justicia en el dominio comunitario la que ocupó el centro de nuestra atención. Esto fue, sin embargo, una preparación para la descripción del movimiento de los grupos en la historia que son portadores de historia.

Llegados a este punto nuestro enfoque es sobre la relación de la dimensión histórica con los procesos de la vida en el dominio de lo personal-comunitario. En los tres procesos es el carácter del tiempo histórico el que marca la diferencia: la historia corre adelante hacia lo siempre nuevo y hacia lo últimamente nuevo. Desde este punto de vista se debe ver tanto la naturaleza como las ambigüedades de la tendencia hacia la autointegración, autocreatividad y autotrascendencia. Esto, sin embargo, como se indicó en las discusiones anteriores («las ambigüedades de la transformación comunitaria»), tiene como consecuencia que los tres procesos de la vida están unidos en un *solo* proceso: el movimiento hacia un fin. Hay todavía autointegración, pero no como un fin en sí mismo; la autointegración bajo la dimensión histórica ayuda en la dirección hacia una integración universal y total. Hay todavía autocreatividad, pero no a causa de las creaciones particulares; la autocreatividad bajo la dimensión histórica ayuda en la dirección hacia lo que es nuevo de manera universal y total. Y hay todavía autotrascendencia, pero no hacia una sublimidad particular; la autotrascendencia bajo la dimensión histórica ayuda en la tendencia hacia lo universal y totalmente trascendente. La historia corre hacia la plenitud a través de todos los procesos de la vida, sin que sea obstáculo para ello el hecho de que mientras corre hacia lo último permanece ligada a lo preliminar, y al correr hacia la plenitud frustra la plenitud. No evita las ambigüedades de la vida al esforzarse en todos los procesos hacia una vida sin ambigüedades.

El fin de la historia se puede expresar ahora en términos de los tres procesos de la vida y su unidad de la siguiente manera: la historia, en términos de autointegración de la vida, conduce hacia una centralidad de todos los grupos portadores de historia y de sus miembros individuales en una armonía inambigua de poder y justicia. La historia, en términos de autocreatividad de la vida conduce hacia la creación de un estado de cosas nuevo e inambiguo. Y la historia, en términos de la autotrascendencia de la vida conduce hacia la plenitud universal e inambigua de la potencialidad del ser.

Pero la historia, como la vida en general, permanece bajo las negatividades de la existencia y por tanto bajo las ambigüedades de la vida. El impulso hacia la centralidad, novedad y plenitud universal y total es un problema y permanece siendo un problema mientras haya historia. Este problema va implícito en las grandes ambigüedades de la historia que siempre han sido sentidas y han sido expresadas vigorosamente en el mito, en la literatura religiosa y secular y en el arte. Son los problemas a los que (en el sentido del método de correlación) hacen referencia las interpretaciones religiosas (y cuasi-religiosas) de la historia así como el simbolismo escatológico. Son los problemas a los que, dentro del círculo de la teología cristiana, la respuesta es el reino de Dios.

402 TEOLOGÍATEOLOGÍA SISTEMÁTICA

c) *El progreso histórico: su realidad y sus límites*

En todo acto creador va implicado el progreso, o sea, un paso *(gressus)* más allá de lo dado. En este sentido todo el movimiento de la historia es progresivo. Progresa hacia lo particularmente nuevo y trata de alcanzar lo últimamente nuevo. Esto se aplica a todos los aspectos de la función cultural del espíritu humano, a las funciones de la *theoria* así como a las funciones de la *praxis*, y se aplica a la moralidad y a la religión en la medida en que en ellas están implícitos un contenido cultural y unas formas culturales. Se intenta y a veces se logra un progreso real desde el principio al fin de una acción política o de una conferencia o de una investigación científica, y así sucesivamente. En todo grupo centrado, aun en el más conservador, son constantes los actos creadores que se dirigen hacia el progreso como a su fin.

Más allá de estos hechos indiscutibles, el progreso se ha convertido en un símbolo, que define el significado de la misma historia. Se ha convertido en un símbolo más allá de la realidad. Como tal expresa la idea de que la historia de manera progresiva se acerca hacia su fin último o que el mismo progreso infinito es el fin de la historia. Trataremos más adelante estas respuestas al problema del significado de la historia; llegados a este punto debemos preguntarnos en qué dominio del ser es posible el progreso y en cuál es imposible, de acuerdo con la naturaleza de la realidad que está en juego.

No hay progreso allí donde la libertad individual es decisiva. Esto implica que no hay progreso en el acto moral. Cada individuo, para llegar a ser persona, debe tomar sus propias decisiones morales. Son el prerrequisito indispensable para la aparición de la dimensión del espíritu en cualquier individuo con autoconciencia. Pero hay dos clases de progreso en conexión con la función moral que son las de contenido ético y las de nivel educativo. Ambas son creaciones culturales y están abiertas a lo nuevo. El contenido ético de la acción moral ha progresado de las culturas primitivas a las maduras en términos de refinamiento y de amplitud, si bien el acto moral en el que se crea la persona es el mismo sea cual fuere el contenido realizado. Esta distinción es fundamental si se habla de progreso moral. Es en el elemento cultural dentro del acto moral donde tiene lugar el progreso, no en el mismo acto moral.

De la misma manera la educación moral pertenece a la cultura y no al mismo acto moral. Una tal educación aparece tanto como educación por otros como educación por uno mismo. En uno y otro caso consiste en repeticiones, ejercicios y el hábito resultante que es la materia de progreso. De esta manera se pueden crear personalidades morales maduras y se puede elevar en un grupo el nivel de hábitos morales. Pero la actual situación moral exige una libre decisión a cada nivel de madurez y a cada grado de sensibilidad ética; y es por estas decisiones cómo la persona se confirma como persona (aun cuando el hábito moral y la sensibilidad ética son creaciones del Espíritu, o sea, gracia). Esta es la razón de los relatos acerca de las tentaciones de los santos en la tradición católica, de la necesidad de recibir perdón en cada etapa de la santificación en la experiencia protestante, de la lucha desesperada acerca del propio yo en los más grandes y maduros representantes del humanismo, y de la autolimitación de la curación psicoterapéutica hasta el momento en el que se sitúa al paciente en libertad de tomar sus propias decisiones morales.

Dentro del dominio de la creación cultural no hay ningún progreso más allá de las expresiones clásicas del encuentro del hombre con la realidad, ya sea en las artes, en la filosofía, ya sea en los dominios personales o comunitarios. Se da con frecuencia, aunque no siempre, un progreso desde los intentos inadecuados por alcanzar la expresión clásica de un estilo, pero no se da ningún progreso de un estilo maduro al otro. El gran error de la crítica del arte clasicista fue ver en los estilos griego y del Renacimiento la norma de las artes visuales, por la que se debía medir todo lo demás ya como progreso hacia él o como regresión del mismo, o bien ser relegado a un estado de primitiva impotencia. La justificada reacción contra esta doctrina en nuestro siglo ha llegado a veces a extremos que no admiten justificación en la dirección opuesta, pero ha establecido el principio del carácter esencialmente no progresivo de la historia de las artes.

Lo mismo debe decirse de la filosofía —en la medida en que se la define como el intento de responder con los conceptos más universales a la pregunta de la naturaleza y de la estructura del ser. De nuevo aquí se puede distinguir entre los tipos inmaduros y maduros del encuentro filosófico con la realidad y ver el progreso del uno al otro. Y ciertamente los instrumentos lógicos y los materiales científicos empleados en los sistemas filosóficos se van refinando, corrigiendo y ampliando progresivamente. Pero hay un elemento en la visión central de los filósofos representativos que no se deriva de su material científico o de su análisis lógico sino que tiene su origen en un encuentro con la realidad última, es decir, en experiencia cuasi-revelada. Se le ha dado el nombre de *sapientia* en contraposición al de *scientia* y aparece, por ejemplo en el libro de Job, personificada como la acompañante de Dios a la que contemplaba él mismo al crear el mundo o en Heráclito, como el logos que está presente igualmente en las leyes del universo y en la sabiduría de unos cuantos hombres. En la medida en que la filosofía está inspirada por el logos, puede tener muchos aspectos, de acuerdo con sus potencialidades internas y los órganos receptores de los individuos y de las épocas, pero no se da ningún progreso del uno al otro. Cada uno, por supuesto, presupone un nuevo esfuerzo creador, en adición al uso crítico de la forma lógica y del material científico, y requiere la disciplina ganada mediante un conocimiento de las anteriores soluciones. El carácter que tiene la filosofía inspirada por el logos no significa que sea arbitraria. Pero sí significa que la filosofía está capacitada para dar una respuesta a la pregunta del ser —cuya respuesta está, por tanto, por encima del progreso y de lo anticuado. La historia de la filosofía muestra claramente que ninguna de las grandes soluciones filosóficas jamás ha quedado obsoleta, si bien sus observaciones y teorías científicas pronto quedaron anticuadas. Y lo que sí queda firme es que algunos filósofos analíticos rechazaron la historia de la filosofía en bloque con anterioridad a la aparición de la filosofía analítica, porque no veían en ella ningún progreso, o bien mínimo, en la dirección que para ellos era la única tarea de la filosofía: el análisis lógico y semántico.

Si bien el acto moral como acto de libertad está más allá del progreso, la pregunta continúa siendo si puede haber progreso al aproximarse al principio de humanidad y crear la personalidad formada y al aproximarse al principio de justicia y crear la comunidad organizada. Al igual que en la creatividad estética y cognoscitiva, se debe distinguir entre dos elementos, los elementos cualitativos y los cuantitativos. Sólo en los últimos es posible el progreso —o sea, en amplitud y refinamiento— y no en los primeros. Las personas que encarnan el principio de humanidad de manera madura no dependen de los desarrollos de la cultura que cambia, ya sean progresivos, o anticuados o regresivos. Ciertamente la humanidad es una nueva creación en todo individuo en el que es realizada y en cada época en la que la situación cultural aporta nuevas potencialidades. Pero no hay ningún progreso de un representante de la humanidad personal a otro en un período posterior. Quien conozca representaciones esculturales de las primeras culturas hasta la presente conoce ejemplos de expresividad humana (en términos de dignidad, seriedad, sabiduría, coraje, compasión) en las imágenes de cada época.

No es distinta la situación con respecto a la justicia. Esta es, por supuesto, una atrevida afirmación en una cultura que considera su propio sistema socio-político no sólo como la expresión adecuada de su propia idea de justicia sino también el ideal de justicia del que todas las formas anteriores no son más que unas insuficientes aproximaciones. Sin embargo, se debe afirmar que la justicia de la democracia representa un progreso por encima de las otras formas de justicia sólo en sus elementos cuantitativos, no en su carácter cualitativo. Los sistemas de justicia en la historia de la humanidad se desarrollan a partir de las condiciones geográficas, económicas y humanas a través del encuentro del hombre con el hombre y la búsqueda de la justicia que es resultado de este encuentro. La justicia se convierte en injusticia en el grado en que el cambio de condiciones no va acompañado de un cambio correlativo en los sistemas de justicia. Pero, en sí mismo, cada sistema incluye un elemento que es esencial para el encuentro del hombre con el hombre y un principio válido para una situación concreta. Cada uno de estos sistemas apunta a la «justicia del reino de Dios», y no hay progreso del uno al otro a este respecto. Sin embargo, como en las primeras consideraciones, debemos distinguir aquellas etapas en las que el principio no está aún desarrollado y aquellas etapas en las que se desintegra de la etapa de plenitud madura. Hay progreso, o envejecimiento o regresión en el camino de una a otra etapa. Sólo los sistemas maduros, que encarnan visiones de justicia cualitativamente diferentes, están más allá del progreso.

La pregunta más importante en este contexto es la de un posible progreso en la religión. Obviamente, no hay ningún progreso en la función religiosa en cuanto a tal. El estado de preocupación última no admite ningún otro progreso que el del envejecimiento o el de la regresión. Pero la pregunta del progreso se suscita con la existencia de religiones históricas y sus fundamentos, las experiencias reveladoras. Podría parecer que la pregunta del progreso ha sido ya contestada afirmativamente cuando llamamos a la revelación en Jesús como Cristo la revelación final, y a la historia de la religión el proceso en el que se prepara o se recibe el «centro de la historia». Pero la situación es más compleja.

En la discusión acerca de lo «absoluto» del cristianismo, se ha aplicado el esquema evolutivo-progresivo a la relación de la religión cristiana con las otras. La formulación clásica de esta idea es la interpretación filosófica de Hegel de la historia de la religión, pero construcciones análogas están también abiertamente presentes u ocultas en los sistemas anti-hegelianos de la teología liberal. Incluso los filósofos seculares de la religión distinguen entre las primitivas y las grandes religiones. Pero contra este esquema evolutivo está la pretensión de cada una de las grandes religiones de que es ella precisamente la que tiene lo absoluto en contraste con las demás religiones que son consideradas como relativamente verdaderas o completamente falsas. De manera análoga a las discusiones previas, debemos hacer resaltar ante todo la distinción entre lo esencialmente religioso y los elementos culturales en las religiones históricas. Hay ciertamente progreso, envejecimiento y regresión en el aspecto cultural de cada religión, en su autointerpretación cognoscitiva y en su autoexpresión estética, así como en su manera de formar personalidad y comunidad. Pero por supuesto este progreso queda limitado en la medida en que estas funciones están ellas mismas abiertas al progreso. Sin embargo, las experiencias reveladoras sobre las que se basan, tienen posibilidades progresivas. ¿Se puede hablar de una progresiva historia de la revelación? Esta es la misma pregunta de si se puede hablar de una progresiva «historia de la salvación» *(Heilsgeschichte)*. La primera respuesta debe ser que la manifestación reveladora y salvadora de la presencia espiritual es siempre lo que es, y que en este sentido no hay más o menos, ningún progreso ni envejecimiento ni regresión. Pero el contenido de tales manifestaciones y sus expresiones simbólicas, al igual que los estilos en las artes y las visiones en la filosofía, dependen, por un lado, de las potencialidades implicadas en el encuentro humano con lo santo, y por otro, en la receptividad de un grupo humano a una u otra de estas potencialidades. La receptividad humana está condicionada por la totalidad de los factores externos e internos que constituyen el destino histórico —en lenguaje religioso, la providencia histórica. A este respecto es posible el progreso entre diferentes etapas culturales en las que tiene lugar la experiencia reveladora o entre los distintos grados de claridad y de poder con los que se recibe la manifestación de lo espiritual (Esto corresponde al progreso de la inmadurez a la madurez en los dominios culturales).

A la luz de estas consideraciones, una religión no podría mantener su pretensión de estar basada en la revelación final. La única respuesta posible a la pregunta del progreso en la religión sería la coexistencia de distintos tipos sin una pretensión universal. Pero hay un punto de vista que puede cambiar el cuadro —el conflicto entre lo divino y lo demoníaco en cada religión. A partir de este conflicto surge la pregunta: ¿sobre qué base religiosa y en qué acontecimiento revelador, se rompe el poder de lo demoníaco, fuera y dentro de la realidad religiosa? El cristianismo responde que esto ha ocurrido sobre la base del tipo profético de religión en el acontecimiento de Jesús como Cristo. Según el cristianismo, este acontecimiento no es el resultado de una aproximación progresiva ni la actualización de otra potencialidad religiosa, sino que es la plenitud que une y juzga todas las potencialidades implicadas en el encuentro con lo santo. Por lo tanto, toda la historia de la religión, pasada y futura, es la base universal, y el tipo profético de experiencia reveladora es la base particular del acontecimiento central. Esta visión excluye la idea de un progreso horizontal desde la base universal a la particular, y desde la base particular al acontecimiento único, del que ha brotado el cristianismo. Queda excluida también la idea que pretende que el cristianismo como religión es un «absoluto» y que las otras religiones son una progresiva aproximación al mismo. No es el cristianismo como religión lo que es absoluto sino el acontecimiento por el que es creado y juzgado el cristianismo en la misma medida que cualquier otra religión, tanto afirmativa como negativamente. Esta visión de la historia de las religiones —que se deriva de la pretensión del cristianismo de que está basado en el acontecimiento final, victoriosamente antidemoníaco— no es horizontal sino vertical. El acontecimiento único, que es a la vez el criterio de todas las religiones y el poder que, en principio, ha quebrantado para siempre lo demoníaco, está en un punto de la base más amplia de los desarrollos religiosos pasados y futuros y sobre la base particular del profetismo en el pasado y el futuro. En esta visión no existe un esquema progresivo.

Ahora hace falta resumir los dominios en los que se da el progreso, tal como se ha indicado en las discusiones precedentes. El primer dominio, y casi ilimitado, en el que el progreso es decisivo, es la tecnología. La frase «mejor cada vez» está aquí y sólo aquí en su propio terreno. El instrumento mejor, y generalmente los medios técnicamente mejores para cualquier fin, es una realidad cultural de consecuencias sin fin. Sólo aparece un elemento no-progresivo si se hacen preguntas como: ¿para qué fines? o ¿existen instrumentos que por sus consecuencias puedan frustar los fines para los que fueron creados (por ejemplo, las armas atómicas)? El segundo dominio en el que el progreso es esencial es el de las ciencias en todos los dominios de la investigación metodológica, no en el de las solas ciencias naturales. Toda afirmación científica es una hipótesis abierta a la comprobación, al rechazo y al cambio; y en la medida en que se da un elemento científico en la filosofía, el filósofo debe usar el mismo método. Aparece un elemento no progresivo sólo donde se presuponen consciente o inconscientemente elementos filosóficos o donde se tienen que tomar decisiones acerca de la familia que será objeto de investigación o donde se requiere una participación existencial en la citada materia a fin de poderla penetrar. El tercer dominio en el que el progreso es real es el de la educación, ya se trate de preparación para trabajo de destreza, ya de entrega de contenido cultural, ya de introducción en unos sistemas dados de vida. Esto es obvio en la educación individual que dirige el progreso de una persona hacia la madurez, pero es verdad también de la educación social, por la que toda generación es heredera de los logros de las que las precedieron. Un elemento no-progresivo está presente solamente en la afirmación de un fin último educativo en la interpretación de la naturaleza y del destino humanos y en el tipo de una comunidad educativa entre educadores y educados. El cuarto dominio en el que el progreso es real es la conquista creciente de las divisiones espaciales y de las divisiones dentro y más allá de la humanidad. Paralela en parte a esta conquista del espacio está la creciente participación de los seres humanos en todas las creaciones culturales. En todos estos aspectos que pueden medirse cuantitativamente, el progreso fue y es real y puede continuar siendo real en un futuro indefinido. Un elemento no-progresivo en estos movimientos es el hecho de que cambios cuantitativos pueden tener consecuencias cualitativas y crear una nueva época que, en relación con las demás, sea única pero que en sí misma no sea ni un progreso ni una regresión.

Este análisis de la realidad y de los límites del progreso en la historia da una base para la valoración del progreso como un símbolo en la interpretación religiosa de la historia.

B. LAS AMBIGÜEDADES DE LA VIDA BAJO LA DIMENSIÓN HISTÓRICA

1. LAS AMBIGÜEDADES DE LA AUTOINTEGRACIÓN HISTÓRICA: IMPERIO Y CENTRALIZACIÓN

La historia, al paso que va corriendo adelante hacia su último fin, realiza constantemente fines limitados, y al hacerlo así, logra y frustra al mismo tiempo su fin último. Todas las ambigüedades de la existencia histórica son formas de esta ambigüedad básica. Si las relacionamos con los procesos de la vida, podemos distinguir la ambigüedad de la autointegración histórica, la ambigüedad de la autocreatividad histórica, y la ambigüedad de la autotrascendencia histórica.

La grandeza de la existencia política del hombre —su esfuerzo hacia la universalidad y totalidad en el proceso de autointegración de la vida bajo la dimensión histórica— se expresa con el término «imperio». En la literatura bíblica la ambigüedad de los imperios juega un importante papel. Lo mismo es verdad de todas las fases de la historia de la iglesia, y es

igualmente verdad de los movimientos seculares hasta el día de
hoy. Los imperios se construyen, crecen y caen antes de que hayan alcanzado su fin que es llegar a ser omnienglobantes. Sería
más bien superficial derivar este esfuerzo por la universalidad
simplemente de la voluntad de poder, ya sea político o económico. La voluntad de poder en todas sus formas es un elemento
necesario en la autointegración de los grupos portadores de
historia, ya que sólo pueden actuar históricamente a través de
su poder centrado. Pero hay otro elemento en la tendencia
hacia lo onmienglobante: la autointerpretación vocacional de
un grupo histórico. Cuanto más fuerte y más justificado sea ese
elemento, mayor se hace la pasión constructora de imperios del
grupo; y cuanto más apoyo tiene de todos sus miembros, mayor
es su oportunidad de durar por largo tiempo. La historia de la
humanidad está llena de ejemplos. En la historia occidental los
mayores ejemplos, aunque no los únicos, de conciencia vocacional son los siguientes: el deseo del imperio romano por representar la ley, la representación del imperio germano del cuerpo
cristiano, la representación del imperio británico de la civilización cristiana, la representación del imperio ruso de la profundidad de la humanidad contra una cultura mecanizada, y la
llamada del imperio americano a representar el principio de
libertad. Y en la sección oriental de la humanidad se dan los
ejemplos correlativos. Los grandes conquistadores son, tal como
Lutero los vio, las «máscaras» demoníacas de Dios a través de
cuyo impulso hacia la centralidad universal él realiza su acción
providencial. En esta visión se expresa simbólicamente la «ambigüedad del imperio». Ya que el aspecto desintegrador, destructivo y profano de la construcción de imperios es tan obvio
como el aspecto integrador, creador y sublime, ninguna imaginación puede hacerse cargo del total de sufrimiento y de destrucción de la estructura, de la vida y del significado que
acompañan el crecimiento de los imperios. En nuestra época la
tendencia hacia lo omnienglobante en los dos grandes poderes
imperiales, los Estados Unidos y Rusia, ha llevado a la división
más profunda y universal de la humanidad, y ello ha ocurrido
precisamente porque ninguno de los dos imperios ha llegado a
la existencia por una simple voluntad de poder económico; han
surgido y se han vuelto poderosos por su conciencia vocacional
en unión con su autoafirmación natural. Pero las consecuencias

trágicas de su conflicto se pueden apreciar en cualquier grupo histórico y en cualquier ser humano individual, y se pueden convertir en destructores de la humanidad misma.

Esta situación nos da una pista para lo que ha sido llamado historia del mundo. En esta expresión «mundo» significa humanidad; significa la historia de toda la humanidad. Pero no existe una tal cosa. Todo lo que hemos tenido hasta el siglo presente son historias de grupos humanos, y a la compilación de sus historias, en la medida en que son conocidas, se les puede dar el nombre de historia del mundo pero no ciertamente el de historia de la humanidad. Sin embargo, en nuestro siglo, la conquista técnica del espacio ha producido una unidad que hace posible la historia de la humanidad como un todo y que ha empezado a ser realidad. Ello, por supuesto, no cambia el carácter aislado de las primeras historias, pero es una nueva etapa para la integración histórica del hombre. En este sentido, nuestro siglo se puede contar ciertamente entre los grandes siglos por lo que respecta a la creación de lo nuevo. Pero el primer resultado directo de la unión técnica (y más que técnica) de la humanidad ha sido la división trágica, la «esquizofrenia» de la humanidad. El momento de la mayor integración en toda la historia implica el peligro de la mayor desintegración, incluso de la destrucción radical.

A la vista de esta situación se debe preguntar: ¿tiene justificación hablar de *un* fin? La pregunta cobra aún mayor apremio si se constata que no todas las tribus y naciones se han afanado o se afanan actualmente en una dirección omnienglobante, que no toda conquista tiene la ambigüedad de la construcción de imperio y que incluso en aquellos en quienes la tendencia hacia una integración universal ha sido efectiva, con frecuencia la han dejado sin efecto al retirarse a una centralidad limitada de tribu o de nación. Estos hechos muestran que en los grupos portadores de historia se da una tendencia contra el elemento universalista en la dinámica de la historia. El carácter atrevido, ultimamente profético de la idea de imperio provoca unas reacciones hacia el aislamiento de tribu, de región, de nación y la defensa de una unidad espacial limitada; tales reacciones han contribuido mucho indirectamente al movimiento de la historia como un todo. Pero se puede mostrar que, en todos los casos importantes de este tipo, el movimiento aislacionista fue y es no una acción genuina sino una reacción, una retirada para no comprometerse en movimientos universalistas. La existencia histórica está bajo la «estrella» del tiempo histórico y corre adelante contra cualquier resistencia particularista. Por lo que los intentos aislacionistas jamás logran su objetivo en última instancia, se ven frustados por la dinámica de la historia que es universalista por su misma naturaleza. Ningún individuo y ningún grupo puede evitar la dinámica de la historia a fin de evitar las implicaciones trágicas de la grandeza de la historia tal como se expresa en el símbolo del imperio. Pero aun así el concepto de historia del mundo continúa siendo dudoso a la vista de los movimientos históricos pasados desconocidos o inconexos. No se puede definir empíricamente, pero se debe entender en términos de una interpretación de la historia como autotrascendente.

Las ambigüedades de la centralidad hacen referencia no sólo al aspecto extensivo de la integración histórica sino también al intensivo. Todo grupo portador de historia tiene una estructura de poder sin la que no podría actuar históricamente. Esta estructura es el origen de las ambigüedades de la centralidad dentro de un grupo histórico. Hemos tratado el aspecto estructural al tratar de las ambigüedades del liderazgo. Bajo la dimensión histórica se debe considerar el aspecto dinámico; debemos mirar la relación de la centralidad intensiva con la extensiva que, en términos políticos, es la relación de la política con las relaciones internacionales. Hay dos tendencias contradictorias, la una hacia un control totalitario de la vida de todo el que pertenece a un grupo portador de historia y especialmente a un grupo imperial, la otra hacia la libertad personal que fomenta la creatividad. La primera tendencia queda reforzada si los conflictos externos exigen un incremento en el poder centrado o si las fuerzas desintegradoras dentro del grupo ponen en peligro la centralidad misma. En ambos casos la necesidad de un centro poderoso reduce y tiende a aniquilar el elemento de libertad que es la condición previa de toda creatividad histórica. El grupo es capaz de actuar históricamente debido a su severa centralización, pero no puede usar su poder de manera creadora porque ha suprimido aquellas potencias creadoras que penetran en el futuro. Sólo la élite dictatorial —o el dictador sólo— es libre para actuar históricamente, y entonces las acciones, por estar privadas de sentido, que sólo puede aparecer en el encuentro de agentes libres, morales, culturales y religiosos, se convierten en tendencias sin contenido de poder, aunque frecuentemente a gran escala. Pueden servir como instrumentos de destino histórico pero pagan su pérdida de sentido con la destrucción del grupo histórico del que se sirven. Ya que el poder que ha perdido sentido se pierde también como poder él mismo.

La actitud contraria para con la centralidad política y la creatividad histórica es el sacrificio de la primera a la segunda. Esto puede resultar de una diversidad de centros de poder dentro de un grupo portador de historia, si el centro del grupo como un todo está cambiando de un subcentro a otro o si no se puede establecer en absoluto ningún centro englobante. Estos son los períodos más trágicos de la historia y con frecuencia los más creativos. Es también posible que el centro, al impulsar la creatividad individual, se pueda privar a sí mismo del poder que es necesario para una acción histórica centrada —una situación a la que normalmente sigue un período de dictadura. En este caso el efecto, incluso de una gran creación individual, sobre la historia como un todo continúa siendo indirecto porque carece de una acción histórica centrada.

Estas consideraciones desembocan en la pregunta: ¿cómo se pueden conquistar dentro de una integración histórica inambigua las ambigüedades de la tendencia externa imperial y de la centralización interna?

2. LAS AMBIGÜEDADES DE LA AUTOCREATIVIDAD
    HISTÓRICA: REVOLUCIÓN Y REACCIÓN

La creatividad histórica tiene lugar tanto en el elemento no-progresivo como en el progresivo de la dinámica de la historia. Es el proceso en el que se crea lo nuevo en todos los dominios bajo la dimensión histórica. Todo lo nuevo en la historia guarda dentro de sí elementos de lo viejo de donde procede. Hegel ha expresado este hecho con la frase muy conocida de que lo viejo está en lo nuevo, negado y preservado *(aufgehoben)*. Pero Hegel no se tomó en serio la ambigüedad de esta estructura de crecimiento y sus posibilidades destructivas. Estos factores aparecen en la relación entre las generaciones, en las luchas de los estilos artísticos y filosóficos, en las ideologías de los partidos políticos, en la oscilación entre revolución y reacción y en las situaciones trágicas a las que llevan estos conflictos. La grandeza de la historia es que corre hacia lo nuevo, pero la grandeza, debido a su ambigüedad, es también el carácter trágico de la historia.

El problema de la relación entre las generaciones no es el de la autoridad (que ya fue tratado anteriormente) sino el de lo viejo y lo nuevo en la dinámica de la historia. A fin de dejar lugar para lo nuevo la generación joven tiene que prescindir de los procesos creadores de los que ha surgido lo viejo. Los representantes de lo nuevo atacan los resultados finales de esos procesos, inconscientes de las respuestas a los primeros problemas que van implicadas en estos resultados. Por tanto los ataques son necesariamente injustos; esta injusticia es un elemento inevitable de su fortaleza para irrumpir en lo dado. Naturalmente, su injusticia produce reacciones negativas en el aspecto de lo viejo —negativas no tanto en términos de injusticia como en términos de incapacidad para comprender. Los representantes de lo viejo ven en los resultados dados la fatiga y la grandeza de su propio pasado creador; no ven que constituyan grandes obstáculos en el camino de la nueva generación hacia la creatividad. En este conflicto los partidarios de lo viejo se vuelven duros y mordaces, y los partidarios de lo nuevo quedan frustrados y vacíos.

Es natural que la vida política quede ampliamente estructurada por la ambigüedad de la creatividad histórica. Todo acto político se dirige hacia algo nuevo; pero la diferencia está en si este nuevo paso se da a causa de lo nuevo en sí mismo o a causa de lo viejo. Aun en las situaciones no revolucionarias entre las fuerzas conservadoras y progresivas lleva a la ruptura de los lazos humanos, a una distorsión de la verdad fáctica en parte inconsciente y en parte consciente, a promesas de realización de lo que ni siquiera se intentó y a la supresión de fuerzas creadoras que pertenecen al otro aspecto. Finalmente, se puede desarrollar una situación revolucionaria con sus luchas devastadoras entre revolución y reacción. Hay situaciones en las que sólo una revolución (no siempre una revolución sangrienta) puede lograr abrir camino a una nueva creación. Estas irrupciones violentas son ejemplos de destrucción a causa de la creación, una destrucción a veces tan radical que una nueva creación se hace imposible y tiene lugar una lenta reducción del grupo y de su cultura a una etapa de existencia casi vegetativa. Es este peligro de caos total el que da a las fuerzas en el poder la justificación ideológica para suprimir las fuerzas revolucionarias o para intentar derrotarlas en una contrarrevolución. Frecuentemente la misma revolución corre en una dirección que contradice su sentido original y aniquila a quienes la han creado. Si la reacción es victoriosa, la historia no ha vuelto a la etapa «ideal» en cuyo nombre se inició la contrarrevolución sino a algo nuevo que rechaza la novedad y que es desgastado lentamente por las fuerzas de lo nuevo, que a la larga no puede ser excluido, por muy distorsionada que pueda resultar su aparición. La inmensidad del sacrificio personal y la destrucción de cosas en estos procesos lleva al problema de la creatividad histórica inambigua.

3. LAS AMBIGÜEDADES DE LA AUTOTRASCENDENCIA HISTÓRICA: LA «TERCERA ETAPA» COMO DADA Y COMO ESPERADA

Los conflictos históricos entre lo viejo y lo nuevo alcanzan su etapa más destructiva si uno de los dos se arroga para sí mismo la ultimidad. Esta pretensión autoelevadora de ultimidad es la definición de lo demoníaco y en ningún sitio está tan de manifiesto lo demoníaco como bajo la dimensión histórica. La pretensión de ultimidad toma la forma de pretender tener o aportar lo último hacia lo que corre la historia. Esto ha ocurrido no sólo en la política sino aún más directamente en la esfera religiosa. La lucha entre lo viejo sagrado y lo nuevo profético es un tema central de la historia de las religiones y, de acuerdo con el hecho de que lo santo es el lugar favorito de lo demoníaco, estos conflictos alcanzan una fuerza destructora que pasa por encima de todo en las guerras y en las persecuciones religiosas. Desde el punto de vista de la dinámica histórica, este es el conflicto entre grupos diferentes que pretenden representar la finalidad de la historia ya sea en términos de su plenitud real o en términos de su plenitud anticipada. En conexión con esto podemos emplear el tradicional símbolo de la «tercera etapa».

Su trasfondo mitológico es el drama cósmico del paraíso, caída y restitución. Su aplicación a la historia ha llevado a visiones apocalípticas de varias edades del mundo y a la esperada llegada de la nueva y última edad. En la interpretación que hace Agustín de la historia, la última edad se inicia con la fundación de la iglesia cristiana. En una posición contraria, Joaquín de Fiore, siguiendo las ideas montanistas, habla de tres edades, de las que la tercera no ha aparecido aún pero aparecerá dentro de unas pocas décadas. El sentimiento de estar en el principio de la última etapa de la historia ha sido expresado con terminología religiosa por movimientos sectarios, por ejemplo, con el símbolo de los mil años durante los que Cristo dirigirá la historia antes del final definitivo. En los períodos de la ilustración y del idealismo se secularizó y se tomó como una función revolucionaria el símbolo de la tercera etapa. Tanto la burguesía como el proletariado construyeron su respectivo cometido histórico en el mundo como portadores de la «edad de la razón» o de la «sociedad sin clase», términos que son variaciones del símbolo de la tercera etapa. En cada forma del símbolo, la religiosa y la secular, se expresa la convicción de que la tercera etapa ha empezado, que la historia ha alcanzado un punto que no puede ser sobrepasado en principio, que el «principio del fin» está al alcance de la mano, y que podemos ver la plenitud última hacia la que se mueve la historia, en cuyo curso se trasciende a sí misma y a cada uno de sus momentos. En estas ideas la autotrascendencia de la vida bajo la dimensión de la historia se expresa y desemboca en dos actitudes completamente ambiguas: la primera es autoabsolutizadora, en la que se identifica la situación presente con la tercera etapa, y la segunda es utópica, en la que se ve la tercera etapa como al mismo alcance de la mano o empezando ya mismo. La actitud autoabsolutizadora es ambigua porque, por un lado, hace que la autotrascendencia de la vida se manifieste con símbolos religiosos o cuasireligiosos, y, por otro, oculta la autotrascendencia de la vida al identificar estos símbolos con lo último en sí mismo. La expresión clásica de esta ambigüedad es la pretensión de la iglesia romana de ser la plenitud de la visión apocalíptica del reinado de mil años de Cristo en la tierra, recibiendo así de esta autointerpretación sus rasgos divinos y demoníacos. En la utopía sectaria así como secular, la ambigüedad se pone al máximo de manifiesto cuando contrastamos la manera cómo estos movimientos crean nuevas realidades históricas a través del entusiasmo de su esperanza y los sacrificios que hacen para llevarlo a su realización, con el resultado de profundo desengaño existencial, al que sigue el cinismo y la indiferencia, en el caso en que el estado de cosas falle en corroborar sus esperanzas. La historia expresa la ambigüedad de su autotrascendencia de la manera más conspicua en estas oscilaciones. En ellas, sobre todo, el enigma de la historia se convierte en una preocupación existencial así como en un problema filosófico y teológico.

Las tres últimas consideraciones ponen de manifiesto que es posible y revelador aplicar la distinción de las tres funciones de la vida a la historia también, y que, como en las otras dimensiones de la vida, conducen a conflictos que son inevitables y la causa tanto de la grandeza como de la tragedia de la existencia histórica. Unos tales análisis nos pueden liberar tanto de la utopía como de la desesperación con respecto al significado de la historia.

4. LAS AMBIGÜEDADES DEL INDIVIDUO EN LA HISTORIA

La mayoría de religiones y filosofías están de acuerdo con el juicio de Hegel de que «la historia no es el lugar en el que el individuo puede encontrar la felicidad». Incluso la mirada más superficial a la historia del mundo muestra la verdad de esta afirmación que queda confirmada de manera aplastante por una visión más profunda y más amplia. Sin embargo, esta no es toda la verdad. El individuo recibe su vida como persona del grupo portador de historia al que pertenece. La historia ha dado a cada uno las condiciones físicas, sociales y espirituales de su existencia. Nadie que use una lengua está fuera de la historia y nadie puede retirarse de la misma. El monje y el eremita, quienes han intentado cortar todos los lazos sociales y políticos, dependen de la historia que intentan esquivar, y aún más, tienen una influencia sobre el movimiento histórico del que intentan separarse. Es un hecho que se repite con frecuencia que quienes han rehusado actuar históricamente han ejercido un mayor impacto sobre la historia que aquellos que estaban situados cerca de los centros de la acción histórica.

La historia no sólo es política; todos los aspectos de la actividad cultural y religiosa del hombre tienen una dimensión histórica. Por tanto, todos, en cada uno de los dominios de la actividad humana, actuamos históricamente. Los servicios más pequeños e inferiores ayudan a mantener la base técnica y económica de la sociedad y por consiguiente apoyan su movimiento histórico. Sin embargo, la participación universal de todo ser humano en la historia no excluye el predominio de la función política en la actividad histórica. La razón de este predominio está en el carácter político interno y externo de los grupos portadores de historia. La condición previa de toda vida, incluyendo la vida en la historia, es la centralidad de los agentes de la vida —en el caso de la historia, la centralidad de los grupos históricos en sus cualidades estáticas y dinámicas. Y la función en la que esta centralidad se concretiza es la política. Por tanto, la imagen de la historia, ya sea en la visión popular o en los libros científicos, está dominada por las personalidades políticas y sus acciones. Incluso las relaciones históricas de la economía, de la ciencia, del arte, o de la iglesia, no pueden evitar una referencia constante a la estructura política en la que se desarrollan las actividades culturales y religiosas.

El predominio de la función política, y al mismo tiempo, la ambigüedad del individuo en la historia quedan patentes de la manera más conspicua en la organización democrática del campo político. Como ya se afirmó, la democracia no es un sistema político absoluto, pero es la mejor manera descubierta hasta el presente para garantizar la libertad creativa de determinar el proceso histórico a cada uno dentro de un grupo histórico centrado. El predominio de la política incluye la dependencia de todas las otras funciones en las que se presupone la libertad creadora de la organización política. Para comprobar esto basta con echar una mirada a los sistemas dictatoriales y a sus intentos de someter todas las formas de creatividad cultural, incluyendo la ética y la religión, al poder político central. El resultado es la privación no sólo de la libertad de creatividad política sino también de la libertad de creatividad de cualquier clase excepto aquella que interese a las autoridades centrales (como el trabajo científico en la Rusia soviética). La democracia posibilita la lucha por la libertad en todos los campos que contribuyen al movimiento histórico al luchar por la libertad en el campo político. Sin ambargo, la participación del individuo en los sistemas políticos democráticos tiene sus límites y ambigüedades. En la actividad política en particular, las técnicas de representación reducen drásticamente la participación del individuo, a veces incluso hasta un grado inapreciable en las sociedades de masas con una burocracia de partido omnipotente. Se puede producir y mantener una mayoría mediante métodos que privan a un amplio número de individuos de influencia política de manera absoluta y por un tiempo indefinido. Los canales de comunicación pública en las manos de los grupos dirigentes se pueden convertir en instrumentos de un conformismo que mata la creatividad en todos los campos de manera tan perfecta como bajo las dictaduras, y el mejor ejemplo de ello está en el campo de la política. Por otro lado, la democracia se puede convertir en algo inútil debido a las divisiones disgregadoras dentro del grupo —la aparición, por ejemplo, de tantos partidos que sea imposible una mayoría con capacidad de acción. O pueden surgir partidos absolutistas en su ideología y que emprenden una lucha a muerte contra los partidos contrarios. En tales casos, la dictadura no anda lejos.

Hay ambigüedades del individuo en la historia que son válidas bajo cualquier sistema político. Se pueden resumir en la ambigüedad del sacrificio histórico. Es este carácter básico de la participación del individuo en la historia el que induce en mucha gente el deseo de esquivar toda política. En el monólogo «ser o no ser», de Hamlet, se enumeran muchas de las causas históricas para un tal deseo. Hoy la irrupción de la ideología progresista ha producido una amplia indiferencia, y la división Oriente-Occidente con su amenaza de autodestrucción universal ha llevado a innumerables individuos al cinismo y a la desesperación; sienten con la visión apocalíptica judía que la tierra se ha hecho «vieja» —un dominio en el que mandan las fuerzas demoníacas— y miran por encima de la historia con resignación o con elevación mística. Los símbolos de esperanza que expresan la meta hacia la que corre la historia, ya sean seculares o religiosos, han perdido su poder conmovedor. El individuo se siente a sí mismo una víctima de fuerzas que él no puede influenciar. Para él la historia es una negatividad sin esperanza.

Las ambigüedades de la vida bajo la dimensión de la historia y las implicaciones de estas ambigüedades en la vida del
individuo dentro de su grupo histórico desembocan en la pregunta: ¿cuál es el significado de la historia para el sentido de la
existencia universalmente? Todas las interpretaciones de la
historia tratan de dar una respuesta a esta pregunta.

C.   INTERPRETACIONES DE LA HISTORIA Y LA BÚSQUEDA DEL REINO DE DIOS

1.   LA NATURALEZA Y EL PROBLEMA DE UNA INTERPRETACIÓN DE LA HISTORIA

Toda leyenda, toda crónica, toda información de acontecimientos pasados, toda obra histórica científica, contiene historia
interpretada. Esto es consecuencia del carácter sujeto-objeto de
la historia del que ya nos ocupamos. Una tal interpretación, sin
embargo, tiene muchos niveles. Incluye la selección de hechos
de acuerdo con el criterio de importancia, la valoración de las
dependencias causales, la imagen de las estructuras personales y
comunitarias, una teoría de la motivación en los individuos,
grupos y masas, una filosofía social y política, y subyacente a
todo esto, se admita o no, una comprensión del significado de la
historia en unión con el significado de la existencia en general.
Una tal comprensión influye, consciente o inconscientemente,
sobre todos los otros niveles de interpretación y, a la inversa,
depende de un conocimiento de los procesos históricos, tanto
específica como universalmente. Todo el que se ocupe de la
historia a *cualquier* nivel tiene que constatar la mutua dependencia del conocimiento histórico a todos sus niveles y de la interpretación de la historia.

Nuestro problema es la interpretación de la historia en el
sentido de la pregunta: ¿cuál es el significado de la historia para
el sentido de la existencia en general? ¿De qué manera la
historia ejerce su influencia sobre nuestra preocupación última?
La respuesta a esta pregunta se debe relacionar con las ambigüedades implicadas en los procesos de la vida bajo la dimensión de la historia, todos los cuales son expresiones de la antino-
mia básica del tiempo histórico.

¿Cómo es posible una respuesta al significado de la historia? Obviamente, el carácter sujeto-objeto de la historia impide una respuesta objetiva en cualquier sentido imparcial, científico. Sólo una plena implicación en la acción histórica puede servir de base para una interpretación de la historia. La actividad histórica es la clave para comprender la historia. Esto, sin embargo, nos llevaría a tantas interpretaciones como tipos hay de actividad histórica, y surge la pregunta: ¿qué tipo proporciona la clave adecuada? O, con otras palabras, ¿en qué grupo histórico se debe tener participación para poder adquirir una visión universal que nos abra el sentido de la historia? Todo grupo histórico es particular, y la participación en sus actividades históricas implica una visión particular de la finalidad de la creatividad histórica. Es la conciencia vocacional, a la que ya nos referimos, la que decide la clave y la que nos da acceso a la comprensión de la historia. Por ejemplo, la autointerpretación vocacional griega, tal como se da en la *Política* de Aristóteles, ve en el contraste entre los griegos y los bárbaros la clave para una interpretación de la historia, mientras que la autointerpretación vocacional judía, tal como se da en el literatura profética, ve una clave en el establecimiento del mandato de Yahvé sobre las naciones del mundo. Más adelante aportaremos nuevos ejemplos. En este momento la pregunta es: ¿qué grupo y qué conciencia vocacional pueden proporcionar la clave de la historia en su conjunto? Obviamente, si intentamos dar una respuesta, ya hemos dado por válida una interpretación de la historia con una pretensión de universalidad; ya nos hemos servido de la clave para justificar su empleo. Esto es una consecuencia inevitable del «círculo teológico» dentro del que se mueve la teología sistemática; pero es un círculo inevitable cada vez que se hace la pregunta del significado último de la historia. En un mismo y único acto se experimentan la clave y aquello a lo que nos abre la clave; van juntas la afirmación de la conciencia vocacional en un grupo histórico definido y la visión de la historia implicada en esta conciencia. Dentro del círculo de este sistema teológico, es en el cristianismo donde se encuentran la clave y la respuesta. En la conciencia vocacional cristiana, se afirma la historia de una manera tal que los problemas implicados en las ambigüedades de la vida bajo la dimensión de la historia hallan una respuesta en el símbolo «reino de Dios». Sin embargo, esta es una afirmación que debe someterse a prueba contrastando este símbolo con los otros tipos principales de comprensión de la historia así como reinterpretando el símbolo a la luz de estos contrastes.

La interpretación de la historia incluye más de una respuesta a la pregunta de la historia. Puesto que la historia es la dimensión omnienglobante de la vida, y puesto que el tiempo histórico es el tiempo en el que se presuponen todas las otras dimensiones del tiempo, la respuesta al significado de la historia implica una respuesta al significado universal del ser. La dimensión histórica está presente en todos los campos de la vida, si bien como una dimensión subordinada. En la historia humana es algo que le corresponde como en herencia. Pero tras esta herencia arrastra también consigo las ambigüedades y problemas bajo las otras dimensiones. Con los términos del símbolo del reino de Dios viene a significar que el «reino» incluye la vida en todos los campos, o que todo lo que existe participa del afán hacia la finalidad interna de la historia: plenitud o sublimación última.

Una tal afirmación, por supuesto, es más que una respuesta a la pregunta de la interpretación de la historia. Implica una interpretación; por tanto ahora la pregunta es: ¿cómo se puede describir y justificar esta comprensión particular de la finalidad interna de la historia, tal como aparece en el sistema teológico?

2. RESPUESTAS NEGATIVAS A LA PREGUNTA DEL SENTIDO DE LA HISTORIA

Las ambigüedades de la historia, como expresión final de las ambigüedades de la vida bajo todas sus dimensiones, han conducido a una división básica en la valoración de la historia y de la misma vida. Ya hemos hecho referencia a ello al tratar del nuevo ser y de su expectación por los dos tipos de contraste de interpretación de la historia —el no-histórico y el histórico. El tipo no-histórico, el primero que vamos a estudiar, da por supuesto que el «correr adelante» del tiempo histórico no tiene ninguna finalidad ni dentro ni por encima de la historia sino que la historia es el «lugar» en el que los seres individuales viven sus vidas inconscientes de un *telos* eterno de sus vidas personales.

Esta es la actitud ante la historia de la mayoría de seres humanos. Se pueden distinguir tres formas de tales interpretaciones no-históricas de la historia: la trágica, la mística y la mecanicista.

La interpretación trágica de la historia recibe su expresión clásica en el pensamiento griego pero de ninguna manera queda confinada en él. La historia, según esta visión, no corre hacia una finalidad histórica o transhistórica sino que se mueve en un círculo que vuelve a su principio. En su curso proporciona a cada ser, a cada uno en su tiempo y con límites definidos, su génesis, su punto culminante y su declive; no existe nada más allá o por encima de este espacio de tiempo que está determinado él mismo por el hado. Dentro del círculo cósmico, se pueden distinguir períodos que en conjunto constituyen un proceso de deterioro, que se inicia con una perfección original para caer gradualmente en una etapa de distorsión total de lo que son esencialmente el mundo y el hombre. La existencia en el tiempo y el espacio y en la separación de un individuo del otro es una culpa trágica que lleva necesariamente a la autodestrucción. Pero la tragedia presupone grandeza y en esta visión se pone gran énfasis en la grandeza en términos de centralidad, creatividad y sublimación. Se alaba la gloria de la vida en la naturaleza, en las naciones y en las personas y es precisamente por esta razón por la que se deploran la brevedad, la desgracia y la cualidad trágica de la vida. Pero no hay ninguna esperanza, ninguna expectativa de una plenitud inmanente o trascendente de la historia. Es no-histórica y su última palabra es el trágico círculo de génesis y decadencia. No se conquista ninguna de las ambigüedades de la vida; no existe ningún consuelo ante el aspecto desintegrador, destructor y profano de la vida y su único recurso es el coraje que eleva tanto al héroe como al sabio por encima de las vicisitudes de la existencia histórica.

Esta manera de trascender la historia apunta al segundo tipo de interpretación no-histórica de la historia, la mística. Si bien aparece también en la cultura occidental (como, por ejemplo, en el neoplatonismo y en la escuela de Spinoza) se desarrolla más plena y efectivamente en el oriente, como en el hinduismo de los vedas, en el taoísmo y en el budismo. La existencia histórica no tiene ningún sentido en sí misma. Se debe vivir en ella y actuar razonablemente, pero la historia misma no puede ni crear lo nuevo ni ser verdaderamente real. Esta actitud que exige una elevación por encima de la historia mientras se vive en ella, es la más extendida de todas dentro de la humanidad histórica. En algunas filosofías hindúes hay una especulación similar a la del estoicismo acerca de ciclos cósmicos de génesis y decadencia y del deterioro de la humanidad histórica de un período a otro hasta el último en el que estamos viviendo. Pero, en general, no hay ninguna conciencia de tiempo histórico y de un final hacia el que se va corriendo en este tipo de interpretación no-histórica de la historia. Se pone el énfasis en el individuo y particularmente en los comparativamente escasos individuos iluminados que tienen conciencia del predicamento humano. Los otros son objeto de un juicio farisaico acerca de su *karma* del que son responsables en una encarnación anterior, o son objeto de compasión y adaptación de las exigencias religiosas a su etapa no iluminada, como en algunas formas de budismo. En cualquier caso, estas religiones no contienen ningún impulso para transformar la historia en la dirección de humanidad y justicia universales. La historia no tiene ninguna finalidad ni en el tiempo ni en la eternidad. Y de nuevo la consecuencia es que las ambigüedades de la vida bajo todas las dimensiones son insuperables. Solamente hay una manera de poder con ellas y es trascendiéndolas y viviendo dentro de ellas como alguien que ha regresado ya al Ultimo. No ha cambiado la realidad pero ha conquistado su propia implicación en la realidad. No hay ningún símbolo análogo al del reino de Dios. Pero se da con frecuencia una profunda compasión por la universalidad del sufrimiento bajo todas las dimensiones de la vida —un elemento que está ausente con frecuencia bajo la influencia de las interpretaciones históricas de la historia en el mundo occidental.

Bajo el impacto de la interpretación científica moderna de la realidad en todas sus dimensiones, la comprensión de la historia ha sufrido un cambio, no sólo en relación con la interpretación mística de la historia, sino también en relación con la interpretación trágica. El tiempo físico controla el análisis del tiempo tan completamente que apenas si queda lugar para las características especiales del tiempo biológico, y aún menos del histórico. La historia se ha convertido en una serie de acontecimientos en el universo físico, que interesan al hombre, dignos de ser registrados y estudiados, pero sin que suponga una contribución especial a la interpretación de la existencia en cuanto tal. Se podría llamar a esto el tipo mecanicista de la interpretación no-histórica de la historia (en donde el término «mecanicista» se usa en el sentido de «naturalismo reduccionista»). El mecanicismo no subraya el elemento trágico en la historia tal como hizo el naturalismo clásico de los griegos. Puesto que está íntimamente relacionado con el control técnico de la naturaleza por la ciencia y la tecnología, tiene en algunos casos un carácter progresista. Pero está abierto también a la actitud contraria de desvaloración cínica de la existencia en general y de la historia en particular. La visión mecanicista no comparte el énfasis griego sobre la grandeza y la tragedia de la existencia histórica del hombre y comparte en aún más pequeña medida la interpretación de la historia desde el punto de vista de una finalidad intra-histórica o trans-histórica hacia la que se da por supuesto ha de correr la historia.

3. RESPUESTAS POSITIVAS AUNQUE INADECUADAS
A LA PREGUNTA DEL SENTIDO DE LA HISTORIA

En algunos casos la interpretación mecanicista de la historia está aliada al «progresismo», el primer tipo de una interpretación histórica de la historia que discutiremos. En ella «progreso» es más que un hecho empírico (que también lo es); se ha convertido en un símbolo cuasi-religioso. En el capítulo sobre el progreso discutimos la validez y las limitaciones empíricas del concepto de progreso. Aquí debemos mirar su uso como ley universal que determina la dinámica de la historia. El aspecto significativo de la ideología progresista es su énfasis sobre la intención progresiva de toda acción creadora y su conciencia de aquellas áreas de la autocreatividad de la vida en las que el progreso es de la esencia de la realidad afectada, por ejemplo, la tecnología. De esta manera el símbolo del progreso incluye el elemento decisivo del tiempo histórico, su carrera adelante hacia una finalidad. El progresismo es una interpretación de la historia genuinamente histórica. Su poder simbólico fue en algunas épocas de la historia tan fuerte como cualquiera de los grandes símbolos religiosos de la interpretación histórica, incluyendo el símbolo del reino de Dios. Comunicó ímpetu a las acciones históricas, pasión a las revoluciones, y un sentido a la vida para muchos que habían perdido toda otra fe y para quienes el eventual derrumbamiento de la fe progresista fue una catástrofe espiritual. En pocas palabras, fue un símbolo cuasi-religioso a pesar de su finalidad intra-histórica.

Se pueden distinguir dos formas del mismo: la creencia en el progreso mismo como un proceso infinito sin fin, y la creencia en un estado final de plenitud, por ejemplo, en el sentido del concepto de la tercera etapa. La primera forma es progresismo en sentido propio; la segunda forma es utopía (que requiere discusión aparte). El progresismo, como la creencia en el progreso como progreso sin un final definido, ha sido creado por el ala idealista de la autointerpretación filosófica de la moderna sociedad industrial; el neo-kantianismo fue el más importante en el desarrollo de la idea del progreso infinito. La realidad es la creación nunca acabada de la actividad cultural del hombre. No hay «realidad en sí misma» detrás de esta creación. Los procesos dialécticos de Hegel tienen el elemento de progreso infinito en su estructura y ese elemento es el poder conductor de la negación que, como ha resaltado vigorosamente Bergson, requiere una abertura infinita para el futuro —incluso en Dios. El hecho de que Hegel detuviera el movimiento dialéctico con su propia filosofía fue incidental para su principio y no ha impedido el que se convirtiera en una de las más poderosas influencias para el progresismo en el siglo XIX. El ala positivis-ta de la filosofía del siglo XIX —como muestran Comte y Spencer— podía aceptar el positivismo en sus propios términos; y esta escuela ha dado una gran cantidad de material para una justificación científica del progreso como una ley universal de la historia, que aparece bajo todas las dimensiones de la vida pero que se hace consciente de sí mismo sólo en la historia humana. La creencia positivista quedó cortada por las experiencias de nuestro siglo: la recaída de la historia mundial en capas de inhumanidad que se suponían ya conquistadas hacía mucho tiempo, la manifestación de las ambigüedades del progreso en los campos en que tiene lugar el mismo, el sentimiento de la falta de sentido de un progreso infinito sin un final, y la intuición de que la libertad de cada ser humano que llega a la vida empieza de nuevo para bien y para mal. Es sorprendente constatar lo repentino y radical que fue el derrumbamiento del progresismo, tan radical que hoy muchos (incluyendo al que esto escribe) que hace veinte años lucharon contra la ideología progresista se sienten llevados ahora a defender los elementos justificados de este concepto.

Tal vez el ataque más agudo a la creencia en el progreso infinito vino de una idea que originariamente había brotado de la misma raíz —la interpretación utópica de la historia. La utopía es progresismo con una finalidad definida: llegar a una etapa de la historia en la que sean conquistadas las ambigüedades de la vida. Al discutir la utopía es importante distinguir, como en el caso del progresismo, el ímpetu utópico del símbolo de la utopía literalmente interpretado, siendo este último la «tercera etapa» del desarrollo histórico. El ímpetu utópico es el resultado de una intensificación del ímpetu progresivo, y se distingue del mismo por la creencia de que la presente acción revolucionaria conseguirá la transformación final de la realidad, aquella etapa de la historia en la que el *ou-tópos* (no-lugar) se convertirá en el lugar universal. Este lugar será la tierra, el planeta que en la visión geocéntrica del mundo era el más alejado de las esferas celestiales, y que en la visión heliocéntrica del mundo se ha convertido en una estrella entre las otras, de igual dignidad, igual finitud e igual infinitud eterna. Y será el hombre, el microcosmos, el representante de todas las dimensiones del universo, por cuyo medio será transferida la tierra a la plenitud de la que el paraíso fue una simple potencialidad. Estas ideas del Renacimiento están detrás de muchas formas de utopía secular en la época moderna y han prestado incentivo a los movimientos revolucionarios hasta nuestros días.

El carácter problemático de la interpretación utópica de la historia ha sido claramente revelado por los acontecimientos del siglo XX. Ciertamente, el poder y la verdad del ímpetu utópico se ha puesto de manifiesto en su inmenso éxito en todos los campos en que tiene validez la ley del progreso, como se preveía en las utopías del Renacimiento; pero al mismo tiempo, ha aparecido también una completa ambigüedad entre progreso y recaída en aquellos campos en los que está implicada la libertad humana. Los campos que implicaban la libertad humana fueron también marginados en un estado de plenitud inambigua por los utópicos del Renacimiento y sus sucesores en los movimientos revolucionarios de los trescientos últimos años. Pero estas esperanzas quedaron frustradas con aquella profunda decepción que sigue a toda confianza idólatra en algo finito. Una historia de tales «desengaños existenciales» en los tiempos modernos sería una historia de cinismo, de indiferencia de la masa, de división consciente en los grupos dirigentes, de fanatismo y de tiranía. Los desengaños existenciales producen enfermedades y catástrofes individuales y sociales: se debe pagar el precio del éxtasis idólatra. Ya que la utopía, tomada al pie de la letra, es idólatra. Da la cualidad de ultimidad a algo preliminar. Hace incondicional lo que está condicionado (una situación histórica futura) y al mismo tiempo no tiene en cuenta la alienación existencial siempre presente y las ambigüedades de la vida y de la historia. Esto hace que sea inadecuada y peligrosa la interpretación utópica de la historia.

Una tercera forma de inadecuada interpretación histórica de la historia podría clasificarse como de tipo «trascendental». Va implícita en la manera escatológica del nuevo testamento y de la primitiva iglesia hasta Agustín. Fue llevada a su forma radical en el luteranismo ortodoxo. La historia es el lugar en el que, tras la preparación del antiguo testamento, ha aparecido el Cristo para salvar a los individuos dentro de la iglesia de la esclavitud del pecado y de la culpa y permitirles participar del reino celestial tras su muerte. La acción histórica, especialmente en el decisivo campo político, no se puede ver libre de las ambigüedades del poder, interna o externamente. No hay relación alguna entre la justicia del reino de Dios y la justicia de las estructuras de poder. Los dos mundos están separados por un abismo insalvable. Son rechazadas la utopía sectaria y las interpretaciones teocráticas calvinistas. Los intentos revolucionarios por cambiar el sistema político corrompido están en contradicción con la voluntad de Dios tal como se expresa en su acción providencial. Después de que la historia se ha convertido en la escena de la revelación salvadora, ya no se puede esperar de ella nada esencialmente nuevo. La actitud que se expresaba con estas ideas tenía una perfecta adecuación con el predicamento de la mayoría de gente del último período feudal de la Europa central y oriental, y contiene un elemento que se adecua a la situación de innumerables individuos en todos los períodos de la historia. En teología es un contrapeso necesario el peligro de la utopía tanto secular como religiosa. Pero queda corta en una interpretación histórica adecuada de la historia. Su fallo más obvio está en el hecho de que contrasta la salvación del individuo con la transformación del grupo histórico y del universo, separando así al uno del otro. Este error fue criticado con agudeza por Tomás Muenzer, quien en su crítica de la actitud de Lutero apuntaba el hecho de que a las masas no les quedaba ni tiempo ni ánimos para una vida espiritual; un juicio que fue repetido por los socialistas religiosos en su análisis de la situación sociológica y psicológica del proletariado en las ciudades industriales de finales del siglo XIX y principios del XX. Otra deficiencia de la interpretación trascendental de la historia es la manera cómo pone en contradicción el reino de la salvación con el reino de la creación. El poder en sí mismo es bondad creada y un elemento en la estructura esencial de la vida. Si queda más allá de la salvación —por muy fragmentaria que pueda ser la salvación— la vida misma está más allá de la salvación. Con tales derivaciones queda patente el peligro maniqueo de la visión trascendental de la historia.

Finalmente, esta visión interpreta el símbolo del reino de Dios como un orden estático supranatural en el que los individuos entran tras su muerte —en lugar de entender el símbolo, con los escritores bíblicos, como un poder dinámico sobre la tierra por cuyo advenimiento rezamos en el padrenuestro y que, según el pensamiento bíblico, está en lucha contra las fuerzas demoníacas que son poderosas en las iglesias así como en los imperios. Por consiguiente, el tipo trascendental de interpretación histórica es inadecuado porque excluye tanto a la cultura como a la naturaleza de los procesos salvadores en la historia. Es una ironía que ello se haya dado en ese tipo de protestantismo que —siguiendo al mismo Lutero— ha tenido la más positiva relación con la naturaleza y ha aportado la más grande contribución a las funciones artísticas y cognoscitivas de la cultura. Pero todo ello quedó sin consecuencias decisivas para el cristianismo moderno debido a la actitud trascendental para con la política, la ética social y la historia en el luteranismo.

Fue el descontento con las interpretaciones de la historia progresiva, utópica, y trascendental (y el rechazo de los tipos no históricos) lo que indujo a los socialistas religiosos de principios de 1920 a buscar una solución que evita su inadecuación y se basa en el profetismo bíblico. Este intento se hizo en los términos de una reinterpretación del símbolo del reino de Dios.

4. EL SÍMBOLO «REINO DE DIOS» COMO RESPUESTA A LA
    PREGUNTA DEL SENTIDO DE LA HISTORIA

    a) *Las características del símbolo «reino de Dios»*

En el capítulo de los tres símbolos de la vida inambigua hemos descrito la relación del símbolo «reino de Dios» con los símbolos «presencia espiritual» y «vida eterna». Vimos que cada uno de ellos incluye a los otros dos pero que, debido a las diferencias en los materiales del símbolo, tenemos una justificación para servirnos de los términos presencia espiritual como respuesta a las ambigüedades del espíritu humano y sus funciones, reino de Dios como respuesta a las ambigüedades de la historia, y vida eterna como respuesta a las ambigüedades de la vida universal. Con todo, las connotaciones del símbolo del reino de Dios abarcan más que las de los otros dos. Ello es consecuencia del doble carácter del reino de Dios. Tiene un aspecto intrahistórico y otro transhistórico. Como intrahistórico participa de la dinámica de la historia; como transhistórico es una respuesta a las preguntas implicadas en las ambigüedades de la dinámica de la historia. En la primera cualidad se manifiesta a través de la presencia espiritual; en la segunda, se identifica con la vida eterna. Esta doble cualidad del reino de Dios le convierte en un símbolo el más importante y el más difícil del pensamiento cristiano y —aún más— en uno de los más críticos para el absolutismo tanto político como eclesiástico. Precisamente por ser tan crítico, el desarrollo eclesiástico del cristianismo y el énfasis sacramental de las dos iglesias católicas ha marginado el símbolo, y hoy día, tras su empleo (y parcial secularización) por el movimiento del evangelio social y algunas formas de socialismo religioso, el símbolo ha vuelto a perder fuerza. Lo que no deja de ser notable a la vista del hecho de que la predicación de Jesús empezó con el mensaje de que el «reino de Dios está cerca» y de que los cristianos rezan por su advenimiento en cada padrenuestro.

Su reinstalación como símbolo viviente puede venir del encuentro del cristianismo con las religiones asiáticas, de manera especial con el budismo. Si bien las grandes religiones nacidas en la India pretenden poder recibir cualquier religión como parcial en el seno de su universalidad autotrascendente, parece imposible que puedan aceptar el símbolo del reino de Dios en algo que guarde semejanza con su sentido original. El material simbólico está tomado de esferas —la personal, la social y la política— que en la experiencia básica del budismo están trascendidas radicalmente, mientras que son elementos esenciales e indispensables de la experiencia cristiana. Las consecuencias de esta diferencia para la religión y la cultura en Oriente y Occidente tienen un alcance histórico mundial y parecería como si no hubiera ningún otro símbolo en el cristianismo que apunte al origen último de las diferencias tan claramente como el símbolo «reino de Dios», especialmente cuando se contrasta con el símbolo «nirvana».

La primera connotación del reino de Dios es política. Ello coincide con el predominio de la esfera política en la dinámica de la historia. En el desarrollo del símbolo en el antiguo testamento, el reino de Dios no es tanto un reino en el que Dios gobierna como el mismo poder de control que pertenece a Dios y que él asumirá tras la victoria sobre sus enemigos. Pero si bien el reino como dominio no está en primer término, tampoco está del todo ausente, y se identifica con el Monte Sión, Israel, las naciones, o el universo. Posteriormente en el judaísmo y en el nuevo testamento cobra mayor importancia el dominio del mandato divino: es un cielo y una tierra transformados, una nueva realidad en un nuevo período de la historia. Es el resultado de un nuevo nacimiento de lo viejo en una nueva creación en la que Dios es todo en todo. El símbolo político se transforma en símbolo cósmico, sin perder su connotación política. La palabra «rey» en esta y en muchas otras simbolizaciones de la majestad divina no introduce una forma constitucional especial en el material del símbolo contra la que puedan reaccionar otras formas constitucionales, como puede ser la de una democracia; ya que «rey» (en contraste con otras formas de gobierno) ha sido ya desde los primeros tiempos un símbolo en sí mismo del centro de control político más elevado y más consagrado. Por tanto su aplicación a Dios tiene una doble simbolización que por lo general se comprende.

La segunda característica del reino de Dios es social. Esta característica incluye las ideas de paz y justicia —no en contraposición a la cualidad política, y por tanto, no en contraposición al poder. De esta manera el reino de Dios realiza la esperanza utópica de un estado de paz y de justicia al paso que la libera de su carácter utópico mediante la adición «de Dios», ya que así se reconoce implícitamente la imposibilidad de una plenitud terrena. Pero aun así el elemento social en el símbolo es un permanente recuerdo de que no hay santidad sin lo sagrado de lo que tiene que ser, el imperativo moral incondicional de la justicia.

El tercer elemento implicado en el reino de Dios es el personalista. En contraste con los símbolos en los que la vuelta a la identidad última es la finalidad de la existencia, el reino de Dios da un significado eterno a la persona individual. La finalidad transhistórica hacia la que corre la historia no es la extinción sino la plenitud de la humanidad en todo individuo humano.

La cuarta característica del reino de Dios es su universalidad. No es un reino sólo de hombres; implica la plenitud de la vida bajo todas las dimensiones. Esto coincide con la unidad multidimensional de la vida: la plenitud bajo una dimensión implica la plenitud en todas las dimensiones. Esta es la cualidad del símbolo «reino de Dios» en la que se trasciende el elemento individual-social, aunque no se niegue. Pablo expresa esto con los símbolos de «Dios que es todo en todos» y el de «Cristo que entrega el poder sobre la historia a Dios» cuando la dinámica de la historia haya llegado a su fin.

b) *Los elementos inmanentes y trascendentes*
    en el símbolo «reino de Dios»

Para que el símbolo «reino de Dios» pueda ser una respuesta positiva y adecuada a la pregunta del sentido de la historia, debe ser inmanente y trascendente a la vez. Cualquier interpretación que sólo tenga en cuenta un aspecto priva al símbolo de su poder. En la sección acerca de las respuestas inadecuadas a la pregunta del sentido de la historia discutimos la interpretación utópica y trascendental, aduciendo ejemplos para la una y la otra de la tradición cristiana-protestante. Esto indica que el simple uso del símbolo «reino de Dios» no garantiza una respuesta adecuada. Si bien su historia da todos los elementos de una respuesta, la misma historia muestra que se pueden suprimir cada uno de estos elementos y quedar así distorsionado el sentido del símbolo. Por lo tanto es importante señalar la aparición de estos elementos en el desarrollo básico de la idea del reino de Dios.

El énfasis en la literatura profética es intrahistórico-político. El destino de Israel es el medio revelador para la comprensión profética del carácter y de las acciones de Yahvé, y se ve el futuro de Israel como la victoria del Dios de Israel en la lucha contra sus enemigos. El Monte Sión se convertirá en el centro religioso de todas las naciones, y si bien el «día de Yahvé» es juicio en primer lugar, también es plenitud en sentido histórico-político. Pero no acaba aquí todo. Las visiones acerca del juicio y de la plenitud incluyen un elemento que apenas si se podría llamar intrahistórico o inmanente. Es Yahvé quien gana la batalla contra sus enemigos infinitamente superiores a Israel en número y poder. Es la santa montaña de Dios la que, a pesar de su insignificancia geográfica, será el lugar al que acudirán para adorar todas las naciones. El verdadero Dios, el Dios de justicia, conquista una concentración de fuerzas, en parte políticas, en parte demoníacas. El Mesías, que aportará el nuevo eón, es un ser humano con rasgos superhumanos. La paz entre las naciones incluye la naturaleza, de manera que las especies más hostiles de animales vivirán en paz unas junto a otras. Estos elementos trascendentes dentro de una interpretación predominantemente inmanente-política de la idea del reino de Dios apuntan a su doble carácter. El reino de Dios no puede ser producido por el solo desarrollo intrahistórico. En las sublevaciones políticas del judaísmo durante la época romana, se olvidó casi por completo este doble carácter de la anticipación profética —lo cual condujo a la completa destrucción de la existencia nacional de Israel.

Experiencias como estas, mucho antes de la época romana, produjeron un cambio en el énfasis que pasó del aspecto inmanente-político al trascendente-universal en la idea del reino de Dios. Esto fue más impresionante en la así llamada literatura apocalíptica de la época intertestamentaria, con algunos precedentes en las épocas posteriores del antiguo testamento. La visión histórica queda ampliada y reemplazada por una visión cósmica. La tierra ha envejecido y los poderes demoníacos se han apoderado de ella. Guerras, enfermedades y catástrofes naturales de dimensiones cósmicas precederán al nuevo nacimiento de todas las cosas y al nuevo eón en el que Dios se convertirá finalmente en el regidor de las naciones y en el que llegarán a su plenitud las esperanzas proféticas. Esto no ocurrirá por medio de desarrollos históricos sino por medio de una interferencia divina y una nueva creación, que desembocará en un cielo nuevo y una nueva tierra. Tales visiones son independientes de cualquier situación histórica y no están condicionadas por las actividades humanas. El mediador divino ya no es el Mesías histórico, sino el Hijo del hombre, el Hombre celestial. Esta interpretación de la historia fue decisiva para el nuevo testamento. Las finalidades intrahistórico-políticas dentro del imperio romano eran inasequibles. El imperio se tenía que aceptar de acuerdo con sus elementos de bondad (Pablo), y sería destruido por Dios debido a su estructura demoníaca (revelación). Obviamente, esto queda muy lejos de cualquier progresismo o utopía intrahistórica; sin embargo, no carece de elementos políticos inmanentes. La referencia al imperio romano —al que a veces se ve como el último y el más grande de una serie de imperios— muestra que la visión de los poderes demoníacos no es simplemente imaginaria. Está relacionada con los poderes históricos del período en que se concibe. Y las catástrofes cósmicas incluyen acontecimientos históricos dentro del mundo de las naciones. Las últimas etapas de la historia humana se describen con colores intrahistóricos. Una y otra vez en los últimos tiempos la gente ha encontrado la descripción de su propia existencia histórica en las descripciones míticas apocalípticas. El nuevo testamento añade un nuevo elemento a estas visiones: la aparición intrahistórica de Jesús como Cristo y la fundación de la iglesia en medio de las ambigüedades de la historia. Todo esto muestra que el énfasis en la trascendencia en el símbolo «reino de Dios» no excluye los rasgos intrahistóricos de decisiva importancia —al igual que el predominio del elemento inmanente no excluye el simbolismo trascendente.

Estas evoluciones muestran que el símbolo «reino de Dios» tiene el poder de expresar ambos aspectos, el inmanente y el trascendente, si bien un aspecto es el que normalmente predomina. Con todo esto ante la vista pasaremos a tratar en las restantes secciones del sistema, la realidad del reino de Dios en la historia y por encima de ella.

II

EL REINO DE DIOS
EN EL INTERIOR DE LA HISTORIA

A. LA DINÁMICA DE LA HISTORIA
Y EL NUEVO SER

1. LA IDEA DE LA «HISTORIA DE SALVACIÓN»

En el capítulo «La manifestación de la presencia espiritual en la humanidad histórica» relacionamos la doctrina del Espíritu con la existencia histórica del hombre, pero no examinamos la dimensión histórica en cuanto tal. Al tratar de la presencia espiritual y de su relación con el espíritu humano pusimos la historia entre paréntesis, no porque no sea efectiva en cada momento de la vida espiritual, sino porque los distintos puntos de vista sólo pueden ser tratados de manera consecutiva. Debemos echar ahora una mirada a la presencia espiritual y a sus manifestaciones desde el punto de vista de su participación en la dinámica de la historia.

La teología ha hablado de este problema bajo el título originalmente alemán *Heilsgeschichte* («historia de la salvación»). Dado que este término connota muchos problemas no solventados, lo voy a emplear de manera experimental, sujeto a una seria cualificación. La primera cuestión hace referencia a la relación de la historia de salvación con la historia de revelación. La respuesta básica ya ha sido dada (parte I, sec. II B): ¡Allí donde se da la revelación allí se da la salvación! Poniendo al revés esta afirmación podemos decir también: Allí donde se da la salvación allí se da también la revelación. La salvación abarca la revelación, destacando el elemento de verdad en la manifestación salvadora del fondo del ser. Por tanto, al hablar de revelación universal (no «general»), hemos hablado implícitamente de salvación universal. La segunda cuestión hace referencia a la relación de la historia como resultado de la creatividad humana con la historia de salvación. No son idénticas. Su identificación fue un error del idealismo clásico y de algunas formas del liberalismo teológico, conectadas con frecuencia con una interpretación progresiva de la historia. Es imposible identificar la historia del mundo con la historia de la salvación debido a las ambigüedades de la vida en todas sus dimensiones, la histórica incluida. La salvación es la conquista de estas ambigüedades; va contra ellas y no puede ser identificada con un reino en el que son efectivas. Veremos más adelante que la historia de salvación tampoco se identifica con la historia de la religión, ni siquiera con la historia de las iglesias, por más que las iglesias representen el reino de Dios. El poder salvador irrumpe en la historia, opera a través de la historia, pero no es creado por la historia.

La tercera cuestión, por tanto, es: ¿cómo se manifiesta la historia de la salvación en la historia del mundo? En la descripción de las experiencias reveladoras (dadas en la parte I, sección II, «La realidad de la revelación», que fue una anticipación de algunas ideas propias de esta parte), se presentó la manifestación del poder espiritual con relación a sus elementos cognoscitivos. Y en los capítulos que trataban de los efectos de la presencia espiritual en los individuos y en las comunidades (parte IV, sec. III) se describió en su totalidad la manifestación del poder salvador. Pero no tratamos la dimensión histórica de estas manifestaciones, su dinámica en relación con la dinámica de la historia del mundo.

Si el témino «historia de la salvación» tiene alguna justificación, debe apuntar a una serie de acontecimientos en los que el poder de salvación irrumpe en los procesos históricos, preparado por estos procesos a fin de poder ser recibido, cambiándolos a fin de permitir que el poder salvador sea efectivo en la historia. Vista de esta manera, la historia de salvación es una parte de la historia universal. Puede ser indentificada en términos de tiempo medido, de causalidad histórica, de un espacio definido y de una situación concreta. Como objeto de la historiografía secular se debe someter a las pruebas prescritas mediante una aplicación estricta de los métodos de la investigación histórica. Con todo, y simultáneamente, si bien está dentro de la historia, manifiesta algo que no es de la historia. Por esta razón se ha llamado también historia sagrada a la historia de salvación. En la misma serie de acontecimientos es sagrada y secular. En ello la historia muestra su carácter autotrascendente, su afán hacia la plenitud última. No hay ninguna razón para llamar a la historia de la salvación «suprahistórica». El prefijo «supra» indica un nivel más elevado de realidad en el que tienen lugar las acciones divinas sin conexión con la historia del mundo. De esta manera la paradoja de la aparición de lo último en la historia se sustituye por un supranaturalismo que desconecta la historia del mundo de la historia de salvación. Pero si están desconectadas no se puede entender cómo los acontecimientos supranaturales pueden tener un poder salvador dentro de los procesos de la historia del mundo.

Debido a estas malas interpretaciones a las que está expuesto el término «historia de la salvación» tal vez fuera preferible evitar el término en absoluto y hablar acerca de las manifestaciones del reino de Dios en la historia. Y por supuesto, allí donde se da una manifestación del reino de Dios allí se da revelación y salvación. Sin embargo, la cuestión continúa siendo la de que hasta qué punto se da un ritmo en estas manifestaciones —una especie de progreso, o unas oscilaciones, o una repetición de algunas estructuras— o ningún tipo de ritmo en absoluto. A esta cuestión no se le puede dar una contestación en términos generales. Su respuesta es una expresión de la experiencia reveladora concreta de un grupo religioso y, por tanto, viene determinada por el carácter del sistema teológico en el que se planteó la cuestión. La respuesta que sigue está basada en el simbolismo cristiano y en la afirmación central cristiana de que Jesús de Nazaret es el Cristo, la manifestación final del nuevo ser en la historia.

2. LA MANIFESTACIÓN CENTRAL DEL REINO DE DIOS EN LA HISTORIA

Sea cual fuere el ritmo de las manifestaciones del reino de Dios en la historia, el cristianismo reclama el estar basado en su manifestación central. Por tanto considera la aparición de Jesús como el Cristo, como el centro de la historia —si se ve la historia en su carácter autotrascendente. El término «centro de la historia» no tiene nada que ver con medidas cuantitativas, que lo entenderían como un medio entre un pasado indefinido y un futuro indefinido ni describe este término un momento histórico en el que el proceso cultural llegó a un punto en el que se unieron las líneas del pasado y determinaron el futuro. No existe un tal punto en la historia. Y lo que es verdad de la relación del centro de la historia con la cultura es verdad también de su relación con la religión. La metáfora «centro» expresa un momento en la historia para el que todo lo precedente y consiguiente es a la vez preparación y recepción. Como tal es tanto criterio como fuente del poder salvador en la historia. La tercera y la cuarta parte del presente sistema contienen el pleno desarrollo de estas aserciones, pero no tienen en cuenta la dimensión histórica.

Si llamamos a la aparición de Cristo el centro de la historia implicamos con ello que la manifestación del reino de Dios en la historia no es una serie incoherente de manifestaciones, cada una de ellas con su relativa validez y poder. Con el mismo término «centro» se expresa ya una crítica del relativismo. La fe se atreve a afirmar su dependencia de aquel acontecimiento que es el criterio de todos los acontecimientos reveladores. La fe tiene el coraje de atreverse a formular una tan extraordinaria aserción, y asume el riesgo de equivocarse. Pero sin este coraje y sin riesgo, no habría fe. El término «centro de la historia» incluye también una crítica de todas las formas de una visión progresista de las manifestaciones del reino de Dios en la historia. Obviamente, no puede haber ningún progreso más allá de lo que es el centro de la historia (excepto en los campos en los que el progreso es esencial). Todo lo que tiene éxito queda bajo su criterio y participa de su poder. La aparición del centro tampoco es el resultado de un desarrollo progresivo tal como se discutió anteriormente bajo el título de «Progreso histórico: su realidad y sus límites» (parte V, sec. Iª, 3c).

El único elemento progresivo en la historia preparatoria de la revelación y salvación es su movimiento de la inmadurez a la madurez. La humanidad tenía que madurar hasta un punto en el que el centro de la historia podía aparecer y ser recibido como el centro. Este proceso de maduración está operando en toda la historia, pero era necesario un progreso particular a fin de preparar para aquel en quien se daría la revelación final. Esta es la función del progreso del que el antiguo testamento es el documento. Las manifestaciones del antiguo testamento del reino de Dios produjeron los precondicionamientos directos para su final manifestación en el Cristo. Se alcanzó la madurez; se cumplió el tiempo. Esto ocurrió una vez en el espacio de la historia de revelación original y salvadora, pero acontece de nuevo allí donde se recibe al centro como centro. Sin la base más amplia de la historia de la religión y la base más pequeña de crítica profética y transformación de la base más amplia, no hay posibilidad alguna de aceptar el centro. Por tanto toda actividad misionera dentro y fuera de la cultura cristiana debe usar la conciencia religiosa que está presente o puede ser evocada en todas las religiones y culturas. Y toda actividad misionera, dentro y fuera de la cultura cristiana, debe seguir la purificación profética del antiguo testamento de la conciencia religiosa. Sin el antiguo testamento, el cristianismo vuelve a caer en la inmadurez de la historia universal de la religión —incluyendo la historia de la religión judía— (que fue el principal objeto de crítica y purificación por parte de los profetas del antiguo testamento). La maduración, o proceso preparatorio hacia la manifestación central del reino de Dios en la historia no está, por tanto, restringida a la época precristiana; continúa tras la aparición del centro y se va dando aquí y ahora. El tema de la salida de Israel de Egipto es el de la madurez hacia el centro, que es el tema del encuentro Oriente-Occidente en el Japón de nuestros días, y que fue y continúa siendo el tema del progreso de la cultura moderna occidental en los últimos quinientos años. En lenguaje bíblico y teológico, esto ha sido expresado como el símbolo de la presencia transtemporal de Cristo en cada época.

A la inversa, existe siempre un proceso de recibir a partir de la manifestación central del reino de Dios en la historia. Por supuesto, así como se da una historia original de preparación para el centro, que desemboca en su aparición en el tiempo y el espacio, así también se da una historia original de recepción del centro, derivada de su aparición en el tiempo y el espacio; y esta es la historia de la iglesia. Pero la iglesia no existe de una manera simplemente manifiesta, mediante la recepción de lo ocurrido en el pasado; existe también de manera latente, mediante la anticipación de lo que ocurrirá en el futuro. En su estado latente la iglesia depende, anticipadamente, de lo que ha de venir como centro de la historia. Este es el significado de «profecía» en el sentido de anunciar lo futuro, y es el significado de pasajes como aquellos en los que el cuarto evangelio apunta a la pre-existencia de Cristo, pasajes que simbolizan la presencia potencial del centro en todos los períodos de la historia.

A la vista de estas connotaciones del término «centro de la historia», podemos decir que la historia humana, enfocada desde el punto de vista de la autotrascendencia de la historia, no sólo es un movimiento dinámico, que corre hacia adelante, sino también un todo estructurado en el que un punto es el centro.

Allí donde se da un punto central surge la pregunta del principio y del fin del movimiento del cual es el centro. Aquí no estamos hablando del principio y del fin del proceso histórico en cuanto tal. De eso ya se trató en el capítulo sobre la prehistoria y la posthistoria. El problema aquí es: ¿cuándo empezó ese movimiento del que la aparición de Cristo es el centro, y cuándo llegará a su final? La respuesta, por supuesto, no se puede dar a base de números. Cuando se ha hecho así ha quedado refutado por la misma historia con respecto a su final y por el conocimiento histórico con respecto al principio. Todos los cálculos acerca del final inminente quedaron en cero cuando llegó el día calculado, y todos los informes acerca del principio del tiempo histórico, incluyendo los bíblicos, han sido sobrecargados infinitamente por nuestro conocimiento de los orígenes de la humanidad sobre la tierra. Principio y final con respecto al centro de la historia pueden significar solamente el principio y el final de las manifestaciones del reino de Dios en la historia y la respuesta a la pregunta viene determinada por el carácter del mismo centro. Esa historia que es una historia de revelación y salvación empieza en el momento en que el hombre toma conciencia de la cuestión última de su predicamento alienado y de su destino para superar este predicamento. Esta toma de conciencia ha sido expresada en los mitos y ritos de los primeros vestigios humanos, pero no hay posibilidad de señalar un momento definido o a una persona o grupo definido. El final de la historia, en el mismo sentido en que hablábamos de su principio, llega en el momento en que la humanidad deja de plantearse la cuestión de su predicamento. Esto puede ocurrir por medio de una extinción externa de la humanidad histórica a través de una destrucción causada cósmicamente o humanamente, o puede ocurrir por transformaciones biológicas o psicológicas que aniquilan la dimensión del espíritu o por una deteriorización interna bajo la dimensión del espíritu que priva al hombre de su libertad y por consiguiente de la posibilidad de tener una historia.

Cuando el cristianismo pretende que el acontecimiento sobre el que está basado es el centro de la historia de revelación y salvación, no puede pasar por alto el hecho de que hay otras interpretaciones de la historia que hacen esa misma reclamación para otro acontecimiento central. Ya que la elección de un centro de la historia es universal allí donde se toma en serio la historia. El centro de las interpretaciones nacionales de la historia —con frecuencia en un sentido imperial— es el momento en el que surgió la conciencia vocacional de la nación, ya fuere en un acontecimiento real ya en una tradición legendaria. El éxodo de los israelitas de Egipto, la fundación de la ciudad de Roma, y la guerra revolucionaria en Norteamérica son tales centros particulares de historia. Pueden ser elevados a una significación universal, como en el judaísmo, o se pueden convertir en un motivo de aspiraciones imperiales, como en Roma. Para los seguidores de una religión mundial, el acontecimiento de su fundación es el centro de la historia. Esto es verdad no sólo del cristianismo y del judaísmo sino también del islam, del budismo, de la religión de Zoroastro y del maniqueísmo. A la vista de estas analogías en la historia política y religiosa, se hace inevitable la pregunta de cómo el cristianismo puede justificar su pretensión de estar a la vez enraizado en el tiempo y basado en el centro universal de las manifestaciones del reino de Dios en la historia. La primera respuesta, a la que ya hemos hecho referencia, es positivista: esta pretensión es una expresión del coraje y atrevimiento de la fe cristiana. Pero esto no es suficiente para una teología que llama a Jesús como Cristo la manifestación central del logos divino. La pretensión cristiana debe tener un «logos», no un argumento añadido a la fe, sino una explicación de la fe determinada por el logos. La teología emprende una tal explicación al decir que las preguntas implicadas en el tiempo histórico y en las ambigüedades de la dinámica histórica no han obtenido respuesta en ninguno de los otros supuestos centros de la historia. El principio por el que son escogidos centros de historia políticamente determinados es particular y no puede perder su particularidad por mucho que intente convertirse de manera imperialista en universal. Esto es verdad incluso del judaísmo, a pesar del elemento universalista en su autocrítica profética.

Las expectaciones proféticas y apocalípticas del judaísmo quedan en expectaciones y no conducen a una plenitud intrahistórica como en el cristianismo. Por tanto, no se ve ningún nuevo centro de historia tras el éxodo, y el centro futuro no es centro sino final. Aquí en este punto es donde aparece el abismo fundamental e insalvable entre las interpretaciones judías y cristianas de la historia. A pesar de las posibles demonizaciones y de las distorsiones sacramentales de la manifestación central del reino de Dios en el cristianismo concreto, el mensaje del centro que *ha* aparecido debe ser mantenido si queremos que el cristianismo no se convierta en otra religión preparatoria de la ley. El islam (con la excepción del sufismo) es una religión de la ley y tiene, en cuanto tal, una gran función de progreso educativo hacia la madurez. Pero la madurez educativa con respecto a lo último es ambigua. La irrupción de la ley es lo más difícil en la vida religiosa de los individuos así como también en la de los grupos. Por eso el judaísmo desde el principio del cristianismo en adelante y el islam en un período posterior fueron las barreras más grandes contra la aceptación de Jesús como Cristo y como centro de la historia. Sin embargo, estas mismas religiones no fueron y no son capaces de dar otro centro. La aparición de Mahoma como el profeta no constituye un acontecimiento en el que la historia reciba un significado que sea universalmente válido. Ni es un centro universal de historia proporcionado por la fundación de una nación que, en el sentido en que los profetas lo interpretaban, *es* la nación «escogida». Y esto es así porque su universalidad aún no ha sido liberada de su particularidad. En este contexto no hace falta añadir muchas cosas sobre el budismo, tras nuestra discusión de las interpretaciones no-históricas de la historia. Buda no es para el budista una línea divisoria entre el antes y el después. Es un ejemplo decisivo de una encarnación del Espíritu de iluminación que ha sucedido y que puede suceder en cualquier momento, pero no se le ve en un movimiento histórico que conduce a él y se deriva de él. Este examen muestra que el único acontecimiento histórico en el que se puede ver el centro universal de la historia de revelación y salvación —no sólo para una fe atrevida sino también para una interpretación racional de esta fe— es el acontecimiento en el que se basa el cristianismo. Este acontecimiento no sólo es el centro de la historia de la manifestación del reino de Dios; es también el único acontecimiento en el que se afirma plena y universalmente la dimensión histórica. La aparición de Jesús como Cristo es el acontecimiento histórico en el que la historia toma conciencia de sí misma y de su sentido. Ni siquiera para un ensayo empírico y relativista existe ningún otro acontecimiento del que se *pudiera* afirmar esto. Pero la afirmación *real* es y continúa siendo una materia de fe atrevida.

3. «KAIRÓS» Y «KAIROI»

Hablamos ya del momento en el que la historia, en los términos de una situación concreta, ha madurado hasta el punto de poder recibir la irrupción de la manifestación central del reino de Dios. El nuevo testamento ha llamado a este momento la «plenitud del tiempo», en griego, *kairós*. Este término ha sido usado con frecuencia desde el momento en el que lo introdujimos en la discusión teológica y filosófica en conexión con el movimiemto socialista religioso en Alemania tras la primera guerra mundial. Fue elegido para recordar a la teología cristiana el hecho de que los escritores bíblicos, no sólo los del antiguo sino también los del nuevo testamento, tenían conciencia de la dinámica autotrascendente de la historia. Y fue elegido para recordar a la filosofía la necesidad de tratar la historia, no sólo en los términos de su estructura lógica y categórica, sino también en los términos de su dinámica. Y por encima de todo, el *kairós* debe expresar el sentimiento de mucha gente en la Europa central tras la primera guerra mundial de que había aparecido un momento de la historia preñado de una nueva comprensión del significado de la historia y de la vida. Fuera o no fuera confirmado empíricamente este sentimiento —en parte lo fue y en parte no— el concepto mismo conserva su significado y pertenencia al conjunto de la teología sistemática.

Su sentido original —el tiempo oportuno, el tiempo en el que se puede hacer algo— debe ser contrastado con el *chronos*, el tiempo medido o tiempo del reloj. El primero es cualitativo, el segundo cuantitativo. En la palabra inglesa *timing* (medición del tiempo) se expresa algo del carácter cualitativo del tiempo, y si se hablara del *timing* de Dios en su actividad providencial, este término se aproximaría al significado de *kairós*. En el lenguaje griego ordinario, se usa la palabra para cualquier cometido práctico en el que se da una buena ocasión para una acción determinada. En el nuevo testamento es la traducción de una palabra usada por Jesús cuando habla de su tiempo que aún no ha llegado —el tiempo de su pasión y muerte. Lo emplean tanto Juan el Bautista como Jesús cuando anuncian la plenitud del tiempo con respecto al reino de Dios que está «cerca». Pablo emplea *kairós* cuando habla en una visión histórica mundial del momento del tiempo en el que Dios pudo enviar a su Hijo, el momento que fue elegido para que pasara a ser el centro de la historia. A fin de poder reconocer este «gran *kairós*», uno debe ser capaz de ver los «signos de los tiempos», como dice Jesús cuando acusa a sus enemigos de no verlos. Pablo, en su descripción del *kairós*, mira la situación tanto del paganismo como del judaísmo, y en la literatura déutero-paulina, la visión histórico-mundial y cósmica de la aparición de Cristo juega un papel cada vez más importante. Hemos interpretado la plenitud del tiempo como el momento de madurez en un desarrollo particular religioso y cultural —al que añade, con todo, la advertencia de que la madurez significa no sólo la capacidad de recibir la manifestación central del reino de Dios sino también el más grande poder de ofrecerle resistencia. Ya que la madurez es el resultado de la educación por la ley, y en algunos que toman la ley con seriedad radical, la madurez se convierte en desesperación de la ley, con la consiguiente búsqueda de lo que irrumpe en la ley como «buena noticia».

La experiencia de un *kairós* se ha dado una y otra vez en la historia de las iglesias, aunque no fuera empleado el término. Siempre que surgía el Espíritu profético en las iglesias, se hablaba de la «tercera etapa», la etapa del «mandato de Cristo» en la época de los «mil años». Esta etapa se vio como inminentemente próxima y se convirtió así en la base de la crítica profética de las iglesias en su etapa distorsionada. Cuando las iglesias rechazaban esta crítica o bien la aceptaban de una manera parcial e interesada, el Espíritu profético se veía obligado a introducirse en movimientos sectarios de carácter originalmente revolucionario —hasta que las sectas se convertían en iglesias y el Espíritu profético quedaba latente. El hecho de que las experiencias de *kairós* pertenecen a la historia de las iglesias, y que el «gran *kairós*», la aparición del centro de la historia, se vuelve a experimentar una y otra vez a través de «*kairoi*» relativos, en los que se manifiesta a sí mismo el reino de Dios en una particular irrupción, tiene una importancia decisiva para nuestra reflexión. La relación de un *kairós* a los *kairoi* es la relación del criterio con lo que está bajo el criterio y la relación de la fuente de poder con aquello que es alimentado por la fuente de poder. Los *kairoi* se han dado y se están dando en todos los movimientos preparatorios y receptores en la iglesia latente y manifiesta. Ya que si bien el Espíritu profético está latente e incluso reprimido a lo largo de extensas zonas de la historia, nunca está ausente e irrumpe a través de las barreras de la ley en un *kairós*.

La toma de conciencia de un *kairós* es asunto de visión. No es un objeto de análisis y cálculo que se pueda dar en términos psicológicos o sociológicos. No es un asunto de observación imparcial sino de experiencia comprometida. Lo cual, sin embargo, no significa que la observación y el análisis queden excluidos; sirve para objetivar la experiencia y clarificar y enriquecer la visión. Pero la observación y el análisis no producen la experiencia del *kairós*. El Espíritu profético opera creativamente sin ninguna dependencia de la argumentación y de la buena voluntad. Pero todo momento que pretende ser espiritual debe ser comprobado y el criterio es el «gran *kairós*». Cuando se empleó el término *kairós* para la situación crítica y creativa tras la primera guerra mundial en la Europa central, era empleado no sólo por el movimiento socialista religioso obediente al gran *kairós* —por lo menos en la intención— sino también por el movimiento nacionalista que, por medio de la voz del nazismo, atacaba al gran *kairós* y a todo lo por él representado. Este último empleo fue una experiencia del *kairós* demoníacamente distorsionado y condujo inevitablemente a la autodestrucción. El espíritu que se arrogaba el nazismo era el espíritu de los falsos profetas, profetas que hablaban en favor de un nacionalismo y racismo idólatras. Contra ellos la cruz de Cristo fue y es el criterio absoluto.

Dos cosas se deben decir acerca de los *kairoi:* la primera que pueden ser distorsionados demoníacamente, y la segunda que pueden ser erróneos. Y esta última característica es siempre, hasta cierto punto, una constante, incluso en el «gran *kairós*». El error está no en la cualidad-*kairós* de la situación sino más bién en el juicio acerca de su carácter en términos de tiempo físico, espacio y causalidad, y también en términos de reacción humana y de elementos desconocidos en la constelación histórica. Con otras palabras, la experiencia-*kairós* está bajo el orden del destino histórico, que hace que sea imposible la previsión en cualquier sentido técnico-científico. Ninguna fecha predicha en la experiencia de un *kairós* ha sido correcta alguna vez; ninguna situación adivinada como resultado de un *kairós* llegó nunca a hacerse realidad. Pero algo ocurrió a algún pueblo a través del poder del reino de Dios al manifestarse en la historia, y la historia ha sufrido un cambio desde entonces.

Surge una última pregunta acerca de si existen períodos en la historia en los que no se experimenta ningún *kairós*. Obviamente el reino de Dios y la presencia espiritual jamás, en ningún momento del tiempo, están ausentes, y por la misma naturaleza de los procesos históricos, la historia siempre es autotrascendente. Pero la experiencia de la presencia del reino de Dios como determinante de la historia no siempre se da. La historia no se mueve a un ritmo igual sino que es una fuerza dinámica que se mueve entre cataratas y zonas tranquilas. La historia tiene sus altibajos, sus períodos de velocidad y lentitud, de creatividad extrema y de sumisión conservadora a la tradición. Los hombres del último período del antiguo testamento se lamentaban de que existía poca presencia del Espíritu, y esta queja ha sido reiterada en la historia de las iglesias. El reino de Dios está siempre presente, pero no la experiencia de su poder que conmociona la historia. Los *kairoi* son raros y el gran *kairós* es único, pero juntos determinan la dinámica de la historia en su autotrascendencia.

4. LA PROVIDENCIA HISTÓRICA

Tratamos la doctrina de la providencia bajo el título «La creatividad directora de Dios» (parte II, sec. II B, 5c). Hemos visto que no se debe entender la providencia de una manera determinista, en el sentido de un designio divino decretado «antes de la creación del mundo», que ahora está recorriendo su curso y en el que Dios se interfiere algunas veces de manera milagrosa. En lugar de este mecanismo supranatural aplicamos la polaridad básica ontológica de libertad y destino en la relación de Dios con el mundo y afirmamos que la creatividad directora de Dios opera a través de la espontaneidad de las creaturas y de la libertad humana. Ahora que estamos incluyendo la dimensión histórica podemos decir que lo «nuevo» hacia lo que corre la historia, tanto lo particularmente nuevo como lo absolutamente nuevo, es la finalidad de la providencia histórica. Es desorientador hablar de un «designio» divino, aun cuando no se entienda de una manera determinista. Ya que el término «designio» connota un modelo preconcebido, que incluye todas las particularidades que constituyen un designio. Esto restringe el elemento de contingencia en los procesos de la historia hasta el punto de que el destino aniquila la libertad. Pero el entretejido de la historia incluye lo contingente, lo sorprendente, lo inderivablemente nuevo. Debemos ampliar el símbolo de la providencia divina para que incluya el elemento omnipresente de contingencia. Hay un elemento de contingencia en la espontaneidad del pájaro que contribuye a su muerte providencial aquí y ahora, y hay contingencia en la aparición de un tirano que destruye individuos y naciones bajo la providencia divina.

El último ejemplo apunta el problema de la providencia histórica y los poderes del mal en la historia. La inmensidad del mal moral y físico y la manifestación abrumadora de lo demoníaco y de su trágica consecuencia en la historia han sido siempre un argumento tanto existencial como teórico en contra de la aceptación de ningún tipo de creencia en la providencia histórica. Y, por cierto, sólo una teología que acepte estos aspectos de la realidad en su concepto de la providencia es la que tiene derecho a usar este concepto. Un concepto de la providencia que tiene en cuenta el mal excluye radicalmente aquel optimismo teológico que caracterizó la filosofía de la Ilustración —con algunas importantes excepciones— y el progresismo del siglo XIX y principios del XX. Ante todo, ninguna justicia ni felicidad futuras pueden aniquilar la injusticia y el sufrimiento del pasado. El supuesto bienestar de la «última generación» no justifica el mal y la tragedia de las generaciones anteriores. Y luego, el supuesto utópico-progresista contradice los elementos de «libertad para el bien y para el mal» con los que nacen todos los individuos. Allí donde aumenta el poder para el bien aumenta también el poder para el mal. La providencia histórica incluye todo esto y es creadora a través de todo ello en dirección hacia lo nuevo, tanto en la historia como por encima de la historia. Este concepto de la providencia histórica incluye también el rechazo del pesimismo reaccionario y cínico. Proporciona la certeza de que lo negativo en la historia (la desintegración, la destrucción, la profanización) jamás pueden prevalecer en contra de las finalidades temporales y eternas del proceso histórico. Esto es lo que significan las palabras de Pablo acerca de la conquista de los poderes demoníacos por el amor de Dios tal como se manifiesta en Cristo (Rom 8). Las fuerzas demoníacas no están destruidas, pero no pueden impedir la finalidad de la historia, que es la reunión con el fondo divino del ser y del significado.

La manera como esto ocurre se identifica con el misterio divino y queda más allá del cálculo y de la descripción. Hegel cometió el error de pretender que él sabía la manera y que la podía describir mediante la aplicación de la dialéctica de la lógica a los acontecimientos concretos de la historia registrada. No se puede negar que su método abrió sus ojos para muchas importantes observaciones con respecto al fondo mítico y metafísico de diferentes culturas. Pero no tuvo en cuenta procesos históricos no registrados, las luchas internas en toda gran cultura que limitan cualquier interpretación general, la abertura de la historia hacia el futuro que impide un designio coherente, la supervivencia y vuelta a la vida de grandes culturas y religiones que, según el esquema evolutivo, tendrían que haber perdido su significación histórica hace ya mucho tiempo, o la irrupción del reino de Dios en los procesos históricos, que crea la permanencia del judaísmo y la unicidad del acontecimiento cristiano. Ha habido otros intentos de dar un designio concreto de la providencia histórica, aun cuando no hablen de providencia. Ninguno de ellos es tan rico y concreto como el de Hegel, ni siquiera el de su doble positivista, Comte. La mayoría son más cautos, limitándose a ciertas regularidades en la dinámica de la historia, como se ilustra, por ejemplo, con la ley de Spengler del crecimiento y decadencia, o con las categorías generales de Toynbee, tales como «retirada» y «retorno», «desafío» y «respuesta». Tales intentos proporcionan preciosas intuiciones de los movimientos concretos pero no proporcionan un cuadro de la providencia histórica. Los profetas del antiguo testamento incluso eran menos concretos que estos hombres. Los profetas se ocupaban de muchas de las naciones limítrofes, no con el fin de mostrar su significación históricomundial, sino para mostrar la acción divina a través de ellas, en la creación, en el juicio, en la destrucción y en la promesa. Los mensajes proféticos no incluyen un designio concreto; implican solamente la norma universal de la acción divina en términos de creatividad histórica, de juicio y de gracia. El conjunto de los actos providenciales particulares permanece oculto en el misterio de la vida divina.

Esta anticipación necesaria de una concreta interpretación de la historia del mundo no excluye la comprensión, desde un punto de vista especial, de los progresos particulares en sus consecuencias creadoras. Intentamos esto al discutir la idea de *kairós* y al describir la situación del «gran *kairós*». Desde el punto de vista cristiano el carácter providencial del judaísmo es un ejemplo duradero de una interpretación particular de los desarrollos históricos. La descripción de Daniel de las consecuencias de los poderes del mundo se puede entender en este sentido, y esto justifica también el análisis crítico de una situación contemporánea a la luz de acontecimientos pasados. La toma de conciencia de un *kairós* realmente incluye una imagen de acontecimientos pasados y su significado para el presente. Pero cualquier paso que vaya más allá ha de ser contrarrestado con los argumentos dados contra la grandiosa tentativa de Hegel de «situarse a sí mismo en la silla de la divina providencia».

B. EL REINO DE DIOS Y LAS IGLESIAS

1. LAS IGLESIAS COMO REPRESENTANTES DEL REINO DE DIOS EN LA HISTORIA

En nuestra discusión de la comunidad espiritual llamamos a las iglesias la encarnación ambigua de la comunidad espiritual, y hablamos de la paradoja de que las iglesias revelan así como ocultan a la comunidad espiritual. Ahora que estamos considerando la dimensión histórica y los símbolos de su interpretación religiosa, debemos decir que las iglesias son las representantes del reino de Dios. Esta caracterización no contradice la otra. «Reino de Dios» abarca más que «comunidad espiritual»; incluye todos los elementos de la realidad, no sólo aquellos, es decir, las personas, que pueden entrar en la comunidad espiritual. El reino de Dios incluye la comunidad espiritual, pero, así como la dimensión histórica abarca todas las otras dimensiones, así el reino de Dios abarca todos los dominios del ser bajo la perspectiva de su finalidad última. Las iglesias representan al reino de Dios en este sentido universal.

La representación del reino de Dios por las iglesias es tan ambigua como la encarnación de la comunidad espiritual en las iglesias. En ambas funciones las iglesias son paradójicas: revelan y ocultan. Hemos ya indicado que las iglesias incluso pueden representar el reino demoníaco. Pero el reino demoníaco es una distorsión del reino divino y no tendría ningún ser sin aquel del cual es una distorsión. El poder del representante, por muy mal que represente aquello que debería representar, radica en su función de representar. Las iglesias permanecen iglesias aun cuando sean fuerzas que ocultan lo último en lugar de revelarlo. Así como el hombre, portador del espíritu, no puede dejar de ser tal, así las iglesias que representan el reino de Dios en la historia, no pueden ser desposeídas de su función aun cuando la ejerzan en contradicción con el reino de Dios. El espíritu distorsionado aún es espíritu; la santidad distorsionada aún es santidad.

Puesto que desarrollamos la doctrina de la iglesia plenamente en la cuarta parte del sistema, sólo debemos añadir, llegados a este punto, unas observaciones con respecto a su dimensión histórica. Como representantes del reino de Dios, las iglesias participan activamente tanto de la carrera del tiempo histórico hacia la finalidad de la historia como de la lucha intrahistórica del reino de Dios contra las fuerzas de la demonización y de la profanización que presentan batalla contra esta finalidad. La iglesia cristiana en su autointerpretación original era bien consciente de esta doble tarea y la expresó de manera muy conspicua en su vida litúrgica. Pedía a los recien bautizados que se separaran públicamente de las fuerzas demoníacas a las que habían estado sometidos en su pasado pagano. Muchas iglesias contemporáneas en el acto de la «confirmación» alistan a la generación joven en las filas de la iglesia militante. Al mismo tiempo todas las iglesias en la liturgia, himnos y oraciones hablan de la venida del reino de Dios y del deber de cada uno de estar preparados para ello. A pesar de la reducción de estas ideas a una idea individualista de la salvación, es difícil al conservadurismo jerárquico y ortodoxo eliminar por completo la dinámica escatológica de la conciencia de las iglesias. Allí donde aparece el Espíritu profético allí se reaviva la expectación del reino que viene y se despierta a las iglesias para su tarea de ser un testimonio del mismo así como una preparación ante su llegada. Esto es lo que causa los siempre repetidos movimientos escatológicos en la historia de las iglesias, que frecuentemente son muy poderosos y también muy absurdos con frecuencia. Las iglesias han sido y deben ser siempre comunidades de expectación y de preparación. Deben apuntar a la naturaleza del tiempo histórico y a la finalidad hacia la que corre la historia.

La lucha contra la demonización y profanización extrae pasión y fuerza de su conciencia del «final». Al mantener esta lucha a lo largo de la historia las iglesias son instrumentos del reino de Dios. Pueden servir de instrumentos porque están basadas en el nuevo ser en el que son conquistadas las fuerzas de alienación. Lo demoníaco, según el simbolismo popular, no puede soportar la presencia inmediata de lo santo si aparece con palabras, signos, nombres o materiales santos. Pero más allá de esto las iglesias creen que el poder del nuevo ser, activo en ellas, conquistará los poderes demoníacos así como las fuerzas de profanización en la historia universalmente. Sienten —o deben sentir— que son miembros militantes del reino de Dios, fuerzas directoras en movimiento hacia la plenitud de la historia.

No había iglesias manifiestas antes de la manifestación central del nuevo ser en el acontecimiento en el que se basa la iglesia cristiana, pero había y hay una iglesia latente en toda la historia, antes y después de este acontecimiento: la comunidad espiritual en estado latente. Sin ella y sin su tarea preparatoria las iglesias no podrían representar el reino de Dios. La manifestación central de lo santo en sí mismo no habría sido posible sin la experiencia precedente de lo santo, tanto del ser como del tener-que-ser. Por consiguiente las iglesias no habrían sido posibles. Por tanto, si decimos que las iglesias son las fuerzas directoras en el movimiento hacia la plenitud de la historia, debemos incluir a la iglesia latente (no las iglesias) en este juicio. Y podemos decir que el reino de Dios en la historia está representado por aquellos grupos e individuos en los que la iglesia latente es efectiva y a través de cuya tarea preparatoria en el pasado y el futuro la iglesia manifiesta y con ella las iglesias cristianas, podían y pueden convertirse en vehículos del movimiento de la historia hacia su finalidad. Esta es la primera de varias consideraciones que llaman a las iglesias a la humildad en su función como representantes del reino de Dios en la historia.

Llegados a este punto debemos preguntar: ¿qué significa que las iglesias sean no sólo encarnaciones de la comunidad espiritual sino también representantes del reino de Dios en su carácter omnienglobante? La respuesta está en la multidimensional unidad de la vida y en las consecuencias que tiene para la manifestación sacramental de lo santo. En el grado en que una iglesia destaca la presencia sacramental de lo divino, arrastra hacia sí los dominios que preceden al espíritu y a la historia, al universo inorgánico y orgánico. Las iglesias fuertemente sacramentales, como la ortodoxa griega, tienen una profunda comprensión de la participación de la vida bajo todas las dimensiones en la finalidad última de la historia. La consagración sacramental de los elementos de todo lo de la vida muestra la presencia de lo últimamente sublime en todo, y apunta a la unidad de todo en su fondo creador y en su plenitud final. Es una de las deficiencias de las iglesias de la «palabra», especialmente en su forma legalista y exclusivamente personalista, el que excluyen, juntamente con el elemento sacramental, el universo fuera del hombre de la consagración y plenitud. Pero el reino de Dios no sólo es un símbolo social; es un símbolo que abarca el conjunto de la realidad. Y si las iglesias pretenden representarlo, no deben reducir su significado a un solo elemento.

Esta pretensión, sin embargo, suscita otro problema. Las iglesias que representan el reino de Dios en su lucha contra las fuerzas de la profanización y de la demonización están ellas mismas sujetas a las ambigüedades de la religión y abiertas a la profanización y demonización. Entonces ¿cómo puede lo que está demonizado en sí mismo representar la lucha contra lo demoníaco, y aquello que está profanado representar la lucha contra lo profano? La respuesta se dio en el capítulo acerca de la paradoja de las iglesias: son profanas y sublimes, demoníacas y divinas, en una unidad paradójica. La expresión de esta paradoja es la crítica profética de las iglesias por las iglesias. Algo en una iglesia reacciona contra la distorsión de la iglesia como un todo. Su lucha contra lo demoníaco y lo profano se dirige en primer lugar contra lo demoníaco y profano en la misma iglesia. Tales luchas pueden conducir a movimientos de reforma, y es el hecho de tales movimientos lo que da a las iglesias el derecho a considerarse a sí mismas vehículos del reino de Dios, que luchan en la historia, incluyendo la historia de las iglesias.

2. EL REINO DE DIOS Y LA HISTORIA DE LAS IGLESIAS

La historia de las iglesias es la historia en la que la iglesia es real en el tiempo y en el espacio. La iglesia es siempre real en las iglesias y lo que es real en las iglesias es la única iglesia. Por tanto se puede hablar de la historia de la iglesia así como de la historia de las iglesias. Sin embargo, no se debe tener la pretensión de que hasta un tiempo determinado (en el año 500 ó 1500 de nuestra era) existió la única iglesia, real en el tiempo y el espacio, y que tras ese período ocurrieran las divisiones que produjeron las iglesias. Una consecuencia de una tal afirmación es que una de las iglesias en un período o en todos los períodos se llame a sí misma *la* iglesia. Las iglesias anglicanas se inclinan a dar a los primeros quinientos años de la iglesia una superioridad por encima de los demás períodos y a elevarse a un nivel superior ellas mismas sobre las demás iglesias por su similitud con la primitiva iglesia. La iglesia romana se atribuye a sí misma una categoría absoluta sin restricciones en todos los períodos. Las iglesias griegas ortodoxas derivan su pretensión de superioridad de los primeros siete concilios ecuménicos con los que viven en una tradición esencialmente intacta. Las iglesias protestantes podrían tener similares pretensiones si consideraran la historia entre la edad apostólica y la Reforma como un período en el que la iglesia estaba sólo latente (como ocurre en el judaísmo y el paganismo). Y existen algunos radicales teólogos y eclesiásticos que, al menos implícitamente, afirman esto. Cada una de estas erróneas, y por tanto demoníacas actitudes, son con frecuencia el resultado de no tener en cuenta la verdad de que la iglesia, la comunidad espiritual, vive *siempre* en las iglesias y que allí donde hay iglesias que confiesan su fundación en Cristo como manifestación central del reino de Dios en la historia allí está la iglesia.

Si miramos la historia de la iglesia a la luz de esta doble relación entre la iglesia y las iglesias, podemos decir que la historia de la iglesia en ningún momento se identifica con el reino de Dios y en ningún momento queda fuera de la manifestación del reino de Dios. Con esto ante la mente se deben mirar los muchos enigmas de la historia de la iglesia que expresan el carácter paradójico de las iglesias. Es imposible evitar la pregunta: ¿cómo se puede compaginar la pretensión de las iglesias de estar fundamentadas en la manifestación central del reino de Dios en la historia con la realidad de la historia de la iglesia? En particular esto significa: ¿por qué las iglesias están limitadas de manera abrumadora a una sección de la humanidad, en la que pertenecen a una civilización particular, y por qué están supeditadas a la creación cultural de esta civilización? Y aún más: ¿por qué, casi durante quinientos años, han surgido movimientos seculares dentro de la civilización cristiana que han cambiado radicalmente la autointerpretación humana y en muchos casos se han vuelto contra el cristianismo, de manera notable en el humanismo científico y en el comunismo naturalista? Esta es una pregunta a la que hoy se debe añadir otra: ¿por qué estas dos formas de secularidad tienen tan tremendo poder en naciones con una civilización no cristiana, tales como las del Extremo Oriente? A pesar de todos los esfuerzos y éxitos de las misiones cristianas en algunas partes del mundo, la expansión de estos dos frutos naturales de la civilización cristiana es mucho más impresionante. Tales consideraciones no son, por supuesto, argumentos, pero son reacciones ante uno de los enigmas de la historia de la iglesia. Otros enigmas aparecen en el desarrollo interno de las iglesias. Las grandes divisiones entre las iglesias son las más obvias, ya que cada una se arroga la verdad —aun cuando no pretenda, como lo hace la iglesia romana, estar en posesión de la verdad absoluta y exclusiva. Ciertamente, una iglesia cristiana que no afirme que Jesús es el Cristo ha dejado de ser una iglesia cristiana manifiesta (si bien la iglesia latente puede permanecer en ella). Pero si las iglesias que reconocen a

Jesús como el Cristo difieren en sus interpretaciones de este acontecimiento debido a su exclusividad, uno debe preguntarse: ¿cómo fue posible que la historia de la iglesia, encarnada en la historia de las iglesias, produjera unas interpretaciones tan contradictorias del único acontecimiento al que hacen referencia? Se puede incluso preguntar lo que intenta la divina providencia al conducir a las iglesias (que se basan en la creación central de la providencia histórica) a una división que desde un punto de vista humano no tiene curación. Una pregunta más: ¿cómo pudo ocurrir que hubiera tanta profanización de lo santo en la historia de la iglesia, en los dos sentidos de la palabra profanización, es decir, por la ritualización y por la secularización? La primera distorsión se da con más frecuencia en los tipos católicos de cristianismo, la segunda ocurre más frecuentemente en los de tipo protestante. Uno debe preguntar, a veces con ira profética, cómo se puede identificar el nombre de Cristo como el centro de la historia con la cantidad enorme de devoción supersticiosa en algunas secciones del mundo católico, tanto del griego como del romano, en los grupos tanto nacionales como sociales. No se puede dudar de la piedad genuina de muchas de esas gentes, por muy primitiva que pueda ser, pero sí se puede dudar de que los ritos que realizan en los actos devotos para que se cumplan sus deseos terrenales o celestiales tengan algo que ver con la descripción que nos hace de Cristo el nuevo testamento. Y se debe añadir la pregunta seria de cómo pudo ocurrir que esta ritualización de la presencia espiritual fuera justificada o por lo menos disimulada por una teología que sabía mejor las cosas y fuera defendida por una jerarquía que rechazaba la reforma de tales condiciones. Si uno se vuelve al protestantismo aparece la otra forma de profanización de lo últimamente sublime —la secularización. Aparece bajo el encabezamiento del principio protestante, que hace del sacerdote un laico, del sacramento palabras, de lo santo lo secular. Por supuesto que el protestantismo no intenta secularizar el sacerdocio, los sacramentos y lo sagrado, sino que más bien trata de mostrar que lo sagrado no queda restringido a lugares, órdenes y funciones particulares. Sin embargo, al obrar así, no puede evitar la tendencia a disolver lo sagrado en lo secular y preparar el camino para una total secularización de la cultura cristiana, ya sea por moralismo, intelectualismo o nacionalismo. El protestantismo está menos armado contra las tendencias seculares en su seno que el catolicismo. Pero el catolicismo está más amenazado por una arremetida de secularismo contra todo lo cristiano, como han mostrado las historias de Francia y de Rusia.

La forma secular de profanación de lo últimamente sublime, que se va ahora extendiendo por todo el mundo, es un enigma aún mayor de la historia de la iglesia especialmente en los últimos siglos. Es probablemente el problema más enmarañado y difícil de la historia de la iglesia de nuestros días. De cualquier forma, la pregunta es: ¿cómo se puede compaginar esta evolución en medio de la civilización cristiana con la pretensión de que el cristianismo tiene el mensaje de aquel acontecimiento que es el centro de la historia? La primera teología fue capaz de absorber la creación secular de la cultura helenista-romana. A través de la doctrina estoica del logos, se sirvió de la civilización antigua como material para la construcción de la iglesia universal, que en principio incluye todos los elementos positivos en la creatividad cultural del hombre. La pregunta que surge entonces es la de por qué un mundo secular rompió esta unión en la cultura moderna occidental. ¿No era y no es lo suficientemente fuerte el poder del nuevo ser en Cristo como para someter las creaciones de la moderna cultura autónoma al logos, que se convirtió en presencia personal en el centro de la historia? Esta pregunta debe ser, por supuesto, un motivo decisivo en toda teología contemporánea, como lo es en el presente sistema.

La cuestión última, y tal vez el enigma más ofensivo de la historia de la iglesia, es el manifiesto poder en ella de lo demoníaco. Es este un enigma ofensivo a la vista del hecho de que la más elevada pretensión del cristianismo, tal como queda expresada en el himno triunfal de Pablo en el capítulo octavo de su carta a los romanos, es la victoria de Cristo sobre los poderes demoníacos. A pesar de la victoria sobre lo demoníaco, la presencia de los elementos demoníacos en las ritualizaciones primitivas y disimuladas por los sacerdotes de lo sagrado no se pueden ya negar como tampoco se pueden negar esa demonización más básica que ocurre cada vez que las iglesias cristianas han confundido su fundamento con las construcciones levantadas sobre los mismos y han atribuido la ultimidad del primero a las segundas. Hay una línea de demonización en el cristianismo, desde la primera persecución de los herejes inmediatamente después de la elevación del cristianismo a la categoría de religión de estado del imperio romano, a través de las fórmulas condenatorias en las declaraciones de los grandes concilios, a través de las guerras de extirpación contra las sectas medievales y los principios de la inquisición, a través de la tiranía de la ortodoxia protestante, del fanatismo de sus sectas y de la obstinación del fundamentalismo, hasta la declaración de la infalibilidad del papa. El acontecimiento en el que Cristo sacrificó todas las pretensiones de un absoluto particular al que le querían forzar los discípulos no sirvió de nada para todos estos ejemplos de demonización del mensaje cristiano.

A la vista de esto se debe preguntar: ¿cuál es el significado de la historia de la iglesia? Una cosa es obvia: no se puede llamar a la historia de la iglesia «historia sagrada» o una «historia de salvación». La historia sagrada está en la historia de la iglesia pero no se limita a ella, y la historia sagrada queda no sólo manifestada sino también oculta por la historia de la iglesia. Con todo, la historia de la iglesia tiene una cualidad que ninguna otra historia tiene: puesto que se relaciona a sí misma en todos los períodos y apariciones a la manifestación central del reino de Dios en la historia, tiene en ella misma el último criterio contra sí misma —el nuevo ser en Jesús como el Cristo. La presencia de este criterio eleva a las iglesias por encima de cualquier otro grupo religioso, no porque ellas sean «mejores» que los demás, sino porque tienen un mejor criterio contra sí mismas, e implícitamente, contra los demás grupos también. La lucha del reino de Dios en la historia es, por encima de todo, esta lucha en el interior de la vida de sus propios representantes, las iglesias. Hemos relacionado esta lucha con las reformas que se dan una y otra vez en las iglesias. Pero la lucha del reino de Dios en su seno no sólo se manifiesta en la forma dramática de las reformas; prosigue en la vida cotidiana de los individuos y comunidades. Las consecuencias de la lucha son fragmentarias y preliminares pero no carecen de victorias reales del reino de Dios. Sin embargo, ni las reformas dramáticas ni las transformaciones inadvertidas de los individuos y las comunidades constituyen la prueba última de la vocación de las iglesias y la unicidad de la historia de la iglesia. La prueba última es la relación de las iglesias y de su historia con este fundamento en el centro de la historia, incluso en las etapas más distorsionadas de su desarrollo.

Ya hemos dicho que la historia de la iglesia manifiesta no sería posible sin la tarea preparatoria de la iglesia en su estado latente. Esta tarea queda oculta en la historia del mundo, y la segunda consideración de la lucha del reino de Dios en la historia trata de su efecto en la historia del mundo.

C. EL REINO DE DIOS Y LA HISTORIA DEL MUNDO

1. HISTORIA DE LA IGLESIA E HISTORIA DEL MUNDO

El significado del término «mundo» en el contexto del presente capítulo y de los precedentes viene determinado por su contraposición a los términos «iglesia» e «iglesias». No implica la creencia de que exista una historia del mundo que sea una historia coherente y continua del grupo histórico omnienglobante «humanidad». Como ya se discutió con anterioridad, no existe ninguna historia de la humanidad en este sentido. La humanidad es el lugar en el que ocurren los acontecimientos históricos. Estos acontecimientos están por una parte desconectados entre sí y por otra son interdependientes, pero jamás tienen un centro unido de acción. Incluso hoy, cuando ha sido lograda una unidad técnica de la humanidad en cuanto tal. Y si, en un futuro imprevisible, la humanidad en cuanto tal realizara acciones centradas, las historias particulares continuarían siendo el contenido principal de la historia del mundo. Por tanto, debemos mirar a estas historias particulares en nuestra consideración de la relación del reino de Dios con la historia del mundo. Estén o no estén en conexión, los fenómenos a discutir ocurren en cada una de ellas.

El primer problema, a la luz de la sección precedente, se refiere a la relación entre la historia de la iglesia y la historia del mundo. La dificultad de esta cuestión brota del hecho de que la historia de la iglesia, como la representación del reino de Dios, es una parte tanto de la historia del mundo como de la que trasciende la historia del mundo, y del otro hecho de que la historia del mundo se opone a la historia de la iglesia y a la vez depende de ella (incluyendo las actividades de la iglesia latente que preparan para la historia propia de la iglesia). Esta relación, obviamente, es altamente dialéctica, incluyendo varias afirmaciones y negaciones mutuas. Se debe prestar atención a los puntos que vienen a continuación.

La historia de las iglesias muestra todas las características de la historia del mundo, es decir, todas las ambigüedades de la autointegración social, de la autocreatividad y de la autotrascendencia. Las iglesias en este sentido son el mundo. No existirían sin estructuras de poder, de crecimiento, de sublimación, y las ambigüedades implicadas en estas estructuras. Vistas desde este ángulo las iglesias no son más que una sección especial de la historia del mundo. Pero a pesar de la verdad que contiene este punto de vista no por ello se puede arrogar la validez exclusiva. También se da en las iglesias una resistencia indomable contra las ambigüedades de la historia del mundo, y victorias fragmentarias sobre las mismas. La historia del mundo es juzgada por las iglesias en su capacidad como la encarnación de la comunidad espiritual. Las iglesias como representantes del reino de Dios juzgan aquello sin lo que ni siquiera ellas mismas podrían existir. Pero no sólo lo juzgan en teoría mientras en la práctica lo aceptan. Su juicio consiste no sólo en palabras proféticas sino también en retiradas proféticas de las situaciones ambiguas en las que se mueve la historia del mundo. Las iglesias que renunciaron al poder político tienen títulos mayores para enjuiciar las ambigüedades del poder político que aquellas que no han visto el carácter discutible de su propio poder político. El juicio católico contra el comunismo, por muy justificado que pueda estar en sí mismo, necesariamente levanta la sospecha de que se hace como una lucha entre dos grupos de poder competitivos, de los que cada uno atribuye a su validez particular una ultimidad. La crítica protestante no está libre de este engaño pero en cambio está abierta a la pregunta de si se hace la crítica en nombre de la preocupación última del hombre o en nombre de un grupo político particular que se sirve del juicio religioso para sus propósitos económico-políticos (como en la alianza entre el fundamentalismo y el ultraconservadurismo en Norteamérica). El juicio de un grupo protestante contra el comunismo puede ser tan justificado y tan discutible como el del grupo católico. Pero puede haber sufrido la prueba de su sinceridad, y esa prueba está en que primero ha hecho un juicio contra las mismas iglesias, incluso en su estructura básica; y esta es una prueba que la iglesia romana jamás sería capaz de sufrir. Ya que su historia de la iglesia es una historia sagrada sin ningún tipo de restricción en principio, si bien, por supuesto, se pueden invocar restricciones con respecto a los miembros individuales y los acontecimientos particulares.

La historia de la iglesia juzga la historia del mundo al juzgarse a sí misma porque ella forma parte de la historia del mundo. La historia de la iglesia tiene un impacto en la historia del mundo. Los últimos dos mil años de la historia del mundo en la parte occidental de la humanidad transcurren bajo la influencia transformadora de las iglesias. Por ejemplo, el clima de las relaciones sociales se cambia por la existencia de las iglesias. Esto es un hecho al mismo tiempo que un problema. Es un hecho que el cristianismo ha cambiado las relaciones de persona a persona de una manera fundamental, allí donde ha sido aceptado. Esto no significa que las consecuencias de este cambio hayan sido puestas en práctica por una mayoría de personas o por muchas de ellas. Pero sí significa que cualquiera que no pone en práctica esta nueva manera de relaciones humanas, aun teniendo conciencia de ellas, queda marcado por una conciencia intranquila. Tal vez se puede decir que el principal impacto de la historia de la iglesia en la historia del mundo es que produce una conciencia intranquila en aquellos que han recibido el impacto del nuevo ser pero siguen los caminos del viejo ser. La civilización cristiana no es el reino de Dios pero sí nos lo recuerda constantemente. Por tanto no se deben emplear nunca los cambios en el estado del mundo como base para probar la validez del mensaje cristiano. Tales argumentos no convencen porque no tienen en cuenta la paradoja de las iglesias y las ambigüedades de cada etapa de la historia del mundo. Con frecuencia la providencia histórica actúa a través de la demonización y de la profanación de las iglesias en dirección hacia la realización del reino de Dios en la historia. Tales transformaciones providenciales no excusan a las iglesias de su distorsión, pero es una prueba de la independencia del reino de Dios con respecto a sus representantes en la historia.

Escribir la historia de la iglesia bajo estas condiciones requiere un doble punto de vista en la descripción de cada acontecimiento particular. En primer lugar, la historia de la

iglesia debe mostrar los hechos y sus relaciones con los mejores
mètodos de la investigación histórica y lo debe hacer así sin la
introducción de la divina providencia como una causa particular en la cadena general de causas y efectos. El historiador de la
iglesia al escribir la historia de las iglesias cristianas se supone
que no lo hará sobre la historia de las interferencias divinas en la
historia del mundo. En segundo lugar, el historiador de la
iglesia, como teólogo, debe tener conciencia del hecho de que
habla acerca de una realidad histórica en la que es efectiva la
comunidad espiritual y que representa el reino de Dios. La
sección de la historia del mundo que él trata tiene una vocación
providencial para toda la historia del mundo. Por tanto, no sólo
debe mirar la historia del mundo como la amplia matriz en la
que se desarrolla la historia de la iglesia sino también desde un
triple punto de vista: primero, como aquella realidad en la que
la historia de la iglesia como la representación del reino de Dios
ha sido preparada y aún lo está siendo; segundo, como aquella
realidad que es el objeto de las actividades transformadoras de
la comunidad espiritual; y tercero, como aquella realidad por la
que se juzga la historia de la iglesia cuando ella misma la juzga.
La historia de la iglesia, escrita de esta manera, es una parte de
la historia del reino de Dios, realizado en el tiempo histórico.
Pero existe otra parte de esta historia y esa es la misma historia
del mundo.

2. EL REINO DE DIOS Y LAS AMBIGÜEDADES DE LA AUTOINTEGRACIÓN HISTÓRICA

Hemos descrito las ambigüedades de la historia como consecuencia de las ambigüedades de los procesos de la vida en
general. La autointegración de la vida bajo la dimensión de la
historia muestra las ambigüedades implicadas en la tendencia
hacia la centralidad: las ambigüedades del «imperio» y del
«control», de las que la primera aparece en el impulso de
expansión hacia una unidad histórica universal, y la segunda,
en el impulso hacia una unidad centrada en el grupo particular
portador de historia. En cada caso, la ambigüedad de poder
está tras las ambigüedades de la interpretación histórica. Así
surge la pregunta: ¿cuál es la relación del reino de Dios con las
ambigüedades del poder? La respuesta a esta pregunta es tam-

bién la respuesta a la pregunta de la relación de las iglesias con
el poder.

La respuesta teológica básica debe ser que, puesto que Dios
como *el* poder del ser es el origen de todos los poderes particulares del ser, el poder es divino en su naturaleza esencial. Son
abundantes en la literatura bíblica los símbolos de poder para
Dios, Cristo o la iglesia. Y el Espíritu es la unidad dinámica de
poder y de significado. El desprecio del poder en los pronuncia-
mientos más pacifistas no es bíblico ni realista. El poder es la
posibilidad eterna de resistir al no-ser. Dios y el reino de Dios
«ejercen» este poder eternamente. Pero en la vida divina —de
la que el reino divino es la automanifestación creadora— las
ambigüedades de poder, imperio y control están dominadas por
la vida inambigua.

Dentro de la existencia histórica esto significa que cada
victoria del reino de Dios en la historia es una victoria sobre las
consecuencias desintegradoras de la ambigüedad de poder.
Puesto que esta ambigüedad se basa en la división existencial
entre sujeto y objeto, su conquista implica una reunión fragmentaria del sujeto y del objeto. Para la estructura interna de
poder de un grupo portador de historia, esto significa que la
lucha del reino de Dios en la historia es realmente victoriosa en
instituciones, actitudes y conquista, aunque sólo sea fragmentariamente, aquella compulsión que normalmente acompaña al
poder y transforma los objetos de control centrado en simples
objetos. En la medida en que la democratización de las actitudes e instituciones políticas sirve para resistir las implicaciones
destructivas de poder, es una manifestación del reino de Dios en
la historia. Pero sería absolutamente erróneo identificar las
instituciones democráticas con el reino de Dios en la historia.
Esta confusión, en las mentes de mucha gente, ha elevado la
idea de democracia a la categoría de un símbolo religioso
directo y la ha sustituido simplemente por el símbolo del «reino
de Dios». Quienes arguyen contra esta confusión tienen razón
cuando señalan el hecho de que los sistemas jerárquico-aristo-
cráticos de poder han impedido durante largos períodos la total
transformación de los hombres en objetos por la tiranía de los
más fuertes. Y aún más, también destacan correctamente que
los sistemas aristocráticos por sus efectos creadores de comunidad y personalidad han desarrollado el potencial democrático

de los líderes y de las masas. Con todo, esta consideración no justifica la glorificación de los sistemas autoritarios de poder como expresiones de la voluntad de Dios. En la medida en que los elementos centrales y liberadores en una estructura de poder político están equilibrados, el reino de Dios en la historia ha conquistado fragmentariamente las ambigüedades de control. Este es, al mismo tiempo, el criterio por el que las iglesias deben juzgar las acciones y las teorías políticas. Su juicio contra la política de poder no debe ser un rechazo del poder sino una afirmación del poder e incluso de su elemento compulsivo en los casos en los que la justicia es violada («justicia» se usa aquí en el sentido de protección del individuo como personalidad potencial en una comunidad). Por tanto, aun cuando la lucha contra la «objetivación» del sujeto personal es una tarea permanente de las iglesias, que debe ser llevada a cabo por el testimonio profético y la iniciación sacerdotal, no es su función controlar los poderes políticos e imponerles soluciones particulares en el nombre del reino de Dios. La manera de actuar del reino de Dios en la historia no se identifica con la manera como las iglesias quieren dirigir el curso de la historia.

La ambigüedad de la autointegración de la vida bajo las dimensiones históricas es efectiva también en la tendencia hacia la reunión de todos los grupos humanos en un imperio. Se debe afirmar nuevamente que el reino de Dios en la historia no implica la negación de poder en el encuentro de grupos políticos centrados, por ejemplo, naciones. Como en todo encuentro de seres vivientes, con la inclusión de seres individuales, el poder de ser se encuentra con el poder de ser y se toman las decisiones según el mayor o menor grado de poder. Y como ocurre en el grupo particular y en su estructura de control, así también ocurre en las relaciones de los grupos particulares entre sí, que las decisiones se toman a cada momento en que se realiza el significado del grupo particular para la unidad del reino de Dios en la historia. En estas luchas podría ocurrir que una derrota política completa se convierta en la condición para la significación máxima que alcanza un grupo en la manifestación del reino de Dios en la historia —como en la historia judía, y en cierta manera análoga, en la historia india y griega. Pero puede también ser que una derrota militar sea la manera como el reino de Dios, que lucha en la historia, prive a los grupos nacionales de la dignificación última que se arrogaban en la falsedad —como en el caso de la Alemania de Hitler. Si bien esto se hizo por medio de los vencedores del nazismo, su victoria no les dio una pretensión inambigua de que eran ellos mismos los portadores de la reunión de la humanidad. Si se arrogaran una tal pretensión, mostrarían por este solo hecho, su incompetencia para llevarla a cabo (Véanse, por ejemplo, alguna propaganda de odio en los Estados Unidos y el absolutismo de la Rusia comunista).

Para las iglesias cristianas esto significa que deben tratar de encontrar un camino entre el pacifismo que ignora o niega la necesidad de poder (incluida la obligación) en la relación de grupos portadores de historia y un militarismo que cree en la posibilidad de alcanzar la unidad de la humanidad por medio de la conquista del mundo por un grupo histórico particular. La ambigüedad de la construcción de un imperio se conquista fragmentariamente cuando se crean unidades políticas superiores que, aun cuando no carecen del elemento obligatorio de poder, con todo lo llevan a cabo de una manera que puede desarrollarse la comunidad entre los grupos únicos y ninguno de ellos queda transformado en un simple objeto de control centrado.

Esta solución básica del problema del poder en expansión hacia unidades mayores debe determinar la actitud de las iglesias ante la construcción de un imperio y la guerra. La guerra es el nombre del elemento obligatorio en la creación de unidades imperiales superiores. Una guerra «justa» es o bien una guerra en la que se tiene que romper la resistencia arbitraria a una unidad superior (por ejemplo, la guerra civil norteamericana) o bien una guerra en la que se ofrece resistencia al intento de crear o mantener una unidad superior mediante una simple eliminación (por ejemplo, la guerra revolucionaria norteamericana). No hay manera posible de declarar, si no es por una fe arriesgada, que una guerra fue o es justa en este sentido. Sin embargo, esta incertidumbre no justifica el tipo cínico de realismo que renuncia a todos los criterios y juicios, ni justifica el idealismo utópico que cree en la posibilidad de eliminar el elemento obligatorio de poder de la historia. Pero las iglesias como representantes del reino de Dios pueden y deben condenar una guerra que tiene sólo las apariencias de guerra pero que en realidad es un suicidio universal. Jamás se puede empezar una guerra atómica con la pretensión de que se trata de una guerra justa porque no puede servir a la unidad que pertenece al reino de Dios. Pero se debe estar dispuesto a responder de la misma manera, incluso con las armas atómicas, si el otro bando las utiliza primero. La misma amenaza puede ser un elemento para disuadir su empleo.

Todo esto implica que la manera pacifista no es la manera del reino de Dios en la historia. Pero ciertamente es la manera de las iglesias como representantes de la comunidad espiritual. Perderían su carácter representativo si emplearan armas militares o económicas como instrumentos para la difusión del mensaje de Cristo. De ahí se deriva la valoración de la iglesia de los movimientos, grupos e individuos pacifistas. Las iglesias deben rechazar el pacifismo político pero deben apoyar aquellos grupos e individuos que tratan simbólicamente de representar la «paz del reino de Dios» al rehusar su participación en el elemento coactivo de las luchas de poder y que están dispuestos a sufrir las inevitables reacciones que se producirán en los poderes políticos a los que pertenecen y por los que están protegidos. Esto guarda relación con grupos como los cuáqueros e individuos como los objetores de conciencia. Representan dentro del grupo político la renuncia al poder que es esencial para las iglesias pero no se puede convertir en ley impuesta al cuerpo político.

3. EL REINO DE DIOS Y LAS AMBIGÜEDADES
    DE LA AUTOCREATIVIDAD HISTÓRICA

Mientras que las ambigüedades de la autointegración histórica llevan a los problemas del poder político, las ambigüedades de la autocreatividad histórica llevan a los problemas del crecimiento social. Es la relación de lo nuevo con lo viejo en la historia lo que da origen a los conflictos entre revolución y tradición. Las relaciones de las generaciones entre sí constituyen el típico ejemplo del elemento inevitable de desconfianza mutua en el proceso de crecimiento. Una victoria del reino de Dios crea una unidad de tradición y de revolución en la que quedan superadas la desconfianza del crecimiento social y sus destructivas consecuencias, «mentiras y homicidios».

No quedan superadas por el rechazo de la revolución o de la tradición en nombre del aspecto trascendente del reino de Dios. La principal actitud antirrevolucionaria de muchos grupos cristianos está fundamentalmente equivocada, ya se trate de las revoluciones culturales incruentas, ya de las revoluciones políticas incruentas y cruentas. El caos que sigue a cualquier tipo de revolución puede ser un caos creativo. Si los grupos portadores de historia no están dispuestos a asumir este riesgo y llegan a lograr que no haya ninguna revolución, ni siquiera incruenta, la dinámica de la historia les dejará retrasados. Y ciertamente no podrán pretender que su retraso histórico sea una victoria del reino de Dios. Pero tampoco se puede decir esto del intento de los grupos revolucionarios por destruir las estructuras dadas de la vida cultural y política por medio de revoluciones que intenten forzar el cumplimiento del reino de Dios y su justicia «sobre la tierra». Fue contra tales ideas de una revolución cristiana que acabara con todas las revoluciones por lo que Pablo escribió en el capítulo 13 de su carta a los romanos aquellas palabras acerca del deber de la obediencia a las autoridades en el poder. Uno de los muchos abusos político-teológicos de las afirmaciones bíblicas es la comprensión de las palabras de Pablo como justificación de la inclinación antirrevolucionaria de algunas iglesias, la luterana en particular. Pero ni estas palabras ni ninguna otra afirmación del nuevo testamento tratan de los métodos para ganar poder político. En su carta a los romanos Pablo se dirige a los entusiastas de la escatología, no a un movimiento político revolucionario.

El reino de Dios sale victorioso de las ambigüedades del crecimiento histórico sólo allí donde se puede discernir que con la revolución se está edificando la tradición de tal manera que, a pesar de las tensiones en toda situación concreta y en relación con todo problema particular, ha sido hallada una solución creadora en la dirección de la última finalidad de la historia.

Es de la naturaleza de las instituciones democráticas, en relación con las cuestiones de la centralidad y del crecimiento políticos, que traten de unir la verdad de los dos aspectos conflictivos. Aquí los dos aspectos son lo nuevo y lo viejo, representados por la revolución y la tradición. La posibilidad de derrocar un gobierno por medios legales es un tal intento de unión; y en la medida en que lo logra representa una victoria

del reino de Dios en la historia, porque supera la división. Pero
este hecho no elimina las ambigüedades inherentes a las mismas
instituciones democráticas. Ha habido otras maneras de unir la
tradición y la revolución dentro de un sistema político, como se
ve en las organizaciones federales pre-absolutistas de la sociedad. Y no debemos olvidar que la democracia puede crear una
conformidad masiva que es más peligrosa para el elemento
dinámico en la historia y su expresión revolucionaria que un
absolutismo que opere abiertamente. El reino de Dios se opone
tanto a un conformismo establecido como a un no-conformismo
de tipo negativo.

Si miramos la historia de las iglesias encontramos que la
religión, incluyendo el cristianismo, ha permanecido apoyada
de manera impresionante en el aspecto conservador-tradicio-
nal. Los grandes momentos en la historia de la religión en que el
espíritu profético desafió las tradiciones doctrinales y rituales
sacerdotales son excepciones. Estos momentos son comparativamente raros (los profetas judíos, Jesús y los apóstoles, los reformadores) —de conformidad con la ley general de que el crecimiento normal de la vida es orgánico, lento y sin interrupciones
catastróficas. Esta ley de crecimiento es más efectiva en los
dominios en los que lo dado está revestido con el tabú de lo
sagrado, y en los que, por consiguiente, todo ataque contra lo
dado se toma como una violación de un tabú. La historia del
cristianismo hasta nuestros días está llena de ejemplos de esta
manera de sentir y por consiguiente de la solución tradicionalis-
ta. Pero siempre que el poder espiritual produjo una revolución
espiritual, una etapa del cristianismo (y de la religión en general) quedó transformada en otra. Hace falta mucha abundancia
de pruebas conectadas con la tradición para que un ataque a la
misma pueda tener sentido. Esto está en relación con el predominio cuantitativo de la tradición religiosa sobre la revolución
religiosa. Pero cada revolución en el poder del Espíritu crea una
nueva base para la conservación sacerdotal y el cultivo de
tradiciones duraderas. Este ritmo de la dinámica de la historia
(que tiene analogías en los dominios biológico y psicológico) es
la manera de operar del reino de Dios en la historia.

4. EL REINO DE DIOS Y LAS AMBIGÜEDADES
    DE LA AUTOTRASCENDENCIA HISTÓRICA

Las ambigüedades de la autotrascendencia vienen causadas
por la tensión entre el reino de Dios realizado en la historia y el
reino como expectación. Las consecuencias demoníacas se derivan de la absolutización de la realización fragmentaria de la
finalidad de la historia dentro de la historia. Por otro lado, si la
conciencia de realización está ausente por completo, la utopía
alterna con los inevitables desengaños que son la sementera del
cinismo.

Por consiguiente, no se da ninguna victoria del reino de Dios
si se niegan o bien la conciencia de la plenitud realizada o bien
la expectación de la plenitud. Como hemos visto, se puede
emplear el símbolo de la «tercera etapa» de las dos maneras.
Pero se puede emplear también de tal manera que una la
conciencia de la presencia con la aún-no-presencia del reino de
Dios en la historia. Este fue el problema de la primitiva iglesia, y
continuó como problema en toda la historia de la iglesia, así
como también en las formas secularizadas del carácter autotrascendente de la historia. Mientras que resulta comparativamente fácil ver la necesidad teórica en la unión de la presencia y la
aún-no-presencia del reino de Dios, es muy difícil mantener la
unión en un estado de tensión viva sin dejar que se rebaje al
«camino medio» sin contenido de la satisfacción eclesiástica o
secular. En el caso de la satisfacción o bien eclesiástica o bien
secular, es la influencia de esos grupos sociales que están interes-
sados en la preservación del statu quo, la que es amplia, aunque
no exclusivamente, responsable de una tal situación. Y la reacción de los críticos del statu quo conduce en cada caso a la
reafirmación del «principio de la esperanza» (Ernst Bloch) en
términos utópicos. En tales movimientos de expectación, por
poco realistas que puedan ser, el combate del reino de Dios se
apunta una victoria contra el poder de complacencia en sus
diferentes formas sociológicas y psicológicas. Pero por supuesto,
se trata de una victoria precaria y fragmentaria porque los que
se la apuntan tienden por lo general a ignorar la presencia
dada, pero fragmentaria, del reino.

La implicación de esto para las iglesias como representantes
del reino de Dios en la historia consiste en que su tarea es

mantener vivia la tensión entre la conciencia de la presencia y la expectación de lo que viene. El peligro para las iglesias receptivas (sacramentales) consiste en que resaltarán la presencia y abandonarán la expectación; y el peligro para las iglesias activas (proféticas) consiste en que destacarán la expectación y abandonarán la conciencia de la presencia. La expresión más importante de esta diferencia está en el contraste entre realzar la salvación individual en un grupo y en el otro la transformación social. Por tanto es una victoria del reino de Dios en la historia si una iglesia sacramental acepta entre sus finalidades el principio de la transformación social o si una iglesia activa afirma la presencia espiritual bajo todas las condiciones sociales, destacando la línea vertical de la salvación sobre la línea horizontal de la actividad histórica. Y puesto que la línea vertical es primariamente la línea del individuo a lo último, surge la pregunta de cómo el reino de Dios, en su lucha dentro de la historia, supera las ambigüedades del individuo en su existencia histórica.

5. EL REINO DE DIOS Y LAS AMBIGÜEDADES DEL INDIVIDUO EN LA HISTORIA

La frase «el individuo en la historia» en este contexto significa el individuo en la medida en que participa activamente en la dinámica de la historia. No sólo el que actúa políticamente participa en la historia sino todo aquel que en algún campo de la creatividad contribuye al movimiento universal de la historia. Y esto es así a pesar del predominio de lo político en la existencia histórica. Por tanto, todos están sujetos a las ambigüedades de esta participación, cuyo carácter básico es la ambigüedad del sacrificio histórico.

No es una victoria del reino de Dios en la historia si el individuo trata de sustraerse a participar en la historia en nombre del trascendente reino de Dios. No sólo es imposible sino que el mismo intento priva al individuo de la plena humanidad al separarle del grupo histórico y de su autorrealización creadora. No se puede alcanzar el trascendente reino de Dios sin participar en la lucha del reino de Dios intrahistórico. Ya que lo trascendente es real dentro de lo intrahistórico. Todo individuo es arrojado dentro del trágico destino de la existencia histórica. No se puede escapar, ya muera siendo un niño, ya como un gran personaje histórico. No hay ningún destino que no esté influenciado por las condiciones históricas. Pero cuanto más esté determinado el propio destino por la propia participación activa tanto más se exige el sacrificio histórico. Allí donde un tal sacrificio se acepta con madurez allí se ha dado una victoria del reino de Dios.

Sin embargo, si no hubiera ninguna otra respuesta a la pregunta del individuo en la historia, no tendría sentido la existencia histórica del hombre ni tendría justificación el símbolo del «reino de Dios». Esto es obvio con solo que hagamos la pregunta: ¿para qué el sacrificio? Un sacrificio cuya finalidad no tenga ninguna relación con aquel a quien se le pide no es sacrificio sino una autoaniquilación forzosa. El sacrificio genuino no aniquila sino que da plenitud a quien lo hace. Por tanto, el sacrificio histórico debe supeditarse a una finalidad en la que se alcanza más que simplemente el poder de una estructura política, o la vida de un grupo, o un progreso en el movimiento histórico o el estado más elevado de la historia humana. Debe ser más bien un objetivo por el que sacrificarse que produce también la plenitud personal del mismo que se presta a hacerlo. La finalidad personal, el *telos*, puede ser la «gloria» como en la Grecia clásica; o el «honor» como en las culturas feudales; o puede ser una identificación mística con la nación, como en la era del nacionalismo, o con el partido, como en la era del neocolectivismo; o puede ser el establecimiento de una verdad, como en el cientifismo; o la obtención de una nueva etapa de la autorrealización humana, como en el progresismo. Puede ser la gloria de Dios, como en las religiones de tipo ético; o la unión con el último, como en los tipos místicos de experiencia religiosa; o la vida eterna en el fondo divino y la finalidad del ser, como en el cristianismo clásico. Allí donde se dan unidos el sacrificio histórico y la certeza de la plenitud personal de esta manera, ha tenido lugar una victoria del reino de Dios. La participación del individuo en la existencia histórica ha recibido un significado último.

Si comparamos ahora las múltiples expresiones del significado último de la participación del individuo en la dinámica de la historia, podemos trascenderlas todas ellas —mediante el símbolo del reino de Dios. Ya que este símbolo une los elementos cósmicos, sociales y personales. Une la gloria de Dios con el amor de Dios y ve en la trascendencia divina la multiplicidad inagotable de las potencialidades creadoras.

Esta consideración nos lleva a la última sección de esta parte y de todo el sistema teológico: «El reino de Dios como el final de la historia (o como vida eterna)».

III

EL REINO DE DIOS COMO EL
FINAL DE LA HISTORIA

A. EL FINAL DE LA HISTORIA O LA VIDA ETERNA

1. EL DOBLE SIGNIFICADO DEL «FINAL DE LA HISTORIA»
   Y LA PERMANENTE PRESENCIA DEL FINAL

Las victorias fragmentarias del reino de Dios en la historia apuntan por su mismo carácter al especto no-fragmentario del reino de Dios «por encima de» la historia. Pero incluso «por encima» de la historia, el reino de Dios está relacionado con la historia; es el «final» de la historia.

La palabra inglesa *end* significa final y fin; y es por ello un medio excelente para expresar los dos aspectos del reino de Dios, el trascendente y el intrahistórico. En algún momento del desarrollo del cosmos, la historia humana, la vida sobre la tierra, la misma tierra y la etapa del universo a la que pertenecen llegarán a un final; dejarán de existir en el tiempo y el espacio. Este acontecimiento es un pequeño acontecimiento en el conjunto del proceso temporal universal. Pero esta palabra inglesa *end* significa también finalidad, que el latín *finis* y el griego *telos* designan como aquello hacia lo que apunta el proceso temporal como a su meta. El primer significado de la palabra inglesa *end*, final, tiene significado teológico sólo porque desmitifica el simbolismo dramático trascendente referente al final del tiempo histórico, como se da, por ejemplo, en la literatura apocalíptica y en algunas ideas bíblicas. Pero el final de la posibilidad biológica o física de la historia no es el fin de la historia en el segundo sentido de la palabra inglesa *end*. El fin de la historia en este sentido no es un momento dentro del desarrollo más amplio del universo (llamado análogamente historia) sino que trasciende todos los momentos del proceso temporal; es la finalidad del mismo tiempo —es la eternidad. La finalidad de la historia en el sentido de finalidad interna o el *telos* de la historia es la «vida eterna».

La expresión clásica para la doctrina del «final de la historia» es «la escatología». La palabra griega *eschatos* combina al igual que la palabra inglesa *end*, un sentido espacio-temporal y de valoración cualitativa. Apunta tanto a lo último, a lo más lejano en el tiempo y el espacio, como a lo más elevado, lo más perfecto, lo más sublime —pero algunas veces también lo más bajo en valor, a lo negativo en extremo. Estas connotaciones están presentes si se emplean expresiones como «escatología», la «doctrina de lo último», o «las últimas cosas». Su connotación mitológica más inmediata así como la más primitiva es «el último en la cadena de todos los días». Este día pertenece al conjunto de todos los días que constituyen el proceso temporal; es uno de ellos, pero tras él ya no vendrá ningún otro día. Todos los acontecimientos que ocurran aquel día se llaman «las últimas cosas» *(ta eschata)*. Escatología en este sentido es la descripción de lo que ocurrirá en el último de todos los días. La imaginación poética, dramática y pictórica han realizado esta descripción con abundancia de detalles, desde la literatura apocalíptica hasta las pinturas del último juicio y del cielo y del infierno.

Pero nuestra pregunta es: ¿cuál es el significado teológico de toda esta imaginería (que de ninguna manera es exclusivamente te judía y cristiana)? A fin de resaltar la connotación cualitativa de *eschatos* empleo el singular: el *eschaton*. El problema teológico de la escatología no viene dado por las muchas cosas que ocurrirán sino por una «cosa» que no es una cosa sino la expresión simbólica de la relación de lo temporal con lo eterno. Más específicamente, simboliza la «transición» de lo temporal a lo eterno, y esta es una metáfora similar a la de la transición de lo eterno a lo temporal en la doctrina de la creación, de la esencia a la existencia en la doctrina de la caída, y de la existencia a la esencia en la doctrina de la salvación.

Al problema escatológico se le da una significación existencial inmediata mediante la reducción de las *eschata* al *eschaton*. Deja de ser un asunto de imaginación acerca de una indefinidamente lejana (o cercana) catástrofe en el tiempo y el espacio para convertirse en una expresión de nuestra presencia a cada momento ante lo eterno, si bien en un modo particular del tiempo. El modo del futuro aparece en todo simbolismo escatológico, al igual que el modo del pasado aparece en todo simbolismo de la creación. Dios *ha* creado el mundo y él lo *llevará* a su final. Pero si bien en ambos casos queda simbolizada la relación de lo temporal con lo eterno, es diferente el significado existencial y por tanto teológico de los símbolos. Si se emplea el modo del pasado para la relación de lo temporal con lo eterno, se indica la dependencia de la existencia de la creatura; si se emplea el futuro, se indica la plenitud de la existencia de la creatura en lo eterno.

El pasado y el futuro se encuentran en el presente, y ambos quedan incluidos en el eterno «ahora». Pero no quedan absorbidos por el presente; tienen sus funciones independientes y diferentes. El cometido de la teología es analizar y describir estas funciones en la unidad con el simbolismo total al que pertenecen. De esta manera el *eschaton* se convierte en materia de experiencia actual sin perder su dimensión de futuro: estamos *ahora* ante lo eterno, pero lo estamos mirando adelante hacia el final de la historia y al final de todo lo que es temporal en lo eterno. Esto da al símbolo escatológico su urgencia y seriedad y hace que sea imposible para la predicación cristiana y el pensamiento teológico tratar a la escatología como un apéndice de un sistema que de otra manera quedaría inacabado. Esto jamás se ha hecho con respecto al final del individuo: la predicación del *memento mori* fue siempre importante en la iglesia, y el destino trascendental del individuo siempre fue un tema de alta preocupación teológica. Pero la pregunta del final de la historia y del universo en lo eterno se hizo raramente, y si se hizo no se la contestó seriamente. Tan sólo las históricas catástrofes de la primera mitad del siglo XX y la amenaza de la autoaniquilación del hombre a partir de la mitad del presente siglo han provocado una preocupación con frecuencia apasionada a propósito del problema escatológico en su plenitud. Y se debe decir aquí que sin la consideración del final de la historia y del universo, ni siquiera se puede dar una respuesta al problema del destino eterno del individuo.

2. EL FINAL DE LA HISTORIA COMO ELEVACIÓN DE LO TEMPORAL AL SENO DE LA ETERNIDAD

La historia, ya lo hemos visto, es creadora de lo cualitativamente nuevo y corre hacia lo últimamente nuevo, que, sin embargo, jamás puede alcanzar en sí mismo porque lo último trasciende todo momento temporal. La plenitud de la historia radica en el permanentemente presente final de la historia, que es el aspecto trascendente del reino de Dios: la vida eterna.

Hay tres posibles respuestas a la pregunta: ¿cuál es el contenido de la vida llamada eterna o cuál es el contenido del reino goberanado por Dios en plenitud trascendente? La primera es negarse a contestar, porque se considera un misterio inalcanzable, el misterio de la gloria divina. Pero la religión siempre ha violado, y la teología debe violar esta restricción. Ya que la «vida» y el «reino» son símbolos concretos y particulares, distintos de otros que han aparecido en la historia de la religión y en las expresiones seculares de lo último. Si de una forma u otra se emplean símbolos concretos, no se puede permitir un silencio sin más acerca de su significado.

Otra respuesta, la de la imaginación popular y la del supranaturalismo teológico (su aliado conceptual) es todo lo contrario. La imaginación popular y la teología supranaturalista saben mucho acerca del reino trascendente, porque lo ven como una copia idealizada de la vida tal como se experimenta dentro de la historia y bajo las condiciones universales de existencia. Es característico de esta reduplicación que sean eliminadas de la misma todas las características negativas de la vida tal como nos son conocidas, por ejemplo, la finitud, el mal, la alienación, etc. Todas las esperanzas, derivadas de la esencia natural del hombre y de su mundo, quedan realizadas. De hecho, las expresiones populares de esperanza exceden con mucho los límites de la esperanza esencialmente justificada. Son proyecciones de todos los materiales ambiguos de la vida temporal, y de los deseos que suscitan, a los dominios trascendentes. Un tal dominio supranatural no tiene ninguna relación directa con la historia y con el desarrollo del universo. Está establecido en la eternidad, y el problema de la existencia humana es si los hombres individuales pueden entrar en el dominio trascendente y de qué manera. La historia se valora simplemente como un elemento importante en la vida terrenal del hombre; es una contextura finita en la que el individuo puede tomar decisiones, importantes para su propia salvación pero que no tienen importancia para el reino de Dios que está por encima de la historia. Esto obviamente priva a la historia de un significado último. La historia es, por así decirlo, el dominio terreno del que son trasladados los individuos al dominio celestial. La actividad histórica, por muy en serio y muy espiritualmente que se realice, no contribuye al reino celestial. Incluso las iglesias son instituciones de salvación, es decir, de salvación de los individuos, pero no realizaciones del nuevo ser.

Existe una tercera respuesta a la pregunta de la relación de la historia con la vida eterna. Coincide con la interpretación dinámico-creativa del símbolo «reino de Dios» así como con la interpretación anti-supranaturalista o paradójica de la relación de lo temporal con lo eterno. Su afirmación básica es que el final siempre presente de la historia eleva el contenido positivo de la historia hasta la eternidad al mismo tiempo que excluye lo negativo de esta participación. Por tanto nada de lo que ha sido creado en la historia se pierde, pero sí queda liberado de todo elemento negativo con el que aparece enredado dentro de la existencia. Lo positivo se manifiesta como negativo de manera inambigua en la elevación de la historia a la eternidad. La vida eterna, pues, incluye el contenido positivo de la historia, liberada de sus distorsiones negativas y realizada plenamente en sus potencialidades. La historia en esta afirmación es primariamente historia humana. Pero puesto que existe una dimensión histórica en todos los dominios de la vida, todas ellas quedan incluidas en la afirmación, si bien en grados diferentes. La vida universal se mueve hacia un final y se eleva a la vida eterna, su final último y siempre presente.

Con lenguaje plenamente simbólico se podría decir que la vida en el conjunto de la creación y de manera especial en la historia humana contribuye en todo momento de tiempo al reino de Dios y a su vida eterna. Todo lo que ocurre en el tiempo y el espacio, en la más pequeña partícula de materia así como en la más grande personalidad, tiene un significado para la vida eterna. Y puesto que la vida eterna es participación en la vida divina, todo acontecimiento finito es significativo para Dios.

La creación es creación para el final: en el «fondo» está presente el «fin». Pero entre el principio y el final, se crea lo nuevo. Para el fondo divino del ser debemos decir que lo creado *no* es nuevo, pues está potencialmente enraizado en el fondo, y a la vez, que *es* nuevo, ya que su realidad se basa en la libertad en unión con el destino, y la libertad es la condición previa de toda novedad en la existencia. Lo necesariamente consecuente no es nuevo; una simple trasformación de lo viejo (Pero incluso el término «transformación» apunta a un elemento de novedad; la determinación total haría imposible incluso la transformación).

3. EL FINAL DE LA HISTORIA COMO LA DIVULGACIÓN DE LO NEGATIVO COMO NEGATIVO O EL «JUICIO FINAL»

La elevación de lo positivo en la existencia a la vida eterna implica la liberación de lo positivo de su mezcla ambigua con lo negativo, que caracteriza la vida bajo las condiciones de existencia. La historia de la religión está llena de símbolos para esta idea tales como el símbolo judío, cristiano e islámico, del juicio final o el símbolo hindú y budista de la reencarnación bajo la ley de karma. En todos estos casos el juicio no queda restringido a los individuos sino que hace referencia al universo. El símbolo griego y persa del abrasamiento total de un cosmos y el nacimiento de otro expresa el carácter universal de la negación de lo negativo al final. La palabra griega que significa juzgar *(krinein,* «separar») señala más adecuadamente la naturaleza del juicio universal: es un acto de separación: lo bueno de lo malo, lo verdadero de lo falso, los que son aceptados de los que son rechazados.

A la luz de nuestra comprensión del final de la historia como siempre presente y como la permanente elevación de la historia a la eternidad el símbolo del juicio final recibe el siguiente significado: aquí y ahora en la permanente transición de lo temporal a lo eterno, lo negativo queda derrotado en su pretensión des ser positivo, una pretensión que apoya usando lo positivo y mezclándolo de manera ambigua consigo mismo. De esta manera produce la apariencia de ser positivo él mismo (por ejemplo, la enfermedad, la muerte, una mentira, la destructividad, el asesinato y el mal en general). La aparición del mal como positivo se desavanece en presencia de lo eterno. En este sentido se llama a Dios en su vida eterna «fuego ardiente», que abrasa lo que pretende ser positivo sin serlo. Nada positivo se va a abrasar. Ningún fuego del juicio lo podría hacer, ni siquiera el fuego de la ira divina. Ya que Dios no puede negarse a sí mismo, y todo lo positivo es una expresión del ser mismo. Y puesto que no hay nada simplemente negativo (lo negativo vive de lo positivo que distorsiona), nada que tenga ser puede ser últimamente aniquilado. Nada de lo que es, en la medida en que es, puede ser excluido de la eternidad; pero puede serlo en la medida en que está mezclado con el no-ser y aún no está liberado del mismo.

La cuestión del significado que esto tiene para la persona individual se discutirá más adelante. En este punto lo que se pregunta es ¿cómo tiene lugar la transición de lo temporal a lo eterno? ¿Qué ocurre con las cosas y seres que no son humanos en la transición del tiempo a la eternidad? ¿Cómo, en esta transición, se expone lo negativo en su negatividad y se abandona a la aniquilación? ¿Qué es exactamente lo que se niega si nada positivo se puede negar? A todas estas preguntas sólo se puede responder en el contexto de todo un sistema porque implican los conceptos principales (ser, no-ser, esencia, existencia, finitud, alienación, ambigüedad, etc.). Así como los símbolos centrales religiosos (creación, la caída, lo demoníaco, la salvación, *ágape*, reino de Dios, etc.). De otra manera, las respuestas serían meras opiniones, una intuición deslumbrante, o simple poesía (con su poder revelador pero no conceptual). En el contexto del presente sistema son posibles las siguientes respuestas: la transición de lo temporal a lo eterno, el «final» de lo temporal, no es un acontecimiento temporal —al igual que la creación no es un acontecimiento temporal. El tiempo es la forma de lo finito creado (siendo creado al mismo tiempo), y la eternidad es la finalidad interna, el *telos* de lo finito creado, que eleva permanentemente lo finito hacia sí. Con una metáfora atrevida se podría decir que lo temporal, en un proceso continuo, pasa a ser «memoria eterna». Pero memoria *eterna* es una retención viva de la cosa recordada. Es al mismo tiempo pasado, presente y futuro en una unidad trascendente de los tres modos del tiempo. Ya no se puede decir más —a no ser en lenguaje poético. Pero lo poco que se puede decir —sobre todo con expresiones negativas— tiene una consecuencia importante para nuestra comprensión del tiempo y de la eternidad: lo eterno no es un futuro estado de cosas. Está siempre presente, no sólo en el hombre (que tiene conciencia de ello), sino también en todo lo que tiene ser dentro del conjunto del ser. Y con respecto al tiempo podemos decir que su dinámica se mueve no sólo hacia adelante sino también hacia arriba y que los dos movimientos están unidos en una curva que se mueve a la vez hacia adelante y hacia arriba.

La segunda cuestión pide una explicación de la principal afirmación de este capítulo —que en la transición de lo temporal a lo eterno se niega lo negativo. Si aplicamos de nuevo la metáfora de la «memoria eterna», podemos decir que lo negativo no es objeto de memoria eterna en el sentido de retención viva. Tampoco es olvidado, porque olvidar presupone por lo menos un momento de recuerdo. Lo negativo no se recuerda en absoluto. Se reconoce por lo que es, no-ser. Sin embargo, no queda sin efecto sobre aquello que es eternamente recordado. Está presente en la memoria eterna como aquello que es conquistado y echado fuera a la desnudez de la nada (por ejemplo, una mentira). Este es el aspecto de condena de lo que se llama simbólicamente el juicio final. De nuevo se debe confesar que más allá de estas afirmaciones predominantemente negativas no se puede decir nada acerca del juicio del universo, a no ser en lenguaje poético. Pero algo se debe decir acerca del aspecto salvador del último juicio. La afirmación de que lo positivo en el universo es el objeto de memoria eterna requiere una explicación del término que tiene una realidad verdadera —como la esencia creada de una cosa. Esto lleva a la nueva pregunta de cómo lo «positivo» se relaciona con el ser esencial, y por contraste, con el ser existencial. Una primera y de alguna manera platonizante respuesta es que el ser, elevado a la eternidad, implica una vuelta a lo que una cosa es esencialmente; Schelling ha dado a esto el nombre de «esencialización». Esta formulación puede significar volver al estado de mera esencialidad o potencialidad, incluyendo la eliminación de todo lo que es real bajo las condiciones de existencia. Una tal comprensión de la esencialización la convertiría en un concepto que es más adecuado a las religiones nacidas en la India que a las nacidas en Israel. El proceso del mundo entero no produciría nada nuevo. Tendría el carácter de caer lejos del ser esencial para volver al mismo. Pero el término «esencialización» puede significar también que lo nuevo que ha sido realizado en el tiempo y el espacio añade algo al ser esencial, uniéndolo con lo positivo que es creado dentro de la existencia, produciendo así lo últimamente nuevo, el «nuevo ser», no fragmentariamente como en la vida temporal, sino de manera total como una contribución al reino de Dios en su plenitud. Tal pensamiento, a pesar de ser expresado metafórica e inadecuadamente, da un peso infinito a toda decisión y creación en el tiempo y el espacio y confirma la seriedad de lo que se significa con el símbolo del «juicio final». La participación en la vida eterna depende de una síntesis creadora de la naturaleza esencial de un ser con lo que él ha hecho de ella en su existencia temporal. En la medida en que lo negativo ha mantenido su posesión, está expuesto en su negatividad y excluido de la memoria eterna. Mientras que en la medida en que lo esencial ha conquistado la distorsión existencial su posición es más elevada en la vida eterna.

4. EL FINAL DE LA HISTORIA Y LA CONQUISTA FINAL
    DE LAS AMBIGÜEDADES DE LA VIDA

Con la divulgación y la expulsión de lo negativo en el juicio final quedan conquistadas las ambigüedades de la vida no sólo fragmentariamente como en las victorias intrahistóricas del reino de Dios sino totalmente. Puesto que el estado de perfección final es la norma de perfección fragmentaria y el criterio de las ambigüedades de la vida, es necesario señalarlo si bien se debe hacer con un lenguaje metafórico negativo que es el propio de todos los esfuerzos por conceptualizar los símbolos escatológicos.

Con respecto a las tres polaridades del ser y las correspondientes tres funciones de la vida debemos preguntar por el significado de la autointegración, autocreatividad y autotrascendencia en la vida eterna. Puesto que la vida eterna se identifica con el reino de Dios en su plenitud es la conquista nofragmentaria, total y completa de las ambigüedades de la vida —y esto bajo todas las dimensiones de la vida o, empleando otra metáfora, en todos los grados del ser.

La primera pregunta entonces es: ¿qué queremos decir con una autointegración inambigua como una característica de la vida eterna? La respuesta apunta al primer par de elementos polares en la estructura del ser: la individualización y la participación. En la vida eterna los dos polos están en un equilibrio perfecto. Están unidos en lo que trasciende su contraste polar: la centralidad divina, que incluye el universo de lo poderes del ser sin aniquilarlos en una identidad muerta. Se puede todavía hablar de su autointegración, indicando que incluso dentro de la unidad centrada de la vida divina no han perdido su autorrelación. La vida eterna continúa siendo vida, y la centralidad universal no anula los centros individuales. Esta es la primera respuesta a la pregunta sobre el significado de la vida eterna, una respuesta que da también la primera condición para la caracterización del reino de Dios realizado en plenitud como la vida de amor inambiguo y no-fragmentario.

La segunda pregunta es: ¿cuál es el significado de una autocreatividad inambigua como característica de la vida eterna? La respuesta apunta al segundo par de elementos polares en la estructura del ser: la dinámica y la forma. En la vida eterna estos dos elementos están también en perfecto equilibrio. Están unidos en aquello que trasciende su contraste polar: la creatividad divina que incluye la creatividad finita sin convertirla en un instrumento técnico de sí misma. El yo en la autocreatividad queda preservado en el reino de Dios realizado en plenitud.

La tercera pregunta es: ¿cuál es el significado de una autotrascendencia inambigua como característica de la vida eterna? La respuesta apunta al tercer par de elementos polares en la estructura del ser: libertad y destino. En la vida eterna se da también un perfecto equilibrio entre estos dos polos. Están unidos en aquello que trasciende su contraste polar —en la libertad divina que se identifica con el destino divino. Con el poder de su libertad todo ser finito lleva más allá de sí mismo hacia la plenitud de su destino en la unidad última de libertad y destino.

Las precedentes «descripciones» metafóricas de la vida eterna hacían referencia a las tres funciones de la vida en todas sus dimensiones, incluyendo la del espíritu humano. Sin embargo, también tiene importancia el tratar separadamente de las tres funciones del espíritu en su relación con la vida eterna.

La afirmación básica que se debe hacer es que al final de la historia las tres funciones —la moralidad, la cultura y la religión— llegan a su final como funciones especiales. La vida eterna es el final de la moralidad. Ya que en ella no se da un tener-que-ser que al mismo tiempo no sea. No hay ley allí donde hay esencialización, ya que la ley sólo exige la esencia, enriquecida creativamente en la existencia. Afirmamos lo mismo cuando llamamos a la vida eterna la vida del amor universal y perfecto. Porque el amor hace lo que pide la ley antes de que lo pida. Empleando otra terminología podemos decir que en la vida eterna el centro de la persona individual descansa en el centro divino que lo une todo y a través del mismo entra en comunión con todos los demás centros personales. Por tanto no hace falta reconocerlos como personas y unirse a ellos como partes alienadas de la unidad universal. La vida eterna es el final de la moralidad porque lo que la moralidad exigía queda realizado plenamente en ella.

Y la vida eterna es el final de la cultura. Se definió la cultura como la autocreatividad de la vida bajo la dimensión del espíritu, y se dividió en *theoria* en la que se recibe la realidad, y *praxis*, en la que se modela la realidad. Ya hemos mostrado la validez limitada de esta dimensión en conexión con la doctrina de la presencia espiritual. En la vida eterna no se da una verdad que al mismo tiempo no «se haga», en el sentido del cuarto evangelio, ni se da una expresión estética que no sea al mismo tiempo una realidad. Más allá de esto, la cultura como creatividad espiritual se convierte, al mismo tiempo, en creatividad espiritual. La creatividad del espíritu humano en la vida eterna es revelación por el Espíritu divino —y está ya fragmentariamente en la comunidad espiritual. La creatividad del hombre y la automanifestación divina son una sola cosa en el reino de Dios realizado en plenitud. En la medida en que la cultura es una empresa humana independiente, llega a un final al final de la historia. Se convierte en eterna automanifestación divina a través de los portadores finitos del Espíritu.

Finalmente, el final de la historia es el final de la religión. En la terminología bíblica se expresa esto con la descripción de la

«Jerusalén celestial» como una ciudad en la que no hay templo porque Dios vive allí. La religión es la consecuencia de la alienación del hombre del fondo de su ser y de sus intentos por retornar a él. Este retorno ha tenido lugar en la vida eterna, y Dios es todo en todo y para todo. Queda salvado el abismo entre lo secular y lo religioso. En la vida eterna no hay ningún tipo de religión.

Pero ahora surge la pregunta: ¿cómo se puede unir la plenitud de lo eterno con el elemento de negación que no puede faltar en ninguna vida? La mejor manera de contestar a la pregunta es considerando un concepto que pertenece a la esfera emotiva pero que contiene el problema de la vida eterna en su relación con el ser y el no-ser —el concepto de la bienaventuranza en cuanto aplicado a la vida divina.

5. La bienaventuranza eterna
   como la conquista eterna de lo negativo

El concepto de «bienaventurado» *(makarios, beatus)* se puede aplicar de manera fragmentaria a quienes son asidos por el Espíritu divino. La palabra designa un estado de mente en el que la presencia espiritual produce un sentimiento de plenitud que no puede ser perturbado por las negatividades en otras dimensiones. Ni el sufrimiento corporal ni el psicológico puede destruir la «bienaventuranza trascendente» del ser bienaventurado. En los seres finitos esta experiencia positiva va siempre unida con la toma de conciencia de su contrario, el estado de infortunio, de desesperación, de condenación. Esta «negación de lo negativo» da a la bienaventuranza su carácter paradójico. Pero se da la pregunta de hasta qué punto esto es verdad también de la bienaventuranza eterna. Sin un elemento de negatividad no se puede imaginar ni la vida ni la bienaventuranza.

El término «bienaventuranza eterna» se aplica tanto a la vida divina como a la vida de aquellos que participan de ella. Tanto en el caso de Dios como del hombre debemos preguntar qué negatividad es la que hace posible una vida de bienaventuranza eterna. El problema ha sido planteado seriamente por los filósofos del devenir. Si se habla del «devenir» de Dios, se ha introducido el elemento negativo; se plantea el problema de la negación de lo que se ha dejado atrás a cada momento del devenir. En una tal doctrina de Dios se atribuye a Dios la vida de la manera más enfática. Pero es difícil sobre esta base interpretar la idea de la bienaventuranza eterna en Dios, ya que en el concepto de la bienaventuranza eterna va implicado el de plenitud total. Una plenitud fragmentaria puede crear una bienaventuranza temporal pero no eterna; y toda limitación de la bienaventuranza divina sería una restricción de la divinidad de lo divino. Los filósofos del devenir pueden hacer referencia a las afirmaciones bíblicas en las que se atribuyen a Dios arrepentimiento, esfuerzo, paciencia, sufrimiento y sacrificio. Tales expresiones de la visión de un Dios viviente han conducido a ideas que fueron rechazadas por la iglesia, la doctrina conocida como patripasionista según la cual Dios Padre sufrió en el sufrimiento de Cristo. Pero una tal afirmación contradice demasiado obviamente la doctrina teológica fundamental de la impasibilidad de Dios. Según el juicio de la iglesia esta doctrina habría rebajado a Dios al nivel de los dioses apasionados y sufrientes de la mitología griega. Pero el rechazo del patripasionismo no soluciona el problema de lo negativo en la bienaventuranza de la vida divina. La teología de nuestros días trata —con muy pocas excepciones— de esquivar absolutamente el problema, ya sea ignorándolo, ya sea calificándolo de misterio divino inescrutable. Pero una tal huida es imposible a la vista del significado que la pregunta tiene para el problema más existencial de la teodicea. Quienes están en «situaciones-límites» no aceptarán un tal refugiarse en el misterio divino en este punto sino se usa en otros puntos, por ejemplo, en la enseñanza de la iglesia acerca del poder omnipotente de Dios y de su amor omnipresente, una enseñanza que exige una interpretación a la vista de la experiencia cotidiana de la negatividad de la existencia. Si la teología se niega a contestar unas preguntas tan existenciales, ha desertado de su misión.

La teología se debe tomar en serio los problemas de los filósofos del devenir. Debe tratar de combinar la doctrina de la bienaventuranza eterna con el elemento negativo sin el que no es posible la vida y la bienaventuranza deja de ser tal. Es la naturaleza de la misma bienaventuranza la que requiere un elemento negativo en la eternidad de la vida divina.

Esto lleva a la aserción fundamental: la vida divina es la conquista eterna de lo negativo; esta es su bienaventuranza. La bienaventuranza eterna no es un estado de perfección inamovible —los filósofos del devenir tienen razón al rechazar un tal concepto. Pero la vida divina es bienaventuranza a través de la lucha y la victoria. Si preguntamos cómo puede unirse la bienaventuranza con el riesgo y la incertidumbre que constituyen la naturaleza de la lucha seria, podemos recordar lo que se dijo acerca de la seriedad de las tentaciones de Cristo. En esta discusión la seriedad de la tentación y la certeza de la comunión con Dios se describieron como compatibles. Esto puede ser una analogía —y más que una analogía— de la identidad eterna de Dios consigo mismo, que no contradice su salir de sí mismo para introducirse en las negatividades de la existencia y las ambigüedades de la vida. El no pierde su identidad en su autoalteridad; esta es la base para la idea dinámica de la bienaventuranza eterna.

La bienaventuranza eterna se atribuye también a los que participan de la vida divina, no sólo al hombre sino a todo lo que es. El símbolo de «un nuevo cielo y una nueva tierra» indica la universalidad de la bienaventuranza del reino de Dios plenamente realizado. En el próximo capítulo se discutirá la relación de la eternidad con las personas individuales. Aquí en este punto se debe preguntar: ¿qué significa el símbolo de la bienaventuranza eterna para el universo, aparte del hombre? En la literatura bíblica se indica la idea de que la naturaleza participa en la manifestación y en la alabanza de la gloria divina; pero hay otros pasajes en los que los animales quedan excluidos de la atención divina (Pablo) y se ve la miseria del hombre en el hecho de que su suerte no es mejor que la de las flores y animales (Job). En el primer grupo de expresiones, la naturaleza, de alguna manera, participa (como queda expresado simbólicamente en las visiones del Apocalipsis) de la bienaventuranza divina, mientras que en el grupo segundo, la naturaleza y el hombre quedan excluidos de la eternidad (la mayor parte del antiguo testamento). En la misma línea de lo que ya se ha dicho antes acerca de la «esencialización», una posible solución sería que todas las cosas —puesto que todas ellas son buenas por la creación— participan de la vida divina de acuerdo con su esencia (compárese esto con la doctrina de que las esencias son las ideas eternas en la mente divina, como en la escuela platónica posterior). Los conflictos y los sufrimientos de la naturaleza bajo las condiciones de la existencia y su anhelo de salvación, del que habla Pablo (Rom 8), ayuda al enriquecimiento del ser esencial tras la negación de lo negativo en todo lo que tiene ser. Tales consideraciones, por supuesto, son casi simbólico-poéticas y no se deben tomar como si fueran descripciones de objetos o acontecimientos en el tiempo y el espacio.

B. LA PERSONA INDIVIDUAL Y SU DESTINO ETERNO

1. LA PLENITUD UNIVERSAL E INDIVIDUAL

Varias de las afirmaciones de las cinco secciones precedentes han hecho referencia al reino de Dios «por encima de» la historia o a la vida eterna en general. Todas las dimensiones de la vida fueron incluidas en la consideración del último *telos* del devenir. Ahora debemos particularizar la dimensión del espíritu y las personas individuales que son sus portadores. Las personas individuales ocuparon siempre el centro de la imaginación y del pensamiento escatológico, no sólo porque nosotros mismos como seres humanos somos personas, sino también porque el destino de la persona viene determinado por sí mismo de una manera que no se da bajo otras dimensiones de la vida que no sean las del espíritu. El hombre en cuanto libertad finita tiene una relación con la vida eterna distinta de la de los seres que están bajo el predominio de la necesidad. La relación del hombre con lo eterno queda caracterizada por la toma de conciencia del elemento de lo que «tiene que ser», y con ello por la toma de conciencia de la responsabilidad, culpa, desesperación y esperanza. Todo lo temporal tiene una relación «teológica» con lo eterno, pero el hombre sólo tiene conciencia de ello; y esta conciencia le da la libertad de volverse contra ello. La afirmación cristiana de la universalidad trágica de la alienación implica que todo ser humano se rebele contra su *telos*, contra la vida eterna, al mismo tiempo que aspira a la misma. Esto hace que el concepto de «esencialización» sea profundamente dialéctico. El *telos* de un hombre como individuo viene determinado por las decisiones que toma en su existencia sobre la base de las potencialidades que le han sido dadas por el destino. Puede echar a perder sus potencialidades, aunque no completamente, y puede llevarlas a término, aunque no totalmente. Así, el símbolo del juicio final recibe una seriedad particular. La divulgación de lo negativo como negativo en una persona puede ser que no deje mucho positivo para la vida eterna. Puede ser una reducción a la pequeñez; pero puede ser también una elevación a la grandeza. Puede significar una pobreza extrema con respecto a las potencialidades llevadas a término, pero puede significar también una extrema riqueza de las mismas. Lo pequeño y lo grande, lo pobre y lo rico, son valoraciones relativas. Porque son relativas entran en contradicción con los juicios absolutos que aparecen en el simbolismo religioso, tales como «perder o ganar», «perderse o salvarse», «infierno o cielo», «muerte eterna» o «vida eterna». La idea de grados de esencialización elimina la condición de absoluto de estos símbolos y conceptos.

No son posibles los juicios absolutos acerca de los seres o acontecimientos finitos porque hacen a lo finito infinito. Esta es la verdad en el universalismo teológico y la doctrina de la «restitución de todas las cosas» en la eternidad. Pero la palabra «restitución» es inadecuada: esencialización puede ser más que restitución así como también menos. La iglesia rechazó la doctrina de Orígenes de la *apocatastasis panton* (la restitución de todas las cosas) porque esta expectación parecía eliminar la seriedad implicada en amenazas y esperanzas tan absolutas como «perderse» o «salvarse». Una solución de este conflicto debe combinar la seriedad absoluta de la amenaza a «perder la propia vida» con la relatividad de la existencia finita. El símbolo conceptual de «esencialización» es capaz de realizar plenamente este postulado, pues destaca la desesperación de haber echado a perder las propias posibilidades pero asegura también la elevación de lo positivo dentro de la existencia (incluso en la vida menos realizada) hasta la eternidad.

Esta solución rechaza la idea mecanicista de una salvación necesaria sin caer en las contradicciones de la solución tradicional que describía el eterno destino del individuo como el de ser condenado para siempre o el de ser salvado para siempre. La forma más discutible de esta idea, la doctrina de la doble predestinación, tiene implicaciones demoníacas: introduce una división eterna dentro del mismo Dios. Pero incluso sin la predestinación la doctrina de un destino eterno de los individuos absolutamente contrario no se puede defender a la vista de la automanifestación de Dios y de la naturaleza del hombre.

Los antecedentes de las imágenes de un doble destino eterno se han de buscar en la separación radical de persona a persona y de lo personal a lo subpersonal como una consecuencia del personalismo bíblico. Cuando la individualización bajo la dimensión del espíritu conquista la participación, se crean unos yo fuertemente centrados quienes, a través del autocontrol ascético y la aceptación de la sola responsabilidad de su destino eterno, se separan a sí mismos de la unidad como creaturas del resto de la creación. Pero el cristianismo, a pesar de su énfasis personalista, tiene también ideas de participación universal en la plenitud del reino de Dios. Estas ideas tuvieron más énfasis cuanto menos influenciado estuvo el cristianismo indirectamente por las fuertes tendencias dualistas en el último período del helenismo.

Desde el punto de vista de la automanifestación divina la doctrina del doble destino contradice la idea de la permanente creación de Dios de lo finito como algo «muy bueno» (Gén 1). Si el ser en cuanto ser es bueno —la gran afirmación antidualista de Agustín— ninguna cosa que exista se puede convertir en mala completamente. Si algo existe, si tiene ser, está incluido en el amor divino creador. La doctrina de la unidad de todas las cosas en el amor divino y en el reino de Dios priva al símbolo del infierno de su carácter como «condenación eterna». Esta doctrina no elimina la seriedad del aspecto de condenación del juicio divino, la desesperación que se experimenta al ser divulgado lo negativo. Pero sí elimina los absurdos de una interpretación literal del infierno y del cielo y se niega también a permitir la confusión del destino eterno con un estado de dolor o de placer inacabables.

Desde el punto de vista de la naturaleza humana, la doctrina de un doble destino eterno contradice el hecho de que ningún ser humano está de manera inambigua a uno u otro lado del juicio divino. Aun el santo permanece pecador y necesita el perdón e incluso el pecador es un santo en la medida en que está bajo el perdón divino. Si el santo recibe perdón, la recepción del mismo continúa siendo ambigua. Si el pecador rechaza el perdón, su rechazo del mismo continúa siendo ambiguo. La presencia espiritual es efectiva también al empujarnos hacia la experiencia de la desesperación. El contraste cualitativo entre los buenos y los malos, tal como aparece en el lenguaje simbólico de ambos testamentos, significa la cualidad de contraste entre lo bueno y lo malo en cuanto tal (por ejemplo, la verdad y la mentira, la compasión y la crueldad, la unión con Dios y la separación de Dios). Pero este contraste cualitativo no describe el carácter absolutamente bueno o absolutamente malo de las personas individuales. La ambigüedad de toda bondad humana y la de que la salvación depende de la sola gracia divina o nos devuelve hacia atrás a la doctrina de la doble predestinación o nos conduce hacia adelante a la doctrina de la esencialización universal.

Hay otro aspecto en la naturaleza humana que contradice la idea de aislamiento de una persona de otra y de lo personal de lo subpersonal que se da por supuesto en la doctrina del doble destino eterno. El ser total, incluyendo los aspectos conscientes e inconscientes de todo individuo está ampliamente determinado por las condiciones sociales que le influencian al entrar en la existencia. El individuo crece solamente en interdependencia con las situaciones sociales. Y las funciones del espíritu del hombre, de acuerdo con la inmanencia mutua de todas las dimensiones del ser, están en unidad estructural con los factores físicos y biológicos de la vida. La libertad y el destino en todo individuo están unidos de una manera tal que es tan imposible esperar la una del otro como lo es, por consiguiente, separar el destino eterno de cualquier individuo del destino de toda la raza y del ser en todas sus manifestaciones.

Esto responde finalmente a la pregunta del significado de las formas distorsionadas de vista —formas que debido a condiciones físicas, biológicas, psicológicas o sociológicas no pueden alcanzar la plenitud de su *telos* esencial ni siquiera en el más pequeño grado, como en el caso de la destrucción prematura, la muerte de los niños, la enfermedad biológica y psicológica, el ambiente moral y espiritualmente destructivos. Desde el punto de vista que presupone unos destinos individuales separados, no hay ninguna respuesta en absoluto. La pregunta y la respuesta sólo son posibles si se entiende la esencialización o elevación de lo positivo a la vida eterna como un asunto de participación universal: en la esencia del individuo menos realizado, están presentes las esencias de otros individuos e indirectamente las de todos los seres. Quienquiera que condene a alguien a la muerte eterna se condena a sí mismo, porque su esencia y la del otro no pueden ser separadas absolutamente. Y el que está alienado de su propio ser esencial y experimenta la desesperación del sentirse totalmente rechazado debe saber que su esencia participa de las esencias de todos aquellos que han alcanzado un alto grado de plenitud y que a través de esta participación su ser es afirmado eternamente. Esta idea de la esencialización del individuo en unidad con todos los seres hace inteligible el concepto de plenitud vicaria. Da también un nuevo contenido al concepto de comunidad espiritual; y finalmente da una base para la visión de que grupos tales como las naciones y las iglesias participen en su ser esencial de la unidad del reino de Dios realizado en plenitud.

2. LA INMORTALIDAD COMO SÍMBOLO Y COMO CONCEPTO

Para significar la participación individual en la vida eterna, el cristianismo se sirve de los dos términos «inmortalidad» y «resurrección» (además del de «vida eterna»). De los dos sólo el de «resurrección» es bíblico. Pero el de «inmortalidad» en el sentido de la doctrina platónica de la inmortalidad del alma, fue usado muy pronto en la teología cristiana y en amplias secciones del pensamiento protestante, ha reemplazado al símbolo de la resurrección. En algunos países protestantes se ha convertido en el último residuo de todo el mensaje cristiano, pero en la forma no-cristiana pseudo-platónica de una continuación de la vida temporal de un individuo tras su muerte pero sin un cuerpo. Allí donde se emplea el símbolo de la inmortalidad para expresar esta superstición popular el cristianismo lo debe rechazar radicalmente; ya que la participación en la eternidad no es una «vida futura». Ni tampoco una cualidad natural del alma humana. Es más bien el acto creador de Dios que permite que lo temporal se separe a sí mismo de lo eterno y vuelva a lo eterno. Es comprensible que los teólogos cristianos que tienen conciencia de estas dificultades rechacen por completo el término «inmortalidad», no sólo en su forma supersticiosa popular sino también en su genuina forma platónica. Pero esto no queda justificado. Si se emplea el término de la manera que la 1 Tim 6, 16 lo aplica a Dios, expresa negativamente lo que el término eternidad expresa positivamente: no significa una continuación de la vida temporal tras la muerte, sino que significa una cualidad que trasciende la temporalidad.

La inmortalidad en este sentido no contradice el símbolo de la vida eterna. Pero el término se usa tradicionalmente en la expresión «inmortalidad del alma». Esto crea un nuevo problema para su empleo en el pensamiento cristiano: introduce un dualismo entre cuerpo y alma, contradiciendo el concepto cristiano de Espíritu que incluye todas las dimensiones del ser; y es incompatible con el símbolo «resurrección del cuerpo». Pero también aquí nos debemos preguntar si no se puede entender el término de manera no dualista. Aristóteles ha mostrado esta posibilidad en su ontología de la forma y la materia. Si el alma es la forma del proceso de la vida, su inmortalidad incluye todos los elementos que constituyen este proceso, si bien los incluye como esencias. El significado de la «inmortalidad del alma» entonces implicaría el poder de esencialización. Y en la doctrina posterior de Platón del mundo-alma parece estar implicada la idea de la inmortalidad en el sentido de esencialización universal.

En la mayoría de discusiones de la inmortalidad la pregunta de la evidencia predecía en interés a la pregunta del contenido. Se hacía la pregunta de si existe alguna evidencia para la creencia en la inmortalidad del alma y se contestaba con los argumentos platónicos que nunca eran satisfactorios pero que nunca se abandonaban. Esta situación (que es análoga a la que hace referencia a los argumentos para la existencia de Dios) tiene sus raíces en la transformación de «inmortalidad» de un símbolo a un concepto. Como un símbolo se ha empleado el término «inmortalidad» aplicado a los dioses y a Dios, expresando la experiencia de la ultimidad en el ser y en el significado. Como tal tiene la certeza de la toma de conciencia inmediata del hombre de que es finito y que trasciende la finitud exactamente en esta toma de conciencia. Los «dioses inmortales» son representaciones mítico-simbólicas de aquella infinitud de la que están excluidos los hombres como mortales pero que pueden recibir de los dioses. Esta estructura permanece válida aún después de la demitologización profética de la esfera de los dioses en la realidad del único que es el fondo y la finalidad de todo lo que es. El puede «revestir nuestra mortalidad de inmortalidad» (1 Cor 15, 33). Nuestra finitud no deja de ser tal, pero es «introducida» en lo infinito, en lo eterno.

La situación cognoscitiva queda totalmente cambiada cuando es el empleo conceptual del término inmortalidad el que reemplaza a su empleo simbólico. En ese momento la inmortalidad se convierte en una característica de una parte del hombre que se llama alma, y la pregunta del fondo experimental de la certeza de la vida eterna se convierte en una investigación de la naturaleza del alma como objeto particular. Sin ninguna duda los diálogos de Platón son ampliamente responsables de tal desarrollo. Pero se debe destacar que en el mismo Platón hay brechas contra la comprensión objetivante («reificante») de la inmortalidad: sus argumentos son argumentos *ad hominem* (en la terminología actual, argumentos existenciales); pueden ser captados sólo por quienes participan en lo bueno y en lo bello y en lo verdadero y por quienes son conscientes de su validez transtemporal. Como argumentos en el sentido objetivo, «no podéis confiar del todo en ellos» *(Phaidon* de Platón). La crítica de Aristóteles de la idea platónica de la inmortalidad se podría entender como un intento de resistir a su inevitable primitivización y situar el pensamiento de Platón dentro de su propio símbolo de la máxima plenitud, que es la participación del hombre en la autointuición eterna de la *nous* divina. Esto queda cerca de la unión mística de Plotino de uno con el Unico en la experiencia del éxtasis. La teología cristiana no podía seguir este camino por su énfasis en la persona individual y su destino eterno. En su lugar, la teología cristiana se volvió a Platón, empleando su concepto del alma inmortal como la base para todas las imágenes escatológicas, sin temor al inevitable primitivismo y a las consecuencias supersticiosas. La teología natural tanto de católicos como de protestantes empleaban antiguos y nuevos argumentos en favor de la inmortalidad del alma, y unos y otros pedían la aceptación de este concepto en nombre de la fe. Daban valor oficial a la confusión del símbolo y el concepto, provocando así la reacción teórica de los críticos filosóficos de la psicología metafísica, de los que son ejemplos Locke, Hume y Kant. La teología cristiana no debe considerar sus críticas como un ataque al *símbolo* «inmortalidad» sino al *concepto* de una substancia naturalmente inmortal, el alma. Si se entiende de esta manera, la certeza de la vida eterna queda liberada de su peligrosa conexión con el concepto de un alma inmortal.

A la vista de esta situación lo más sensato sería emplear en la enseñanza y en la predicación el término «vida eterna» y hablar de «inmortalidad» sólo en el caso en que puedan evitarse las connotaciones supersticiosas.

3. LOS SIGNIFICADOS DE LA RESURRECCIÓN

La participación del hombre en la vida eterna más allá de la muerte se expresa más adecuadamente por la frase altamente simbólica de la «resurrección del cuerpo». Las iglesias reconocieron esta última expresión como particularmente cristiana. La frase en el credo de los apóstoles es la «resurrección de la carne», o sea, de aquello que caracteriza al cuerpo en contraste con el espíritu, el cuerpo en su carácter perecedero. Pero la frase es tan desorientadora que debe ser reemplazada en toda forma litúrgica por la de la «resurrección del cuerpo» e interpretada según el símbolo paulino del «cuerpo espiritual». Por supuesto que también esta frase necesita explicación; se debe entender como una doble negación, expresada mediante una combinación paradójica de palabras. Niega, primero, la «desnudez» de una existencia meramente espiritual, contradiciendo así la afirmación de las tradiciones dualistas del Oriente así como la de las escuelas platónicas y neoplatónicas. El término «cuerpo» surge contra estas tradiciones como una prenda de la fe profética en la bondad de la creación. La insistencia antidualista del antiguo testamento se expresa vigorosamente con la idea de que el cuerpo pertenece a la vida eterna. Pero Pablo constata —mejor que el credo de los apóstoles— la dificultad de este símbolo, el peligro de que se entienda en el sentido de una participación de la «carne y de la sangre» en el reino de Dios: insiste en que no podrán recibirlo «en herencia». Y contra este peligro «materialista» llama a la resurrección del cuerpo «espiritual». El Espíritu —este concepto central de la teología de Pablo— es Dios presente en el espíritu del hombre, invadiéndolo, transformándolo y elevándolo más allá de sí mismo. Un cuerpo espiritual, pues, es un cuerpo que expresa la total personalidad del hombre espiritualmente transformado. Hasta aquí se puede hablar del símbolo «cuerpo espiritual»; los conceptos no pueden ir más allá, pero sí la imagen poética y artística. E incluso la afirmación limitada que se hace aquí apunta más a la implicación positiva de la doble negación que a algo directamente positivo. Si olvidamos este carácter altamente simbólico del símbolo de la resurrección, se nos viene encima un sinfín de absurdos que impide el sentido verdadero e inmensamente significativo de la resurrección.

La resurrección nos dice ante todo que el reino de Dios incluye todas las dimensiones del ser. La entera personalidad participa de la vida eterna. Si empleamos el término «esencialización» podemos decir que el ser psicológico, espiritual y social del hombre está implicado en su ser corpóreo —y éste en unidad con las esencias de todo lo demás que tenga ser.

El énfasis cristiano en el «cuerpo de la resurrección» incluye también una vigorosa afirmación del significado eterno de la unicidad de la persona individual. La individualidad de una persona queda expresada en cada célula de su cuerpo, especialmente en su cara. El arte de la pintura-retrato nos recuerda continuamente el hecho asombroso de que las moléculas y las células puedan expresar la funciones y movimientos del espíritu del hombre que están determinados por su centro personal y lo determinan en una mutua dependencia. Además de esto, los retratos, si son auténticas obras de arte, son un reflejo de lo que hemos llamado «esencialización» en anticipación artística. No es un momento particular en el proceso de la vida de un individuo lo que reproducen sino una condensación de todos estos momentos en una imagen de lo que este individuo ha llegado a ser esencialmente sobre la base de sus potencialidades y a través de las experiencias y decisiones del proceso de su vida. Esta idea puede explicar la doctrina greco-ortodoxa de los iconos, los retratos esencializados de Cristo, de los apóstoles, de los santos, y en particular, la idea de que los iconos participan míticamente en la realidad celestial de aquellos a quienes representan. Las iglesias occidentales preocupadas por la historia han perdido esta doctrina y los iconos han sido reemplazados por cuadros religiosos que se supone nos recuerdan uno de los rasgos particulares en la existencia temporal de las personas santas.

Esto se hizo aún en la línea de la tradición más antigua, pero las formas clásicas de expresión fueron lentamente sustituidas por otras idealistas que fueron reemplazadas más tarde por formas naturalistas carentes de transparencia religiosa. Esta evolución en el arte pictórico puede resultar útil para una comprensión de la esencialización individual en todas las dimensiones de la naturaleza humana.

La pregunta que se suscita con más frecuencia con respecto al destino eterno del individuo guarda relación con la presencia del yo autoconsciente en la vida eterna. La única respuesta con sentido que se puede dar aquí, al igual que en la afirmación de un cuerpo espiritual, viene en la forma de dos negaciones. La primera es que el yo autoconsciente no puede ser excluido de la vida eterna. Puesto que la vida eterna es vida y no una identidad indiferenciada y puesto que el reino de Dios es la realización universal del amor, el elemento de individualización no puede ser eliminado o desaparecería también el elemento de participación. No hay ninguna participación si no hay centros individuales en los que participar; los dos polos se condicionan el uno al otro. Y allí donde hay centros individuales de participación, la estructura sujeto-objeto de la existencia es la condición de la conciencia y —si hay un sujeto personal— de la autoconciencia. Esto conduce a la afirmación de que el yo centrado, autoconsciente no puede ser excluido de la vida eterna. No se puede negar una plena realización eterna a la dimensión del espíritu que en todas sus funciones presupone la autoconciencia, al igual que no se puede negar una plena realización eterna a la dimensión biológica y por tanto al cuerpo. Y ya no se puede decir más.

Ahora bien, la negación contraria debe expresarse con la misma fuerza: así como la participación del ser corpóreo en la vida eterna no es una continuación sin fin de una constelación de partículas físicas viejas o nuevas, así también la participación del yo centrado no es una continuación sin fin de una corriente particular de consciencia en recuerdo y participación. La autoconciencia, en nuestra experiencia, depende de los cambios temporales tanto del sujeto que percibe como del objeto percibido en el proceso de autoconciencia. Pero la eternidad trasciende la temporalidad y con ella el carácter experimentado de autoconciencia. Sin tiempo y cambio en el tiempo el sujeto y el objeto se confundirían entre sí; lo mismo percibiría a lo mismo de manera indefinida. Sería parecido a un estado de estupor en el que el sujeto que percibe fuera incapaz de reflejar lo percibido y careciera, por tanto, de autoconciencia. Estas analogías psicológicas no intentan describir la autoconciencia en la vida eterna, pero sí pueden servir de confirmación de la segunda negación, que es la de que el yo autoconsciente en la vida eterna no es lo que es en la vida temporal (lo cual incluiría las ambigüedades de la objetivación). Todo lo que se pueda decir que vaya más allá de estas dos formulaciones negativas no es conceptualización teológica sino imaginación poética.

El símbolo de la resurrección se emplea con frecuencia en un sentido más general para expresar la certeza de la vida eterna que brota de la muerte de la vida temporal. En este sentido es una manera simbólica de expresar el concepto teológico central del nuevo ser. Así como el nuevo ser no es otro ser, sino la transformación del viejo ser, así la resurrección no es la creación de otra realidad frente a la realidad vieja sino la transformación de la vieja realidad que brota de su muerte. En este sentido el término «resurrección» (sin ninguna referencia particular a la resurrección del cuerpo) se ha convertido en un símbolo universal para la esperanza escatológica.

4. LA VIDA ETERNA Y LA MUERTE ETERNA

En el simbolismo bíblico los dos conceptos predominantes para expresar el juicio negativo contra un ser en relación con su destino eterno son el castigo perpetuo y la muerte eterna. El segundo se puede considerar una demitologización del primero, al igual que la vida eterna es una demitologización de la felicidad perpetua. La significación teológica del segundo está en que toma en consideración el carácter transtemporal del destino eterno del hombre. Necesita también de interpretación pues combina dos conceptos que si se toman según su valor a primera vista son absolutamente contradictorios —la eternidad y la muerte. Esta combinación de palabras significa la muerte «fuera» de la eternidad, un fallo en alcanzar la eternidad, ser abandonado a la transitoriedad de la temporalidad. En cuanto tal la muerte eterna es una amenaza personal contra todo el que está ligado a la temporalidad y es incapaz de trascenderla. Para él la vida eterna es un símbolo que carece de sentido porque carece de una experiencia anticipada de lo eterno. Dentro del simbolismo de la resurrección se podría decir que muere pero no participa de la resurrección.

Sin embargo, esto contradice la verdad de que todo en cuanto creado está enraizado en el fondo eterno del ser. En este sentido, el no-ser no puede prevalecer contra él. Surge, entonces, la pregunta de cómo se pueden unir las dos consideraciones: ¿cómo podemos reconciliar la seriedad de la amenaza de muerte «fuera» de la vida eterna con la verdad de que todo viene de la eternidad y debe volver a ella? Si miramos la historia del pensamiento cristiano nos encontramos con que ambos aspectos de la contradicción están representados con gran fuerza: la amenaza de «muerte fuera de la eternidad» es la predominante prácticamente en la enseñanza y en la predicación de la mayoría de iglesias y en muchas de ellas se afirma y defiende como la doctrina oficial. La certeza de estar enraizados en la eternidad y de pertenecer, por tanto, a la misma, aun cuando uno se vuelve contra ella, es la actitud predominante en los movimientos místicos y humanistas dentro de las iglesias y de las sectas. El primer tipo de pensamiento lo representan Agustín, Tomás y Calvino mientras que Orígenes, Socino y Schleiermacher son los representantes del segundo tipo. El concepto teológico a cuyo alrededor se ha centrado la discusión es la «restitución de todas las cosas», la *apokatastasis panton* de Orígenes. Esta noción significa que todo lo temporal vuelve a lo eterno de donde procede. En las luchas entre las creencias en la particularidad y en la universalidad de la salvación, las ideas contradictorias mostraron su duradera tensión y su importancia práctica. Por muy primitiva que fuera, y sea hasta cierto punto, la armazón de estas controversias, el punto que se discute tiene una gran significación teológica y tal vez una mayor significación psicológica. Implica unos presupuestos acerca de la naturaleza de Dios, del hombre y de su relación. Es una controversia que puede producir una desesperación última y una última esperanza o una indiferencia superficial y una seriedad profunda. A pesar de su apariencia especultativa es uno de los problemas más existenciales del pensamiento cristiano.

A fin de dar aunque sea una respuesta muy preliminar, es necesario mirar los motivos subyacentes en una actitud o en la otra. La amenaza de «muerte fuera de la eternidad» pertenece al tipo de pensamiento ético-educativo que como es muy natural es la actitud básica de las iglesias. Tienen miedo (como en el caso de Orígenes y del universalismo unitario) de que la enseñanza de la *apokatastasis* destruya la seriedad de las decisiones religiosas y éticas. Este miedo no es infundado porque a veces se ha recomendado que uno predique la amenaza de la muerte eterna (o incluso del castigo perpetuo), pero que se mantuviera, al mismo tiempo, la verdad de la doctrina de la *apokatastasis*. Probablemente la mayoría de los cristianos tienen una solución similar para otros que mueren y para ellos mismos cuando anticipan su propia muerte. Nadie puede soportar la amenaza de muerte eterna ya sea para sí o para los demás; con todo no se puede descartar la amenaza sobre la base de esta imposibilidad. Mitológicamente hablando, nadie puede afirmar que su propio destino eterno o el de otro sea el infierno. No se puede eliminar la incertidumbre acerca de nuestro destino último, pero por encima de esta incertidumbre, hay momentos en los que estamos paradójicamente seguros del retorno a lo eterno de donde procedemos. Doctrinalmente esto desemboca en una doble afirmación, análoga a las otras afirmaciones dobles de todos los casos en que se expresa la relación de lo temporal con lo eterno: ambos deben ser negados —la amenaza de muerte eterna y la seguridad del retorno. Dentro y fuera del cristianismo se han hecho intentos para superar la agudeza de esta polaridad. Tres de ellos son importantes: las ideas de «reencarnación», de un «estado intermedio» y del «purgatorio». Las tres expresan el sentimiento de que no se puede hacer el momento de la muerte decisivo para el último destino del hombre. En el caso de los bebés, de los niños, de los adultos no desarrollados, por ejemplo, esto sería un absurdo total. En el caso de la gente madura es no tener en cuenta los innumerables elementos que entran en toda vida personal madura y causan su profunda ambigüedad. El proceso de la vida entera, más que un momento particular, es decisivo para el grado de esencialización. La idea de la reencarnación de la vida individual tuvo, y hasta cierto punto tiene, una gran influencia sobre cientos de millones de personas asiáticas. Allí, sin embargo, la idea de una «vida tras la muerte» no es una idea consoladora. Al contrario, el carácter negativo de toda vida conduce a la reencarnación, el camino doloroso de retorno a lo eterno. Algunas personas, en especial el gran poeta y filósofo alemán Lessing, en el siglo XVIII, aceptaron esta doctrina en vez de la creencia ortodoxa de que la decisión final sobre el propio último destino se hace en el momento de la muerte. Pero la dificultad de toda doctrina de la reencarnación está en que no hay manera de experimentar la identidad del sujeto en las diferentes encarnaciones. Por tanto se debe entender la reencarnación —al igual que la inmortalidad— como un símbolo y no como un concepto. Apunta a fuerzas superiores o inferiores que están presentes en cada ser y que combaten entre sí para determinar la esencialización del individuo a un nivel de plenitud superior o inferior. Uno no *se convierte* en un animal en la encarnación siguiente sino que unas cualidades deshumanizadas pueden prevalecer en el carácter personal de un ser humano y determinar la cualidad de su esencialización. Esta interpretación sin embargo no responde a la pregunta del posible desarrollo del yo tras la muerte. Es probablemente imposible responder de alguna manera a la pregunta sobre la base de la actitud negativa que el hinduismo y el budismo toman para con el yo individual. Pero si se responde a la pregunta de alguna manera, la respuesta presupone una doctrina que no queda muy lejos de la doctrina romano-católica del purgatorio. El purgatorio es un estado en el que el alma es «purgada» de los elementos de distorsión de la existencia temporal. En la doctrina católica, el simple sufrimiento es ya la purgación. Aparte de la imposibilidad psicológica de imaginarse períodos ininterrumpidos de simple sufrimiento, es un error teológico derivar la transformación del solo dolor en lugar de la gracia que da felicidad dentro del dolor. De cualquier forma, queda garantizado un desarrollo tras la muerte para muchos seres (aunque no para todos).

El protestantismo abolió la doctrina del purgatorio debido a los severos abusos a que la habían sometido la codicia clerical y la superstición popular. Pero el protestantismo no fue capaz de dar una respuesta satisfactoria a los problemas que originariamente llevaron al símbolo del purgatorio. Sólo se hizo un intento, y más bien flojo, por solucionar el problema del desarrollo individual tras la muerte (excepto algunas extrañas ideas de reencarnación); el intento consistió en la doctrina del estado intermedio entre la muerte y la resurrección (en el día de la consumación). La debilidad principal de esta doctrina es la idea de un estado intermedio incorpóreo que está en contradicción con la verdad de la unidad multidimensional de la vida y supone una aplicación no simbólica del tiempo mensurable a la vida más allá de la muerte.

Ninguno de los tres símbolos para el desarrollo del individuo tras la muerte es capaz de cumplir la función para la que fue creado: a saber, combinar la visión de un destino positivo eterno de cada hombre con la falta de condiciones físicas, sociales y psicológicas para alcanzar este destino en la mayoría, o de algún modo en todos los hombres. Sólo una doctrina estrictamente de predestinación podría dar una simple respuesta, y así sucedió al afirmar que Dios no se preocupa de la amplia mayoría de seres que nacieron como hombres pero que jamás alcanzaron la edad o el estado de madurez. Pero si se afirma esto, Dios se convierte en un demonio, en contradicción con el Dios que crea el mundo para la plena realización en plenitud de todas las potencialidades creadas.

Una respuesta más adecuada debe tratar de la relación de la eternidad con el tiempo o de la plenitud transtemporal en relación con el desarrollo temporal. Si la plenitud transtemporal tiene la cualidad de la vida, la temporalidad va incluida en ella. Como en algunos casos previos, necesitamos dos formulaciones polares por encima de las cuales está la verdad, que, por otro lado, no tenemos capacidad para expresarla de manera positiva y directa: la eternidad no es ni identidad intemporal ni cambio permanente, tal como éste se da en el proceso temporal. El tiempo y el cambio están presentes en la profundidad de la vida eterna pero están contenidos dentro de la unidad eterna de la vida divina.

Si combinamos esta solución con la idea de que ningún destino individual está separado del destino del universo, tenemos un armazón dentro del cual se puede encontrar por fin una respuesta teológica limitada a la gran pregunta del desarrollo del individuo en la vida eterna.

La doctrina católica que recomienda oraciones y sacrificios por los difuntos es una expresión llena de vigor de la creencia en la unidad del destino individual y universal en la vida eterna. No se debe olvidar este elemento de verdad por muchas supers-

ticiones y abusos que se puedan dar al llevar a la práctica esta
idea. Apenas si hace falta tras todo lo que se ha dicho referirnos
a los símbolos «cielo» e «infierno». Ante todo, son símbolos y no
descripciones de lugares. En segundo lugar, expresan estados de
felicidad y desesperación. En tercer lugar, apuntan a la base
objetiva de la felicidad y de la desesperación, a saber, la suma de
plenitud o no-plenitud que entra en la esencialización del
individuo. Los símbolos «cielo» e «infierno» se deben tomar en
serio en este triple sentido y se pueden usar como metáforas para
las ultimidades polares en la experiencia de lo divino. Los
efectos psicológicos con frecuencia malos del uso literal de
«cielo» e «infierno» no son razón suficiente para su eliminación
total. Proporcionan una expresión llena de vida de la amenaza
de «muerte fuera de la eternidad», y de su parte contraria, la
«promesa de vida eterna». No se puede sin más «eliminar
psicológicamente» experiencias básicas de amenaza y desesperación acerca del significado último de la existencia, como no se
pueden eliminar psicológicamente momentos de felicidad en
una plenitud anticipada. La psicología sólo puede resolver las
consecuencias neuróticas de la distorsión literalista de los dos
símbolos, y hay motivos de sobras para hacerlo. No habría
tantos motivos para hacerlo si no sólo la teología sino también la
predicación y la enseñanza eliminaran las implicaciones supersticiosas de un uso literal de estos símbolos.

C.   EL REINO DE DIOS:
EL TIEMPO Y LA ETERNIDAD

1.   LA ETERNIDAD Y EL MOVIMIENTO DEL TIEMPO

Hemos rechazado la interpretación de eternidad como intemporalidad y como tiempo sin fin. Ni la negación ni la
continuación de la temporalidad constituye lo eterno. Sobre
esta base hemos podido discutir la cuestión del posible desarrollo del individuo en la vida eterna. Ahora debemos plantearnos
la cuestión del tiempo y de la eternidad de manera formalizada.

Para hacerlo así resulta útil servirse de una imagen espacial
y ver el movimiento del tiempo en relación con la eternidad con
la ayuda de un diagrama. Esto se ha hecho desde que los
pitagóricos se sirvieron del movimiento circular como analogía

especial del tiempo que vuelve a sí mismo en un retorno eterno. Debido a su carácter circular, Platón llamó al tiempo la «imagen moviente de la eternidad». Es una pregunta abierta la de si Platón atribuyó o no alguna especie de temporalidad a lo eterno. Esto parece lógicamente inevitable si se toma en serio la palabra «imagen». Pues debe haber en el original algo de lo que está en la imagen —de otra forma la imagen carecería del carácter de similitud que la hace ser imagen. Parece también que en sus diálogos posteriores Platón apunta a un movimiento dialéctico dentro del dominio de las esencias. Pero todo esto permaneció inefectivo en el pensamiento griego clásico. Porque no existía ninguna finalidad hacia la que se supone que corre ahora el tiempo, hubo, consecuentemente, una carencia de símbolos para el principio y el final del tiempo. Agustín dio un paso tremendo cuando rechazó la analogía del círculo para el movimiento del tiempo y la sustituyó por una línea recta que empieza con la creación de lo temporal y acaba con la transformación de todo lo temporal. Esta idea no sólo era posible en la visión cristiana del reino de Dios como finalidad de la historia sino que venía exigida por él. El tiempo no sólo refleja la eternidad; contribuye a la vida eterna en cada uno de sus momentos. Sin embargo, el diagrama de la línea recta no indica el carácter del tiempo como viniendo de lo eterno y yendo hacia él. Y su fallo en esto hizo posible al progresismo moderno, naturalista o idealista, prolongar la línea indefinidamente en ambas direcciones, negando un principio y un fin, separando así radicalmente el proceso temporal de la eternidad. Esto nos conduce a la pregunta de si es posible imaginarnos un diagrama que de alguna manera una las cualidades de «venir de», «ir adelante» y «levantarse a». Yo sugeriría una curva que viene desde arriba, se mueve hacia abajo así como también hacia adelante, alcanza su punto más profundo que es el *nunc existentiale,* el «ahora existencial», y regresa de manera análoga hacia aquello de donde vino, yendo hacia adelante así como subiendo hacia arriba. Esta curva puede ser dibujada a cada momento del tiempo experimentado, y se puede ver también como el diagrama para la temporalidad como un todo. Implica la creación de lo temporal, el principio del tiempo, y el retorno de lo temporal a lo eterno, el final del tiempo. Pero el final del tiempo no se concibe en términos de un momento definido ya sea en el pasado ya en el futuro. Empezar desde lo eterno y acabar en lo eterno no son materia de un momento determinable en tiempo físico sino más bien un proceso que va marchando a cada momento, como hace la creación divina. Siempre hay creación y consumación, principio y fin.

2. La vida eterna y la vida divina

Dios es eterno; esta es la característica decisiva de aquellas cualidades que le hacen Dios. No está sometido ni al proceso temporal ni con él a la estructura de finitud. Dios, en cuanto eterno, no tiene ni la intemporalidad de la identidad absoluta ni el sinfín del simple proceso. El «vive», lo cual significa que tiene en sí mismo la unidad de la identidad y la alteridad que caracteriza la vida y que llega a su plenitud en la vida eterna.

Esto lleva inmediatamente a la pregunta: ¿cómo se relaciona el Dios eterno, que es también el Dios viviente, con la vida eterna, que es la finalidad interna de todas las creaturas? No puede haber dos procesos de vida eterna paralelos entre sí, y el nuevo testamento excluye esta idea directamente llamando a Dios «el único Eterno». La única respuesta posible es que la vida eterna es vida en lo eterno, vida en Dios. Esto coincide con la afirmación de que todo lo temporal viene de lo eterno y vuelve a lo eterno y concuerda con la visión paulina de que en la plenitud última Dios será todo en (o para) todos. Se podría llamar a este símbolo «pan-enteísmo escatológico».

Hay, sin embargo, algunos problemas que surgen del lugar de esta solución de todo el sistema del pensamiento teológico; y es apropiado tratarlos en la última sección del sistema teológico. El primer problema es el significado de «en», cuando decimos que la vida eterna es vida «en» Dios.

El primer significado de «en» en la frase «en Dios» es que es el «en» del origen creador. Apunta la presencia de todo lo que tiene ser en el fondo divino del ser, una presencia que está en la forma de potencialidad (en una formulación clásica, esto se entiende como la presencia de las esencias o imágenes eternas o ideas de todo lo creado en la mente divina). El segundo significado de «en» es que es el «en» de la dependencia ontológica. Aquí el «en» apunta la incapacidad de todo lo finito para ser sin el poder de apoyo de la creatividad divina permanente —aun en el estado de alienación y de desesperación. El tercer significado de «en» es que es el «en» de la plenitud última, el estado de esencialización de todas las creaturas.

Esta triple «en-tidad» de lo temporal en lo eterno indica el ritmo tanto de la vida divina como de la vida universal. Nos podríamos referir a este ritmo como el camino de la esencia a través de la alienación existencial a la esencialización. Es el camino desde lo meramente potencial a través de la separación y reunión reales a la plenitud más allá de la separación de la potencialidad y de la actualidad. En la misma medida en que hemos sido empujados por la consistencia del pensamiento así como también por la expresión religiosa en la que se anticipa la plenitud a la identificación de la vida eterna con la vida divina es apropiado preguntar acerca de la relación de la vida divina con la vida de la creatura en el estado de esencialización o en la vida eterna. Una tal pregunta es al mismo tiempo inevitable, como muestra la historia del pensamiento cristiano, e imposible de contestar a no ser con los términos del más elevado simbolismo religioso-poético. Hemos tocado esta cuestión varias veces, particularmente en las discusiones del simbolismo trinitario y de la bienaventuranza divina. No hay bienaventuranza allí donde no hay conquista de la posibilidad contraria, y no hay vida allí donde no hay «alteridad». El símbolo trinitario del logos como el principio de la automanifestación divina en la creación y en la salvación introduce el elemento de alteridad en la vida divina sin el cual no sería vida. Con el logos, se da el universo de la esencia, la «inmanencia de la potencialidad creadora» en el fondo divino del ser. La creación en el tiempo produce la posibilidad de autorrealización, alienación y reconciliación de la creatura que, en la terminología escatológica, es el camino desde la esencia a través de la existencia a la esencialización.

En esta visión el proceso del mundo significa algo para Dios. El no es una entidad separada autosuficiente que, caprichosamente, crea lo que quiere y salva a los que quiere. Más bien, el acto eterno de la creación está guiado por un amor que halla la plenitud sólo a través del otro que tiene la libertad de rechazar y de aceptar el amor. Dios, por así decirlo lleva hacia la realización y esencialización de todo lo que tiene ser. Ya que la dimensión eterna de lo que ocurre en el universo es la misma vida divina. Es el contenido de la bienaventuranza divina.

Unas tales formulaciones concernientes a la vida divina y a su relación con la vida del universo parecen trascender la posibilidad de las aserciones humanas aun dentro del «círculo teológico». Parecen violar el misterio del «abismo» divino. La teología debe contestar a una tal crítica haciendo resaltar, primero, que el lenguaje usado es simbólico; esquiva el peligro de someter el misterio de lo último al esquema sujeto-objeto, que convertiría a Dios en un objeto que debe ser analizado y descrito. En segundo lugar, la teología debe responder que, en el simbolismo omnienglobante, queda preservado un genuino interés religioso, a saber, la afirmación de la seriedad última de la vida a la luz de lo eterno; ya que un mundo que sólo es exterior a Dios y no interior, en último término, es un juego divino que no tiene ninguna importancia esencial para Dios. Y ciertamente no es esta la visión bíblica que resalta de muchas maneras la preocupación infinita de Dios por su creación. Si elaboramos la implicación conceptual de esta certeza religiosa (que es la función de la teología) entonces nos vemos abocados a formulaciones similares a las que hemos dado aquí. Y puede haber una tercera respuesta a la crítica de la teología universal que abarca tanto a Dios como al mundo, la respuesta de que trasciende agudamente una teología meramente antropocéntrica así como también meramente cosmocéntrica. Si bien la mayoría de las consideraciones dadas dentro del círculo teológico tratan del hombre y de su mundo en su relación con Dios, nuestra consideración final apunta en la dirección contraria y habla de Dios en su relación con el hombre y su mundo.

Si bien esto sólo se puede hacer con los términos de los símbolos que se han interpretado como respuestas a las preguntas implicadas en la existencia humana, no sólo se puede sino que también se debe hacer en una teología que empieza con un análisis de la condición humana. Ya que en una tal teología los símbolos religiosos pueden ser fácilmente mal entendidos como productos de la imaginación ilusa del hombre. Esto es especialmente verdad de símbolos escatológicos tales como la «vida futura».

Por tanto es adecuado emplear los símbolos escatológicos que nos vuelven del hombre a Dios, considerando de esta manera al hombre en su significación para la vida divina y su gloria y bienaventuranza eterna.

ÍNDICE DE AUTORES Y MATERIAS

Abrahán, 375
absolutismo, 467
abstracción, 74, 92 s, 311, 323
aceptación, 162, 187 s, 225, 273, 276 s
acto meditativo, 250
acto moral, 41, 54 s, 56, 87, 199, 402
actualización, 27, 31, 39, 44 s, 98, 185
Adán, 35, 96, 371
adaptación y verdad, 228, 231
adoración, 236, 350
ágape, 62 s, 65, 67, 122, 148, 170, 172, 182,
    195, 221, 281, 283, 286, 292, 294, 326,
    388
Agustín, 66, 127, 167, 221, 229, 278, 280,
    351 s, 416, 428, 489, 498, 503
ahora eterno, 475
ahora existencial, 503
alienación existencial, 46, 56, 58, 61, 85, 98,
    196, 270, 277, 293, 305, 331, 341, 428,
    505
alma, 25, 37, 40, 493
alteridad, 505
ambigüedad, 23, 29, 44 s, 58, 61 s, 90 s,
    92, 93, 97, 101, 106 s, 112 s, 126 s, 133,
    174 s, 203 s, 283, 481 s
ambigüedad de la bondad, 66 s, 490
amor, 169 s, 174, 189, 200, 222 s, 298, 309,
    330 s, 333
— comunidad de, 221 s
— y fe, 170
animal, 81
«animal sagrado»: 372
antiguo testamento, 68, 72, 73, 180 s, 326,
    431, 439, 446, 486, 494
antropocéntrica, 506
apocalíptico(a), 416, 419, 433, 473
apologética, 207, 241 s

Aristóteles, 112, 172, 251, 421, 492 s
arte religioso, 95, 136, 233, 245, 314
arrepentimiento, 243, 270
arrianismo, 350
ascetismo, 259 s, 282, 291, 294, 328
Atanasio, 349
autoalteridad (autoalteración), 44, 48, 53,
    58
autocreatividad, 45, 67, 69 s, 76 s, 87, 91,
    97, 401, 413 s, 465 s, 482
autodeterminismo, 98
autoidentidad, 44, 50, 53, 58
autointegración, 45 s, 47 s, 49 s, 57 s, 326 s,
    400 s, 409 s, 461 s, 482
autonomía, 65, 305 s
autoridad, 25, 65, 107, 223, 292
autorreclusión, 100
autorrelación, 32, 287
autosacrificio, 60, 182
autotrascendencia, 46 s, 109, 112 s, 113 s,
    121, 130, 286, 288, 401, 415 s, 468 s,
    482

Bautismo, 179, 181, 221, 268
Barth, K., 346
Bea, A., 210
belleza, 85
Bergson, H., 21, 426
Biblia, 76, 157, 159, 229
bienaventuranza, 171, 377, 484, 505
bienaventuranza eterna, 484 s
binitarianismo, 350
Bloch, E., 468
budismo, 177 s, 423 s, 431, 442, 500
budismo zen, 297
bueno(lo), 88

Calvinismo, 281 s
Calvino, 12, 157, 167, 231, 260, 281, 498
caos, 23, 49, 68, 415, 466
carácter absoluto del cristianismo, 406
caridad, 223
carisma, 149
categorías, 29 s, 31, 145, 232, 378 s, 391
catolicismo romano, 209, 292
causalidad (causa), 25, 29, 31, 36, 206, 336, 380, 388 s
causalidad histórica, 392 s
centralidad, 45, 47 s, 49, 53 s, 57, 69, 132, 376, 399, 412
centro de la historia, 184, 191, 399, 438
centro personal, 41, 51, 59, 327, 483
chronos, 443
cielo, 73, 370, 474, 502
cognición (función cognitiva), 40, 83, 249 s
competencia, 104
complexio oppositorum, 24, 213
compulsión, 59, 338, 462
Comte, A., 426, 448
comunicación, 77, 153, 178
comunidad, 54, 57, 134, 180, 252, 321, 373 s
comunidad espiritual, 156, 187 s, 190 s, 194 s, 196 s, 203 s, 215 s, 221 s, 227 s, 268 s, 271, 300, 451, 461
comunión, 48, 224, 484
comunismo, 193, 222, 454, 459
concepto ontológico de la vida, 22
conciencia histórica, 363 s, 371, 393
conciencia vocacional, 375 s, 410, 421
concilio Vaticano II: 210
condenación eterna, 240, 489
confirmación, 179, 268, 451
conformidad, 353, 467
congoja, 120, 167, 179, 226, 230, 283, 328, 342
consagración, 134 s, 246, 301 s, 306
consciencia, 60
consejo mundial de iglesias, 211, 352 s
conservadurismo, 451, 467
contemplación, 150, 236, 238
conversión, 225, 241, 255, 267 s, 269 s
coraje, 36, 44, 167, 293, 333, 423
corporalidad, 249
cosa, 29, 49, 97, 115, 117, 389, 474, 486
cosmocéntrica, 506
creación, 39, 45, 68, 83, 90, 189 s, 200, 205, 260, 272, 383, 414, 494, 505
creatividad, 45, 67, 85, 134, 199, 217, 392, 484
— directora, 39, 446 s
crecimiento, 22, 45, 67 s, 70, 87, 99, 252 s

credos, 159, 217
creencia, 164, 273, 298
Cristo, 162, 164, 181, 183 s, 188, 264, 276, 290, 299, 416, 432, 439, 465, 486
cristología, 182, 264, 345
cristología del Espíritu, 148, 181 s, 184
cristología del Logos, 182, 186
criticismo profético, 210, 212, 229, 263, 444
cruz, 209, 240
— de Cristo, 131, 133, 193, 220, 342, 445
cuáqueros, 155, 161, 465
cuaternidad, 354 s
cuerpo, 25, 34, 494
culto, 236 s
cultos, misterio, 179, 193
cultura, 14, 25, 44, 76 s, 121 s, 196 s, 266, 300 s, 483
curación, 146, 236, 334 s, 336 s
— fe (mágica), 338 s
Cusa, N. de, 24, 252

Demoníaco(a), 105, 126, 131 s, 140, 154, 175, 213, 226, 255, 266, 283 s, 291, 316, 407, 415, 434, 451, 456 s
Descartes, R., 34, 252
designio, 447
desintegración, 47 s, 49 s, 55, 66, 230, 411, 448
desmitologización, 146
destino, 39, 42, 96, 249, 366, 482
destino eterno, 476, 487 s, 490
determinismo histórico, 395
devenir, 39
— filósofos del, 21, 68, 484 s
devoción, 288 s, 348
dialéctica, 122, 188, 321, 344, 354, 397 s, 448, 459
diástasis, 244
diez mandamientos, 64 s, 200
dignidad, 98, 115, 165
dimensión, 26 s, 31, 144, 343
— biológica, 38, 53, 382
— de la profundidad, 144
— histórica, 38 s, 71, 138, 175, 359, 366, 409 s
— inorgánica, 31, 69, 70
— de la vida, 15, 29, 381 s, 388 s
— orgánica, 22, 27, 31, 50, 69, 74
— psicológica, 38, 52
— del espíritu, 27, 36, 38 s, 42 s, 44, 53, 69 s, 76, 87, 124
dinámica de la historia, 394 s, 435 s
Dios, 24, 28, 32, 34, 36, 39, 40, 45, 60, 73, 76, 141, 145, 151 s, 155, 159, 180, 275, 279, 347, 349, 388, 485, 504

— gloria de, 237, 470
— fondo en, 349
— impasibilidad de, 485
— y hombre, 25, 61, 143, 160, 257, 276, 498
dirección, 254, 256
disciplina, 94, 99, 223, 260, 294
divino (lo), 131 s, 179, 220, 284, 291, 407
doctrina patripasionista, 485
dogma, 135, 352
dogma trinitario, 347 s
dolor y placer, 42, 73, 75, 118, 171, 278, 489, 500
duda, 183, 218, 279 s, 292

Edad de la razón, 416
educación, 99, 110 s, 129 s, 233, 240, 261, 304, 317, 320 s, 403, 408
— religiosa, 240 s
elección, 59
Elías, 180
enfermedad, 49, 50, 53, 69, 223, 337, 340
entorno (circundante), 50, 51, 77, 87
entusiasmo, 417
Erasmo, 231
eros, 38, 48, 73, 75, 112, 118, 172, 195, 200, 261, 292, 294, 309, 315, 374
escatología (escatológico), 94, 139, 148, 176, 428, 451, 466, 474 s, 487
escuela ritschliana, 237, 296, 347 s
eschaton, 16, 474
esencia, 22, 55, 174, 195
— dinámica, 213, 215
esencial y existencial, 23, 47, 60, 136, 251, 328
esencialismo, 251
esencialización, 480, 483, 492, 495, 505
espacio, 29, 31, 48, 73, 176, 199, 379, 381 s, 383 s
— conquista del, 384, 409, 411
espacio histórico, 384 s
esperanza, 168, 170 s, 215, 417, 476, 497
— principio de, 468
— símbolos de, 419
Espíritu, 33 s, 35, 41, 55, 174 s, 318, 323, 328, 333, 335, 345, 462
— divino, 35, 61, 68, 137, 141 s, 163, 170, 203 s, 274, 287, 301, 307, 388, 484
— humano, 139, 141 s, 163 s, 307, 388
Espíritu santo, 35, 147, 185
estado, 192, 373
— iglesia y, 266
esteticismo, 200, 313
estilo, 68, 80, 136, 247, 252, 306, 313, 403
eternidad, 32, 382, 474, 476 s, 496, 501, 502 s

eterno, 144, 312, 347, 480
ética, 55, 87, 199, 208, 233, 281, 325 s
— social, 57, 87
— teológica, 324
evangelización, 242 s
evangelizador(a), 241 s, 271
evolución, 32, 234, 369, 496
excomunión, 224
existencia, 22, 96, 175
— histórica, 138, 184, 212, 345, 374, 412, 470
existencial, 276, 298, 328
experiencia, 33, 52, 272, 290
— del nuevo ser, 272 s, 280 s
— revelatoria, 65, 127, 140, 176, 346, 406
— teologías de la, 186
expresión (expresividad), 14, 21, 23, 38, 85, 244, 308 s
expresionismo, 247, 314
éxtasis, 74, 142, 145 s, 180, 189, 243, 247, 283, 356, 493

Fe, 164 s, 270, 296, 438, 441
— comunidad de, 194, 217, 242, 300
— y amor, 147, 158, 163 s, 182 s, 215 s
fides qua creditur (fides quae creditur), 217
filosofía, 77
— de la vida, 15, 21, 344
— del devenir, 21, 39
filosofía existencialista, 251
fin,
— de la historia, 184, 373, 386, 401, 473, 476 s, 481 s
finito(a), 76, 96, 329
finitud, 22, 56 s, 76, 96, 111, 112 s, 139, 196, 293, 329, 493
fondo divino del ser, 143, 148, 267, 297, 344 s, 448, 478, 504
forma, 46, 67 s, 79, 482
— afirmación, 232 s
— trascendencia, 232 s
fragmentario (fragmentación), 65, 82, 174 s, 188
Freud, S., 75, 127, 260
fuerza, 34, 49, 53, 101
función comunitaria, 252 s, 317
función constitutiva, 227 s, 234 s
función constructiva, 227 s, 243 s
función de expansión, 227 s, 239 s
función de las iglesias, 227 s
función receptora, 149, 235
función estética, 84, 136, 243 s, 313
fundamentalismo, 457, 459

Gestalt, 13, 32, 47 s, 315
gloria, 470
gnosis, 149, 172
Gogh, V. van, 83
gracia, 24, 122, 132, 162, 199, 239, 261, 275, 278, 333, 403, 500
grandeza, 299, 378, 417, 423, 488
— ambigüedad de la, 113 s
grupos portadores de la historia, 373 s, 387, 400 s, 411
guerra, 71, 415, 464
guerra atómica, 465

Harnack, A. von, 347 s
Hegel, G.W.F., 31, 34, 252, 311, 397, 406, 413, 417, 426, 448 s
Heidegger, M., 78, 252, 285
helenismo, 172, 348, 393, 489
herejía, 220
heteronomía, 220, 305
hinduismo, 423, 500
historia, 363, 366
historia, 357 s, 363 s, 366, 378 s, 400 s, 435 s
— de las artes, 403
— de las iglesias, 207, 436, 453 s
— interpretaciones de la, 420 s
— natural, 359
— de la filosofía, 22, 404
— política, 376
— de la religión, 133, 135, 165, 177 s, 192, 381, 415
— de revelación, 184, 440
— sagrada, 437, 457
— de salvación, 184, 406, 435 s, 440
— del mundo, 130, 368, 411, 458 s
historia de la iglesia, 65, 208, 458 s
hombre (humanidad), 15, 28, 32, 39, 51, 54, 77, 109, 112, 137, 258, 295, 330, 346, 363s, 386, 487
— histórico, 28, 309, 386
— prehistórico, 370
honor, 470
humanidad, 14, 72, 89, 98, 110, 135, 174, 176, 244 s, 259, 264, 315 s, 373 s
humanismo, 16, 89, 109, 295, 304 s, 454
— cristiano, 192
Hume, D., 37, 252, 325, 493
hybris, 120, 148, 228, 266, 278, 344

Identidad, 46, 76, 98, 288, 317, 388
idolatría, 133, 248, 428
iglesia (iglesias), 14, 72, 126, 152, 164, 187, 191, 194, 203 s, 215 s, 263, 298, 301, 319, 449 s, 459, 477, 499
iglesia ortodoxa griega, 212, 229, 452

iglesias anglicanas, 212, 453
igualdad, 24, 104 s, 222, 254 s, 320
imperativo,
— moral, 56, 61, 122, 198, 325
— incondicional, 61, 122, 198
imperio, 409 s, 464
imperio romano, 133, 434
inclusividad, 254, 319
inconsciente, 147, 155, 255
individualización, 46, 47 s, 52, 57, 82, 215, 482
individuo, 22, 57, 65, 76, 184, 267 s, 272, 299, 377, 490
— en la historia, 417 s, 469 s
infierno, 73, 370, 474, 489, 499, 502
infinito, 329
infusión, 146
inmanencia, 132, 140, 382
inmortalidad, 491 s
inocencia soñadora, 73, 123, 163
inorgánico, 23, 25, 28
inspiración, 146
instinto de muerte, 74
instituciones democráticas y el reino de Dios, 462
instrumentos, 77, 81, 89, 95, 117
invisible, 188
Israel, 176, 192, 239, 375, 431, 433, 481
Jefatura, 106
jerarquía, 23, 43, 206, 253, 455
Jesús, 62, 65, 214
— el Cristo, 148, 156, 158, 162, 165, 175, 181 s, 185, 187 s, 203, 210, 218, 229, 249, 345, 349, 399, 407, 434, 437, 442, 454
— crucificado, 156, 245, 265, 278
Joachim de Fiore, 416
judaísmo, 179, 213, 355, 433, 441 s
juego, 200
juicio, 28, 43, 118 s, 181, 212, 219, 223, 332, 459, 488
— crítico, 262 s
— final, 474, 478 s
justicia, 63, 88, 102, 135, 181, 244, 253, 264, 278, 319 s, 322, 374, 405, 432, 463
— del reino de Dios, 322, 405
justificación, 24, 148, 162, 169, 183, 272, 275

Kairos (kairoi), 16, 176, 182, 191, 271, 443 s
Kant, I., 37, 63, 198, 252, 325, 381, 383, 493
kantiano, 85, 348
karma, 424, 478
Kierkegaard, S., 200

Lenguaje, 13, 26, 31, 73, 76 s, 91, 95, 309 s
lenguaje mitológico, 78
Lessing, G.E., 500
ley, 54, 66, 108 s, 125, 157, 276, 278, 281, 305, 322, 331, 442
— natural, 64
ley moral, 61, 330 s
libertad, 39, 41 s, 46, 55 s, 65, 96, 112 s, 187, 230, 283 s, 366, 427, 479, 482
libertinaje, 328
libido, 56, 63, 73, 173, 195, 294
liderazgo,
— ambigüedad del, 321 s
literatura profética, 421, 433
liturgia, 173, 204, 289, 352, 450
Locke, J., 252, 493
logos, 37, 43, 81, 120, 310, 312, 345, 349, 351, 404, 441
lugar, 417, 422, 427
luteranismo, 155, 283, 428
Lutero, M., 24, 66, 162, 170, 188, 231, 274, 278 s, 281, 283 s, 285, 289, 352, 410, 429

Madurez, 177, 241, 268, 286, 289, 403, 407 s, 438, 442, 444, 501
mal, 277, 447, 479
mana, 178
maniqueísmo, 179, 441
mártires, 290, 299
Marx, K., 398
masculino, femenino, 355 s
materia, 30, 70, 79, 140, 147, 259 s
materialismo, 30, 31, 251, 398
mediación, 235 s, 346
meditación, 250 s
Melanchton, Ph., 231
memoria, 144, 390
— eterna, 479 s
mente, 23, 25, 29, 34, 37, 82, 172, 383
metanoia, 270
milagro, 145, 291
militarismo, 265, 464
misión, 239 s
misterio, 114
misticismo, 119, 178 s, 186, 193, 239, 296, 309, 351, 356
mito, 49, 68, 78, 96, 115, 129, 307, 371, 401
mitología, 70, 178, 344, 485
monoteísmo, 24, 68, 179, 346, 348
moralidad, 44, 53 s, 55, 61, 77, 87, 121 s, 196 s, 199, 323 s, 483
moralismo, 55, 201, 294
movimiento del evangelio social, 430
movimiento ecuménico, 211
movimientos del Espíritu (espirituales), 159, 207

Muenzer, Th., 429
muerte, 21, 22, 31, 36, 48, 59, 70 s, 337
— eterna, 488, 491, 497 s
mundo, 51, 54, 70, 77, 113, 178, 260, 279, 282, 303, 411, 458 s
Nacionalismo, 16, 266, 445
naturalismo, 64, 85, 94, 129, 247, 314
— reduccionista, 30, 31, 425
necesidad, 35, 96, 293
Nicea, 345, 347, 349 s, 352
Nietzsche, Fr., 21, 42, 252, 284 s, 372
nirvana, 431
niveles del ser, 23
norma, 42 s, 56, 61
— ética, 59, 332
nueva creación, 393, 405
nuevo, 39, 45, 76, 366, 390 s, 393, 411, 447
«nuevo nacimiento», 273
nuevo ser, 67, 156, 162, 164, 168, 173, 174 s, 177 s, 184, 187 s, 198, 209, 218, 273, 275, 283 s, 287, 333, 435 s, 457, 481, 497

Obediencia, 55, 66, 136, 166, 466
objeto y sujeto, 75, 78
objetores de conciencia, 465
observación, 92, 313, 445
oración, 148, 151, 237, 339 s, 350
oraciones de intercesión, 237
orgánico, 25, 28
Orígenes, 12, 351, 488, 498
ortodoxia, 162, 293

Pablo, 66 s, 75, 112, 147 s, 160, 167, 171, 174, 182, 214, 216, 230, 238, 260, 270, 276, 278, 280, 284s, 348, 432, 444, 448, 456, 466, 486, 494
pacifismo, 57, 72, 464
padrenuestro, 430
palabra, 40, 77, 90, 95, 147, 152 s, 157 s, 161, 205, 309
— ambigüedad de la, 311
— de Dios, 153, 157, 310, 312
— interior, 158 s
panenteísmo escatológico, 504
papa, 159, 186, 210, 214, 229, 256, 457
paradoja, 127, 183, 238, 275, 345
— de las iglesias, 206 s
participación, 46, 48, 52, 57, 62, 82, 100, 163 s, 174, 196, 215, 269, 312, 382, 482
paz, 118, 432 s, 465
pecado, 169, 174, 180, 255, 277, 292
Pedro, 188
pentecostés, 147, 188, 311
perdón, 162, 180, 183, 225, 239, 255, 276 s

perfección, 28, 282, 290 s, 486
período de mil años, 416
persona, 54, 56 s, 89, 105, 198, 222, 327, 391, 402, 487 s
personalidad, 37, 40, 54, 57, 180, 252, 330, 373 s
personalismo, 356
philia, 173, 195, 294
pietismo, 184, 270, 292 s, 296
placer y dolor, 74, 118, 295
Platón, 36, 172, 251, 351, 397, 492 s, 503
plegaria, 128, 176, 236
plenitud (cumplimiento), 42, 66, 138, 330, 372, 386, 422, 485, 487 s
— vicaria, 491
pneumatología, 345
poder, 223, 253, 319 s, 321, 374, 412 s, 461 s
politeísmo, 115, 179
político (lo), en la historia, 233
poshistoria, 370 s
pragmatismo, 21, 42, 77
praxis, 76, 82, 86 s, 90, 98, 122, 167, 175, 232, 402
predestinación, 278, 489, 501
prehistoria, 370 s
preocupación última, 131, 158, 165, 193, 274, 279, 325, 348, 350, 406, 420
presencia espiritual, 137, 141 s, 152 s, 164 s, 167, 169 s, 174 s, 177, 181 s, 187 s, 203 s, 227 s, 259, 261, 267 s, 297 s, 300 s, 308 s, 319, 324, 330 s, 334 s, 336 s
principio de sinceridad, 246 s
principio protestante, 16, 24, 155, 170, 219 s, 239, 257, 275, 297 s, 299
problema trinitario, 345, 350, 352 s
proceso, 22 s, 40, 48, 69, 270, 344, 378 s, 400 s
profanación, 113 s
profanización, 47, 112, 117, 125, 126 s, 129, 149, 175, 226, 234, 299 s, 448
profano, 113, 114 s, 230
profecía, 440
profetas, 160, 176, 180, 253, 323, 449
progresismo, 425 s, 503
progreso, 73, 208, 315, 370, 396, 402 s, 425, 439
propósito, 30, 82, 95, 315 s, 366
protestantismo, 147, 149, 155, 183, 207, 209, 211, 214, 221, 223, 248, 260, 265, 291, 302, 347, 355, 455, 500
providencia, 175, 388
— divina, 39, 396
— histórica, 407, 446 s, 460
psicoanálisis, 99, 297, 341
psicología, 37, 53, 279, 502

psicoterapia, 150, 223, 294, 338, 341
puritano, 260

Radicales evangélicos, 248, 281
razón, 25, 37 s, 84, 325, 344
reencarnación, 478, 499
reforma, 153, 159, 161 s, 181, 192, 203, 205, 212 s, 229, 266, 275, 352, 355, 399
— contrarreforma, 213, 221, 355
regeneración, 169, 272 s
reino, 26 s, 30, 38, 40, 49, 51, 70, 74
— animal, 28, 32, 52
reino de Dios, 97, 137 s, 196, 336, 357 s, 363 s, 376, 387, 394, 401, 420 s, 430 s, 432 s, 435 s, 449 s, 453 s, 458 s, 461 s, 468 s, 502 s
relación, 24, 25, 31, 40, 56, 100, 144, 259, 283, 286
— función de, 262 s
relativismo (relatividad), 43, 199, 232, 438
— ético, 64
religión, 25, 32, 44, 84, 110, 121 s, 123, 126 s, 129, 133, 177 s, 197 s, 203 s, 215 s, 257, 297 s, 324 s, 407, 483
— relación de cultura y, 25, 129, 196 s, 300 s
resurrección, 491 s, 494 s
— del cuerpo, 492, 494
— de la carne, 494
— símbolo de, 491, 497
revelación, 138, 158, 175, 190, 312, 406
revolución, 65, 395, 413 s, 465 s
Ritschl, A., 43, 215
ritualización, 455
romanticismo, 283

Sabiduría, 122, 294, 312, 332, 404
sacerdocio de los creyentes, 24, 224, 257
sacerdote, 127, 147, 178, 180, 268
sacramento, 127, 147, 152 s, 157 s, 178, 205
sacrificio, 58, 156, 326, 329, 417, 419, 469
salud, 49, 53, 181, 337, 340
salvación, 140, 282, 336 s, 429, 436
— historia de la, 406, 435 s
santidad, 112, 117, 126 s, 131, 194, 209, 253, 259, 266, 290 s
santificación, 169, 272, 280 s, 284
santo, 113, 114, 121, 126 s, 131, 134, 260, 288, 290, 303, 328, 451
Sartre, J. P., 319
Schleiermacher, F. E. D., 12, 159, 198, 215, 230, 345 s, 498
secular, 16, 113, 125, 126 s, 298, 301 s, 484
secularismo, 16, 130, 232, 456
secularización, 125, 263, 298, 455
sentido, 307

sentimiento, 167, 293, 484
ser, 24, 28, 31, 39, 43 s, 47, 52, 54, 56, 58,
    61, 65 s, 68, 82, 85, 96, 98, 100, 112,
    141, 163, 168, 171, 195, 212, 254, 277,
    281, 304, 307, 315, 337, 344, 355, 378 s,
    380, 402 s, 422, 451, 462, 480 s, 487,
    489, 492, 495, 505
significado, 90, 367
— de la historia, 365, 402, 417, 422 s, 425 s
símbolos trinitarios, 343 s
socialismo religioso, 429 s
sociedad, 73, 88, 161, 263 s, 320, 398
socinianismo (socinianos), 352
Sócrates, 77, 251
soledad, 286 s
Spencer, H., 426
Spengler, O., 448
sublimidad (sublime), 46, 116
subordinación, 178, 351
substancia, 29, 37, 79, 379, 388 s, 392 s, 394
— católica, 16, 155, 300
— religiosa, 125, 326
sucesos históricos, 363
suicidio, 76, 467
sujeto y objeto, 84, 89, 92, 95, 118, 150,
    180, 238, 262, 272, 296, 309, 462, 496 s
superstición, 26, 491, 500
supranaturalismo, 14, 26, 437, 476

Taoísmo, 423
tecnología (actividades técnicas), 76 s, 95,
    408, 425
telos, 81, 206, 260 s, 370, 422, 470, 487
temporalidad, 379, 382, 496
teodicea, 485
teología, 30, 43, 126, 143, 250, 455, 485,
    506
— práctica, 227 s, 242
— sistemática, 12 s, 78, 227, 242
teonomía, 198, 201, 249, 304 s, 308 s, 315 s,
    319 s, 325
teoría, 76
teoría de la restitución, 488, 498
«tercera etapa», 415 s, 427, 444
theoria, 82 s, 88, 90, 94, 122, 134 s, 167, 175,
    232, 402
tiempo, 29, 31, 73, 176, 199, 378 s, 381 s,
    479 s, 502 s
— histórico, 383, 384 s, 385 s
tierra, 427

tiranía, 321, 428, 462
toma de conciencia, 166, 172, 198, 283, 484
Tomás de Aquino, 12, 24, 167, 252, 498
torre de Babel, 96, 190
Toynbee, A., 396, 449
trabajo, 72 s, 99, 282
tradición, 30, 65, 157, 161, 220, 228 s, 326,
    363, 365 s, 465 s
trágico, 119 s, 414, 423
transcendencia, 283 s
trinidad, 344 s, 346
triteísmo, 344, 350

Unicidad, 101, 158, 312, 368
unidad, 209 s, 211
unidad multidimensional de la vida, 21 s,
    23, 26, 29, 40, 42, 72, 108, 138, 143,
    150, 182, 248, 268, 294, 322, 335, 387,
    432, 452, 501
unión, 74
— mística, 94, 172, 239, 293, 296, 493
— trascendente, 163 s, 183, 216
unitarianismo, 352 s
universalidad, 23, 190, 195, 209, 212, 410,
    432
universo, 35, 48, 114, 190, 336
— del ser, 109
— de significado, 77, 83, 91, 109, 125
utopía, 215, 365, 416, 427, 468

Valor, 28, 42 s, 152, 367
verdad, 79, 84, 88, 93, 135 s, 228, 232, 244,
    279, 299, 308 s, 311, 314
vida, 21 s, 34, 35, 42 s, 44 s, 67, 71, 76, 87,
    97, 123, 136 s, 259, 334 s, 363 s, 378 s,
    409 s, 481 s
— cristiana, 281 s, 284
— divina, 174, 504 s
— eterna, 21, 36, 137 s, 195, 206, 316, 348,
    386, 473 s, 476, 497 s, 504 s
virtud, 88
visible, 44
voluntad de poder, 374, 410
Yahvé, 160, 176, 421, 433
yo (el), 52, 53, 97, 160
— centrado, 40 s, 54, 58, 67, 147, 180, 317,
    390, 496

Zuinglio, H., 231

INDICE GENERAL

Prefacio 9

Introducción 11

Cuarta parte: LA VIDA Y EL ESPIRITU 19

I. LA VIDA, SUS AMBIGÜEDADES, Y LA BÚSQUEDA DE UNA VIDA SIN
AMBIGÜEDADES 21

    A. La unidad multidimensional de la vida 21

        1. La vida: esencia y existencia 21
        2. La inadecuación de la metáfora de los «niveles» 23
        3. Dimensiones, reinos, grados 26
        4. Las dimensiones de la vida y sus relaciones 29

    B. La autorrealización de la vida y sus ambigüedades 44

        1. La autointegración de la vida y sus ambigüedades 47
        2. La autocreatividad de la vida y sus ambigüedades 67
        3. La autotrascendencia de la vida y sus ambigüedades 112
            a) Libertad y finitud 112
            b) La autotrascendencia y la profanación en general: la
               grandeza de la vida y sus ambigüedades 113
            c) Lo grande y lo trágico 119
            d) La religión en relación con la moralidad y la cultura 121
            e) Las ambigüedades de la religión 126

    C. La búsqueda de una vida sin ambigüedades y los símbolos de
su anticipación 136

II. LA PRESENCIA ESPIRITUAL 141

    A. La manifestación de la presencia espiritual en el espíritu del
hombre 141

        1. El carácter de la manifestación del Espíritu divino en el
espíritu del hombre 141

a) El espíritu humano y el Espíritu divino en principio ... 141
b) Estructura y éxtasis 145
c) Los medios de la presencia espiritual 152

2. El contenido de la manifestación del Espíritu divino en el espíritu humano: fe y amor 163

a) La unión trascendente y la participación en la misma 163
b) La manifestación de la presencia espiritual como fe 164
c) La presencia espiritual manifestada como amor 169

B. La manifestación de la presencia espiritual en la humanidad histórica 174

1. El Espíritu y el nuevo ser: ambigüedad y fragmentación 174
2. La presencia espiritual y la anticipación del nuevo ser en las religiones 177
3. La presencia espiritual en Jesús como Cristo: cristología del Espíritu 181
4. La presencia espiritual y el nuevo ser en la comunidad espiritual 187

a) El nuevo ser en Jesús como Cristo y en la comunidad espiritual 187
b) La comunidad espiritual en sus etapas latentes y manifiestas 190
c) Las señales de la comunidad espiritual 194
d) La comunidad espiritual y la unidad de religión, cultura y moralidad 196

III. EL ESPÍRITU DIVINO Y LAS AMBIGÜEDADES DE LA VIDA 203

A. La presencia espiritual y las ambigüedades de la religión 203

1. La comunidad espiritual, la iglesia y las iglesias 203
a) El carácter ontológico de la comunidad espiritual.. 203
b) La paradoja de las iglesias 206
2. La vida de las iglesias y la lucha contra las ambigüedades de la religión 215
a) Fe y amor en la vida de las iglesias 215
b) Las funciones de las iglesias, sus ambigüedades y la comunidad espiritual 227
3. El individuo en la iglesia y la presencia espiritual 267
a) El ingreso del individuo en una iglesia y la experiencia de la conversión 267
b) El individuo en el seno de la iglesia y la experiencia del nuevo ser 272
4. La conquista de la religión por la presencia espiritual y el principio protestante 297

B. La presencia espiritual y las ambigüedades de la cultura 300

1. La religión y la cultura a la luz de la presencia espiritual 300
2. El humanismo y la idea de la teonomía 304

3. Manifestaciones teónomas de la presencia espiritual...... 308
  a) Teonomía: verdad y expresividad........................... 308
  b) Teonomía: propósito y humanidad....................... 315
  c) Teonomía: poder y justicia 319

C. La presencia espiritual y las ambigüedades de la moralidad 324

1. La religión y la moralidad a la luz de la presencia espiritual: moralidad teónoma 324
2. La presencia espiritual y las ambigüedades de la autointegración personal 326
3. La presencia espiritual y las ambigüedades de la ley moral.. 330

D. El poder de curación de la presencia espiritual y las ambigüedades de la vida en general... 334

1. La presencia espiritual y las ambigüedades de la vida en general 334
2. Curación, salvación y la presencia espiritual 336

IV. LOS SÍMBOLOS TRINITARIOS.. 343

A. Los motivos del simbolismo trinitario............................ 343

B. El dogma trinitario... 347

C. Replanteamiento del problema trinitario 352

Quinta parte: LA HISTORIA Y EL REINO DE DIOS.................... 357

I. LA HISTORIA Y LA BÚSQUEDA DEL REINO DE DIOS 363

A. La vida y la historia... 363

1. El hombre y la historia... 363
  a) La historia y la conciencia histórica 363
  b) La dimensión histórica a la luz de la historia humana 366
  c) Prehistoria y poshistoria.. 370
  d) Los portadores de la historia: las comunidades, las personalidades, la humanidad 373
2. La historia y las categorías del ser................................. 378
  a) Procesos y categorías de la vida............................. 378
  b) El tiempo, el espacio y las dimensiones de la vida en general... 381
  c) El tiempo y el espacio bajo la dimensión de la historia... 384
  d) La causalidad, la substancia y las dimensiones de la vida en general 388
  e) La causalidad y la substancia bajo la dimensión de la hitoria... 392
3. La dinámica de la historia... 394

a) El movimiento de la historia: tendencias, estructuras, períodos... 394
b) La historia y los procesos de la vida...................... 400
c) El progreso histórico: su realidad y sus límites........ 402

B. Las ambigüedades de la vida bajo la dimensión histórica.... 409

1. Las ambigüedades de la autointegración histórica: imperio y centralización 409
2. Las ambigüedades de la autocreatividad histórica: revolución y reacción.. 413
3. Las ambigüedades de la autotrascendencia histórica: la «tercera etapa» como dada y como esperada 415
4. Las ambigüedades del individuo en la historia............. 417

C. Interpretaciones de la historia y la búsqueda del reino de Dios 420

1. La naturaleza y el problema de una interpretación de la historia 420
2. Respuestas negativas a la pregunta del sentido de la historia 422
3. Respuestas positivas aunque inadecuadas a la pregunta del sentido de la historia 425
4. El símbolo «reino de Dios» como respuesta a la pregunta del sentido de la historia 430
    a) Las características del símbolo «reino de Dios»...... 430
    b) Los elementos inmanentes y trascendentes en el símbolo «reino de Dios».. 432

II. EL REINO DE DIOS EN EL INTERIOR DE LA HISTORIA 435

A. La dinámica de la historia y el nuevo ser 435

1. La idea de la «historia de la salvación».......................... 435
2. La manifestación central del reino de Dios en la historia 437
3. Kairos y kairoi 443
4. La providencia histórica 446

B. El reino de Dios y las iglesias... 449

1. Las iglesias como representantes del reino de Dios en la historia 449
2. El reino de Dios y la historia de las iglesias.................... 453

C. El reino de Dios y la historia del mundo 458

1. Historia de la iglesia e historia del mundo...................... 458
2. El reino de Dios y las ambigüedades de la autointegración histórica... 461
3. El reino de Dios y las ambigüedades de la autocreatividad histórica 465
4. El reino de Dios y las ambigüedades de la autotrascendencia histórica 468

5. El reino de Dios y las ambigüedades del individuo en la historia 469

III. EL REINO DE DIOS COMO EL FINAL DE LA HISTORIA 473

A. El final de la historia o la vida eterna 473

1. El doble significado del «final de la historia» y la permanente presencia del final 473
2. El final de la historia como elevación de lo temporal al seno de la eternidad 476
3. El final de la historia como la divulgación de lo negativo como negativo o el «juicio final» 478
4. El final de la historia y la conquista final de las ambigüedades de la vida 481
5. La bienaventuranza eterna como la conquista eterna de lo negativo 484

B. La persona individual y su destino eterno 487

1. La plenitud universal e individual 487
2. La inmortalidad como símbolo y como concepto 491
3. Los significados de la resurrección 494
4. La vida eterna y la muerte eterna 497

C. El reino de Dios: el tiempo y la eternidad 502

1. La eternidad y el movimiento del tiempo 502
2. La vida eterna y la vida divina 504

Indice de autores y materias 507